Flaasse
Août 2014

10
18
12, AVENUE D'ITALIE. PARIS XIIIe

Sur l'auteur

De parents immigrés grecs, Christos Tsiolkas est né en 1965 à Melbourne où il vit toujours. Romancier, dramaturge et scénariste, il est l'auteur de plusieurs romans, dont *Loaded*, porté à l'écran sous le titre *Head on*. La consécration lui vient avec *La Gifle*, récompensée par de nombreux prix en Australie, dont le prix du Commonwealth, le Miles Franklin Award et le prix de l'Association des libraires australiens. Traduit dans une quinzaine de pays, sélectionné pour le Man Booker Prize, *La Gifle* est salué par une critique internationale unanime. *Jesus Man*, son deuxième roman traduit en France, a paru aux éditions Belfond en 2012.

CHRISTOS TSIOLKAS

LA GIFLE

Traduit de l'anglais (Australie)
par Jean-Luc Piningre

10
18

BELFOND

Cet ouvrage a été traduit avec le concours
du gouvernement australien et de l'Australia Council
(fonds de soutien aux arts et à la culture).

Titre original :
The Slap
Publié par Allen & Unwin, Australie

ISBN : 978-2-264-05540-8

Pour Jane Palfreyman,
qui n'appartient qu'à elle.

HECTOR

Les yeux fermés, Hector essayait de retenir ce rêve qui lui échappait pour de bon. Il tendit le bras vers l'autre côté du lit. Aisha s'était levée. Tant mieux. Il lâcha un pet en enfonçant la tête dans l'oreiller pour ne pas sentir ses effluves moites et nauséabonds. « Je n'ai pas l'habitude de dormir dans un vestiaire de garçons », se plaignait sa femme les rares fois où il s'oubliait en sa présence. Hector avait appris à se retenir au fil des ans, à ne se laisser aller que dans la solitude. Il pétait et pissait sous la douche, rotait seul en voiture, s'abstenait de se laver ou de se brosser les dents lorsque Aisha partait le week-end donner des conférences. Sans être une sainte nitouche, elle ne supportait pas les exhalaisons du corps masculin. En revanche, Hector n'aurait eu aucun mal à s'endormir dans un vestiaire de filles, plein du parfum humide et entêtant de jeunes et doux vagins. Se dégageant lentement des tendres griffes du sommeil, il se retourna sur le dos en dégageant le drap. Jeunes et doux vagins. Il avait parlé à voix haute.

Connie.

Son image le réveilla. « Pervers », aurait pensé Aisha en l'entendant. Ce qu'il n'était pas. Tout simplement, il aimait les femmes. Jeunes, vieilles, en fleur ou au seuil du déclin. Tant de prétention le gênait presque, cependant il savait qu'elles l'aimaient. Les femmes *l'aimaient*.

« Lève-toi, Hector. Ta gym. »

Une série d'exercices qu'il faisait sans faute chaque matin. Cela durait au plus vingt minutes. Si, parfois, il se réveillait avec un mal au crâne, la gueule de bois, ou les deux, voire pris d'une lassitude si lourde qu'elle semblait remonter des profondeurs, il se débrouillait pour tout finir en moins de dix minutes. Ce n'était pas la stricte répétition des mêmes gestes qui comptait, mais le fait d'arriver au bout – même mal fichu, il faisait ses exercices. Il se levait, enfilait un pantalon de survêt et un T-shirt, puis commençait par neuf étirements d'une durée de trente secondes chacun. Il s'allongeait ensuite sur le tapis de la chambre pour effectuer cent cinquante abdos, suivis d'une cinquantaine de pompes. Et encore trois étirements pour finir. Alors il passait à la cuisine mettre le percolateur en marche, et partait au milk-bar au bout de la rue acheter le journal et un paquet de cigarettes. Revenu, il se servait un café, s'installait au fond dans la véranda, allumait une clope, ouvrait la page des sports et se mettait à lire. Une fois qu'il avait le journal déployé devant lui, qu'il savourait l'amertume du café et la première bouffée de nicotine, les ennuis, le stress, les conneries mesquines et les angoisses de la veille ou du lendemain ne l'atteignaient plus. À cet instant, et même s'il n'y avait que celui-là, Hector était heureux.

Il avait découvert, enfant, que le seul moyen de renoncer à l'inertie joyeuse du sommeil consistait à foncer dans le tas – s'obliger à ouvrir les yeux et sauter du lit. Aujourd'hui, cependant, il fit une exception.

La tête sur l'oreiller, il s'éveilla progressivement aux bruits de la maisonnée. À la cuisine, Aisha avait branché la radio sur une station de musique classique, et la *Neuvième* de Beethoven flottait dans toutes les pièces. Les couinements et la réverb métallique d'un jeu d'ordinateur résonnaient au salon. Hector resta encore un moment immobile, puis retira entièrement le drap pour étudier son corps. Il leva le pied droit et le regarda redescendre. « C'est le jour J, Hector, le jour J. » Bondissant hors du lit, il enfila son slip, un T-shirt sale et il alla pisser longuement, bruyamment, dans la salle de bains contiguë. Puis il entra en coup de vent dans la cuisine et embrassa Aisha dans le cou. Elle cassait des œufs dans une poêle et il sentit l'odeur du café frais. Hector baissa de moitié le volume de la radio.

— Eh, mais j'écoute, moi !

Il parcourut les CD entassés pêle-mêle à côté de l'appareil, en sortit un de son boîtier et le glissa dans le lecteur. Il appuya sur le bouton jusqu'à trouver la piste désirée, et sourit quand la trompette d'Armstrong entama, confiante, les premières notes du morceau. Nouveau bisou dans le cou.

— Non, c'est Satchmo aujourd'hui, murmura-t-il à sa femme. Le *West End Blues*.

Il commença lentement ses étirements, comptant jusqu'à trente en économisant son souffle. Entre deux séries d'exercices, il suivait en se balançant le crescendo du blues. À chaque redressement, il portait toute son attention sur les contractions de son ventre ; à chaque traction, il vérifiait les flexions de ses triceps et pectoraux. Il voulait pleinement sentir son corps aujourd'hui, le sentir prêt, vivant et fort.

Sa gym terminée, il essuya son front en sueur, ramassa sa chemise à l'endroit où il l'avait jetée la veille, et enfila ses sandales.

— Je te rapporte quelque chose ?

Aisha s'esclaffa.

— T'as l'air d'un clochard.

Jamais elle ne sortait mal habillée, ni sans une touche de maquillage. Non qu'elle en usât beaucoup. Elle n'en avait pas besoin, et c'est l'une des choses qui, au départ, l'avaient attiré chez elle. Il n'avait jamais trop aimé les filles qui se couvrent de fond de teint, de poudre, de rouge à lèvres. C'était bon pour les salopes. Hector savait ce qu'un tel jugement avait de conformiste, de ridicule, mais il se refusait à admirer une femme outrageusement fardée, même si elle était très belle. Aisha l'était naturellement. Elle avait une peau splendide, mate, souple, et de grands yeux profonds, légèrement obliques, qui rayonnaient dans un visage long, mince, au modelé parfait.

Hector regarda ses sandales et sourit.

— Bon, il te rapporte quelque chose, le clodo ?

Elle hocha la tête.

— Merci. Mais tu iras faire les courses, tout à l'heure, hein ?

— J'ai dit que j'y allais, non ?

Elle consulta la pendule de la cuisine.

— Tu ferais bien de te grouiller.

Agacé, il ne répondit rien. Ce matin, il ne voulait pas se presser, mais prendre les choses lentement, tranquillement.

Il préleva sur l'étal le journal du samedi, posa un billet de dix sur le comptoir. M. Ling préparait déjà son paquet de Peter Jackson Super Mild. Hector l'arrêta.

— Pas aujourd'hui. Je veux des Peter Stuyvesant. Normales, paquet mou. Mettez-m'en deux, s'il vous plaît.

Il récupéra ses dix dollars, les remplaça par un billet de vingt.

— Changez cigarette ?

— Mon dernier jour, monsieur Ling. Je fume jusqu'à ce soir et c'est terminé.

Le vieil homme sourit.

— Très bien. Moi fume trois par jour. Une matin, une après dîner, une quand fermer boutique.

— J'aimerais bien en dire autant.

Depuis cinq ans, il avait sans cesse arrêté et repris en se promettant de ne fumer que cinq cigarettes dans la journée. Cinq, pourquoi pas, ça ne pouvait pas faire trop de dégâts ? Mais difficile, dans la foulée, de ne pas finir le paquet. C'était toujours pareil. Il enviait le vieux Chinois. Oui, trois, quatre ou cinq, c'était bien. Mais rien à faire. Le tabac était une maîtresse malveillante. Il se motivait, passait le paquet sous l'eau du robinet et le jetait dans la poubelle, décidé à ne plus jamais en griller une. Hector avait tout essayé : l'arrêt brutal, l'hypnose, les patches, les chewing-gums ; pendant quelques jours, une semaine, même une fois un mois, il résistait à la tentation. Et puis il en tapait une au boulot, une au pub après le dîner, et aussitôt il retombait dans les bras de l'amoureuse éconduite. Laquelle, tyrannique, se vengeait. Il fallait de nouveau l'aduler, et impossible d'atteindre midi sans elle. Irrésistible. Un dimanche, alors que les enfants étaient chez ses parents, il avait profité de cette rare matinée tranquille pour faire l'amour lentement, délicieusement, à sa femme. Il l'avait enveloppée de ses bras en murmurant : « Je t'aime, je t'appartiens, tu es ma plus grande joie. » Se retournant avec un sourire moqueur, elle avait rétorqué : « Non, ce n'est pas moi, ce sont tes cigarettes que tu aimes, c'est à elles que tu appartiens. »

Résultat : une dispute épuisante, cruelle – ils s'étaient engueulés pendant des heures. Aisha l'avait blessé. Son orgueil avait volé en éclats, surtout quand, mortifié, il s'était rendu compte que, s'il réussissait à se maîtriser, c'était grâce aux clopes qu'il allumait les unes après les autres. Il l'avait traitée de petite-bourgeoise puritaine et autosatisfaite. Elle avait énuméré toutes ses faiblesses : il était flemmard, vaniteux, inerte, égoïste. Manquait totalement de volonté. Les accusations avaient porté, il les savait fondées.

Et donc il avait décidé d'arrêter. Cette fois pour de bon. Pas la peine de le crier sur les toits, cela ne lui vaudrait que des remarques sceptiques, il ne supporterait pas. Mais c'était décidé.

Comme il faisait bon, il retira sa chemise en s'asseyant avec sa tasse à la table de la véranda. À peine avait-il allumé sa cigarette que Melissa vint en courant se réfugier dans ses bras.

— Adam ne veut pas me laisser jouer ! hurla-t-elle.

L'installant sur ses genoux, il la laissa pleurer tout son soûl en lui caressant les joues. Il n'avait pas besoin de ça, surtout pas ce matin. Il voulait fumer sa clope en paix. Une denrée rare, la paix. Il joua avec les cheveux de sa fille, l'embrassa sur le front, attendit qu'elle se calme. Lorsqu'il écrasa la cigarette, Melissa regarda s'échapper une dernière volute de fumée.

— Tu ne devrais pas fumer, papa. Ça donne le cancer.

Elle répétait bêtement les mises en garde qu'on lui enseignait à l'école. Ses enfants retenaient à peine leurs tables de multiplication, mais ils savaient que fumer causait le cancer du poumon, et qu'à faire l'amour sans préservatif on attrapait des MST. Préférant ne rien dire, il la prit dans ses bras et l'emmena au salon. Les yeux rivés sur l'ordinateur, Adam ne leva pas la tête.

Soupir. Hector avait envie de foutre une taloche à ce salopiot. Il se contenta de poser Melissa à côté de lui, et de prendre la manette.

— À ta sœur de jouer.

— Elle est trop petite, trop nulle.

Les bras croisés, furieux, Adam défiait son père. Son ventre retombait par-dessus la ceinture de son jean. Aisha prétendait que ses rondeurs disparaîtraient naturellement à l'adolescence, mais Hector en doutait. Ce gamin vivait le nez collé sur un écran : l'ordinateur, la Playstation, la télévision. Sa mollesse, sa lenteur agaçaient Hector. Il s'était toujours flatté d'être joli garçon, d'avoir un corps ferme. Adolescent, il avait été bon au foot, excellent nageur, et la corpulence d'Adam, qu'il le veuille ou non, était pour lui un affront. Qu'on les voie ensemble le gênait parfois. Il ne confiait à personne ces pensées peu avouables, mais il ne pouvait qu'être déçu, et il semblait toujours en avoir après son fils. « Tu as besoin de rester comme ça toute la journée devant la télé ? Il fait super beau, pourquoi tu ne vas pas jouer dehors ? » Boudeur, Adam ne répondait pas, exaspérant Hector, qui se mordait les lèvres pour ne pas injurier le gamin. Et quand, profondément blessé, celui-ci levait vers lui des yeux perplexes, son père était écrasé par la honte.

— Allez, mon pote, laisse jouer ta sœur.

— Elle va l'abîmer.

— Tu la laisses jouer, et tout de suite.

Jetant la manette par terre, Adam se leva maladroitement, fila en courant dans sa chambre et claqua la porte.

Melissa le regarda partir et saisit la main de son père.

— Je veux jouer.

Elle recommençait à pleurer.

— Eh bien, joue.

— Non, je veux jouer avec lui.

De l'autre main, Hector tâtait son paquet de cigarettes dans sa poche.

— Toi aussi, tu as le droit de jouer à l'ordinateur. Adam est injuste, je trouve. Mais il va vite revenir et vous jouerez ensemble. Il faut seulement attendre un peu.

Il s'efforçait de parler d'une voix douce, débitait ces platitudes comme une comptine. Cela ne suffit pas à calmer Melissa.

— Je veux jouer avec Adam, couina-t-elle en serrant plus fort la main de son père.

Il avait envie de la repousser loin de lui. Honteux, il lui caressa doucement les cheveux, l'embrassa en haut du front.

— Je t'emmène faire les courses ?

Melissa ne pleurait plus mais ne s'avouait pas vaincue. D'un air misérable, elle ne quittait pas des yeux la porte que son frère avait claquée.

Hector libéra peu à peu sa main.

— Comme tu veux, ma chérie. Ou tu joues ici à l'ordinateur, ou tu m'accompagnes au marché. Qu'est-ce que tu préfères ?

Elle ne répondit pas.

— Bien, dit-il, haussant les épaules et calant une cigarette entre ses lèvres. À toi de décider.

Il partit à la cuisine et elle se remit à chialer.

Aisha essuyait ses mains sur un torchon. Elle indiqua l'horloge.

— Je sais, je sais. J'ai juste besoin de griller une clope tranquille, voilà.

Hector s'attendait à ce qu'elle se joigne au concert de reproches qu'on lui jouait ce matin, mais elle lui fit un grand sourire et lui baisa la joue.

— Lequel des deux a commencé ?

— De toute évidence, c'est Adam.

Assis dans la véranda, il fuma sa cigarette en écoutant Aisha parler calmement à sa fille. Il la devinait, agenouillée près d'elle, en train de lui expliquer les règles du jeu. Hector savait aussi que, dans quelques minutes, Adam ressortirait de sa chambre et viendrait s'asseoir sur le canapé pour les regarder. Bientôt, le frère et la sœur s'amuseraient ensemble devant l'ordinateur, et Aisha retournerait à la cuisine. La patience de sa femme l'émerveillait, lui qui en avait si peu. Il se demandait parfois quel respect il inspirerait aux enfants, quand ils seraient grands – et même s'ils l'aimeraient.

Connie l'aimait. Elle l'avait admis. À l'évidence, ça lui avait coûté, elle s'était presque étranglée en l'avouant. C'était comme une souffrance, il en avait eu honte. Bien sûr, Aisha le lui disait souvent elle aussi, mais toujours sereinement, nonchalamment ; comme si, dès le début de leur relation, elle avait été sûre qu'il l'aimait en retour. Ce genre de déclaration ne peut se faire sans passion. Connie avait craché les mots dans un état de terreur, sans évaluer ni assumer les conséquences. Elle n'avait pas osé le regarder, et aussitôt elle avait glissé une mèche de ses cheveux entre ses lèvres. Doucement, il l'en avait écartée pour l'embrasser. « Moi aussi, je t'aime », avait-il répondu. Et c'était vrai, sans aucun doute. Depuis des mois, il n'avait guère réussi à penser à autre chose. Mais il n'avait pas su prendre les devants. Elle si. Il avait fallu qu'elle le dise la première.

— Il te reste du Valium ?
— Non.
Il perçut un reproche dans le ton. Aisha regardait de nouveau la pendule.
— J'ai largement le temps.
— Pourquoi as-tu besoin de Valium ?
— Je n'en ai pas besoin. J'en veux un, c'est tout. Pour être relax pendant le barbecue.
Elle sourit. Son regard était espiègle et lumineux. Il écrasa sa cigarette dans le cendrier, passa la porte vitrée et prit son épouse dans ses bras.
— J'ai tout le temps, reprit-il en chantonnant. Tout le temps.
Il lui baisa les doigts de la main gauche, qui portaient l'odeur forte, sucrée, du cumin et du citron vert. Aisha l'embrassa, puis le repoussa gentiment.
— Tu appréhendes tant que ça ?
— Non, bien sûr que non.
Certes, il aurait préféré ne pas sacrifier un samedi aux parents, amis et collègues de travail ; il aurait consacré sa dernière journée de fumeur à ne s'occuper que de lui. Pour Aisha, ce barbecue était un moyen de remercier les uns et les autres pour les innombrables dîners et réceptions auxquels ils l'avaient invitée avec Hector. Lui ne se voyait pas d'obligation particulière, mais elle pensait qu'elle le leur devait. Cependant il savait accueillir, et il comprenait l'importance de cette soirée pour sa femme. Tous deux faisaient preuve de respect et de tolérance envers leurs familles respectives, et Hector était fier de leur ressemblance à cet égard.
— Je n'ai pas d'appréhension, non, mais j'aimerais un Valium. Juste au cas où maman déciderait de me casser les couilles.
— Ce n'est pas les tiennes qu'elle va casser.
Aisha redonna un coup d'œil à l'horloge.

— Je crois que je n'ai pas le temps d'aller en chercher au boulot.

— Pas grave, j'y passerai après les courses.

Bientôt enveloppé de buée sous la douche brûlante, il étudia son corps mince, sa queue épaisse et flasque, et s'injuria tout seul. « Tu es vraiment un sale con, un sale con de menteur. » Il s'étonna lui-même de parler à haute voix. L'humiliation lui fit l'effet d'une gifle, et il referma aussitôt le robinet d'eau chaude. Le jet glacé qui lui saisit la tête et les épaules n'apaisa en rien ses remords. Jamais, même très jeune, il ne s'était laissé bercer par les illusions et les justifications malhonnêtes. Hector n'avait pas besoin de Valium, il le savait et, s'il en voulait, c'était seulement pour voir Connie. Il pouvait aussi bien ne pas s'arrêter à la clinique pour en prendre une boîte. C'est pourtant ce qu'il ferait, il le savait également. Pas une fois il n'osa croiser son regard dans le miroir tandis qu'il se séchait. La serviette, humide, sentait le savon et l'odeur de sa femme. C'est seulement revenu dans la chambre, alors qu'il se passait du gel dans les cheveux, qu'il leva les yeux vers son image. Il remarqua le gris sur ses tempes, sa barbe d'un jour, les rides au coin de sa bouche. Mais ses joues étaient encore fermes, il avait toujours ses cheveux, faisait moins que ses quarante-trois ans.

Il embrassa sa femme en sifflotant. Empocha la liste des courses et les clés de la voiture, qui étaient sur la table de la cuisine.

Au démarrage, les bêlements consternants d'un tube récent lui agressèrent les oreilles. Hector changea vite de station. Difficile de trouver du jazz, mais il tomba sur un truc acoustique qui ronronnait agréablement. La veille, Aisha avait cherché les enfants à l'école et leur avait permis de choisir une radio. Il était très strict sur ce qu'on écoutait en voiture, ce dont Aisha se moquait souvent.

— Non, ils mettront ce qu'ils voudront quand ils auront un peu de goût.

— Enfin, ils sont petits, ce n'est pas une question de goût, pour l'instant.

— Ouais, eh bien, ils échapperont au hit-parade. En fait, je leur rends service.

Aisha se marrait.

Le parking étant bondé, il dut parcourir un moment les allées encombrées avant de réussir à trouver une place. La Commodore – une voiture fiable, confortable, mais quelconque – avait été une concession de sa part. Ils avaient eu d'abord une vieille Peugeot rouillée de la fin des années 60, au frein à main cassé, qu'ils avaient bazardée à la naissance d'Adam ; puis une solide Datsun 200B qui avait rendu l'âme quelque part entre Coffs Harbour et Byron Bay, quand le petit avait eu six ans et que Melissa était bébé ; enfin une horrible Chrysler Valiant, récente, apparemment indestructible, les avait conduits bien des fois d'un bout à l'autre du pays, lorsqu'ils allaient à Perth rendre visite aux parents d'Aisha. Elle avait été volée par deux jeunes types bourrés, défoncés à l'essence, qui avaient percuté une cabine téléphonique à Lalor[1] avant de l'asperger avec leur jerrican et d'y mettre le feu. Hector avait failli pleurer quand la police le lui avait annoncé. Aisha avait déclaré qu'elle ne voulait plus de vieux modèles, mais quelque chose qui ne pose jamais de problème et se révèle moins cher à l'usage. À contrecœur, il avait donné son accord.

1. Dans la banlieue de Melbourne. *(Toutes les notes sont du traducteur.)*

Mais il rêvait toujours d'une autre Valiant, d'un SUV deux portes, ou encore d'une antique EJ Holden.

Il s'installa confortablement sur son siège, baissa la vitre, alluma une cigarette et consulta la liste des courses. Faisant comme d'habitude les choses avec soin et précision, Aisha avait indiqué les quantités exactes de chaque ingrédient. Vingt-cinq grammes de graines de cardamome verte (elle n'achetait jamais d'épices en grande quantité, car elles perdent vite leur fraîcheur, disait-elle). Neuf cents grammes de calamars (Hector en demanderait un kilo ; il arrondissait toujours au-dessus). Quatre aubergines (entre parenthèses et souligné : européennes, pas asiatiques). Il sourit en arrivant au bas du papier. Sa femme était méthodique, ce qui l'énervait parfois, mais il admirait son humeur égale et son efficacité. Si on l'avait laissé faire, il aurait préparé ce barbecue n'importe comment et le résultat aurait été désastreux. Aisha brillait par son sens de l'organisation, ce dont il lui était reconnaissant. Il savait que, sans elle, sa vie serait un fiasco. Stable et intelligente, elle exerçait sur lui une influence bénéfique, il s'en rendait bien compte. Il était impulsif, et le calme d'Aisha le mettait à l'abri d'éventuels dégâts. Même sa mère – qui, au départ, avait très mal accepté qu'il sorte avec une Indienne – l'avait reconnu.

— Tu as de la chance de l'avoir, lui rappelait-elle en grec. Dieu sait quel traîne-savate tu serais devenu sans elle. Tu as toujours manqué de mesure en toute chose.

Ses mots lui revenaient à l'esprit tandis qu'il rangeait les fruits et les légumes dans le coffre. Il se dirigea vers le delicatessen. La jeune femme qui marchait devant lui portait un jean moulant sur un beau petit cul rond, vraiment excitant. Ses longs cheveux noirs et raides ondulaient dans son dos, et il supposa qu'elle était vietnamienne. Il la suivit à pas lents. Le bruit, les clameurs du marché s'évanouirent ; il ne restait que le balancement parfait de ces deux fesses. La fille s'engouffra dans une boulangerie, et Hector sortit de sa rêverie. Il avait besoin de pisser.

En se lavant les mains, il hocha la tête devant le miroir crasseux.

— Tu manques de mesure, se dit-il.

Garé devant la clinique, il fumait en écoutant Art Blakey and the Jazz Messengers. Hector trouvait depuis toujours une sensualité apaisante aux cuivres aigus et discordants de *A Night in Tunisia*. S'apercevant qu'il allait allumer une troisième cigarette, il éteignit brusquement l'autoradio, bondit hors de la voiture et traversa la rue.

La salle d'attente était pleine. Une vieille dame maigre se cramponnait à une boîte en carton d'où s'échappaient des miaulements répétés, exaspérants. Un loulou de Poméranie déprimé à leurs pieds, deux jeunes femmes feuilletaient des magazines sur le canapé. Connie, au téléphone, fit un sourire pincé en le voyant entrer, puis se détourna. Mettant un nouvel appel en attente, elle reprit le premier.

— J'entre une seconde, murmura-t-il en indiquant le couloir.

Elle hocha la tête. Passant devant la porte fermée du cabinet de consultation, il atteignit la salle d'opération. Cette fille l'angoissait, il était essoufflé. La voir était toujours difficile, déroutant, comme si elle le défaisait de sa maturité pour révéler le garçon timide et renfermé qu'il avait été à l'école. Pourtant, en sa présence, il ressentait un plaisir, une satisfaction profonde, une chaleur qui lui enveloppait tout le corps. La retrouver revenait à sortir de l'ombre pour prendre des forces au soleil. Le monde redevenait froid lorsqu'elle n'était pas là. Connie le rendait heureux.

— Qu'est-ce que tu fais là ?

Il n'y avait rien de menaçant dans le ton. Elle avait les bras croisés, elle s'était fait une belle queue-de-cheval.

— Il y a du monde, on dirait.

— Toujours, le samedi.

Se rapprochant de la table de radiologie, Connie se mit à détacher les peluches de la housse de protection. Hector entendit un chien gronder dans la salle d'examen.

Elle refusait de le regarder. Elle ne savait pas comment se comporter avec lui en public, et il se rappelait alors à quel point elle était jeune : les boutons d'acné à gauche sous la lèvre, les taches de rousseur sur le nez, ces épaules voûtées qui lui donnaient un air maladroit. « Mais redresse-toi, avait-il envie de lui dire. Il n'y a pas de honte à être grande. »

— Aisha m'a demandé de rapporter du Valium.

En entendant le nom de sa femme, Connie posa les yeux sur lui et se mit en mouvement.

— Ce n'est pas ici.

— Je peux attendre que Brendan ait terminé avec son client.

— Non, j'y vais.

Elle s'engouffra dans le couloir et revint avec cinq comprimés dans un sachet en plastique.

— Ça suffira ? demanda-t-elle.

— Largement.

Il saisit le sachet, puis passa un doigt sur le poignet de Connie. Une fois encore, elle se détourna, quoique sans dégager son bras.

— Je peux avoir une cigarette ?

Elle le dévisageait maintenant, d'un œil bleu, pénétrant, avec un air de défi. Connu pour ses positions anti-tabac, Brendan n'apprécierait pas beaucoup qu'Hector fasse fumer une adolescente. Non, pas une adolescente, Connie était une jeune femme. La demande était délibérée, provocante. Ce regard insistant excitait Hector. Il lui donna la cigarette. Connie ouvrit la porte de la véranda et il s'apprêta à la suivre.

— Non, préviens-moi plutôt si Brendan arrive. Ou si quelqu'un passe la porte.

Lorsqu'elle donnait, pour ainsi dire, des ordres, son accent londonien reprenait le dessus. Il hocha la tête et elle claqua la moustiquaire derrière elle.

L'observant par la fenêtre de la réception, il la détailla goulûment de pied en cap. L'épaisse chevelure blonde, le fessier rebondi, les longues jambes fortes gainées d'un jean noir trop serré. La courbe gracieuse de son cou. Quand le téléphone sonna, elle lâcha sa cigarette, l'écrasa par terre et ramassa le mégot qu'elle jeta dans la benne. Elle frôla Hector en rentrant pour répondre.

— Clinique vétérinaire d'Hogarth Road, bonjour. Connie à l'appareil. Veuillez patienter une seconde.

Elle l'observa.

— Autre chose ?

Il fit signe que non.

— On se voit cet après-midi.

Le visage de Connie, perplexe, s'assombrit. Une fois de plus, il était frappé par sa jeunesse, son adolescence, sa naïveté qu'elle détestait tant. Il voulait la féliciter d'avoir mis son mégot à la poubelle, mais il se retint car elle l'accuserait de condescendance. Ce qui serait en partie vrai. Il ajouta :

— Au barbecue, chez nous.

Sans un mot, elle lui tourna le dos.

— Merci d'avoir patienté, que puis-je faire pour vous ?

De retour à la maison, Hector aida Aisha à décharger les courses, puis il alla aux toilettes se masturber énergiquement. Sans penser à Connie. Il se représentait le cul somptueux de la Vietnamienne du marché. Jouissant au bout d'une minute, il nettoya le sperme sur le siège, jeta le papier-toilette dans la cuvette, pissa et tira la chasse. Inutile de fantasmer sur Connie, il l'avait dans la peau. Il se regarda dans la glace en se lavant les mains, remarquant à nouveau les poils gris sur son menton pas rasé. Il avait envie de foutre son poing dans cette gueule.

Adam et Melissa commencèrent à se disputer au moment où les premiers invités devaient arriver. C'est un festin qu'avait préparé Aisha, disposé sur la table de la cuisine : dahl, samosas, curry d'aubergines, salade de pommes de terre et une autre de haricots noirs à l'aneth. Debout devant la cuisinière, Hector attendait que l'huile chauffe pour jeter les calamars en rondelles dans la poêle, quand sa fille se mit à hurler. Il allait crier lui aussi lorsque sa femme sortit de la salle de bains. Elle s'interposa. En vain : Melissa continuait de s'époumoner, et Hector s'aperçut qu'Adam pleurnichait. La voix d'Aisha se perdait dans leur cirque. Il transvasa la moitié des calamars dans la poêle, baissa le feu et alla se rendre compte par lui-même.

Melissa était suspendue au cou de sa mère pendant que, sur son lit, Adam faisait une moue provocante.

— Qu'est-ce qui s'est passé ?

La question à ne pas poser. Les deux enfants crièrent en même temps. Hector leva la main.

— Silence !

Melissa se tut un instant. Les joues perlées de larmes, elle continua de gémir comme une désespérée.

Hector se tourna vers son fils.

— Qu'est-ce qui s'est passé ?

— Elle m'a traité de gros porc.

« Tu *es* gros », pensa-t-il.

— Que lui as-tu fait ?

Aisha les coupa :

— Écoutez, je veux que vous vous teniez correctement, cet après-midi. Je me fiche de savoir qui a commencé. Vous allez tous les deux au salon regarder la télé jusqu'à ce que nos amis arrivent. On est d'accord ?

Melissa hocha la tête et Adam se renfrogna.

— Ça sent le brûlé, murmura-t-il.

— Merde !

Hector courut à la cuisine retourner en vitesse ses rondelles – si vite qu'il arrosa sa chemise d'huile de friture. Il jura à nouveau. Aisha rigolait dans l'embrasure de la porte.

— Ça te fait rire ? Putain, elle était propre, cette chemise, je viens de me changer.

— Tu aurais peut-être pu le faire une fois que c'était prêt.

L'espace d'un quart de seconde, il se vit lui jeter la poêle à la figure. Le rejoignant, elle glissa ses mains sous les pans de sa chemise. Ses doigts étaient frais, apaisants.

— Je m'en occupe, dit-elle. Va en mettre une autre.

La peau le chatouillait là où elle l'avait touché.

Ses parents se présentèrent les premiers. Depuis la fenêtre de la chambre, il les regarda retirer sacs et cartons du coffre de leur voiture. Il sortit les accueillir.

— Pourquoi apportez-vous tout ça ?

Son père soulevait un plateau plein de steaks et de côtelettes.

— J'ai acheté la viande qu'il faut au marché ce matin, lui dit Hector.

Koula tenait deux grands saladiers dans ses bras.

— Ne t'énerve pas, Ecttora, répondit-elle en grec, avant de l'embrasser sur les deux joues. On n'est pas des sauvages, ni des Anglais, pour arriver les mains vides. Ce qu'on ne mangera pas aujourd'hui, vous l'aurez pour demain avec les enfants.

« Demain ? » Il y en aurait jusqu'au week-end suivant.

Les parents posèrent leur chargement sur la table de la cuisine. Koula embrassa rapidement Aisha, puis se précipita au salon dire bonjour aux enfants. Manolis, lui, prit sa belle-fille dans ses bras.

— Je vais chercher le reste dans la voiture.

— Il y en a encore ?

La voix d'Aisha était douce et cordiale, cependant Hector remarqua ses lèvres pincées.

— Des sauces, je suppose, mais c'est tout ? dit-il.

— Oui, des sauces, et à boire, du fromage et des fruits.

— Ça va faire beaucoup trop, murmura Aisha.

« Laisse tomber, pensait Hector, ils ont toujours été comme ça et ils ne changeront pas. Pourquoi cela t'étonne-t-il encore ? »

— Pas grave, lui dit-il à voix basse. Ce qu'on ne finit pas aujourd'hui, on l'aura pour la semaine au déjeuner.

Une heure plus tard, la maison grouillait de monde. Elizabeth, la sœur d'Hector, était là avec ses deux enfants, Sava et Angeliki. Aisha mit le DVD de *Toy Story* dans le lecteur ; le film faisait depuis longtemps l'unanimité chez les petits. Hector aimait beaucoup son neveu Sava, qui avait un an de moins qu'Adam, mais paraissait déjà plus sûr de lui, plus avisé, plus aventureux. Sava était souple, agile, confiant dans ses aptitudes physiques. Assis près de l'écran, il avait pris le rôle de Buzz l'Éclair, dont il connaissait les répliques par cœur. Adam était assis en tailleur à sa droite. Installées côte à côte sur le canapé, Melissa et Angeliki regardaient également le film en chuchotant.

— Il fait tellement beau, vous devriez aller jouer dehors.

Les quatre enfants ne prêtèrent aucune attention à leur grand-mère.

— Ce n'est pas grave, Koula, ils peuvent bien voir un film, dit Aisha.

L'ignorant, Koula s'adressa en grec à son fils.

— Il faut toujours qu'ils soient devant cette fichue télé.

— C'était pareil pour nous, maman.

— Non, ce n'est pas vrai.

Refermant la parenthèse d'un geste désinvolte, elle fila à la cuisine et prit à Aisha le couteau que celle-ci avait en main.

— Je m'en occupe, ma chérie.

Hector vit sa femme, de dos, se raidir.

Le temps était magnifique : un splendide après-midi de fin d'été, au ciel bleu et pur. Harry, le cousin d'Hector, arriva avec son épouse Sandi et leur fils, Rocco, qui avait huit ans ; puis ce furent Bilal et Shamira avec leurs deux enfants. Le petit Ibby courut droit au salon se caler entre Adam et Sava, les saluant à peine, les yeux déjà rivés sur l'écran. Sonja, qui marchait tout juste, refusa d'abord de les rejoindre. Inquiète, elle se cramponnait aux genoux de sa mère. Mais les rires qui fusaient dans le salon l'attirèrent peu à peu, et elle quitta finalement la cuisine pour prendre place près des filles. Aisha posa sur la table basse un plateau de mini-quiches et d'amuse-gueule, sur lequel fondirent les enfants.

Hector sortit dans le jardin avec Bilal. Son père leur tendit une bière à chacun.

Hochant légèrement la tête, Bilal déclina.

— Allez, juste une !

— Je ne bois plus d'alcool, Manolis, tu sais bien.

Ce dernier rit.

— Tu dois être le seul Aborigène d'Australie qui refuse de boire.

— Non. Paraît qu'il y en a un autre à Townsville.

— Je vais te chercher un Coca.

Pendant que Manolis se dirigeait à pas traînants vers la véranda, Hector prit son ami à part et s'excusa.

Bilal leva la main pour l'arrêter.

— T'inquiète pas. Il se souvient de moi quand j'étais soûl tout le temps.

— Pour ça, on picolait, oui.

À savoir pendant leur jeunesse, les dernières années de lycée, quand Bilal était encore ce mec qu'on appelait Terry. De l'adolescence, Hector avait gardé le souvenir d'un tourbillon apparemment sans fin de fêtes, de boîtes de nuit, de concerts de rock, de drogues, d'alcool et de filles à draguer. Il y avait parfois des bagarres, aussi – comme cette nuit où un videur de l'Inflation à King Street[1], jetant à peine un

1. Rue de Melbourne, connue pour ses night-clubs.

coup d'œil au visage fier, noir et grêlé de Terry, lui avait refusé l'entrée. Du coup, Hector avait foutu son poing dans la gueule du malabar, qui l'avait pris en plein nez. Se ruant sur eux en hurlant, le type avait projeté Hector contre une voiture garée devant la boîte – une Jaguar qu'il n'avait jamais oubliée – et, maintenant Terry d'un bras, avait rossé Hector de l'autre, le rouant de coups dans le dos, le ventre, l'entrejambe et la mâchoire. Hector était resté estropié une semaine et, pour couronner le tout, Terry, furieux, lui avait reproché son intervention. « Sale métèque[1] de mes deux, je t'ai demandé de prendre ma défense ? »

Évidemment, la mère d'Hector avait tenu son ami pour responsable. « Ce Terry est un animal ! avait-elle hurlé. Pourquoi faut-il que tu traînes avec ce *mavraki*, ce négro, qui ne sait rien faire d'autre que boire ? » Bons amis depuis les bancs du lycée, ils avaient continué de se fréquenter quand Terry était parti dans un institut spécialisé étudier la langue des signes – Hector intégrant, lui, une école de commerce. Âgés aujourd'hui d'une quarantaine d'années, ils étaient toujours copains, habitaient l'un et l'autre le quartier dans lequel ils avaient grandi. Même s'ils se voyaient plus rarement, ils étaient ravis de cette constance dans le temps. Terry avait embrassé l'islam, changé de nom, arrêté de boire. Il se consacrait maintenant à sa foi et à sa famille. D'un regard bienveillant, Hector vit son vieux pote accepter le Coca que Manolis lui tendait, puis le remercier dans le grec de cour de récré qu'il lui avait appris lorsqu'ils

1. *Wog(s)* : littéralement nègre(s), négresse(s) ; terme souvent péjoratif, parfois plaisant, utilisé par les Australiens blancs pour désigner les vagues récentes d'immigrés à dominante méditerranéenne (Libanais, Grecs, Yougoslaves, Italiens, etc.).

avaient quatorze ans. Il savait que son ami était plus heureux aujourd'hui qu'à aucun autre moment de sa vie. Bilal ne se laissait plus détruire par des crises de rage, prenait soin de lui au lieu de se faire du mal, ne bravait plus la mort. Pourtant ces nuits alcoolisées, pleines de rires, de musique et de défonce, manquaient parfois à Hector. Il aurait aimé le dédoubler : pour l'essentiel, il tenait à ce que Bilal reste Bilal mais, à l'occasion, il aurait bien passé un moment avec Terry. Ces soirées-là avaient disparu depuis trop longtemps.

Les collègues de travail du State Trustees Office firent ensuite leur apparition. Dedj apportait un pack de bières, accompagné par Leanna, une bouteille de vin à la main. Un homme à la peau mate les suivait sans rien dire. Pas rasé, l'air maussade, il était plus jeune que tout le monde – la trentaine, pensa Hector. Il se demanda s'il sortait avec Dedj ou avec Leanna. Son visage ne lui était pas inconnu. Posant ses bières sur la pelouse, Dedj prit Manolis dans ses bras et l'embrassa trois fois sur les joues, à la mode des Balkans. Dedj montra l'inconnu.

— C'est Ari.

Manolis lui dit quelques mots polis en grec, qu'Ari ne comprenait pas bien. Le père d'Hector en revint à ses charbons de bois.

— Prends ton temps, papa, on ne dîne pas avant un bon moment.

— Non, tu as raison de t'occuper du barbecue. Il faut deux heures pour que ça brûle bien.

— Tu vois ? dit Manolis, jubilant. Ta femme est plus maligne que toi.

Le vieil homme posa un bras sur l'épaule de sa belle-fille, tandis que celle-ci lui serrait la main.

— Aish, je te présente Ari.

Remarquant le regard approbateur de celui-ci, Hector se sentit fier d'avoir une jolie femme.

— Je vous ai déjà vu quelque part. On se connaît ?

L'homme hocha la tête.

— Ouais, on fréquente la même salle de sport.

Ari tendit le bras.

— Au coin de la rue.

— Ah, c'est ça.

Hector le reconnaissait maintenant. C'était un de ces types qui semblaient toujours fourrés dans ce truc. Hector y allait sporadiquement. Ses exercices du matin étaient sa seule fidélité au sport. Il faudrait cependant qu'il revienne au Northcote Gym cette semaine, histoire de dépenser les calories absorbées aujourd'hui. Il pouvait ensuite s'écouler des mois sans qu'il y retourne. Il se dit qu'Ari était peut-être un de ces métèques qui y passaient leur temps, qui en faisaient le centre de leur vie sociale.

Rosie et Gary, les amis d'Aisha, arrivèrent ensuite avec Hugo, leur fils de trois ans. Beau, angélique, il avait les cheveux dorés de sa mère, et les yeux d'un même bleu étrange, presque translucide. Il était ravissant, mais Hector, qui avait eu un aperçu de son caractère épouvantable, se méfiait un peu de lui. Petit, le gamin avait donné de méchants coups de pied à Aisha, un soir où ils le gardaient. L'heure du coucher était une règle stricte que respectaient leurs propres enfants, cependant Hugo refusait toute discipline. Il avait poussé des cris et s'était débattu quand Aisha l'avait pris dans ses bras pour l'emmener au lit – un animal sauvage, qui ruait dans tous les sens, et il l'avait touchée à l'endroit sensible du coude. Hurlant de douleur, elle avait failli le lâcher. Hector avait eu envie d'envoyer le gamin dinguer contre le mur. Il l'avait arraché des bras de sa femme et, sans un mot, avait filé droit dans la chambre pour le jeter sur le lit. Il ne se rappelait plus ce qu'il lui avait ordonné, mais il avait gueulé si fort, si près de l'oreille d'Hugo que celui-ci avait reculé en poussant un long sanglot incrédule. Se rendant compte que le môme était terrorisé, Hector l'avait bercé jusqu'à ce qu'il dorme.

— Alors qu'est-ce qu'on boit ?

Plein d'expectative, Gary se frottait les mains en regardant Hector.

— Je m'en occupe, dit son père. Tu veux une bière ?

— Ouais, par exemple, Manny. Merci.

— C'est bon, papa, j'y vais.

Gary allait se soûler. Gary se soûlait toujours. C'était un vieux sujet de plaisanterie – qu'Aisha ne goûtait guère car elle était son amie. Les deux familles avaient souvent fêté Noël ensemble, et chaque fois, lorsqu'ils partaient, que Rosie soutenait son mari titubant, la mère d'Hector, les sourcils froncés, se tournait vers les autres Grecs en s'exclamant : « *Australezi*, qu'est-ce que vous croyez ? Ils ont ça dans le sang. »

Hector préleva une bière dans la montagne de bouteilles entassées dans la baignoire, remplie de glaçons pour l'occasion. En entendant le DVD au salon, puis Adam présenter Hugo à ses cousins, il sourit. Poli, gentil, accueillant, le petit parlait comme Aisha.

Anouk et Rhys venaient aussi d'arriver. Anouk était plus habillée pour une réception mondaine que pour un barbecue de banlieue. Excepté son débardeur transparent, en soie marron foncé, elle était tout en noir : soutien-gorge en dentelle, jupe en jean et bottes de cuir verni, qui ne laissaient apparaître au-dessus des genoux qu'une mince bande de chair d'un blanc éclatant. Hector vit qu'en apercevant Anouk sa mère fit la moue : elle se mit furieusement à ciseler la salade sur la table de la cuisine. En revanche, son visage s'illumina quand on lui présenta le copain d'Anouk. Rhys jouait dans le feuilleton qu'écrivait celle-ci, et Hector, sans jamais avoir vu un seul épisode, le reconnaissait vaguement. Il lui serra la main et embrassa Anouk sur la joue. Son haleine était douce et son parfum enivrant : elle sentait le miel, et quelque chose d'acide, de relevé. Un truc cher, certainement.

Hector allait mettre un CD de Sonny Rollins dans le lecteur quand on lui tapa sur l'épaule. C'était Anouk qui brandissait un disque.

— Oublie un peu le jazz. Aisha en a marre du jazz.

Elle parlait d'un ton décidé et il prit le CD – une copie maison, avec le titre *Broken Social Scene* marqué au feutre bleu en majuscules penchées.

— Mets plutôt ça. C'est à Rhys. Faut écouter ce qui branche les mômes, en ce moment.

Il pressa sur la touche play et se redressa en affichant un sourire moqueur.

— Les mômes, ouais. Ça va être du R'n'B de merde, alors ?

Une fumée épaisse s'élevait au-dessus du barbecue et Hector résista à l'impulsion d'engueuler son père. Il se contenta de circuler au milieu de ses invités pour remplir leurs verres, pendant qu'Aisha apportait les samosas. Les femmes avaient fini par sortir de la maison, et tout le monde était debout sur la pelouse ou dans la véranda, en train de boire et de grignoter les délicieux beignets. Hector remarqua Ari qui s'était détaché du groupe principal et étudiait le jardin. Quand Harry annonça qu'il avait inscrit Rocco dans une école privée du bord de mer, Gary réagit aussitôt. Hector les écouta sans rien dire.

Selon Sandi, l'école de leur quartier ne convenait pas, les locaux étaient en mauvais état et les classes trop chargées. Elle aurait préféré mettre son fils dans le public, mais il n'y avait pas d'établissement décent dans le coin. Hector savait bien que cela n'était pas vrai. Sandi et Harry avaient quitté la banlieue ouest de leur enfance pour s'établir assez loin, dans un lotissement de prestige, tout neuf.

— Écoute, dit Harry en coupant sa femme. (Hector voyait bien que son cousin était contrarié par la réaction de Gary.) Tu n'as rien à m'apprendre sur l'école publique, j'étais au lycée technique près de chez moi, mon pote. C'était correct à l'époque, mais je n'envoie pas Rocco dans le bahut merdique du quartier. Les temps ont changé et, qu'il soit de droite ou de gauche, le gouvernement se fiche pas mal de l'éducation. On vend de la came aux mômes, et il n'y a pas assez de profs.

— La came, elle est partout.

Se détournant de Gary, Harry chuchota en grec à Manolis :

— Les Australiens n'en ont rien à foutre, de leurs gosses.

Manolis se mit à rire et Koula intervint :

— Mais où va-t-on si les gens envoient tous leurs enfants dans le privé ? Ça ne présage rien de bon. Il n'y aura plus que les très, très pauvres dans le public, et l'État ne donnera plus d'argent. Je trouve ça affreux. Je suis contente d'avoir mis les miens à l'école de tout le monde.

— Ce n'est plus pareil aujourd'hui, *thea*[1]. Tout fout le camp, c'est devenu chacun pour soi. Je soutiens toujours l'enseignement public, ne te méprends pas,

1. *Theo*, *thea* (grec) : littéralement oncle et tante ; nom générique utilisé par les enfants pour désigner les grandes personnes.

mais je ne veux pas compromettre les études de Rocco au nom de mes principes. Bien sûr qu'on est pour le public, Sandi et moi, ça ne changera pas.

Bilal, qui les écoutait silencieusement, prit soudain la parole :

— Et comment ferez-vous ? Tu ne sauras pas ce qui se passe dans les lycées. Qui te racontera les problèmes auxquels sont confrontés mes gosses ?

— Je suis encore capable de lire le journal, tiens !

Bilal sourit sans rien ajouter. Aisha se taisait. À l'évidence, le sujet l'énervait. Cette discussion revenait souvent à la maison, et c'était de plus en plus pénible. Aisha s'inquiétait des mauvais résultats d'Adam et souhaitait l'inscrire dans le privé. Hector doutait que le type d'établissement ait un rôle à jouer ; tout simplement, Adam n'était pas très doué. C'était différent pour Melissa. Elle était flemmarde, mais s'en sortirait sûrement. Il ne s'inquiétait pas pour ça, elle réussirait au lycée de Northcote, même très bien. Hector faisait du snobisme à l'envers. Il pensait que le privé était mauvais pour le caractère. Les garçons de ces boîtes-là étaient des ramollos, les filles des gamines froides, imbues d'elles-mêmes.

— Et l'influence qu'aura ce lycée sur ton fils, tu t'en fous ?

Comme si Gary venait de lire dans ses pensées.

Harry ne répondit pas et demanda, en grec, une autre bière à Hector.

Gary ne lâchait pas le morceau.

— Tu t'en fous qu'il se retrouve avec ces gosses de riches, ces petits snobinards ?

— Écoute, mon pote, les deux grands-pères de Rocco ont travaillé toute leur vie à l'usine. Son père est mécano. Je suis sûr qu'il n'oubliera pas d'où il vient.

— Ton garage t'appartient, non ?

Hector savait que Gary ne pensait pas à mal, qu'il s'intéressait réellement aux gens, à leur existence, qu'il essayait de situer précisément Harry dans l'échelle sociale. Mais il savait aussi que son cousin n'aimait pas qu'on s'immisce dans sa vie privée, c'est pourquoi il préféra ne pas intervenir pour l'instant.

— Il serait temps de faire cuire les saucisses, dit-il. Qu'est-ce t'en penses, p'pa ?

— Dans cinq minutes.

Gary se tut. Harry lui tournait le dos et discutait sports avec Dedjan. Soucieuse de préserver la paix, Sandi continua de parler des enfants avec Rosie.

À contrecœur d'abord, Gary participa à la discussion, puis il s'anima et décrivit le plaisir qu'il éprouvait à voir Hugo grandir, à répondre à ses questions, de plus en plus difficiles.

— Devinez ce qu'il m'a demandé, l'autre jour, pendant que je l'emmenais au square jouer sur les balançoires ! Comment ses pieds avaient appris à faire des pas ! Ça m'a sidéré. J'ai mis un moment à trouver une explication.

« Ouais, ouais. Quel môme n'a jamais posé cette question à la con ? » Hector rejoignit Ari qui fumait une cigarette devant le potager. Il regardait les aubergines, noires et gonflées, prêtes à se détacher de leurs grosses tiges vert pâle.

— Un coup à boire ?

— Je n'ai pas fini ma bière.

— C'est les dernières *melentzanes* de la saison. Il va falloir les manger d'ici quinze jours.

— Faudrait faire une moussaka.

— Sans doute. Aisha en prépare souvent. Les Indiens adorent les aubergines.

Le gars ne répondit pas. Hector s'efforça de poursuivre la conversation. Ari restait de marbre, le regard froid.

— Vous faites quoi dans la vie ?

— Coursier.

Rien que ce mot. C'est tout ce que le jeune homme était disposé à dire. Travaillait-il à son compte, était-il associé ou salarié, mystère. « Allez, mon vieux, pensa Hector, aide-moi un peu. »

— Vous êtes fonctionnaire, vous aussi ? demanda Ari, faisant un geste vers Dedj, qui discutait toujours avec Harry.

— Faut croire.

Ridicule. Pourquoi Hector était-il chaque fois embarrassé de parler de son travail, comme si cela n'était pas sérieux, qu'il n'avait pas un vrai métier ? Peut-être était-ce à cause de ce qu'on imaginait, travailler pour l'État étant « sans intérêt » ?

Ari changea d'attitude.

— Vous avez de la chance.

Avec un sourire malicieux, et un accent métèque volontairement exagéré, il ajouta :

— Chouette boulot.

S'esclaffant malgré lui, Hector répéta, en imitant l'accent :

— Chouette boulot.

Exactement ce que ses parents disaient. D'ailleurs, c'était le cas. Pourquoi s'emmerdait-il à éprouver de la gêne ? Il voulait être quoi, à la place ? Rock-star, musicien de jazz ? Des rêves d'adolescence, tout ça.

Il jeta un coup d'œil à Dedj et Leanna qui faisaient marrer son cousin. Lorsqu'il avait obtenu son diplôme, à vingt-trois ans, Hector était idéaliste. Il avait cherché et trouvé un job de comptable pour une organisation humanitaire, étrangère et respectée.

Cela n'avait pas duré un an. Il détestait ce bureau pour le moins désorganisé, le sérieux de ses collègues et leurs rivalités : « Si vous voulez donner à bouffer au tiers-monde, bande de cons, faudrait que les comptes tombent juste. » Et c'était mal payé. Il avait ensuite suivi un stage dans une multinationale de l'assurance. Hector aimait manier les chiffres, il appréciait leur bon ordre, leur intégrité, mais pas les gens avec qui il bossait, conformistes et ennuyeux. Confiant dans ses capacités, tant physiques qu'intellectuelles, il n'avait jamais vu l'intérêt de jouer à celui qui pisserait le plus loin, et l'humour de vestiaire le laissait froid. Entre la naissance d'Adam et celle de Melissa, il avait enchaîné quatre jobs différents. Ensuite, pendant trois mois, il avait rejoint une équipe qui travaillait sur un appel d'offres du gouvernement. Dedj servait de contact avec l'administration, et les deux hommes s'étaient super bien entendus dès le départ. Dedjan picolait beaucoup, c'était un gros fêtard et ils avaient les mêmes goûts musicaux. En même temps, il était organisé au boulot et, toujours de bonne humeur, ne se prenait pas la tête pour autant. On avait offert à Hector un contrat d'un an. Après avoir mis en doute ses possibilités d'avancement, Aisha avait fini, un peu à contrecœur, par lui conseiller d'accepter. Il avait découvert qu'il appréciait l'esprit de corps de l'administration. Trente années de rationalisme économique avaient supprimé toute graisse superflue ou presque. Ça n'était pas rock'n'roll, ça n'était pas sexy, mais on le respectait ; il faisait son travail méticuleusement, on lui confiait de plus en plus de responsabilités. Sa position lui permettait maintenant de ménager les extrêmes, de négocier des compromis entre les âmes sensibles de l'arrière-garde et les jeunes libéraux aux dents longues. Il était devenu « permanent » – le fin du fin – et, grâce à son ancienneté, un congé sabbatique d'environ deux mois l'attendait bientôt. Le plus important pour lui était que Dedj et Leanna, ainsi que trois ou quatre autres, faisaient pratiquement partie de la famille.

— C'est quoi, ça ?

La voix sourde d'Ari le sortit de sa rêverie. Celui-ci indiquait la clôture au fond du jardin, et la croix de fortune, battue par les pluies, plantée sur la tombe de Molly.

— C'est là qu'on a enterré notre chien. En fait, c'était le mien, un setter irlandais, un peu bête, que j'ai gardé des années. Les enfants l'aimaient beaucoup, comme moi. Aisha ne le supportait pas, elle m'en voulait de ne jamais l'avoir vraiment dressé. Mais, *endaxi*, vous connaissez les Grecs. Comme si mes parents allaient lâcher un rond pour dresser un chien.

— Ça coûte cher, un setter irlandais ?

— Je l'ai eue par l'ami d'un ami d'un ami. Je l'avais appelée Molly en référence à Molly Ringwald. Vous vous souvenez ?

— *Rose bonbon*.

— Ouais, les années 80, mon gars, et toutes ces conneries.

Ari se tourna vers Hector, qui s'étonna de l'intensité féroce de son regard noir.

— J'ai un peu de speed sur moi. Dedj pensait que ça vous intéresserait.

Hector hésita. Il y avait longtemps qu'il n'avait pas pris d'amphés. La dernière fois, sans doute avec Dedjan, lors d'une fête de Noël au boulot. Il était sur le point de refuser lorsqu'il se rappela : il arrêtait de fumer le lendemain. Après quoi, il serait difficile de dropper ou de sniffer quoi que ce soit pendant des mois.

— Ah ouais, je veux bien, oui.
— Cent dollars le sachet.
— Cent dollars ? C'était soixante le gramme, il n'y a pas si longtemps.
— Les années 80, mon gars, et toutes ces conneries… Pas vrai, *malaka* ?
Ils s'esclaffèrent.
— Mais il est super bon.
— Oh, sûrement.
— Non, je déconne pas, dit Ari, hyper sérieux, il est vraiment bon.

Hector étala la moitié du sachet sur le couvercle de la chasse d'eau. Il traça deux rails, et il semblait soudain y en avoir énormément. Roulant un billet de vingt dollars, il se les envoya l'un après l'autre. Le truc monta tout de suite. Impossible de savoir si c'était le speed lui-même ou, comme au bon vieux temps, le plaisir – qu'il n'avait pas oublié – de consommer un produit illégal. En un clin d'œil, il était raide, il sentait son cœur battre. Hector entendit le CD de Rhys en arrière-fond : c'était geignard, chiant. En sortant des toilettes, il baissa le volume, remplaça le disque par un autre de Sly and the Family Stone, et monta le son. Dans le jardin, Anouk se retourna en hochant la tête d'un air moqueur. À côté d'elle, Rhys oscillait en rythme avec le nouveau morceau.
— Les mômes adorent ça ! cria Hector à leur intention.
Bas sur l'horizon, un soleil d'une grande douceur déployait de longs nuages rouge fluo. Hector alluma une cigarette dans la véranda.
Dans la maison derrière lui s'éleva le bruit d'une querelle. Puis un enfant hurla, et Rosie, arrivant en courant, trouva Hector sur son chemin.

Hugo, apparemment inconsolable, était dans la cuisine. Le soulevant, Rosie le serra fort dans ses bras. Le gamin s'étouffait, n'arrivait plus à articuler un mot.

Hector entra dans le salon, où, sur le canapé, les quatre garçons, bouche close, avaient un air inquiet. Melissa, qui avait pleuré, séchait ses larmes. Angeliki fut la première à parler.

— Il ne voulait pas voir le film.

S'ensuivit un concert d'accusations.

— On voulait *Spiderman*.

— Il m'a frappé…

— C'est pas notre faute…

— Il m'a pincée…

— On n'avait rien fait…

Aisha entra dans le salon et, aussitôt, les enfants se turent.

— *Spiderman* est interdit aux moins de dix ans. Vous ne regarderez pas ça aujourd'hui.

— M'man !

Adam était furieux.

— Qu'est-ce que j'ai dit ?

Le garçon croisa les bras mais, sagement, s'abstint de protester plus longtemps.

— Vous laissez Hugo choisir ce qui lui plaît, c'est un ordre !

— Il voulait qu'on mette *Pinocchio*, fit Sava, dégoûté.

— Eh bien, vous mettez *Pinocchio* !

Hector suivit sa femme dans la cuisine. Hugo ne pleurait plus et tétait goulûment le sein de sa mère.

— Tu fumes dans la maison, maintenant ? jeta Aisha.

Hector regarda sa cigarette.

— Je suis venu voir ce qui se passait encore !

Fonçant sur lui, sa mère lui ôta la cigarette de la bouche et la passa sous le robinet de l'évier, qu'elle ouvrit en grand.

— C'est terminé, annonça-t-elle, dédaigneuse, en jetant le mégot détrempé dans la poubelle. Il ne faut pas s'inquiéter, les petits se disputent toujours pour un rien.

Elle ne pouvait détacher ses yeux de l'enfant qui tétait. Koula était révoltée qu'à son âge Rosie l'allaite encore. Hector était bien de cet avis.

Brendan arriva ensuite. Sans Connie. Hector lui serra la main et l'accueillit cordialement. « Où est-elle ? pensait-il. Pourquoi n'est-elle pas avec toi ? » Brendan embrassa Aisha.

— Connie viendra plus tard. Elle est passée chez elle se changer.

Connie serait là. Hector sentit un frisson de plaisir lui parcourir le corps. Il avait envie de crier, de chanter, de prendre dans ses bras la maison, le jardin – oui, même Rosie et ce sale môme d'Hugo –, toute la troupe, et de les serrer fort.

— Bonne pioche, murmura-t-il à Ari.

— J'en ai toujours si vous avez besoin.

Il lui fit un grand sourire en guise de réponse. « Non, moi, je n'en ai pas besoin, mon gars, se dit-il. C'est pour ce soir et après, c'est fini. En fait, je n'en ai jamais eu besoin. »

Le frère d'Aisha apparut ensuite. Séjournant quelques jours à Melbourne pour son travail, Ravi était descendu dans un hôtel très chic en ville. Il avait perdu du poids et portait une chemise cintrée à manches courtes, bleu clair, qui mettait en valeur les muscles des bras et du torse qu'il développait depuis quelque temps. Ses cheveux noirs étaient presque tondus.

— Tu as l'air en super forme.

Hector lui donna l'accolade. Ravi rejoignit aussitôt Manolis, qu'il prit dans ses bras, puis Koula, qu'il embrassa sur les deux joues.

— Contente de te voir, Ravi.

— Moi aussi, madame, comme toujours. Quand venez-vous me rendre visite à Perth ? Papa et maman me demandent sans cesse de vos nouvelles.

— Comment vont-ils ?

— Bien, très bien.

Si Koula s'accrochait parfois avec Aisha, il en était tout autrement avec Ravi, qu'elle adorait. Hector savait déjà qu'à un moment de la soirée sa mère s'assiérait près de lui et lui glisserait à voix basse, en grec : « Ce qu'il est beau garçon, ton beau-frère. Et il a la peau claire, pas du tout noire. » Elle n'en dirait pas plus, mais cela n'en serait pas moins explicite : « Il n'est pas comme ta femme. »

Adam et Melissa bondirent pratiquement sur leur oncle. Il hissa sa nièce au-dessus de sa tête, puis, serrant fermement l'épaule de son neveu :

— Venez avec moi à la voiture.

Ravi les couvrait de cadeaux. Hector les entendit rire et crier en le suivant au-dehors. Tous deux revinrent avec un grand carton chacun. Les autres enfants les rejoignirent dans la véranda pendant qu'ils dépaquetaient leurs joujoux en toute hâte.

— Qu'est-ce que c'est ? demanda Sava en s'agenouillant près d'Adam.

L'emballage déchiré révélait un nouveau jeu vidéo. Plus patiente que son frère, Melissa détachait soigneusement le ruban adhésif avant de plier proprement le papier à côté d'elle. Ravi lui offrait une maison de poupée blanc et rose. Melissa l'embrassa, puis elle prit sa maison d'une main, Sonja de l'autre, et lança à sa cousine :

— Viens, on va jouer dans ma chambre.

Angeliki ne se le fit pas dire deux fois.

Se retournant brusquement, les garçons regardèrent Hector. Il faillit éclater de rire devant leurs visages réjouis, leurs yeux brillants et impatients. Adam se cramponnait à son cadeau.

— On peut l'essayer ?

Son père fit signe que oui. Poussant des cris de sauvages, Adam et Sava repartirent à l'intérieur.

— Tu les pourris.

— Mais non, frangine, c'est des gosses.

Aisha ne se vexa pas. Elle était enchantée que son frère soit à Melbourne, et qu'il puisse se joindre à eux. Ravi passa un bras sur l'épaule d'Hector et ils se rapprochèrent du barbecue.

Gary se disputait cette fois avec Rhys et Anouk.

Manolis donna un léger coup de coude à son fils et lui dit en grec :

— Va chercher les côtelettes.

— Déjà ?

— Oui. Cet Australien n'a pas arrêté de boire depuis qu'il est arrivé. Faut qu'il mange.

Gary, de fait, était empourpré. Bredouillant à cause de l'alcool, il décochait des salves de questions à Anouk, en lui plantant l'index dans les côtes.

— C'est n'importe quoi, voilà. Des familles comme ça, ça n'existe pas !

— Mais c'est la télé, Gary. Une télé commerciale. Je sais bien que ça n'existe pas, des familles comme ça.

Anouk répondait sur un ton fatigué et cassant à la fois.

— Tu inventes des conneries que des millions de gens dans le monde vont se mettre à croire ! Ils vont tous penser que les Australiens sont exactement comme ça. Tu n'as rien de mieux à faire qu'écrire ces feuilletons de merde ?

— Si, justement. L'argent que je gagne comme scénariste me permet d'écrire à côté.

— Et tu écris… beaucoup, à côté ?

— Ouais, quarante mille mots, pour l'instant.

Anouk regarda son copain.

— La ferme, Rhys.

— Pourquoi ? C'est vrai, insista celui-ci avant de se tourner vers Hector. Elle me l'a dit ce matin. Son roman fait déjà quarante mille mots.

Hochant la tête, Gary contemplait sa bouteille de bière d'un air désabusé.

— Je me demande vraiment comment tu peux écrire cette daube.

— C'est facile, Gary. Tu y arriverais toi-même.

— Je n'en ai pas l'intention. Ce bizness d'enculés, très peu pour moi.

Harry fit un clin d'œil à Anouk.

— Moi, je l'aime bien, ce feuilleton.

— Et pourquoi ça te plaît ? dit Gary.

Harry ne répondit pas.

— Pourquoi ça te plaît ? répéta Gary en haussant le ton.

« Mais quel râleur, celui-là ! » Hugo avait de qui tenir. Harry poursuivit, avec un clin d'œil à Hector cette fois :

— Ça détend, ce genre de truc. C'est tout ce qu'on demande, parfois, un machin qui vous distrait une demi-heure.

S'accrochant au coude de son mari, Sandi sourit à Rhys, qui l'imita.

— Et vous êtes bien dans ce rôle, lui dit-elle.

De nouveau, Hector se retint d'éclater de rire. Il observa les autres invités, assis sur les chaises de jardin, qui suivaient attentivement la discussion. Dedjan croisa son regard et Hector, amusé, fit la grimace. « Et vous êtes bien dans ce rôle », articula Dedj, sarcastique, sans donner de la voix. Hector, qui aimait beaucoup la femme de son cousin, se tut. Il lui sourit gentiment en se retournant vers le petit cercle. Mince avec de longs membres, Sandi était presque aussi grande que son mari. Cette allure de métèque – cheveux teints et crêpés, longs ongles vernis, maquillage trop voyant – sur un corps de mannequin donnait l'impression d'une pouffe. À tort. Sandi n'avait peut-être pas fait d'études, mais elle était intelligente, généreuse et sincère. Harry avait du bol. Plusieurs jours par semaine, elle tenait le comptoir d'une de ses stations-service. Elle n'avait pas besoin de le faire ; Harry était pété de thunes. Le cousin paraissait surfer sur des vagues de croissance apparemment sans fin. Ce salaud avait le cul bordé de nouilles.

Hector ressentit une bouffée d'excitation, comme un électrochoc qui lui remontait des orteils jusqu'à la pointe des cheveux. Il étudia brusquement la clôture qui séparait le jardin de l'allée. « Où est-elle ? Elle aurait dû être là, maintenant. »

— Et pourquoi tu le trouves bon ?

Gary ne lâcherait pas le morceau. Il braquait sur Sandi deux yeux si féroces que, troublée, elle se demandait si la question était ironique ou pas. Hector y aurait plutôt vu un premier degré. Gary ne vivait pas tout à fait dans le même monde, et c'est l'une des raisons pour lesquelles Hector, soucieux d'éviter tout conflit, conservait une certaine distance avec lui. Ni badinages ni futilités avec Gary. Même si elles semblaient innocentes, inoffensives, ses questions et ses déclarations avaient en fait un aspect menaçant. Gary se méfiait d'eux, de leurs valeurs, et c'était manifeste.

Sandi était tellement perplexe qu'elle resta muette. Hector lui posa une main sur l'épaule, et elle releva brusquement la tête. Sans répondre à Gary, elle s'adressa à Rhys :

— Je vous ai trouvé très bien dans cet épisode, l'année dernière, où on vous arrête par erreur pour le meurtre de Sioban.

Son sourire avait maintenant quelque chose d'enjôleur.

— Je n'étais pas sûre que vous étiez innocent, expliqua-t-elle.

« Sans déconner, elle regarde *vraiment* cette merde ? »

Gary opinait du chef, considérant sans doute ce qu'elle venait de dire. Puis il se tourna vers l'acteur et l'examina de pied en cap : la chemise en toile denim – le genre décontracté, mais cher –, le jean noir, la boucle de la ceinture qui reproduisait le drapeau confédéré.

— Eh, tu as tué un mec à Vermont ? Juste pour le regarder crever ?

Cette fois, Hector rit franchement. Il était sûr qu'Anouk, elle, retenait un sourire à la fois indigné et perfide. Gary était con, mais un con astucieux. Hector n'avait vu que des extraits du feuilleton en question, en fond sonore pour ainsi dire, mais assez pour savoir que Rhys ne serait jamais une star. C'était un sous-Joaquin Phoenix qui jouait à Johnny Cash. Il finirait dans une de ces émissions « modes et tendances » qui servent à fourguer des voyages et des travaux de rénovation à domicile. Et Vermont était bien trouvé, putain, ce que c'était drôle. Le jeune comédien était l'incarnation des boîtes privées, des petits-déjeuners équilibrés servis par maman, de l'immensité fade et sans fin de la banlieue est.

Au moins Rhys eut la décence de rougir.

— Je ne vois pas le rapport.

— Ça sort d'une chanson de Johnny Cash[1], expliqua Hector à Sandi.

— Je ne vois toujours pas.

Gary désigna Rhys du goulot de sa bouteille.

— C'est qu'il y a parmi nous un artiste tourmenté.

Était-ce l'effet des amphétamines ? Hector sentait Anouk prête à l'attaque. Un requin femelle, rapide et dangereux.

— Gary est lui aussi un artiste tourmenté. Torturé, même.

— Je ne suis qu'un ouvrier, Anouk, répondit l'intéressé d'un ton hargneux. Tu le sais très bien.

— Mais c'est purement alimentaire. Gary n'est pas satisfait de son statut d'humble travailleur. En réalité, il est peintre. Un grand artiste de la surface et de la couleur.

L'expression d'Anouk était à la fois innocente et meurtrière. On aurait dit Cléopâtre alliée avec son aspic – calme, posée, cependant le commentaire était mordant. Quand Rosie avait présenté Gary à tout le monde, des années plus tôt, il s'était prétendu peintre. Hector doutait qu'il ait touché un pinceau depuis des lustres. Et c'était aussi bien : il était nul à chier.

De fait, les mots d'Anouk avaient porté : Gary semblait prêt à exploser. Hector étudiait la scène comme à distance. Il attendait que la tension culmine, retombe, que Gary encaisse. Cela ne serait pas un vrai barbecue si Anouk et lui ne se balançaient pas quelques vannes. Sans se préoccuper d'eux, Manolis retournait les côtelettes et les saucisses. « Je suis bien le fils de mon père, pensa Hector. Je ne veux

1. *Folsom Prison Blues* (« *I shot a man in Reno, just to watch him die* » : « J'ai tué un mec à Reno, juste pour le regarder crever »).

pas m'en mêler. Je ne veux pas m'en mêler. Je ne veux pas m'en mêler. »

Il retomba brutalement sur terre. Des cris retentissaient de nouveau à l'intérieur.

— Je crois que c'est encore ton fils, dit Anouk à Gary en se retournant, un sourire glacial aux lèvres.

Hugo s'était emparé de la télécommande et l'avait fracassée sur la table basse en eucalyptus. Le plastique noir du boîtier était fendu et une entaille blanchâtre marquait la surface du bois. Bizarrement, Adam avait gardé son calme et ne pleurait pas. Il semblait simplement ébahi, comme s'il n'en croyait pas ses yeux. Rosie serrait Hugo sur sa poitrine. Cachant son visage à tout le monde, le gamin se pressait contre sa mère et paraissait vouloir se réfugier dans son corps. Stupéfait lui aussi, Rocco les observait tous deux, mais il se tenait prêt – exactement comme Harry ; nous sommes tous le fils de notre père – à sortir de ses gonds. Les autres garçons, terrifiés, regardaient leurs chaussures. Les filles étaient ressorties de la chambre de Melissa et restaient immobiles, muettes, devant la porte. Sonja, affolée, pleurait silencieusement. Hector, qui venait d'entrer, avait Aisha et Elizabeth devant lui.

Un couteau dans une main, une brochette dans l'autre, sa mère arriva à sa suite.

— Tu vois ? C'est complètement idiot, ces jeux vidéo. Ça ne cause que des ennuis.

Adam s'empourpra.

— C'est pas vrai, *Giagia*[1] ! On jouait tranquillement !

Il tendit un doigt accusateur vers Hugo, toujours blotti dans les bras de sa mère.

1. Grec : grand-mère.

— Il a perdu parce qu'il joue mal, c'est tout ! poursuivit Adam.

— Il est petit ! lâcha Rosie. Il ne demande qu'à apprendre, pour jouer avec les autres. Vous pourriez l'aider un peu, non ?

— Personne ne va le punir ? demanda Rocco.

Solennel, Hector fit signe que non. Rocco n'était pas de cet avis.

— Merde, c'est lui qui l'a cassée ! Il faut le punir.

— Il n'a pas fait exprès.

Rocco était blême de colère.

— C'est pas juste ! C'est dégueulasse !

Hector remarqua Sandi qui venait de se glisser dans la pièce. Elle réprimanda son fils, qui partit se réfugier dans la chambre d'Adam. En vitesse, celui-ci dévisagea les adultes présents, croisa le regard de son père, qui hocha imperceptiblement la tête – aussitôt Adam alla rejoindre son cousin. Sonja éclata en sanglots et sa mère accourut pour la consoler. Aisha et Koula essayaient de persuader les filles de retourner dans la chambre de Melissa, et Sandi continuait d'engueuler Rocco. Hector tourna les talons. Il avait envie de secouer Rosie, c'est tout juste s'il arrivait à la voir. Il en avait plein le cul, des mômes. Que les femmes se débrouillent.

Près du barbecue, Gary n'avait pas bougé d'un millimètre. La mine renfrognée, il entamait une autre canette.

— Qu'est-ce qui s'est passé ?

Hector haussa les épaules sans répondre à Anouk. Elle se tourna vers Gary.

— Tu ne devrais pas aller mettre ton grain de sel ?

Hector s'aperçut que Gary était épuisé. Il avait un boulot à la con, un patron chiant, une famille à nourrir. Anouk ne s'en rendait visiblement pas compte.

— Que Rosie se démerde. Elle le pourrit, son môme, alors qu'elle assume.

Gary changea de ton, sa tristesse était écrasante.

— Tu avais raison, 'Nouks, je n'aurais pas dû avoir d'enfant, dit-il. Je suis nul, comme père.

— Ne dis pas de bêtises, résonna la voix de Manolis. Tu es un très bon père. Ton fils t'aime beaucoup.

Manolis préleva une saucisse bien grillée et l'offrit à Gary. Hector était tout près de son père, leurs corps se touchaient. Il était bien plus grand que lui. Dire qu'autrefois il le trouvait gigantesque.

— Tu veux un coup de main, papa ? lui demanda-t-il en grec.

— C'est presque prêt. Va le dire à ta mère.

À la cuisine, les femmes préparaient les assiettes, les verres, remuaient les salades. Les larmes avaient coulé sur les joues de Rosie, comme sur celles de son fils, qui la tétait avidement.

— Papa dit que la viande est prête. On peut manger.

Au salon, les garçons regardaient un autre DVD, vautrés sur le canapé ou par terre. C'était *Spiderman*. Leur colère était retombée, et Aisha y était sans doute pour quelque chose.

— Éteignez ça, ordonna Hector. On mange !

Ils obéirent.

Il entendit alors un phrasé rythmé sur une basse roulante et sensuelle. Une mélodie d'un autre temps, une chanson qu'il n'avait pas écoutée depuis des années – avant la naissance des enfants, avant l'apparition des mèches et des touffes de poils gris. La voix de Neneh Cherry. Quelqu'un, sans doute Anouk, avait changé le disque. C'était le bon choix.

Un festin les attendait. Côtelettes d'agneau grillées, steaks tendres et juteux. Une sauce à base d'aubergines et de tomates, nappée de miettes de feta. Un dahl de haricots noirs et un pilaf aux épinards. Plusieurs salades – chou blanc à la crème, salade grecque garnie de tomates cerises bien rondes sous d'épaisses tranches de feta ; une autre de pommes de terre à la coriandre, et un saladier plein de crevettes bouquet. Hector ne s'était vraiment pas rendu compte de l'activité à la cuisine. Sa mère avait apporté un pasticcio[1], Aisha avait préparé un curry d'agneau à la cardamome, elles avaient rôti deux poulets au citron avec des pommes de terre. Il y avait du tzatziki, un chutney à l'oignon, du tarama goûteux, un grand plat de poivrons marinés, soigneusement pelés, assaisonnés à l'huile d'olive et au vinaigre balsamique. L'un après l'autre, les invités se munirent de couverts et les enfants prirent place autour de la table basse. Les conversations cessèrent, personne n'ouvrait plus la bouche, sinon pour manger, pour boire, ou pour complimenter Koula et Aisha.

Hector grignotait de tout sans trouver de goût à rien. Les amphés cavalaient dans son corps et chaque bouchée lui paraissait fade et sèche. Mais il était fier de ce que sa femme avait accompli. Il entendit claquer une portière de voiture, leva les yeux, impatient, compta les pas qui remontaient l'allée et courut ouvrir la porte. Tasha l'embrassa sur la joue. Connie et sa tante se ressemblaient fort peu ; Tasha était petite, trapue, avec des cheveux noirs et raides. Connie portait un sweat bleu trop grand : elle se noyait dedans. Quand Hector s'avança pour l'embrasser, elle fit un bond en arrière et buta contre

1. Lasagnes grecques.

l'adolescent craintif qui la suivait. Hector se demanda qui c'était, puis reconnut le fils de Tracey, l'infirmière vétérinaire qui travaillait chez Aisha. Il était tout timide, tout boutonneux, on devinait à peine ses yeux sous la casquette de base-ball, bleu et rouge, qu'il avait vissée sur le front. Hector lui serra la main comme un automate. Il ne voyait que Connie et elle soutenait son regard – ce qui lui fit l'effet d'une secousse.

Il les emmena tous trois à la cuisine.

— Il y a des tonnes de trucs à bouffer ! s'exclama-t-il. Je vais vous servir quelque chose.

— Ils peuvent le faire tout seuls, occupe-toi de leur donner à boire.

Aisha les embrassa à son tour. Le gamin était soudain écarlate, son acné virait au carmin.

— Où est ta maman, Richie ?

Tasha répondit à sa place.

— Tracey n'a pas pu venir. Sa sœur a débarqué d'Adélaïde.

— Mais je lui avais dit de l'emmener ! Ce n'est pas la nourriture qui manque, ni les boissons. Les parents d'Hector ont vu encore plus grand que nous.

Richie baragouina trois mots inaudibles et il s'ensuivit un silence malaisé. Il se racla la gorge avant de recommencer. Il parlait par saccades, confusément.

— Rien que ce soir. Puis avec des amis à Lakes Entrance. Y a qu'un jour. Obligées de courir, avec maman.

C'était un peu incohérent, ce qui amusa Aisha. Elle n'en montra rien et sourit gentiment au jeune homme, qui le lui rendit au centuple.

— Eh bien, je suis contente que vous soyez là. Bon, tu leur sers à boire ? dit-elle à Hector.

Richie voulait un jus de fruit et Connie, hésitante, une bière. Hector étudia Tasha une seconde, mais elle paraissait indifférente. Il trouva alors le sourire figé de Connie, masquant une légère déception. C'était une erreur d'avoir cherché l'approbation de sa tante.

Il ne quitta plus Connie des yeux. Il la regarda remplir son assiette, remarqua les ondulations de son cou long et pâle tandis qu'elle buvait. Elle mangeait lentement, avec élégance, mais le plaisir était manifeste. Elle s'essuya la bouche, désinvolte, sans hâte. De son côté, Richie dévorait ; au bout de quelques minutes, il avait les lèvres et le menton luisants. Hector eut un accès de jalousie en les voyant tous deux migrer au fond du jardin, s'asseoir sur les pierres grises qui cernaient le potager, et savourer tranquillement leur repas sous l'immense figuier. Mais toute jalousie se dissipa aussi vite qu'elle était apparue. Le fils de l'infirmière ne représentait aucun danger. Ce petit était encore plongé dans les affres de l'adolescence ; cela se remarquait dans chacun de ses gestes. Il avait le teint clair et les taches de rousseur de sa mère. Ce serait un jour un sacré beau mec. Des traits fins, bien dessinés, des pommettes hautes, un regard chaleureux. Le pauvre était à mille lieues de s'en douter. Hector cala une cigarette dans sa bouche. Ari fumait lui aussi et, de même, ne faisait que grignoter. Leanna manquait également d'appétit. Hector lui sourit et elle lui fit une grimace désolée.

— Tout ça est excellent, murmura-t-elle, mais voilà, je n'ai pas faim.

Il s'assit auprès d'elle sur la couverture. Ses jolis yeux, brillants, espiègles, gardaient une trace de ses origines birmanes.

Il lui tapota le nez.

— Je sais pourquoi tu n'as pas faim.

Elle s'esclaffa en levant la tête vers Dedjan, qui était allé se resservir.

— Il en faut plus pour l'arrêter, lui, dit-elle.

Dedj ne mangeait pas, il engloutissait. C'était un sujet de plaisanterie au bureau : comment arrivait-il à ne pas grossir avec tout ce qu'il engouffrait ? Quoique le temps fît également son œuvre sur lui, pensa Hector en l'examinant. Il avait les joues légèrement plus rondes, et un peu de ventre aussi, non ?

En allumant sa cigarette, Hector se promit – puisqu'il allait enfin arrêter de fumer – de recommencer à nager. Il devinait le regard de Connie sur lui. Elle avait sans doute envie d'une clope, et il fit exprès de ne pas se retourner.

Tandis que sa mère empilait les assiettes, il vit Ravi se lever et entrer dans la maison. Il en ressortit quelques minutes plus tard avec les enfants qui faisaient la chenille à sa suite. Juste derrière lui, Adam riait. S'il n'avait pas été sous speed, Hector aurait sans doute eu une pensée douloureuse : mon fils voue à son oncle un amour inconditionnel, ne m'aimera jamais ainsi, et moi non plus.

— On n'a pas de guichets, oncle Raf.

— Fais preuve d'imagination, *amigo*. Y a pas un seau quelque part ?

Aussitôt Sava et Adam coururent au garage. Radieux, Adam revint avec un seau vert à la main, Sava muni d'une vieille batte de cricket, aux couleurs tachetées de moisissures après de nombreux hivers sous la pluie. C'était un modèle pour enfant – celle d'Hector quand il était petit. En fouillant dans les broussailles, Melissa avait trouvé une balle de tennis. Assez finement, Ravi forma vite deux équipes. Les grandes personnes s'en retournèrent peu à peu à l'intérieur. Les bras chargés d'assiettes, Hector jeta un coup d'œil au fond du jardin et vit Connie et

Richie, perchés sur les branches du figuier, qui regardaient les enfants prendre leurs positions. Aisha préparait le café à la cuisine.

— Non ! Non, non, non, non, non…

Comme si le gamin se fondait dans ce seul mot, que le monde entier se résumait à ses hurlements.

— … non, non, non, non, non !

Hugo. Tout le monde savait maintenant, supposa Hector, que cela ne pouvait être que lui. Les hommes se précipitèrent dans le jardin – pensant qu'il y avait peut-être un lien entre les hurlements et les règles du jeu – et donc il revenait aux hommes de faire l'arbitrage. Hugo frappait maladroitement le sol avec la batte ; il avait besoin de ses deux mains pour la tenir, mais il la serrait bien et ne la lâcherait pas. Ravi essayait de le calmer et Rocco boudait derrière son guichet improvisé.

— C'est bon, Hugo, tu n'es pas éliminé.

Rocco ne l'entendait pas de cette oreille.

— Si. Il a mis sa jambe.

Ravi lui sourit.

— Écoute, il ne sait même pas que c'est une faute.

Quittant la véranda d'un bond, Gary se dirigea vers son fils.

— Viens, Hugo, je vais t'expliquer pourquoi tu es éliminé.

— Non !

Le même cri perçant. Le gamin semblait prêt à frapper son père avec la batte.

— Pose-moi ça !

Hugo ne bougea pas.

— Pose cette batte, et tout de suite !

Silence. Hector se rendit compte qu'il retenait son souffle.

— Tu es dehors, Hugo, tu nous soûles !

À bout de patience, Rocco s'approcha dans l'intention de lui prendre la batte. Poussant un nouveau hurlement, Hugo lui échappa et, se redressant, leva la batte au-dessus de sa tête. Hector se figea. « Il va lui taper dessus. Il va lui foutre un coup de batte. »

En reprenant son souffle, Hector vit Ravi bondir vers les gamins, entendit Gary pousser un juron furieux, puis Harry les dépassa l'un et l'autre et attrapa Hugo – le tout en une seconde. Harry souleva le gamin si haut que celui-ci, effrayé, lâcha enfin la batte.

— Laisse-moi ! rugit-il.

Harry le reposa par terre. Hugo, cramoisi, lui donna de violents coups de pied dans les tibias. Hector sentait le speed courir dans ses veines, ses poils se dresser dans son cou. Il vit son cousin lever le bras, fendre l'air, et la paume ouverte s'abattre sur le garçon. Il y eut comme un écho. La gifle déchirait le crépuscule. Choqué, le gosse regardait Harry. Alors un long silence. Comme si Hugo n'arrivait pas à comprendre ce qui venait d'arriver, à établir une relation de cause à effet entre le coup et la douleur qui commençait à sourdre. Le silence se brisa, le môme était décomposé, et cette fois il ne gueulait plus : les larmes coulaient sans bruit sur ses joues.

— Espèce de bête sauvage !

Gary fonça sur Harry et faillit le renverser. Un cri retentit, Rosie les dépassa et prit son enfant dans ses bras. Les deux époux lâchaient des torrents d'insultes sur Harry qui, lui-même en état de choc, reculait vers le mur du garage. À l'évidence médusés, les gamins les regardaient. Rocco rayonnait d'orgueil. Hector sentit Aisha se glisser près de lui, et il savait qu'il devait faire quelque chose, puisqu'il était l'hôte de la soirée. Quoi ? il se le demandait – il préférait que sa femme intervienne, car elle le ferait calmement, et en toute justice. Ce dont il ne pensait pas être capable. Il ne pouvait oublier sa jubilation quand le bruit de la gifle avait résonné dans son corps. Ç'avait été électrique, féroce, excitant ; un peu plus, et il bandait. Cette gifle, il regrettait de ne pas l'avoir donnée lui-même. Il se réjouissait que le gamin ait été puni, qu'il soit ébranlé, épouvanté, qu'il chiale. Il vit Connie descendre de l'arbre, rejoindre en vitesse la mère et l'enfant en pleurs. Mais il n'était pas question de laisser la jeune fille prendre ses responsabilités à sa place. Il courut s'interposer entre son cousin et les parents furieux d'Hugo.

— Allez, on va tous rentrer.

Gary se retourna vers lui. Le visage tordu, il bavait de rage et un filet de salive vint s'échouer sur la joue d'Hector.

— Ah, putain, sûrement pas !

— J'appelle la police, dit Rosie, les poings serrés.

Harry passait de l'ébahissement à l'indignation.

— C'est ça, appelez les flics, si vous avez des couilles !

— On ne maltraite pas un enfant, c'est ce que tu viens de faire, mec.

— Il le méritait. Mais c'est pas lui que je condamne, plutôt ses prolos de parents de merde.

Connie, qui approchait, toucha l'épaule de Rosie. Celle-ci, en colère, fit volte-face.

— Ça serait une bonne idée de le laver.

Rosie acquiesça. Tout le monde était maintenant dans la véranda, et on s'écarta pour laisser passer la jeune fille, Rosie et son fils qui sanglotait toujours.

Hector se tourna vers son cousin.

— Je crois que tu devrais partir.

Harry le prit mal, et Hector lui parla aussitôt en grec :

— Il a trop bu. On n'arrivera pas à le raisonner.

— Qu'est-ce que tu lui dis ?

Hector avait soudain le visage de Gary à deux centimètres du sien. Il sentit l'odeur âcre de sa sueur, son haleine chargée d'alcool.

— Je lui dis simplement qu'il ferait mieux de rentrer.

— Il ne rentre nulle part, parce que j'appelle la police.

Gary sortit son portable de sa poche et le brandit.

— Tu vois ? Je les appelle, dit-il. Tout le monde est témoin.

— Tu peux faire ça plus tard.

Sandi parla d'une voix chevrotante en approchant.

— Je te donnerai nos coordonnées, poursuivit-elle. Si tu veux déposer plainte, libre à toi. Mais je crois qu'on ferait tous mieux de rentrer chez nous et de nous occuper de nos enfants.

Elle se mit à pleurer.

Défiant, Gary lui ricana au nez. Peut-être allait-il l'insulter à son tour quand Rocco vint se placer sans un mot à côté de sa mère et le regarda dans les yeux. Ce qui le calma.

— Pourquoi tu fais front avec ce salaud ? demanda doucement Gary. Il te frappe, toi aussi ?

Hector avait le bras sur l'épaule de son cousin.

— Mon mari est un mec bien, dit Sandi.

— Il a frappé un môme.

Elle ne répondit pas.

— Donne-moi ton adresse.

Elle fit signe que non.

— Je te donne le téléphone.

— Je veux l'adresse.

Aisha se plaça près de Gary.

— J'ai leurs coordonnées. Sandi a raison, vous devriez tous rentrer.

Lui passant simplement une main dans le dos, elle réussit à l'apaiser.

Hector vibrait d'amour pour sa femme. Comme toujours, Aisha savait exactement quoi faire. Il avait envie de l'embrasser, de s'accrocher à son cou. Melissa, qui pleurait elle aussi, avait rejoint sa mère. Celle-ci trouva sa main et la prit doucement. Adam était soudain près de son père, qui fit de même avec lui.

« Mais qu'est-ce que je fous ? Tout ce que j'ai, tout ce bonheur qu'on me donne, je suis prêt à le bazarder, le compromettre ? »

La main moite du garçon semblait se fondre dans la sienne.

Hector la lâcha brusquement et rentra dans la maison.

Il croisa sa mère dans la cuisine, qui murmura en grec :

— Ton cousin n'a pas tort.

— Chut, Koula, dit Manolis. Ne complique pas les choses.

Manny paraissait effrayé. Peut-être était-il seulement las de ce monde nouveau.

Hector gagna sa chambre et se figea. Hugo tétait le sein de sa mère. Assise à côté d'elle, Connie caressait la nuque de l'enfant.

— Je n'arrive pas à croire que ce monstre ait fait ça. Ni son père ni moi n'avons jamais frappé Hugo. Jamais.

Hector sentit sur lui les yeux du petit garçon.

Celui-ci se détacha du mamelon.

— Personne n'a le droit de me toucher sans mon consentement, assura-t-il d'une voix aiguë.

« Où avait-il pêché ça ? se demanda Hector. Rosie ? La garderie ? La télé ? La chaîne locale ? »

— C'est vrai, mon bébé, c'est vrai.

Rosie lui baisa le front.

« Et quand c'est lui qui frappe les autres gamins et leur donne des coups de pied ? Il a leur consentement ? »

— Oui, convint Connie en hochant vigoureusement la tête. Tu as raison, Hugo. Personne n'a le droit de faire ça.

Ce qu'elle était jeune. Hector ressentit soudain de la répulsion.

— Gary est prêt à partir.

Rosie ramassa son sac à main sur le lit et, son fils sous le bras, passa devant Hector sans rien lui dire.

Il referma la porte derrière elle et se retrouva seul avec Connie. Il souhaitait être gentil mais ne savait pas comment faire.

— Nous ne pouvons plus nous revoir. Du moins comme ça. Tu comprends ?

Elle se détourna en reniflant.

— Je n'arrive pas à croire qu'il l'ait frappé. Faut vraiment être un sale con pour en arriver là.

Comment avait-il pu risquer de tout perdre ? Les choses lui apparaissaient clairement. Il voulait qu'elle sorte de cette pièce, de cette maison, de sa vie.

— Tu comprends ? dit-il d'une voix plus douce.

— Bien sûr.

— Tu es quelqu'un de merveilleux, Connie. Mais c'est Aisha que j'aime, vraiment.

La réponse fut presque violente.

— Mais moi aussi, je l'aime, tu comprends ? dit-elle en tremblant. Je m'en veux beaucoup de lui faire ça.

Elle inspira en frissonnant.

— C'est…

Elle cherchait le mot.

— … dégoûtant.

À cet âge-là, on exagérait tout. Il avait réellement envie de la pousser dehors, de l'exclure de son univers. Elle était immature, une gamine mal dégrossie.

— Je suis désolé.

« Tu ne diras rien ? » Depuis des mois, il vivait dans la terreur – la peur était toujours là, sous l'ivresse. Il avait souvent imaginé la honte – les flics, le divorce, la prison, le suicide.

Connie lut dans ses pensées.

— Personne n'est au courant.

Il répéta :

— Je suis désolé.

Évitant de le regarder, elle agitait un pied, mâchonnait une mèche de ses cheveux. Une gosse, c'était une gosse.

Elle parla si doucement qu'il n'entendit pas.

— Comment ?

Cette fois elle lui fit face, venimeuse.

— Je dis que tu as des bras affreux. Poilus comme un gorille.

Il était vexé, mais il avait envie de rire. Il s'assit près d'elle en maintenant une distance respectable.

— Connie, il ne s'est jamais vraiment rien passé entre nous.

Elle tressaillit. Il sentit son parfum bon marché, capiteux, sucré. Le parfum d'une très jeune fille. Il aurait aimé la toucher, caresser ses cheveux, l'embrasser une dernière fois, mais impossible de lui témoigner de l'affection. Relevant les yeux, il vit dans le miroir un homme et une gosse sur son lit. Connie l'imita. Son regard dans la glace était tourmenté, implorant. Presque contre sa volonté, soucieux de ne blesser personne, il hocha la tête.

Connie bondit, ouvrit la porte d'un geste et fila. Il resta assis un moment, à ne savourer que son soulagement. C'était fait, il avait rompu. Il referma la porte et revint se rasseoir. Il avait mal à la poitrine, la sensation d'une corde qui lui serrait le torse. Sa respiration était bloquée. Il savait qu'il ne fallait pas s'affoler, ce n'était pas une crise cardiaque, bien sûr que non, il devait simplement maîtriser son souffle. Putain, la gorge, la gorge était bouchée. Couvert de sueur, il ne se voyait plus dans le miroir. Il n'était plus là, où était-il ? Merde, où était-il passé ?

Il s'étala par terre sous le coup d'une contraction violente et – rien ne vaut la vie – l'air entra enfin dans sa gorge et ses poumons. Il se balançait d'avant en arrière, se rappelait comment on respire. Avec un mouchoir, il s'essuya le cou, le visage, et retrouva son image dans la glace. Bouffi, gris, vieux. Il se rendit compte qu'il pleurait. De la morve sous le nez, les joues baignées de larmes. Il ne pleurait jamais – ne pleurait plus depuis l'enfance. Il se massa le torse. « Je vais changer, se promit-il, changer. »

Lorsqu'il ressortit, il n'y avait plus que Richie dans le jardin, perché sur une branche du figuier. Gary, Rosie et Hugo avaient disparu. Tout le monde ramassait silencieusement ses affaires en marmonnant de vagues au revoir. Dans la rue, Hector demanda à Leanna, Dedjan et Ari où ils allaient. Ils parlaient de boire un coup, d'un bar de High Street, d'aller danser. Il se sentit totalement différent, un fossé le séparait d'eux, de leur vie sans enfants.

De retour à l'intérieur, il trouva Harry lui aussi au bord des larmes ; le pire était de voir son cousin si misérable. Il sentit une rage folle sourdre au fond de lui. Une chance que Gary et Rosie aient foutu le camp, il ne pouvait plus les supporter, il n'aurait pas à feindre l'amitié et la compassion. Rocco se tenait si près de son père que leurs corps se touchaient.

Sandi embrassa Aisha et Hector, puis Koula et Manny la raccompagnèrent, avec Harry, à la voiture. Hector avait longuement serré la main de son cousin. Pour Aisha, c'était plus compliqué, il ne savait pas ce qu'elle attendait de lui, quel parti elle prenait. Assurément, les parents réconforteraient leur neveu dans l'allée, ils pesteraient en grec contre ces foutus Australiens. Hector était de leur côté, mais pour ce qui était d'Aisha, mystère. Il redoutait une dispute.

Dans le jardin, Connie appelait Richie.

Qui ne bougeait pas. Hector alluma une cigarette et en offrit une à Tasha.

Elle posa un bras sur son épaule.

— Je suis vraiment navrée.

— De quoi ?

— Que ça ait mal fini, comme ça.

Il fit la moue.

Depuis le figuier, Richie étudiait la ligne des toits par-dessus l'allée.

— Je crois que je vois ta maison, d'ici ! cria-t-il à Connie.

— Descends, Richie, ordonna Tasha, toujours patiente.

Il sauta. Malgré lui, Hector s'attendit à un craquement d'os, mais l'adolescent atterrit sur ses pieds, trébucha, se redressa. Un grand sourire éclairait son visage. Il courut jusqu'à la véranda et, s'arrêtant net devant Hector, prit sa main et la serra vigoureusement.

— C'était super. La bouffe était géniale, dit-il.

Tout aussi brusquement, il recula en rougissant.

Hector chercha vainement quelque chose à lui répondre. Aisha eut la bonne idée de les rejoindre.

— Merci, Richie, dit-elle. Je crois que la fête est terminée.

— On va vous aider à ranger.

— Non, Tasha, ça ira, on va le faire.

Connie avait la main molle, et elle ne le regardait pas. Elle prit Aisha dans ses bras et la serra contre elle. Hector gardait les yeux fixés au loin dans le noir. Quand, peu après, la voiture de Tasha démarra, il lâcha un soupir et tira sa femme vers lui. Elle se colla sur son corps sans rien dire, et il l'enlaça. Ses cheveux sentaient la fumée de charbon et le jus de citron. Il savoura cet instant de silence, juste entre eux, qu'il dut interrompre pour éteindre sa cigarette.

Aisha se détacha.

— Je vais coucher les enfants.

— Il est encore tôt.

— Je veux qu'ils dorment.

— C'est samedi soir.

— Je t'en prie, Hector, fais un effort.

Il hésita. Il voulait éviter une discussion qui se présentait mal, profiter d'un moment de calme à l'abri des problèmes.

— Bon, alors ton avis ?

— Je suis furieuse.

— Contre qui ?

Un éclair de colère dans ses yeux.

— Ton cousin, évidemment.

— Pas moi.

— Ç'aurait été ton enfant, tu n'aurais pas pris sa défense ?

Mais il ne s'agissait pas de leur enfant, celui-ci n'aurait pu être en cause. Non qu'Hector pût s'en flatter, loin de là, il en était conscient. Non, ils devaient leurs bonnes manières à Aisha, qui était une mère formidable. Circonspecte, elle le dévisageait en préparant certainement ses arguments. Il se réjouit d'être encore sous speed. Il n'avait pas envie de batailler, n'était pas en état de prendre un air supérieur ou contrarié. En revanche, elle ne demandait qu'à engager les hostilités. Elle voulait fustiger Harry, l'accabler de reproches, puisque entre autres c'était son cousin. Hector n'avait pas vu Ravi s'en aller, et il se rendit compte alors – quel imbécile il était ! – que, dans une large mesure, le barbecue avait été organisé en l'honneur de son beau-frère.

Le regard d'Aisha était vif, brillant, elle serrait le poing droit. Hector n'avait plus qu'une idée en tête : retrouver ses faveurs.

— C'est vrai, glissa-t-il doucement. Harry n'avait pas le droit de frapper cet enfant.

Elle était prise au dépourvu. Il crut voir son visage se voiler sous le coup d'une légère déception. Elle desserra le poing.

— Non, il n'avait pas le droit.

Ce qu'elle dit d'une voix étouffée, sans conviction.

— Va coucher les enfants. Je commence à ranger.

Il alignait les assiettes dans le lave-vaisselle et il avait envie de danser. Il lui fallait quelque chose d'enjoué et de substantiel à la fois. Il choisit un CD de Benny Goodman. Hector siffla en refermant l'appareil et commença à mettre de l'ordre sur les tables.

— Comment peux-tu être d'aussi bonne humeur ?

Aisha avait les mains sur les hanches et un air solennel.

Il s'approcha en dansant et l'embrassa sur les lèvres.

— Parce que je t'ai, toi.

Et c'était vrai. Cent pour cent vrai. Il l'enlaça, referma ses mains sur ses fesses. Il lui baisa les yeux, les joues, les lobes d'oreille.

— Ils ne dorment pas encore.

— M'en fous, murmura-t-il.

Hector bandait. Il prit une main de sa femme, qu'il plaça sur son sexe. Aisha s'esclaffa. Elle lui rappela Connie. Il ferma les yeux en comprenant qu'il avait espéré la bannir à jamais de son imagination. Évidemment, ce n'était pas le cas. Il s'abandonna au fantasme. Détacha la ceinture d'Aisha, descendit sa jupe, caressa son ventre, remonta vers ses seins. Les yeux toujours fermés, il repensait aux poils pubiens de Connie, rares et légers.

— J'ai pas besoin d'une capote, si ?

Aisha fit signe que non.

— Devrait pas y avoir de problème, lui dit-elle à l'oreille.

Il frissonna – le son de sa voix, son haleine envahissaient son corps, des vagues d'euphorie, exubérantes, le traversaient successivement.

— Allons dans la chambre.

Sans répondre, il lui souleva les bras et l'embrassa dans le cou. Il dégagea son chemisier, caressa puis baisa ses seins. Elle tenta de se détacher mais il la retint. Ses lèvres se refermèrent sur le téton obligeant qui durcissait ; il le suça, le mordilla jusqu'à ce qu'Aisha émette un petit gémissement de douleur. S'arrêtant à contrecœur, il se redressa, vit son regard étincelant, et ils pouffèrent tous deux. Hector se demanda brièvement si les enfants entendaient, mais la pensée s'évanouit aussitôt. Sa braguette était ouverte, sa queue sortie de son slip, et il sentit l'odeur forte du désir qui émanait de sa femme. Il glissa un doigt dans son vagin, elle haleta ; il baissa son jean et la pénétra. Comme ça, debout. Elle avait sa jupe sur les chevilles, ils grognaient l'un dans l'autre. Les amphés avivaient son érection, l'aidaient à retarder l'orgasme, ils baisèrent pendant une éternité. Jouissant, extatique, il ne put se retenir de crier, et Aisha, hilare, lui posa une main sur la bouche. Il laissa son sexe mollir dans son vagin, poussant encore doucement, chuchotant qu'il l'aimait, répétant son prénom. Il l'entendit hoqueter, puis elle l'embrassa méchamment, mordant presque ses lèvres. Hector, les yeux fermés, ne voulait pas se retirer. Il avait chassé Connie de son esprit – maintenant qu'il avait joui. C'était impossible avant. Il les avait réunies toutes deux, fusionnant l'acte et le fantasme, baisant sa femme et la gamine, leur corps, leur con, leur peau à la fois distincts et uniques. Aisha bougea et sa queue sortit. Riant encore, ils se revêtirent.

Elle monta jeter un coup d'œil aux enfants et redescendit.

— Je crois qu'ils dorment.

Elle n'avait pas eu cet air timide depuis des années.

— On n'a pas fait de bruit.

— Ah si, quand même…

Se plaçant devant l'évier, elle jeta les restes des salades dans le bac à compost.

Hector se colla dans son dos et l'étreignit.

— Laisse-moi finir de ranger.

— On range ensemble.

— Non, j'insiste, dit-il fermement.

Quoique avec moins d'intensité, la drogue continuait de le travailler et il avait envie de s'activer. Faire l'amour avait rechargé ses batteries.

— Qu'est-ce que je fais ? C'est un peu tôt pour se coucher.

— Regarde la télé, bouquine. Bon, j'y vais.

Il prendrait un Valium pour s'assurer une descente confortable pendant qu'il mettrait de l'ordre.

Aisha fit volte-face dans ses bras et le dévisagea d'un air calme. Une goutte de sueur perlait sur sa lèvre supérieure. Il la lécha.

— Tu vas lui dire quoi, à ton cousin ?

« Rien. »

— Je ne sais pas.

— Hector.

Elle prononça simplement son prénom. Il y avait une certaine urgence dans le ton, proche de la persuasion. Il se demanda s'il arriverait à la baiser encore, tout de suite et de la même façon, sur la table de la cuisine.

— Hector. Je veux que tu sois plus gentil avec Adam.

D'où ça sortait, ça ? Il la lâcha, chercha ses cigarettes dans sa poche, ouvrit la porte coulissante et se plaça à la limite de la cuisine et de la véranda. Aisha le suivit et lui piqua sa cigarette. Il ne se rappelait pas depuis combien de temps elle n'avait pas fumé – certainement bien avant qu'elle tombe enceinte de Melissa. Ce soir, il avait l'impression de la voir d'un autre œil, ainsi que leur vie commune. Il aurait aimé se confesser, parler des mois écoulés, de sa trahison, de l'indifférence qu'il avait presque ressentie à son égard. Il avait envie de le faire car, à cet instant, il était sûr de l'amour qu'il éprouvait pour elle, elle tout entière, et tout ce qu'ils partageaient. La maison, les enfants, le jardin, le grand lit double qui, encore confortable, commençait à s'affaisser au milieu. Tant d'années à y dormir ensemble, enlacés – il gardait toujours Aisha dans ses bras, jusqu'à ce que, tous deux ensommeillés, elle le pousse gentiment pour qu'il cesse de ronfler. L'existence ne serait plus supportable sans elle. Il se raidit et serra les poings, déterminé. Il ne lui permettrait pas de voir qu'il avait peur.

— Je vais changer, je promets. Je serai moins dur avec Adam.

ANOUK

Anouk fit un sourire ironique à son image dans le miroir. Ses rides étaient plus nombreuses aux commissures des lèvres. « Tu commences à t'examiner de trop près », se dit-elle. Elle tira la chasse d'eau, éteignit la lumière et revint se glisser au lit. Rhys grogna dans son sommeil, puis se retourna et l'enlaça. Son corps était chaud, il suait. Elle jeta un coup d'œil au réveil : 05:55. Impossible de se rendormir, maintenant. Elle embrassa le bras de Rhys, passa ses lèvres sur ses poils rêches, sa peau de bébé, salée, et se dégagea de lui.

— Ça va ? marmonna-t-il.

— Ouaip.

Un instant plus tard, elle vomissait dans les toilettes. Levant la tête, elle trouva ses yeux verts qui la regardaient avec inquiétude. Sa main droite couvrait maladroitement son sexe et elle eut envie de rire. Anouk tendit un doigt vers la serviette et il se pencha pour lui essuyer la bouche. « Ça, c'est gentil, pensa-t-elle avec gratitude. Il doit être très amoureux. »

Elle se redressa et lui posa un baiser sur le front.

— Ça va ?

Il n'avait pas l'air rassuré.

— Prends ta journée, dit-il en bâillant.
— Comme si je pouvais.
— Allez… Je ferai comme toi.
Il pissait maintenant, dans la cuvette pleine de vomi. C'était désinvolte et dégoûtant. Elle eut envie de le blesser, de répondre qu'une journée de libre était bien trop précieuse pour la gâcher avec quelqu'un. Tout en se massant le ventre, elle étudia les fesses fermes de Rhys, la courbe gracieuse de son dos. D'un bout à l'autre de l'Australie, des centaines de filles, deux fois plus jeunes qu'elle, rêveraient sans doute de lui quand le réveil se mettrait à hurler. Peut-être même des milliers. Voyant comment elle traitait leur idole, certaines se feraient un plaisir de lui arracher les yeux.
Il tira la chasse d'eau et se retourna en souriant.
— T'es vraiment crado.
Comme il se grattait les couilles sans répondre, elle le poussa hors de la salle de bains. Il lui fallait de l'eau chaude sur la tête et les épaules, et un moment de solitude. Anouk resta une éternité sous la douche et se sentit mieux, de nouveau elle-même.

Tous deux étaient attendus au studio ce matin, mais il prit la voiture et elle le tram. Elle préférait les transports en commun, qui lui donnaient le temps de lire, de préparer ses notes, ou simplement de penser à elle. Rhys ne voulait plus se risquer dans le tram ou le métro car, disait-il, son visage était devenu trop connu. Ce qui, pour Anouk, tenait surtout de l'affectation. Certes, cela pouvait être casse-pied de se cogner une bande d'écolières hilares mais, en rocker de luxe, il se démarquait assez du look surfeur de son *alter ego* pour conserver un relatif anonymat – surtout avec des lunettes de soleil intégrales et une vieille casquette en cuir sale vissée sur le crâne. De plus, et elle le taquinait souvent avec ça, quand on part au boulot le matin, on a d'autres préoccupations que les stars des séries télé. Rhys avait souri en répondant qu'elle ne savait pas à quel point c'est embarrassant de se faire lécher les bottes – ou pire : humilier – devant tout le monde. Elle avait dû reconnaître que ce n'était pas tout à fait faux. Au début de leur liaison, un ivrogne s'était approché d'eux dans un bar et, maladroitement, avait frappé Rhys au visage. « Connard de pédé de feuilleton de merde », s'était-il justifié pendant que les videurs rappliquaient.

Connards de producteurs de feuilleton de merde. Anouk ne se rendait pas de gaieté de cœur à cette réunion. Elle écrivait depuis un mois dans un style chargé, volontairement théâtral, avec une certaine dose de dérision. Dans son dernier scénario, une jeune fille citait les deux Verlaine – le poète et le chanteur de rock. Mais ce n'était pas pour cette raison que la réunion serait tendue. Les producteurs et la chaîne s'étaient mutuellement félicités d'avoir introduit la trame de l'inceste dans un épisode récent de la série – laquelle était diffusée en début de soirée. Ils se trouvaient « courageux », « socialement responsables ». Anouk voyait clair dans leur jeu. Le thème était en réalité celui de l'enfance maltraitée – certes pas une nouveauté – et on avait simplement ajouté une donnée d'ordre vaguement sexuel. En outre, la victime et son père étaient des personnages secondaires, qui venaient d'emménager dans la maison voisine de celle des protagonistes. Ainsi fait, il n'était pas difficile de supprimer cet aspect-là du synopsis, si d'aventure les annonceurs se plaignaient. Personne n'avait protesté. Comme se plaisait à rappeler le producteur exécutif, « on reste dans les limites du bon goût ». Anouk avait éclaté de rire en l'entendant. Johnny, un de ses collègues scénaristes, lui avait parlé d'une amie à lui, qui travaillait à Hollywood dans une unité de production qui montait une minisérie autour de la Deuxième Guerre mondiale. Elle lui avait envoyé un e-mail marqué « confidentiel », qui avait circulé parmi le personnel. Une phrase en particulier était mise en valeur : « Toutes les scènes situées dans les chambres à gaz doivent être tournées avec goût, pour ne pas heurter la sensibilité des spectateurs. » Anouk l'avait imprimé et collé sur le mur au-dessus de son bureau à la maison. Au cas où elle s'imaginerait un jour qu'elle faisait un métier glorieux, ou pire, important, l'e-mail était là pour lui remettre les idées en place. Elle sortit son dernier script de son sac, coincé contre un vieil homme sympathique dans le tram, et elle le relut. Elle sourit. Ils auraient sûrement envie de la tuer tout à l'heure.

Anouk avait transformé la prétendue victime en menteuse, en petite salope sadique. Elle avait imaginé une scène dans un couloir du lycée, où la gamine de quinze ans demandait à son bienveillant professeur de l'embrasser. Consterné, il refusait, et la fille le prévenait qu'elle était capable de lui causer des ennuis. Ç'avait été la goutte d'eau. Anouk avait inséré cette scène vaguement choquante pour défier le spectateur et donner du piment à l'intrigue. Parce qu'elle en avait assez, également, de la gentillesse sirupeuse de cette gosse. Il y avait dans ce soap une tapée de blondes saines, plantureuses, et ces nanas donnaient l'impression à Anouk d'être un être décadent et immoral. Elle ne souhaitait rien tant que les foutre dans la merde. Elle sourit encore. Il allait la tuer.

De fait, ce con hurla pendant dix bonnes minutes. Sans l'interrompre, Anouk affichait un petit sourire narquois, dont elle savait qu'il le rendrait plus furieux encore. Aucun des autres scénaristes n'osait la regarder dans les yeux, lui offrir le moindre soutien, ce qui ne l'étonna ni ne la contraria. C'était une télé privée : ils lui seraient de nouveau dévoués, mais au pub tout à l'heure, quand ça serait fini. Le script finit à la poubelle et le producteur refusa de la payer.

Le seul point à propos duquel elle répondit.

— Il *faut* me payer.

— Tu n'auras pas un cent pour cette connerie, espèce de nullité.

Anouk répliqua sans se démonter – quand on travaille pour une chaîne australienne, on sait se battre contre les machos.

— Et si tu ne me paies pas, gros pédé de merde, je fais arrêter la production aussi sec, et tout le fric des annonceurs va te ressortir par le trou du cul.

Du bluff. Elle doutait de trouver assez de volontaires au syndicat pour fermer la cantine ne serait-ce qu'une heure. Mais son aplomb le fit hésiter un moment, et alors elle remporta la partie.

— Ouais, ben t'auras pas un dollar de plus pour la nouvelle version. Je la veux demain matin. Compris, chérie ?

— Je suis occupée demain matin, *chéri*. Mais j'en toucherai un mot à Rhys.

Anouk évitait en général de parler de leur liaison au travail. Ils s'en étaient ouverts quelques mois plus tôt et si, aujourd'hui, tout le monde était au courant, elle refusait d'aborder ce sujet au studio. Cela étant, elle supposait que le producteur avait un faible pour Rhys. C'était trop savoureux pour ne pas s'en servir.

— Je lui dirai de l'apporter personnellement, conclut-elle.

Anouk avait rendez-vous avec Aisha dans un bar de Federation Square, où elle arriva en avance. Elle fumait et sa main tremblait. Quelques instants plus tôt, elle exultait en sortant de sa réunion ; elle ne s'était pas mise en colère ; elle lui avait fait perdre ses moyens, à ce merdeux, en ne se laissant pas intimider. Puis ses collègues, la rejoignant dehors, l'avaient félicitée pour lui avoir tenu tête. Cependant elle ne savoura pas longtemps une victoire qui tenait plus de la bravade que de la bravoure. Il aurait été plus courageux de dire à ce con ce qu'elle pensait au fond d'elle, de lui jeter à la gueule sa paresse, sa grossièreté et son incompétence. De donner voix au mépris qu'elle ressentait pour ce programme débile. La main d'Anouk tremblait car, une fois encore, elle était confrontée à ses propres faiblesses. Elle tripotait son bracelet, une torsade de cuivre et d'argent qu'elle avait achetée près de Split, alors qu'elle aidait une équipe croate à adapter le soap-opéra. Elle regarda ses jolies sandales en cuir, dénichées à Milan, où elle avait fait un aller et retour, un week-end, depuis Zagreb. Ce qu'elle écrivait était infantile, crétin, elle le savait. Elle contribuait à répandre l'ineptie dans d'autres parties du monde. Mais elle les aimait, ces sandales, et elle aimait ses bijoux, ainsi que son appartement qui dominait la baie et la ligne des toits de Melbourne. Anouk aimait gagner de l'argent. Ce soir, au lieu de travailler sur son roman, il faudrait qu'elle récrive ce scénar. Les bons porteraient des chapeaux blancs, les méchants seraient tout en noir. Elle appela son généraliste pour une consultation le lendemain, puis la bibliothèque pour conserver ses livres un peu plus longtemps.

Elle en était à son deuxième Martini quand Aisha arriva.

— Comment ça s'est passé ?

— Je déteste ce job.

— Oui, mais tu apprécies le salaire.

Aisha alla commander un verre de vin blanc au comptoir, et Anouk rit toute seule. Les deux femmes se connaissaient intimement, et elle tenait à cette amitié. Aisha était là bien avant qu'Anouk prenne de l'assurance et rencontre le succès – tout au début, quand son amie était une jeune juive maladroite qui, à la fin du bal des terminales, portait des taches de vomi sur une robe trop serrée.

Aisha revint s'asseoir avec son verre.

— N'empêche que je déteste ce que je fais.

— Rosie et Gary ont porté plainte.

Anouk se demanda de quoi il s'agissait. Puis – « Oohh… » – elle se rappela l'incident, le jour du barbecue.

— Non, tu déconnes ?

— Harry a giflé le môme.

— Faudrait lui donner une médaille.

— Hugo est un enfant, Anouk.

— Un monstre. Je déteste ce sale gosse.

Incrédule, Aisha regardait son amie, qui inspira profondément. Elle ne voulait pas de dispute, mais cela semblait inévitable si elles abordaient le sujet de Rosie. Elles se fréquentaient depuis l'adolescence, à Perth, et leurs relations avaient connu des hauts et des bas. Aisha les aimait toutes deux, et aujourd'hui, Rosie et Anouk ne se voyaient plus guère. Ce que Rosie refuserait de reconnaître – le désordre, les côtés obscurs de la vie, elle ne voulait pas savoir. Pour elle n'existaient que la lumière, la bonté, le positif. Ce qui lui permettait de nier toute agressivité, toute malveillance de sa part : elle se poserait toujours en victime. Anouk repensa à Harry, un costaud qui disait les choses comme elles sont, qui avait flanqué une taloche à Hugo cet après-midi-là. Elle ignorait presque tout de lui, sinon qu'il paraissait gentil, décent, certainement ennuyeux et conformiste. Il émanait de lui un reste de virilité prolétaire, grignotée par les années. En tout cas, c'était un mec, plus que Gary. Anouk avait apprécié Sandi, l'épouse de Harry, charmante, humble, et leur fils aussi, qui était si mignon. Il avait sûrement la vie belle, Harry. Mais voilà que Rosie, cette tête de linotte, encouragée par un mari stupide, frustré et alcoolique, lui cherchait noise. Et méchamment, encore. Lâchant un soupir feutré, Anouk attendit qu'Aisha reprenne la parole.

— Hector m'en veut terriblement. Il pense que je lâche son cousin.

— Pourquoi ? Qu'est-ce que tu as fait ?

— C'est son côté grec qui ressort.

— Attends, je t'ai posé une question.

— Rosie veut que j'aille déposer à la police.

Anouk explosa. Comme si toutes les tensions de la journée se ruaient vers une soupape qui avait pour nom cette méprisable Rosie. Non, c'était plus que ça : elle était furieuse qu'une amie aussi proche et intelligente qu'Aisha soit amenée à commettre des erreurs, pour satisfaire les caprices égocentriques d'un paillasson.

— Ne t'en mêle pas, commença-t-elle sans se laisser interrompre. Si tu mets le doigt dans l'engrenage, tes relations avec Hector vont en pâtir, et ça n'a aucun sens de faire les quatre volontés de Gary et Rosie. Ils sont paranos, leur gamin est cinglé. Hugo n'a pas de limites, il est incontrôlable. Si Rosie veut jouer les mères écolo-hippies, tant mieux pour elle, mais Hugo n'est plus un bébé et, un jour ou l'autre, il apprendra à subir les conséquences de ses actes. Ce qui s'est passé samedi est positif, finalement.

Aisha restait posée.

— Harry a frappé un enfant. Ça ne porte pas à conséquence, ça ?

— Il défendait le sien.

— Allons, Rocco est deux fois plus grand qu'Hugo.

— Aisha, ne te laisse pas entraîner là-dedans.

— On ne m'entraîne nulle part, ça a eu lieu chez moi.

Anouk leva les yeux au ciel.

— Et Hector, il en pense quoi ?

Sans répondre, Aisha glissait un doigt sur le tour de son verre.

Anouk sourit.

— Comme moi, n'est-ce pas ?

Aisha brassa l'air d'un geste contrarié. Un geste de son père, pensa Anouk, dont la colère retombait. M. Pateer avait un visage rond, doux, avenant, mais il restait envers et contre tout indien, immigré, alors qu'Aisha, son amie intime, était sans conteste australienne. Pour Anouk, elle tenait plus de sa mère britannique que de lui. Pourtant, en la regardant maintenant, elle retrouvait les traits de son père dans cette figure fière et tendue. « On vieillit, ma fille, on vieillit. » Soudain, sa hargne, ses frustrations s'évanouirent dans une vague de tendresse. Il faudrait toujours qu'Aish recolle les morceaux derrière Rosie ; quelque chose dans son caractère l'amenait à secourir les faibles et sans défense. C'est ce qui la poussait vers les animaux. Elle n'était pourtant pas une grande sentimentale. Sa gentillesse était contenue par une intelligence froide et objective. Ce qui faisait d'elle une bonne vétérinaire.

« Je t'aime », pensa Anouk, honteuse des larmes qui subitement lui montaient aux yeux. Cela ne dura pas, elle cligna, les larmes disparurent.

Aisha avait posé la main sur son verre.

— Hector est impossible en ce moment. Il essaie à nouveau d'arrêter de fumer.

Anouk sortit une cigarette de son paquet et l'alluma.

Son amie s'esclaffa.

— Tu n'arrêteras jamais, toi, hein ?

— Non, je n'ai pas envie.

— Hector non plus. Il fait ça pour moi. Alors il me déteste.

Ce fut Anouk qui rit, cette fois.

— Je t'en prie, ce n'est pas vrai.

— Enfin, en ce moment, disons, admit Aisha.

Anouk la voyait s'énerver, tout ça la travaillait.

— On dit qu'il y en a pour un mois. Laisse-le s'exciter quatre semaines et ensuite le besoin disparaîtra. Fiche-lui la paix pendant ce temps.

— Ce n'est pas le problème du tabac, mais cette affaire avec Hugo. Il m'emmerde !

Finissant son verre d'un trait, Aisha se leva pour en commander un autre.

— C'est sa mère, poursuivit-elle avant de tourner les talons. Il faut encore qu'elle s'ingère dans nos affaires. Elle est furieuse que je ne lâche pas Rosie, et Hector n'ose pas la défier. Évidemment.

Le ton était amer et sarcastique. En attendant le retour de son amie, Anouk sentit sa propre colère se réveiller. « Mais non, ce n'est pas sa mère, c'est toi qui prends le parti de Rosie les yeux fermés, et ensuite tu en veux à tout le monde de ne pas t'approuver sans réserve. Bien sûr qu'Hector est furieux, bien sûr que ses parents ne tiennent pas à voir Harry dans la merde. C'est toi qui devrais tenir tête à Rosie. »

— Tu n'es pas juste.

Aisha se rassit, des flammes dans les yeux.

— Envers qui ? répondit-elle.

— Hector.

Elles gardèrent le silence. Anouk voyait son amie réfléchir, peser ses arguments, considérer la situation des uns, des autres. Aish était ainsi. Elle faisait des listes. Une fille organisée.

Anouk savourait sa cigarette en attendant.

Soupir d'Aisha.

— Je vais expliquer à Rosie que je la soutiens moralement, mais il n'est pas question que je dépose ni que je serve de témoin. Ça me met dans une situation impossible vis-à-vis d'Hector et des siens. Il faudra bien qu'elle comprenne.

« Compte là-dessus. Elle dira oui en pensant le contraire. »

— Elle comprendra.

C'était une bonne décision. Les deux filles pouvaient maintenant papoter, s'amuser, faire les boutiques, peut-être aller au cinéma. Légèrement ivre, Anouk se sentait heureuse pour la première fois de la journée.

Il faisait noir à l'intérieur quand elle ouvrit la porte. Elle commanda un plat au thaïlandais du coin, se servit un gin et commença à récrire son scénar. Rapide, efficace, elle réduisait la narration à l'essentiel : l'exposition au début, puis de courts rebondissements placés juste avant les coupures publicitaires. Ses dialogues étaient convenus, quoique pimentés de mots d'argot qu'on retirerait facilement au tournage si on y tenait. Elle se donnait l'impression d'un imposteur et elle s'en fichait. Son adolescente perfide et vindicative redevenait une imbécile traumatisée, et le prof un tire-au-flanc compatissant qui alignait des platitudes bienvenues sur les droits des victimes et le féminisme new-wave. Le seul personnage qui trouvait grâce aux yeux d'Anouk était le père violeur.

Elle avait imprimé la nouvelle version et commençait à la relire quand Rhys rentra.

— Vous avez tourné tard.

— Je suis allé faire de la gym.

Il restait du poulet au curry vert. Rhys en prit une bouchée, puis embrassa Anouk dans le cou. Elle essuya la marque graisseuse de ses lèvres. Il s'assit près d'elle sur le canapé, tira ses jambes sur ses genoux, lui massa les pieds, lui baisa la cheville. Anouk feignit de continuer à lire. La main de Rhys remonta le long de sa cuisse, jusqu'au pubis. Le téléphone sonna et ils entendirent la sœur d'Anouk parler d'une voix implorante, essoufflée, dans le filtre du répondeur. Rhys lâcha la jambe de sa compagne.

— Ne réponds pas, dit-elle tout bas, comme si sa sœur pouvait l'entendre. Je la rappellerai demain.

Le portable sonna ensuite. Ils s'esclaffèrent.

— J'ai hâte de la rencontrer, ta « juive redevenue juive ».

Il reprit ses caresses, le scénario était oublié, Anouk fermait les yeux. Rhys était un bon amant, ses mains tendres et décidées, deux qualités qu'elle avait rarement trouvées ensemble chez un homme. Ouvrant les paupières une seconde, elle vit qu'il lui souriait. Sa fraîcheur l'émerveillait, la douceur de sa peau, c'était presque terrassant. Elle était à la fois excitée et triste. Jamais elle ne lui présenterait sa sœur. La beauté, la jeunesse de Rhys éveillerait ses soupçons. Anouk n'avait aucune envie de se justifier. Il flatta son clitoris, lui introduisit un doigt dans le vagin, et elle se cambra. Ses lèvres étaient sur son cou, sa joue, son menton, sa bouche. Elle ouvrit sa braguette, trouva son sexe, saisit son autre main et l'attira sur ses seins. Elle gémit quand il lui pressa le téton. Le désir vibrait dans chaque parcelle de son corps. Comme si elle venait de dormir pendant des années, et qu'on la réveillait soudain, revigorée et affamée.

— Baise-moi, lui murmura-t-elle à l'oreille.

Elle se crispa et frissonna lorsqu'il la pénétra. Elle avait envie de le mordre, le griffer, le dévorer.

— Baise-moi ! dit-elle encore, sèchement.

Et elle se demanda : « Est-ce ainsi que les hommes comprennent l'amour ? Cette faim brutale et dévorante ? »

Elle jouit avant lui, une fois puis deux. Atteignant bientôt l'orgasme, il se retira, laissant sa semence s'écouler, chaude, sur la cuisse d'Anouk. Elle saisit son sexe pour sentir le sang palpiter dans les veines, sous l'enveloppe soyeuse de la peau. Elle frissonnait encore.

Anouk sortit d'un pas décidé du cabinet de consultation. Sans prêter attention au bruit et à la circulation, elle entra dans le premier taxi jaune. Le chauffeur fumait une cigarette qu'il écrasa aussitôt sur la chaussée, avant de s'enfoncer dans son siège.

— Vous pouvez fumer, lâcha-t-elle d'un air absent. Ça ne me dérange pas. J'en grillerais bien une, aussi.

— Désolé, madame, je risque une amende.

Elle ne l'entendait même pas. Regardait par la fenêtre. Munie d'une poussette à provisions trop grande pour elle, une vieille dame attendait au passage piétons en plissant les yeux. Elle avait les cheveux teints en bleu chimique. On n'en voyait plus guère dans les rues, des comme ça.

— Où allons-nous ?

Le conducteur avait patiemment attendu qu'Anouk le lui dise.

Elle répondit en s'excusant. Tapota sur le revêtement plastique de la banquette. Anouk avait envie de fumer. « Conneries de règlements hygiénistes, connerie d'État providence, tous ces cons de puritains qui flippent à l'idée de crever. Merde ! Mais ils arrêteront un jour de foutre des lois partout ? » Parfois l'anarchie, la désorganisation des Balkans lui manquaient cruellement. Elle avait envie, envie, envie d'une cigarette. Mais ce serait une provocation d'en allumer une. Elle se rendit compte que rien n'entrait dans son champ de conscience. Ni les immeubles, ni les autres véhicules, ni le chauffeur, ni le ciel, ni la ville. Comme si elle avait avalé une drogue, laquelle n'offrait cependant rien pour compenser la perte de ce qu'elle était réduite à appeler son intelligence. Anouk se sentait flotter, incapable de prendre la moindre décision.

— Par où voulez-vous passer ?

Elle trouva les yeux du conducteur dans le rétroviseur. Engourdie, elle ne parvenait pas à réfléchir. « Swan Street serait-elle trop encombrée ? Valait-il mieux emprunter le tunnel ? » Agacée, elle s'éclaircit les idées, fendit le voile de fumée et répondit d'un ton glacial :

— C'est vous, le taxi, vous devez savoir ce qu'il faut faire. Ce n'est pas pour ça que je vous paie ?

Il se raidit et s'occupa tout seul de l'itinéraire. C'était un jeune homme, sans doute plus jeune que Rhys, avec une peau de miel, ou de châtaignes grillées, des yeux profonds et magnifiques qui éclairaient un visage anguleux. Elle détestait cette barbe immature, ces filets de poils qu'on aurait crus plantés sur le menton avec de la colle. « Pourquoi vous infligez-vous ça ? voulait-elle lui demander. Pourquoi vous enlaidir ? C'est votre Dieu qui l'exige ? » Ça ne ressemblait pas à Anouk, généralement courtoise avec les chauffeurs de taxi. Ils étaient tous immigrés, et elle pensait qu'en les traitant avec respect et dignité, elle se distinguait de la masse des Australiens racistes qui, telle une mer d'indifférence, s'étalait autour d'elle – un « autour » où elle ne se rendait jamais, mais qu'elle situait au-delà des marques jaunes délimitant la « zone un » du plan des transports en commun. À l'instant, cependant, la courtoisie et le respect lui étaient étrangers. « Va te faire foutre, toi et ton islam, pensa-t-elle avec aigreur, espèce de connard fondamentaliste ! » Cette brusque poussée de haine lui procura une sorte de plaisir interdit.

— Navrée d'avoir été désagréable, fit-elle d'une voix douce, mais je suis encore sous le choc. Je viens d'apprendre que je suis enceinte.

L'étudiant un instant dans le rétro, le jeune homme se mit à sourire.

— Bravo. C'est un grand bonheur.

— Vous croyez ?

Elle remarqua son expression perplexe et il détourna les yeux.

— Je ne veux pas d'enfant. Je ne suis pas mariée, et le père est bien plus jeune que moi. Il y a tant de choses que j'ai encore envie de faire. Alors ce n'est pas un grand bonheur.

Elle fixait le rétroviseur, mais ne voyait plus de l'homme qu'un bord de son visage.

« Parle-moi, connard. »

Ils se turent pendant que le taxi se glissait par à-coups sur l'autoroute du sud-est, encombrée. À l'approche du studio, Anouk se rendit compte qu'elle était empourprée. Une vague de honte, puis de rage. Mais de quel droit la jugeait-il, ce naze ?

Elle se pencha tandis qu'il s'arrêtait.

— Je sais ce que vous pensez de moi.

— Je ne pense rien du tout.

— Menteur ! siffla-t-elle entre ses dents. Je sais exactement ce que vous avez en tête.

Son agressivité les stupéfia tous deux.

— Votre monnaie, dit l'homme tandis qu'elle descendait.

— Gardez-la, marmonna-t-elle.

Il la regarda, sans l'ombre d'un sourire.

— S'il vous plaît, ne vous faites pas d'idée sur ce que je pense. Nous ne nous connaissons pas.

Anouk ne dit pas un mot à la réunion de préproduction. N'écouta même pas. Elle appela Rhys en sortant et laissa un message comme quoi elle allait bien ; le médecin avait diagnostiqué une petite gastro ; elle préférait rester seule une nuit ou deux. C'était un soulagement de ne pas parler directement à Rhys. Le taxi qui la ramena chez elle était un vieux Grec avec qui elle se montra attentionnée et courtoise. À peine rentrée, elle téléphona à Aisha.

— Tu es libre demain soir ?

— Jeudi, c'est pas le bon jour. Je bosse jusqu'à huit heures.

— Vendredi ?

— Qu'est-ce qu'il y a ?

— J'ai besoin d'un conseil.

— Sur Rhys ?

— Vendredi ?

Aisha s'esclaffa. L'entendant rire, Anouk se sentit brusquement saine, ce qui ne lui était pas arrivé depuis la veille.

— Retrouvons-nous en ville, quelque part près du fleuve, proposa Aish. Southbank ou Docklands ?

— Un vendredi soir, avec le monde qu'il y a ? Tu rigoles.

— Et chez Docteur Martins ? Il y a un patio, à l'intérieur.

— Super. Mais si ça t'embête d'aller dans le centre, je passe chez toi.

— Hector finit tôt le vendredi. Il pourra prendre les enfants à l'école.

Anouk tâta son ventre. Était-ce cette vie-là qui l'attendait ? Pour la première fois de son existence, allait-elle être soumise aux besoins, caprices et exigences d'un autre qu'elle ?

— Et j'appellerai Rosie.

Elle aurait pu le préciser, elle aurait *dû* : elle ne voulait pas de Rosie à ce rendez-vous, même si elle comprenait la position d'Aisha. Celle-ci souhaitait qu'elles redeviennent copines, comme autrefois, que toute tension disparaisse entre elles. Qu'elles s'envoient plusieurs verres, s'amusent ensemble, racontent quelques conneries. Il aurait suffi de répondre : « Non, j'ai besoin de te parler, et à toi seulement », ç'aurait été mieux, mais Anouk dit plutôt :

— OK. Tu peux arriver tôt ?

— Je finirai vers trois heures et demie. Ça ne dérange pas Brendan.

— Disons quatre heures et demie, alors. On devrait encore pouvoir trouver une table.

— Parfait.

Anouk se regarda dans la glace en raccrochant. Elle souleva son chemisier et observa son ventre. Il était encore plat, un ventre de jeune femme. Elle devinait déjà le tour de la conversation si Rosie venait vendredi : elle leur apprendrait, et les deux filles seraient ravies. Rosie se répandrait en compliments, Aisha tenterait de savoir ce qu'elle ressentait, Anouk exposerait ses réticences, Rosie expliquerait qu'il n'y a rien de plus extraordinaire que donner naissance à un enfant, elle le recommandait à toutes les femmes. Anouk écouterait puis avancerait d'autres arguments. Aish écouterait à son tour, puis lui conseillerait de ne pas se décider tout de suite, quitte à en reparler ensemble plus tard. Anouk fumerait cigarette sur cigarette, et Rosie remarquerait en riant qu'elle ne pourrait pas continuer bien longtemps. Anouk lâcherait alors le mot avortement, et non *interruption de grossesse*. Rosie paraîtrait effrayée et Aisha insondable ; Rosie aurait les larmes aux yeux ; Aish commanderait une seconde tournée ; Rosie plaiderait sa cause et Aisha essaierait d'intervenir ; Rosie partirait aux toilettes pendant qu'Aisha demanderait : « Tu es sûre ? » Rosie aurait les yeux rouges en revenant et ne regarderait plus Anouk. Celle-ci prendrait alors sa main, affirmerait qu'elle désirait elle aussi vivre ça, qu'elle rêvait réellement d'avoir un enfant, mais qu'elle avait peur, se sentait un peu perdue. Cela calmerait Rosie et elles aborderaient d'autres sujets, en picolant et en riant. Anouk s'en irait en leur assurant que tout restait ouvert, qu'elle n'était pas déterminée.

Anouk comprit alors qu'elle ne dirait rien à ses amies. Elle s'étudia sévèrement dans le miroir. Sans être d'une grande beauté, elle s'entretenait, elle avait du style, de l'allure. En un mot, de l'élégance – qui, avec l'âge, comptait plus que le seul physique, car plus facile à conserver. Anouk n'avait pas de problèmes d'argent ; à l'aise, elle ne se privait de rien. Mais cela ne suffisait pas. Elle voulait faire de grandes choses. Ni Rhys ni la télé n'étaient de grandes choses. Elle voulait pondre un livre qui secoue, qui émeuve, qu'on diffuse à travers le monde. Un grand succès, ou un grand échec, peu importe. Elle ne voulait plus que sa vie se résume à cette médiocrité confortable dans laquelle elle se complaisait.

Peut-être un enfant changerait-il tout cela, mais un enfant n'était pas la réussite. Il n'arriverait qu'à la métamorphoser, irréversiblement, en sa propre mère. Sans aucun doute, elle saurait nourrir et éduquer un petit – elle serait une maman affectueuse, encourageante. Mais elle pourrait aussi être étouffante, accaparante, exiger de lui qu'il réalise ses rêves à elle – pour compenser une dette dont elle le tiendrait redevable. Elle ne serait pas une mère, mais une mégère. Anouk avait ça dans le sang – sa mère était comme ça, sa sœur le devenait avec ses enfants. Non qu'elle eût des raisons de se plaindre, loin de là. Sa mère avait été battante, courageuse, elle avait défié la famille, la société, l'amour. Rachel avait élevé ses filles pour qu'elles soient aussi implacables et résolues qu'elle. Mais elle en avait conçu de l'amertume – refusant justement l'idée qu'elle n'eût d'autres talents que celui de mère. Elle avait fini son existence révoltée contre ce destin injuste. Non, toutes les femmes de la famille auraient dû être des hommes. Les paupières closes, serrées, Anouk tenta d'éveiller un désir d'enfant, d'accueillir victorieusement la vie qui prenait forme en elle. « Désolée, murmura-t-elle, mais cela ne suffit pas. » Elle tressaillit en se rappelant son incorrection envers le chauffeur de taxi, ce matin. Ce n'était pas sa différence qui la contrariait : l'accent, la barbe, et son Dieu sans clémence. Rien à voir. Ce qui l'avait navrée, en fait, c'est qu'il ne se distinguait *en rien*. Et que, selon elle, il parlait pour le monde entier.

Le vendredi, elle se réveilla avec un rêve fraîchement imprimé dans sa mémoire. Elle se promenait main dans la main avec Jean-Michel, dont les cheveux gris étaient coupés en brosse. Anouk les préférait ainsi, elle voulait lui dire sa joie qu'il ait enfin suivi son conseil – mais elle était incapable de parler. Ils progressaient dans un décor urbain, glacial, oublié du soleil, qu'elle ne reconnaissait pas. Cela ressemblait un peu à l'idée qu'elle se faisait de Zagreb avant de s'y rendre. Jean-Michel lui serrait la main et elle se sentait en sécurité. La ville semblait déserte à part eux. Anouk était enceinte : énorme. Et heureuse.

Elle se doucha et s'habilla rapidement. Elle n'avait pas repensé à Jean-Michel depuis longtemps. À l'époque, se souvint-elle, il prenait déjà un peu de ventre, sa poitrine commençait à s'affaisser et ses poils grisonnaient. Il était parti pour vieillir mal, et il devait être vieux maintenant. Elle rougit en se rendant compte qu'il avait eu son âge lorsqu'ils sortaient ensemble – Anouk avait été plus jeune que Rhys aujourd'hui. Dans le matin qui illuminait l'appartement, elle se surprit à s'excuser à voix basse auprès de son ancien amant. Peut-être n'était-ce pas la lâcheté, ni la crainte de perdre son job, qui l'avaient empêché de quitter sa femme et de poursuivre une liaison passionnée avec son étudiante de maîtrise. Peut-être était-il bien conscient de l'œuvre inflexible du temps, prévoyait-il le jour où Anouk ne lui trouverait plus rien de séduisant. Moins sage que lui, elle avait triomphé de son chagrin en le détestant d'abord, puis en s'apitoyant sur ce qu'elle avait pris pour de la faiblesse.

Avant de partir, elle se regarda de nouveau, durement, des pieds à la tête. Elle était grande, oui, attirante, sa longue silhouette était encore souple. Mais elle prenait de l'âge. Dans vingt ans, elle en aurait soixante-trois. Rhys, lui, serait toujours un beau mec, de seulement quarante-quatre ans. Pensant à son jeune compagnon, elle sentit naître sur ses lèvres un sourire tendre et amoureux. Elle eut une contraction de désir. C'était cela, la grossesse ? La conscience permanente d'un érotisme exacerbé ? L'esprit qui capitule devant le corps ?

Aisha et Rosie étaient déjà assises dans le patio. Anouk les embrassa toutes deux, aussi affectueusement l'une que l'autre. Elles se connaissaient maintenant depuis ce qu'on appelle une génération, même plus. Leurs différences ne dataient pas de la veille. Anouk ne voulait pas nourrir indéfiniment des rancœurs contre sa vieille amie. Les liens qui les avaient unies n'étaient certainement pas rompus et Aisha les gardait noués. Toutes deux le savaient. Une bouteille de vin blanc ouverte trônait sur la table, et Anouk se servit un verre.

— J'ai failli me faire renverser par trois petites salopes, juste devant le pub.

— Au feu rouge ?

— Non.

Anouk hocha la tête et sourit. Inquiète, Rosie fronçait les sourcils.

— Elles marchaient dans la rue. Elles m'ont bousculée et elles ont filé comme si je n'existais pas.

— Quel âge avaient-elles ?

— Va savoir. On aurait dit des putes. Seize ans, peut-être. Probablement douze.

— C'est que tu n'existes pas pour elles. Ni aucune de nous trois, dit Aisha, comme résignée.

— Ouais, ben, un peu que j'existe, moi, et je tiens à ce que ça se sache quand on me marche sur les pieds. Putain, je déteste ces petites connes ! J'aime vraiment mieux les garçons. Au moins, ils sont polis, eux.

Rosie fit une moue ironique.

— On finit par ressembler à nos mères. Je suis sûre que, gamines, on était aussi chiantes avec les femmes âgées.

Anouk alluma une cigarette et étudia leur table une seconde. Faute de cendrier, elle inspecta les autres autour d'elles. Elles avaient pour voisins deux hommes en costume qui, la cravate desserrée, tenaient une conversation animée. Anouk indiqua leur cendrier vide, et l'un d'eux le lui tendit en souriant. Enrobé mais viril, il avait une sorte de beauté brutale. Anouk lui rendit son sourire sans insister, pensant plutôt à la remarque de Rosie.

— Tu as sans doute raison, on ne se prenait pas pour rien. Mais nous n'étions pas grossières pour le seul plaisir. C'est cela qui me déplaît et, même si ça me coûte de l'admettre, je crois que c'est une des conséquences du féminisme, de nos propres revendications. Ces petites salopes pensent qu'elles peuvent faire n'importe quoi impunément.

— Tu parles comme les vieux réacs à la radio.

Anouk s'étrangla.

— Arrête tes conneries, Rosie. Selon moi, l'âge des relations sexuelles doit être abaissé à douze ans, l'héroïne légalisée, et j'aimerais qu'on poursuive le président américain et notre Premier ministre pour crimes de guerre. Je ne suis pas de droite et je déteste qu'on m'identifie à la droite. Elle n'a pas le monopole de la moralité.

Rosie et Aisha se regardèrent, puis s'esclaffèrent.

Anouk rougit.

— Désolée si je me lâche. Je les aurais giflées, ces merdeuses.

À peine avait-elle prononcé ces mots qu'elle repensa au barbecue de samedi, quand Harry avait frappé le gamin. À l'évidence, les deux autres devaient y penser aussi. L'homme qui avait donné son cendrier continuait de l'observer. Il devait approcher de la cinquantaine. Il avait les cheveux grisonnants et clairsemés, des bras forts et des doigts boudinés. Pas d'alliance.

— C'est leurs tronches de salopes que je peux pas supporter, dit Aisha.

Tant Rosie qu'Anouk étaient ébahies. Elles éclatèrent de rire.

— C'est *vrai* qu'on devient comme nos mères.

Aisha ne riait pas en se servant un autre verre. Elle tendit le bras et, sans façon, préleva une cigarette du paquet sur la table.

— Melissa m'inquiète. Ma gamine me demande de lui acheter des bikinis pour ne mettre que le haut lorsqu'elle va à l'anniversaire des copines. Je n'ai pas envie qu'elle se fourre dans le crâne que, pour séduire, il faut avoir l'air d'une pute.

Rosie hocha la tête.

— Tu oublies comment on était. Ce que ta mère pouvait nous enquiquiner à propos de nos fringues !

— Parce qu'elle pensait qu'on faisait exprès de nous enlaidir. Et c'était vrai. Mais le contexte était différent, on était punk, on voulait se distinguer. Seulement on connaissait les limites, on savait à partir de quand on ressemblait à des pouffes, et celles qui se laissaient prendre au piège nous désolaient. C'était celles qui quittaient l'école, pour finir mères célibataires parce qu'elles se faisaient baiser par tous les mecs. Moi, je copiais Siouxsie et Pattie Smith, pas la salope de service. Vous savez qui elle adore, Melissa ? Paris Hilton. Cette pétasse de Paris Hilton. Tu parles d'un modèle, tiens !

— Au moins, elle a du tempérament. Elle ne me dérange pas, moi.

Anouk vida son verre d'un trait et s'en resservit un. Son indulgence envers Rosie s'amenuisait. Contrairement à ses amies, Rosie n'avait pas encore quarante ans, et elle avait été, adolescente, une charmante canaille, dure et intrépide. Pas étonnant quand on a une mère puritaine, un père alcoolique et *loser*. Les sermons, elle connaissait et elle s'en foutait. En revanche, depuis qu'elle avait rencontré Gary, et plus encore après la naissance d'Hugo, elle avait adopté les principes d'une idéologie new-age pas si distante, finalement, de celle de sa mère, quoique départie des rigueurs calvinistes. Jeune, Rosie avait été sublime. Prototype de la belle Aryenne, elle aurait pu devenir mannequin, pensa Anouk avec une pointe de méchanceté. À cette époque, Rosie n'avait pas la langue dans sa poche, et détestait l'hypocrisie plus que tout. Alors elle pouvait bien maintenant supporter une dose de cynisme. Qu'elle arrête son cirque d'épouse et maman écolo-hippie.

Le type de la table à côté était parti au comptoir. Il sourit de nouveau en revenant s'asseoir. Il était grand. Voilà ce qui clochait avec Rhys : sa taille. Anouk ressentit une chaleur sensuelle émaner de son ventre et se répandre dans son corps. Elle avait envie de baiser tout le temps. Elle avait envie de baiser avec ce type. Ce soir. Elle prêta l'oreille à la conversation : Aisha et Rosie continuaient d'argumenter.

Anouk leva la main.

— Bon, ça suffit !

— OK, dit Rosie, avant d'ajouter : Mais je pense que vous êtes dures avec ces petites. Vous oubliez qu'on a eu la vie facile, l'enseignement public, les services sociaux, le féminisme, etc.

Rosie n'avait pas tort. Anouk s'adoucit.

— Ce qui me déplaît, c'est qu'elles soient faites sur le même moule, comme des produits hollywoodiens.

Elle se rappela sa rage dans la rue, quand les gamines l'avaient délibérément ignorée. Les trois femmes avaient été arrogantes au même âge, mais au nom de valeurs dont ces jeunes filles étaient dépourvues. Entre l'indifférence et le sarcasme, celles-ci imitaient un style et une allure qui étaient l'œuvre des médias. Elles étaient égoïstes, individualistes et, derrière la façade, il n'y avait qu'un monde creux. Anouk travaillait elle-même pour l'industrie du spectacle qui façonnait ces petits monstres. Elle eut un haut-le-cœur. La douce euphorie sexuelle qu'elle éprouvait silencieusement s'était volatisée. Elle se sentit lasse, vieille, la poitrine serrée. Levant les yeux, elle s'aperçut que Rosie et Aisha acquiesçaient.

— Ça me déplaît aussi.

Aisha finit par allumer sa cigarette.

— Je hais cette uniformité qui s'empare de tout.

— J'y participe.

— Comment ça ?

— Je veux dire que j'ai passé une année à Zagreb à briefer des scénaristes et des réalisateurs pour qu'ils reproduisent fidèlement un soap australien… centré sur une famille banlieusarde de Melbourne… lui-même adapté d'un concept allemand qui n'a pas tenu une saison. Je ne vois pas comment je pourrais accuser qui que ce soit de faire la pute.

— On est tous des putes. Les laboratoires pharmaceutiques me paient des voyages en famille pour que je vaccine des animaux qui n'en ont pas vraiment besoin. C'est la modernité, Anouk, tout le monde est un peu putain.

Rosie restait silencieuse. Moqueuse, Anouk lui fit une grimace.

— À part toi, bien sûr, qui es une sainte.

Rosie rougit. Anouk discerna dans ses yeux vifs un éclair de violence, un sursaut de haine, qui disparurent aussitôt dans les tréfonds, où tant de choses s'étaient évanouies depuis qu'elle avait épousé Gary et le conformisme.

Rosie répondit avec un sourire faux.

— Je ne suis pas une sainte, Anouk. Je pense seulement qu'on n'est pas obligé de jouer le jeu affreux qu'ils nous imposent. On n'a pas besoin de collaborer. Avec Gary, par exemple, on refuse qu'Hugo regarde la télévision, excepté certaines émissions pour enfants et les DVD qu'on lui achète. Il faut qu'il puisse nourrir son imagination sans absorber les insanités dont on nous abreuve.

Elle se tourna vers Aisha.

— J'ai lié connaissance avec Shamira. Je l'aime bien. Elle trouve dans la religion un moyen de se protéger, avec son mari et son petit, des saloperies qui nous entourent.

— Qui c'est, ça, Shamira ?

— Tu sais : la femme de Bilal.

Anouk hocha la tête. L'Aborigène et son épouse blanche, tous deux musulmans. Le couple inattendu. Au barbecue, elle s'était rendu compte qu'elle n'avait rien à leur dire. Mais elle comprenait pourquoi Rosie les appréciait. Comme elle, ils avaient tiré un trait sur le passé pour se forger une identité nouvelle, en tout point différente de la précédente. Regardant Aisha une seconde, Anouk fut soudain convaincue que son amie pensait exactement la même chose – à savoir qu'à l'instant, elles plaignaient autant qu'elles méprisaient ces trois Australiens de souche et leurs élucubrations. Anouk et

Aisha avaient un vrai parcours, une histoire bien réelle. La première était juive, l'autre indienne, et toutes deux immigrées ; cela en disait assez long. Inutile d'inventer quoi que ce soit, de se chercher un déguisement.

— Je ne pensais pas que vous vous connaissiez.

— On a échangé nos numéros samedi, chez toi. Elle est vraiment sympa. C'est évident qu'elle exerce une bonne influence sur Terry, dit Rosie avant de se rattraper. Pardon, Bilal.

— Oui, ils ont l'air très heureux, admit Aisha sans trop d'enthousiasme.

Se penchant, Rosie chuchota presque :

— On ne peut pas se retrouver dans les endroits où on sert de l'alcool. Ça me fait tellement bizarre…

« Cela implique que tu y vas sans ton mari, n'est-ce pas ? Tu ne risques pas qu'il se soûle et qu'il te foute la honte ! »

La bouteille de vin était presque vide.

— Je vais au comptoir.

Il commençait à y avoir foule, et pas mal de fumée à l'intérieur. Anouk dut attendre d'être servie. Quand le barman vint lui demander ce qu'elle voulait, elle sentit qu'on lui tapait sur l'épaule et elle se retourna. Le gars de la table à côté lui souriait de toutes ses dents. Il avait le visage rose, les joues rouges, une grande bouche et des lèvres charnues.

— Je peux vous offrir un verre ?

— C'est très gentil, mais je rapporte déjà une bouteille à notre table.

— Pas de problème. Ce sera ma tournée.

Anouk déclina avec un air de regret.

— Désolée.

Tout fantasme s'était envolé quand le type avait parlé : il avait une voix de fausset. Ce qui était bon pour les gamins, pas pour les hommes.

— J'ai quelqu'un dans ma vie, dit-elle.
— Il en a, du bol.
— Merci.
Le barman apporta la bouteille et l'homme glissa un billet de cinquante sur le comptoir. Anouk voulut protester, mais il l'interrompit.
— C'est pour moi. Je m'appelle Jim.
— Anouk.
Il leva les sourcils.
— Comme l'actrice ?
Elle apprécia. En général, les Australiens ne connaissaient pas.
— Oui, comme l'actrice.
Jim lui ouvrit le chemin. Les voix se réverbéraient dans la petite salle, les obligeant à crier.
— Vos parents sont français ?
— Ils étaient francophiles.
Anouk avait comme avalé sa langue en revenant à la table. Jim posa la bouteille, se présenta, puis il fit signe à son copain, qui se leva et les rejoignit.
— Mon ami Tony.
Grand lui aussi, plus jeune et mince que Jim, il avait une épaisse moustache et le cheveu clairsemé. Tout le monde se serra la main, et le silence qui s'ensuivit était un peu embarrassant.
— Voulez-vous vous joindre à nous ? demanda finalement Aisha.
Jim dévisagea Anouk, puis d'un air entendu :
— Mesdames, vous m'avez tout l'air de passer une soirée entre filles. On va se conduire en gentlemen et vous laisser tranquilles.
Et regardant Anouk :
— Amusez-vous bien. Je voulais simplement vous offrir une tournée. Pour célébrer la beauté des femmes.

Anouk laissa Rosie et Aisha le remercier. Elle s'assurait de bien graver son physique dans sa mémoire. La couleur des cheveux, le teint rougeaud, la mâchoire forte, le cou épais. Un reste de bronzage qui se poursuivait sous le col déboutonné. Quelques rares poils blonds sur les bras et les poignets. Les yeux, la bouche, les mains.

Aisha attendit que les deux hommes repartent s'asseoir, puis elle se pencha vers ses amies et leur confia :

— J'ai une de ces envies d'éclater de rire…

Du regard, Anouk les implorait de se retenir.

— Tu fais ça et je te coupe en morceaux. De quoi parliez-vous ?

Aisha retrouva son sérieux. Ses pommettes saillaient sous sa peau mate, elle avait de vilains cernes. « Ce qu'elle a maigri », pensa Anouk.

Elle prit sa main sous la table et la serra.

— Ça va ?

Aish hocha la tête, Anouk desserra son emprise et leurs mains se détachèrent.

— Rosie disait qu'elle n'avait encore jamais parlé à une fille voilée.

Rosie parut gênée.

— Pas exactement. Comme tout le monde, ça m'est arrivé dans une boutique ou un endroit public, en échangeant des politesses. Mais je n'avais encore jamais vraiment discuté avec une musulmane. J'ai un peu honte, poursuivit-elle en baissant la voix, mais son foulard, c'est comme si je ne voyais que ça. J'essaie de penser à autre chose, mais rien n'y fait.

— Tu n'as pas l'habitude.

— Parce que tu es habituée, toi ? répliqua Rosie.

Aish ne répondit pas. « Bon Dieu, pensa Anouk, on ne pourrait pas changer de sujet ? »

— Aisha veut dire qu'elle est indienne et que, pour elle, ça n'a rien de nouveau. Ni pour moi, d'ailleurs.

— Parce que tu es juive ?

Rosie était perplexe.

Anouk se souvint d'un mariage où, enfant, elle avait accompagné ses parents à Sydney. Mais c'est à Bondi, chez des gens qu'elle connaissait à peine, qu'elle avait vu des femmes voilées pour la première fois. À Perth, ils ne fréquentaient pas les orthodoxes. Ces femmes lui avaient fait peur ; même les plus jeunes paraissaient sortir d'une autre époque.

— Oui, certaines juives orthodoxes se couvrent la tête. Et pour moi, c'est tout pareil : des carpettes, dit-elle carrément.

— Shamira affirme que ça lui donne de la force. De l'assurance.

« Je ne veux pas qu'on discute de ça, je ne veux pas qu'on recommence avec ces conneries », pensa Anouk. Cette résurgence des questions religieuses l'irritait au plus haut point. Elle vivait comme une contrainte la prétendue moralité et la confusion générale de ce début de siècle. Dieu, elle l'avait laissé en chemin, bien des années plus tôt. L'athéisme lui paraissait une chose normale, entendue, voire attendue de chacun. Mais voilà qu'aujourd'hui ces vieilles scies refaisaient irruption, non pas une fois à l'occasion, mais jour après jour. Anouk regrettait de n'être pas née vingt ans plus tôt – et dans la peau d'un homme.

— Je ne supporte pas les femmes voilées, jeta Aisha. Ça me met hors de moi, je trouve inacceptable qu'un homme leur impose ça.

Rosie prit un air choqué, réprobateur. Anouk parut elle-même surprise par la véhémence du ton.

— Mais Aish, dit Rosie, on ne l'impose pas à toutes les musulmanes, tu sais bien. Tu ne t'opposes quand même pas à ce que les gens portent ce qu'ils veulent ?

Anouk ne se retint plus :

— Non, mais changeons de sujet ! Je n'ai aucune envie de m'attarder là-dessus.

— Pourquoi ?

Sans se déclarer vaincue, Rosie répondit à Aisha :

— Tu penses que Shamira se raconte des histoires quand elle dit que ça lui apporte de la force et de l'assurance ?

— C'est Terry qui les lui apporte, la force et l'assurance. La mère de Shamira est une ivrogne, sa sœur une junkie, et son père a disparu dans la nature. C'est Terry qui lui donne tout ça, pas le bout de tissu qu'elle se met sur le crâne.

Aisha tendit le bras vers le paquet de cigarettes, mais s'arrêta.

— La foi de Bilal, insista Rosie.

Sur ce point elle avait raison, Anouk ne pouvait le nier. Elle se rappelait Terry avant sa conversion, son esprit vif, son charme juvénile, mais aussi la violence qui pointait sous l'apparente bonhomie et les propos égalitaires. L'agressivité qui refaisait surface à chaque fois qu'il buvait. Il avait un visage ouvert et sympathique qui, lentement mais sûrement, se laissait manger par la graisse. Son corps dégageait toujours l'odeur pernicieuse de l'alcool. C'est une Anouk stupéfaite qui, des années plus tard, lui avait serré la main lors d'un dîner chez Hector. Terry n'avait pas encore changé de nom mais, déjà converti, il apprenait l'arabe et étudiait le Coran. Il avait la peau nette, le regard clair, il avait forci. Et il était calme, comme un homme qui a enfin trouvé la paix. Anouk ne l'avait jamais estimé très heureux, mais il semblait satisfait. Elle avait aussi ses préjugés, et les discriminations raciales de son pays d'origine l'avaient profondément marquée, c'est pourquoi elle ne voyait en lui qu'un fauteur de troubles – quelqu'un à qui le bonheur était interdit, qui mourrait jeune et belliqueux. Un blasphème lui traversa l'esprit, qu'elle s'interdit de révéler : « Il a été jeune et brutal, il est maintenant pieux et chiant. »

Elle se contenta d'acquiescer :

— D'accord, mais pourrait-on parler d'autre chose que de religion ? Je pensais que Dieu était mort avant mon neuvième anniversaire, et je m'aperçois que ce n'est pas vrai. Je déteste être prise en faute. Enfin, il y a d'autres sujets, quoi ?

Jim l'observait de temps en temps. Elle était fière d'être une femme, de boire un coup, d'aguicher, de s'amuser.

Rosie se mit à rire.

— OK. Laissons Dieu où il est. Mais elle m'a tellement aidée. Je crois qu'on va devenir de bonnes amies.

— Tu parles de qui ?

Distraite par le jeu de séduction qu'elle entretenait avec Jim, Anouk avait perdu le fil de la conversation. L'étourderie était-elle une autre plaie de la grossesse ?

— Shamira, dit Rosie en se tournant brièvement vers Aisha.

Toutes deux en avaient sûrement déjà parlé. Comme une adolescente, Anouk ressentit une pointe de jalousie.

— Elle t'a aidée en quoi ?

— Elle est solide comme un roc. Elle m'a soutenue quand il a fallu prendre une décision pour Hugo.

« Je ne les suis pas dans cette voie. Je fais la conne. »

— Nous avons porté plainte contre le cousin d'Hector, pour coups et blessures, poursuivit Rosie sans oser lever les yeux.

— Rosie, ne fais pas ça !

— Gary est résolu.

Anouk, outrée, décocha un regard furibard à Aisha.

— Mais dis-lui quelque chose !

— C'est son choix.

Aisha était ferme.

— Dans ce cas, je témoignerai en faveur d'Harry et Sandi.

Rosie releva les yeux.

— Tu l'as bien vu le frapper, ce salaud !

— Oui, j'ai vu Harry le gifler, et Hugo le méritait.

— Personne ne mérite d'être frappé, surtout pas un enfant.

— Mais c'est un lieu commun, une de ces conneries new-age qu'on nous sert à longueur de temps. Un enfant a besoin d'être corrigé, et cela passe parfois par des gestes. C'est comme ça qu'on apprend qu'il y a des limites à tout.

Rosie était furieuse.

— Arrête, Anouk, arrête ! Tu es mal placée pour affirmer ce genre de chose.

« Parce que je n'ai pas d'enfants ? » Elle faillit le dire alors, et elle dut ravaler ses mots : « Je suis enceinte. » Non, ne pas hausser le ton, énoncer calmement ses arguments.

— Il ne s'agit pas spécialement de ton fils, mais d'un point de vue général. Nous sommes en train d'élever une génération moralement handicapée, des mômes qui fuiront leurs responsabilités toute leur vie.

— Ce n'est pas en leur tapant dessus qu'ils en prendront le chemin.

— Harry ne lui a pas tapé dessus.

— Il l'a frappé. Il l'a agressé. C'est illégal.

— Conneries ! explosa Anouk. Il n'aurait peut-être pas dû, mais ça n'est pas un crime. Sur le moment, on avait tous envie de le gifler. Tu veux foutre la merde chez Harry et Sandi, leur pourrir la vie, pour la seule raison que Gary s'est mis dans le crâne qu'on lui a fait du mal ! Ton Gary a toujours besoin de jouer les victimes !

Sans crier, Anouk parlait tout de même assez fort, butée et prise d'un sentiment d'urgence. Elle s'aperçut que Jim et Tony se taisaient soudain à la table voisine, mais elle s'en foutait. Elle voulait lancer des mots blessants, acérés comme des couteaux. Jamais encore elle n'avait rien détesté avec autant de conviction que la rectitude bidon et autosatisfaite de son amie de jeunesse.

— Ou peut-être qu'il s'emmerde ? insinua-t-elle. Ça n'est pas plutôt ça ? Gary s'emmerde tellement qu'il cherche un peu de piment dans l'existence ?

Rosie sanglotait doucement.

— Tu n'as pas le droit. Tu n'as pas le droit…

— Le problème n'est pas qu'Harry ait balancé une tarte à Hugo. Le problème, c'est que ni toi ni Gary n'êtes capables de vous faire obéir de votre fils. Moralité, il se comporte comme un merdeux.

— Anouk, ça suffit.

Aisha était livide.

Et, oui, cela suffisait. Anouk avait vidé son sac. Depuis longtemps, elle voulait dire son fait à Rosie, cependant elle n'en retirait ni plaisir ni satisfaction. Elle se sentit plutôt coupable, misérable, devant la réaction de ses amies.

Aisha prit la main de Rosie.

— C'est vrai, tu n'as aucun droit d'affirmer tout ça. Rosie a raison.

Le ton était glacial, le regard froid comme du métal.

— Nos enfants ne t'intéressent pas beaucoup, ce n'est pas une nouveauté et on fait avec, poursuivit Aisha. Tu n'aimes pas les bébés, tout ça t'ennuie, tu ne t'en es jamais cachée, c'est ainsi et on le respecte. Seulement, tu n'as aucune autorité en la matière.

La voix était maintenant chevrotante, Aisha s'efforçant de retenir ses larmes.

— Harry n'avait absolument pas le droit de frapper Hugo, dit-elle encore. Oui, nous avions peut-être tous envie de le faire mais, Harry mis à part, personne n'est passé à l'acte. On a fait preuve de sang-froid, parce que nous sommes des adultes, et non des enfants. Et parce que nous savions que ce n'était pas la solution.

« Ou plutôt parce qu'on avait peur. » Anouk était trop lasse pour continuer à se disputer. « Voilà pourquoi je ne garderai pas le mien, pourquoi je vais avorter. Je ne veux pas vous ressembler, je ne pense pas comme vous. Il y aurait d'autres façons d'être une mère, mais ce monde ne le permet plus. Il faudrait que je lutte constamment pour faire les choses à ma manière, ce serait épuisant et, si j'y parviens, ce sera au détriment du reste. » Elle se rendit compte qu'elle serrait et desserrait les poings. Le silence planait sur la table, accentué en quelque sorte par le brouhaha des rires enivrés et des conversations dans le patio bondé. Anouk savait qu'il lui revenait de le briser, de resserrer les liens, de rassurer ses amies. Et puis une chose : cela avait toujours été ainsi, mais c'était comme une brusque révélation. Des trois, c'est elle qui prenait des risques, qui relevait les défis, qui la jouait classe. Son amant était acteur, son job envié. Ni mère ni conjointe, elle se distinguait du lot et c'est l'idée qu'elles se faisaient d'elle. Même Aisha.

Elle se leva, se pencha et embrassa Rosie sur le front.

— Chérie, je suis navrée, dit-elle simplement. Tu as raison, je n'avais pas le droit d'affirmer ça.

Rosie sourit derrière ses larmes.

— Merci.

Aisha saisit la main d'Anouk en la regardant bien en face.

— Moi aussi, je suis navrée, murmura-t-elle tout bas.

Anouk se dégagea et alluma une cigarette. Discrètement, un peu honteuse, Aisha en retira une du paquet et ses deux amies ricanèrent.

Aisha n'en tint pas compte.

— On fume aujourd'hui comme on commettait l'adultère autrefois ? glissa doucement Anouk, avec un clin d'œil à Rosie.

— C'est ce que dit Gary, répondit cette dernière.

Anouk s'abstint de tout commentaire et Aisha changea de sujet.

— Alors de quoi voulais-tu nous parler ? Tu disais au téléphone que tu avais besoin d'un conseil.

« Je voulais le *tien.* »

— J'envisage de donner ma dém. Je veux voir si je suis capable d'écrire ce foutu roman dont je vous rebats les oreilles depuis une éternité, et dont je repousse sans cesse l'échéance.

Rosie et Aisha s'exclamèrent comme des gamines. Elles étaient absolument ravies.

— Bien sûr que tu devrais. On se demandait si tu finirais un jour par prendre cette décision.

— Il faut, il faut, convint Rosie. Fonce. Tu en es capable.

— Je sais, admit Anouk, terminant par ces mots qu'elles n'osaient prononcer : Puisque je n'ai pas à m'occuper de mes enfants.

Rosie lui tira la langue. Anouk était pardonnée.

— Gary pense à ça, lui aussi. Il a envie de recommencer à peindre.

Anouk et Aisha échangèrent un regard furtif. Anouk et Gary n'avaient certainement pas les mêmes dispositions artistiques. Il n'avait aucune rigueur, aucun talent. Ses ambitions de peintre étaient pour elles un sujet de plaisanterie.

— Buvons une autre bouteille.

Elles s'enivrèrent joyeusement. Lorsqu'elle rentra chez elle le soir, Anouk se précipita aux toilettes, où elle vomit copieusement, ce qui ne lui était pas arrivé depuis plus de vingt ans. Elle refoula tout ce qu'elle avait avalé, le vin, la bouffe, et chaque nouveau haut-le-cœur lui donnait l'impression d'expulser son enfant.

Rhys arriva le lendemain avant qu'elle se réveille. Sentant l'odeur des œufs et du bacon grillé, elle courut à la salle de bains pour vomir à nouveau.

— Tu as dû y aller fort, hier soir.

S'agenouillant près d'elle, il lui essuya le front.

— On pourrait dire ça, gémit-elle, penaude, tandis qu'il la reconduisait au lit. Désolée, Rhysbo, je n'ai vraiment pas faim.

— Pour ce qui est de picoler, les filles, vous prenez de l'avance sur nous.

« Que non, faillit-elle répondre. Déjà les femmes encaissent moins bien, mais nous n'avons plus vingt-cinq ans. Il faut des jours pour s'en remettre, après. » Elle pensa à poursuivre : « Rhys, j'attends un enfant. Tu ferais un accroc à ta carrière pour m'aider à l'élever, pendant que j'écris mon roman ? » Elle le regarda tandis qu'il s'allongeait près d'elle. Il dirait sans doute oui. Il serait sans doute heureux, et ne lui ferait pas de reproches avant une dizaine d'années.

Elle lui chatouilla le nez.

— Aisha m'a demandé si tu voulais bien signer des photos pour Connie et Richie.

— Ses enfants ?

Anouk leva les yeux au ciel.

— Tu fumes trop de pétards, toi.

Tiens, voilà qu'elle parlait comme une mère.

— Les enfants d'Aisha s'appellent Adam et Melissa. Je te l'ai dit au moins dix fois. Connie, c'était la jeune fille blonde au barbecue, jolie, sympa. Tu te souviens ?

— Vaguement.

— Et Richie son petit copain.

— Ah bon ?

Il en doutait, ce qui intrigua Anouk.

— Quoi ?

— Je pensais qu'il était gay.

« Gay ? » Ridicule. Richie était un gamin normal, sans aucune originalité.

— Tu ne serais pas un peu présomptueux ?

Rhys prit un air blessé.

— Je ne voulais pas dire ça. C'est l'impression que j'ai eue, c'est tout.

Un rien moqueur, il étudia Anouk.

— On a acquis un sixième sens pour ce qui est des gays, dans ma génération. À la différence de la tienne, les vieux refoulés du baby-boom.

Elle s'esclaffa.

— Attention, toi, je ne suis pas si vieille. Et je crois bien que tu te trompes. Mais au cas où, trouveleur des photos où tu es torse nu. À moins que ton instinct te dicte que Connie est gouine ?

En riant lui aussi, il quitta le lit et se dirigea vers la cuisine. Elle l'entendit se préparer un café. Repoussant les draps, elle étudia son ventre. Il était plat, il semblait impossible qu'une vie puisse prendre forme là-dedans. « Rhys et moi ferions de bons parents pour un petit gay, songea-t-elle, il serait heureux de nous avoir. » Elle tapota sur son abdomen. « Mais seulement une chance sur dix, poulet, et une sur vingt selon les culs-bénits. Je n'aime pas les probabilités », murmura-t-elle à son estomac.

Elle se rendit toute seule à la clinique. En repartit de même. Le chauffeur de taxi, un Serbe, était grand-père. Il se montra ravi qu'elle se souvienne des rudiments de serbo-croate qu'elle avait appris à Zagreb, et il lui fit promettre de visiter un jour Belgrade. C'était un gentleman qui, la voyant pâle et mal assurée, la raccompagna à pied jusqu'à sa porte. Chez elle, Anouk parcourut l'imprimé que l'infirmière lui avait donné – une liste de choses à éviter après l'opération. Elle en fit une boule qu'elle jeta à la poubelle. Impossible d'ôter de son esprit l'autre taxi, celui qu'elle avait insulté la semaine précédente. Elle se déshabilla, enfila un peignoir, alluma la télé. Le visage du type était toujours là. Elle coupa le son, téléphona à la compagnie et attendit qu'une voix humaine veuille bien lui répondre. Anouk résuma les détails de la course et demanda l'adresse du conducteur. La fille au bout du fil était plutôt sèche.

— Nous ne pouvons pas vous la donner. Avez-vous noté son numéro d'immatriculation ?

— Non.

— Voulez-vous adresser une plainte ?

— Mon Dieu non. C'est des excuses que je veux lui faire. Je crois que j'ai été très grossière avec lui et il ne méritait pas ça.

La fille se radoucit.

— Vous n'étiez sûrement pas grossière.

— Oh si.

Un silence, puis l'opératrice déclara qu'elle allait se renseigner, qu'on transmettrait ses excuses. Anouk lui indiqua précisément tout ce qu'elle se rappelait – la date, l'heure, le lieu de prise en charge, la destination –, puis elle dit timidement :

— Vous êtes sûre que ça lui parviendra ?

— Je ferai de mon mieux.

— Je vous laisse mon nom ?

— Non, répondit la fille d'un ton ferme. C'est sans importance.

Anouk dormit à poings fermés, se réveilla avec un violent mal de tête et la sensation d'avoir l'abdomen lacéré. L'idée d'une douche ou d'un petit-déjeuner était insupportable. Elle enfila un T-shirt et un pantalon de survêt, appela Rhys, lui laissa un message pour qu'il la rejoigne dans la soirée. Elle alluma l'ordinateur, se prépara un café et s'assit à son bureau. Rapide, efficace, elle rédigea sa lettre de démission : ce qu'elle avait à dire tenait en quatre lignes. Puis elle ouvrit un autre document Word. Elle regarda l'écran. Le curseur clignotait. Elle but une gorgée de café, alluma une cigarette. Le curseur continuait.

— Eh bien, écris, merde ! se dit-elle à voix haute.

Et donc elle commença.

HARRY

Sans autre vêtement que ses lunettes de soleil dolce & gabbana et ses Speedos en lycra noir, Harry regardait depuis la véranda la mer étale dans la baie de Port Philip. Le soleil couchant recouvrait l'horizon de volutes orange et rouges, et l'on devinait à peine les tours pointues ou carrées de Melbourne derrière le smog de fin d'après-midi. Harry avait le corps luisant de sueur et d'huile solaire ; la chaleur était encore étouffante, il n'y avait pas eu un souffle de vent depuis le petit matin. Sandi faisait griller de la viande à la cuisine, et il se frotta le ventre. Pare-chocs contre pare-chocs, les voitures avançaient au pas le long de Beach Road. « Au cul, les blaireaux », murmura Harry en souriant. Achevée récemment, la véranda offrait une vue dégagée sur la plage. Quatre jeunes filles en bikini-ficelle se douchaient sur le parking. Blondes, souples, avec les petits seins fermes de l'adolescence. Grimaçant de plaisir, Harry pressa son bassin contre le verre fumé de la balustrade et, sans les quitter des yeux, poussa un long soupir. Elles pouffaient, s'écriaient en s'aspergeant mutuellement. Sentant son pénis durcir, s'étirer sous le lycra, il commença lentement à onduler des reins.

« Tiens, salope. » Une des gamines se pencha, et il grogna au spectacle de ses fesses, rebondies et musclées. « T'aimerais bien que je te la mette, ma petite pute, hein ? »

Harry se détacha de la balustrade. Les filles se séchaient, ramassaient sacs et serviettes, cela ne l'intéressait plus. Un dernier coup d'œil au monde d'en bas, puis il se retourna et plongea dans la piscine. Fendant l'eau avec un claquement sec, il jouit de la fraîcheur merveilleuse qui l'attendait en dessous, et émergea essoufflé en souriant. Il roula de nouveau sous la surface, comme les otaries que Rocco aimait tant au zoo. Il se rétablit sur le dos et fit la planche, bras et jambes écartés.

— Je suis le roi de l'univers ! cria-t-il à l'adresse du ciel.

— Sa Majesté a-t-elle faim ?

Bronzée comme le miel, Sandi se dressait au bord du bassin. Elle portait elle aussi un bikini, mais le sien ne ressemblait en rien à ceux des gamines, vulgaires et provocants. Non, son épouse lui paraissait aussi élégante que les modèles européens en couverture des magazines qu'elle affectionnait. C'est lui qui avait acheté ce bikini. De petits anneaux d'or reliaient les minces pièces de tissu gris perle. En la regardant, Harry regrettait d'avoir fantasmé sur les pouffes de la plage. Sandi était une vraie femme. Elle avait enfilé par-dessus une de ses vieilles chemises délavées, et pourtant elle restait spectaculaire. Il répéta intérieurement : « Je suis le roi de l'univers. »

— Je meurs de faim.

— Eh bien, le dîner est servi, Votre Majesté.

La télé était allumée à la cuisine sur des images de catastrophe. Une bombe ? Un tremblement de terre ? Une guerre ? Harry n'en avait rien à foutre. Que les feujs et les autres cons, avec leurs nappes à carreaux sur la tête, continuent de s'entretuer. Pressant un bouton de la télécommande, il choisit une chaîne du câble qui respirait la nature, avec de belles couleurs, et il baissa le son. Puis il saisit la bouteille, remplit son verre, celui de Sandi, et alluma une cigarette en la regardant préparer la vinaigrette.

— Où est Rocco ?

— Au salon, devant la télé.

— Rocco ! gueula Harry en attendant une réponse.

— Quoi ? cria son fils.

— Amène-toi !

Jeune et gêné par la quasi-nudité de parents désinvoltes, Rocco portait un pantalon de survêt, une casquette de base-ball, ainsi qu'un T-shirt noir beaucoup trop grand, à l'effigie d'un groupe de gangsta-rap. Il avait ses chaussettes et ses baskets aux pieds.

— T'as pas chaud ? lui demanda Harry.

Haussant les épaules, Rocco grimpa prudemment sur le tabouret à côté de son père.

— Qu'est-ce qu'on mange ?

— Des côtelettes.

— Avec des frites ?

— Tu manges trop de frites, lui rappela sa mère.

— Mais non, on ne mange jamais trop de frites.

— Merci pour votre aide, Majesté.

Rocco, perplexe, mordillait sa lèvre supérieure. Harry résista à l'impulsion de l'engueuler. Il était laid quand il faisait ça.

— Maman, pourquoi tu appelles papa « Majesté » ?

— Parce que je suis le roi de la maison.

Rocco laissa sa lèvre tranquille, pendant que son père, taquin, lui tordait le lobe de l'oreille.

— Un jour ce sera toi.

Sans prêter attention, son fils se retourna pour regarder la télévision. Il saisit la télécommande et se mit à zapper de chaîne en chaîne.

Sandi se pencha au-dessus du comptoir pour la lui reprendre.

— Attends qu'on ait fini de manger. Tu regardes trop la télé.

— Mais non, on ne regarde jamais trop la télé.

Unis par une complicité coupable et masculine, le père et le fils éclatèrent de rire devant le visage exaspéré de Sandi.

— Tu as appelé l'avocat ?

Rocco s'était couché, et ils regardaient un DVD sur le nouvel écran plasma. Ce truc avait coûté un bras, mais en valait la peine. Installé au centre de leur mur-déco, il donnait l'impression d'une petite salle de cinéma. Il était flanqué par deux blocs de granit, nimbés d'une douce lumière orangée, au milieu desquels murmurait un minuscule jet d'eau. Tout ça était hors de prix, mais c'était top. Harry ne s'intéressait pas au film, une comédie sentimentale barbante ; il le supportait pour la seule raison que Sandi, allongée, avait posé la tête sur ses genoux. Il l'aurait dérangée en tendant le bras vers la télécommande. C'est elle qui, se redressant soudainement, baissa le volume. Harry grogna sans répondre. Elle répéta :

— Tu l'as appelé ?

— Je le ferai demain.

Il l'observa avec méfiance. Sandi évitait de se disputer avec lui. Elle avait appris dès le début de leur liaison qu'en cas de confrontation directe avec une femme il se montrait implacable. Elle hocha la tête d'un air grave.

— Oui, je vais le faire, dit-il. Demain.

« Fais chier. »

Sandi paraissait sceptique, irritée. Il ajouta :

— Promis.

Elle se détendit, sourit, se pencha pour effleurer ses lèvres.

— Merci, chéri.

Du bout des doigts, il lui caressa le cou, les épaules. Sandi portait toujours sa vieille chemise en jean qu'il fit glisser le long de ses bras. Mais il était tendu, la question avait brisé la quiétude de ce dimanche soir, une semaine de travail l'attendait.

— Pardon, minou, je suis trop fatiguée.

Elle se dégagea en se recouvrant les épaules.

Il lui posa un baiser sur le front. Sandi remonta le volume et remit la tête sur ses genoux. Harry était maintenant trop énervé pour rester immobile. Il se redressa lentement, cala un coussin sous la nuque de sa femme, partit derrière le comptoir prendre une Crown dans le frigidaire. Il déambula dans la maison et s'arrêta devant la chambre de Rocco. Couché en chien de fusil, celui-ci ronflait doucement, entortillé dans son drap blanc. Malgré l'heure, il faisait encore chaud, à peine un frisson de brise parvenait de la mer. Levant les yeux vers l'icône de la Vierge à l'Enfant, au-dessus du lit, Harry se signa rapidement. « Merci, *Panagia* », murmura-t-il. Il semblait autrefois improbable que Sandi lui donne un petit. Ses trois premières grossesses avaient fini en fausses couches douloureuses. Harry grimaça en repensant aux dures épreuves qu'elle avait subies, et il renouvela sa promesse à Dieu. « La protéger et l'aimer toujours. » Regardant son fils endormi, il remercia le Seigneur pour la maison et la famille qu'il avait fondée.

Et l'autre conne qui voulait bousiller tout ça. Il se demanda qui il détestait le plus : cette nana hystérique qui lui avait craché son mépris à la figure ; son pédé de mari, cette lopette alcoolique ; ou le petit merdeux qu'il avait giflé. « Qu'ils crèvent, et au diable l'avocat ! » S'il en avait vraiment, il prendrait son fusil et leur collerait vite fait trois pruneaux au milieu du front. Harry connaissait cette engeance – des parasites, des gueulards, toujours en train de se plaindre. Des victimes ! De ceux qui pinaillent des heures sur le prix et qui, au bout du compte, n'ont jamais un rond à la banque. Qui claquent tout leur fric en narguilés, en haschisch, en bouteilles, allez savoir quelles saloperies ils bouffent pour combler leur existence minable. De la racaille, tout ça – qu'on ferait mieux de stériliser à la naissance. Ce n'est pas une gifle qu'il aurait dû lui coller, au môme – il fallait lui arracher sa batte de cricket et lui taper sur le crâne, le réduire en purée, ce petit connard. Sentant le goût du sang au fond de sa bouche, Harry imagina un tas de chair et d'os broyés à la place du merdeux, et il éprouva enfin une sorte de calme depuis que Sandi avait abordé le sujet. Il but une gorgée de bière et repartit au salon. Elle dormait à moitié. Il éteignit la télé, prit sa femme dans ses bras et la souleva.

— Dodo, chuchota-t-il.

Ils se réveillèrent à six heures et il descendit aussitôt à la plage. Harry s'efforçait de nager chaque matin, même l'hiver. Si vraiment l'eau était glaciale, il faisait une longue promenade le long de la baie et revenait. Mais le ciel était dégagé, la mer étale et, bien qu'en fendant la surface il reçut comme un double uppercut – le premier dans le ventre et l'autre en dessous –, en moins d'une minute ses brasses furieuses l'entraînèrent vers le fond et le froid était oublié. Rocco dormait encore lorsqu'il rentra, Sandi écoutait un truc baba-cool en faisant son yoga. Après s'être douché, Harry avala en vitesse un toast et un café, puis se rendit dans la chambre de son fils. Le garçon avait repoussé ses draps au bord du lit, son corps était baigné de sueurs nocturnes. Il sentait bon, pensa son père. Il respirait l'innocence, la propreté.

— Réveille-le.

Arrivant derrière son mari, Sandi l'entoura de ses bras. Il consulta sa montre. Il n'était que sept heures et Rocco pouvait encore se reposer trente minutes.

— Pas tout de suite.

Harry embrassa sa femme et descendit l'escalier jusqu'au garage. À cette heure, on évitait les embouteillages et il atteindrait Westgate Bridge en peu de temps.

Alex avait déjà ouvert et travaillait, la tête sous le capot d'une Mitsubishi Verada du début des années 90. Harry gara son 4 × 4 près des pompes et klaxonna. Se retournant, Alex l'aperçut, le salua brièvement et se remit au boulot. Son pantalon crasseux tenait à peine sur ses hanches grasses. Une touffe de poils noirs dépassait au-dessus de la ceinture avant de plonger dans la raie des fesses, dont on voyait l'amorce. Harry roula en boule un sachet de chez McDo que Rocco avait laissé sous le siège et, descendant de voiture, le lança adroitement vers l'endroit dit.

— Quoi ? fit Alex.

« Dans le mille. »

— Quoi ? répéta Harry en s'esclaffant. Remonte ton fute, balourd, lui dit-il en grec. Personne n'a envie de voir ton gros cul.

— Il tient pas.

Le mécano n'était pas homme à faire des phrases. Il se repencha sur son moteur, qui l'intéressait davantage.

— Tu t'empâtes, mon vieux.

Alex avait grossi d'au moins vingt kilos depuis son divorce. En grande partie à cause de sa mère, qui lui faisait la cuisine trois fois par jour. Encore cela n'incluait-il pas les plats préparés, débordant de graisse, qu'il engloutissait au déjeuner à la station, ni les sachets de chips et les barres chocolatées qu'il engouffrait à la pause. Tout n'était pas la faute de Mme Kyriakou. Il n'avait jamais eu beaucoup d'ambition et, depuis le départ d'Eva, s'était totalement relâché. Alex avait, à quelques jours près, le même âge qu'Harry, pourtant il paraissait plus vieux de dix ans. On ne reconnaissait guère le jeune gars séduisant qui, depuis deux bonnes décennies, était le meilleur ami d'Harry – avec qui il était allé à l'école, et qui avait été son témoin de mariage. Aucune fille ne s'attardait plus sur lui.

Avant d'acheter la station-service d'Altona, Harry lui avait demandé s'il voulait être son associé. Les larmes aux yeux, Alex lui avait pris la main et l'avait fièrement serrée. « Mais je suis nul en affaires, mon pote, je ne t'apporterai rien de bien. » Il avait raison. Harry l'aurait tué des années plus tôt s'il avait accepté. Alex adorait réparer les voitures, les camions, c'était un excellent mécanicien, compétent et rigoureux, mais il détestait la paperasse, et plus encore les relations avec les clients. L'argent, sa gestion et les responsabilités le faisaient fuir – la moindre remarque à ce sujet le renfermait dans sa coquille. Il travaillait pour Harry depuis presque vingt ans et, chaque année, Harry lui donnait une prime et augmentait son salaire. Alex lui en était reconnaissant, et Harry était certain que son ami ne lui en aurait pas voulu d'être moins obligeant. Sa femme l'avait quitté parce qu'il était inerte, apathique. À la fin de son apprentissage, ses parents avaient versé un premier acompte pour la petite maison ouvrière qu'il occupait à Richmond et, d'année en année, Alex avait payé ses traites jusqu'à la dernière. Avant la naissance de son premier gosse, il n'avait pas pensé une seconde à chercher un logement plus grand. Harry savait que, sans l'insistance de ses parents, qui tenaient tant à avoir des petits-enfants, il ne se serait probablement jamais marié. Comme tout le reste, Alex ne l'avait fait que par devoir. Le divorce n'avait pas étonné Harry, qui ne trouvait rien à reprocher à Eva. Alex ne changerait jamais. Il était heureux chez lui à écluser des bières avec les mêmes copains depuis trente ans, il voyait ses gamins tous les quinze jours et lors de la Pâque orthodoxe, il travaillait à plein temps à la station-service, et ça lui suffisait. Il croyait sans doute mener la belle vie. C'était peut-être vrai, puisqu'il ignorait le stress, mais c'était également une vie qui paraissait finie. Comme si le monde n'avait plus rien à lui offrir.

— Il faut que tu perdes du poids, mon gars. Tous ces kilos que tu prends, c'est dangereux pour la santé.

— Sûr.

— Tu devrais recommencer à jouer au foot, le week-end.

— T'as raison.

— Arrête les hamburgers. À midi, tu manges des sandwiches-salade, maintenant.

Cette fois, Alex dégagea sa tête du capot et regarda son ami.

— Merde. À quoi bon devenir vieux si, pour arriver jusque-là, il faut que je bouffe comme les lapins ? Les hamburgers et les tourtes, j'aime ça.

— Qu'est-ce qu'il a, ce moteur ?

— Il chauffe trop. Je ne vois pas de fuite au radiateur, alors je vérifie le ventilo.

— C'est la voiture de qui ?

Alex haussa les épaules.

— Chaipas. C'est Tino qui a reçu le mec.

Il se rendit brusquement compte qu'il n'était pas dans les habitudes du patron d'arriver aussi tôt un lundi matin. Harry et Sandi avaient récemment ouvert un troisième garage à Moorabbin et, depuis quelques mois, Harry y passait le plus clair de son temps.

Harry sourit en voyant presque les pensées se succéder dans la tête d'Alex.

Lequel s'essuya les mains, reposa son chiffon, puis lui offrit une cigarette.

— Alors, que viens-tu faire à cette heure ?

Harry accepta la cigarette et Alex l'alluma.

— Regarder les papiers.

Alex fronça un sourcil.

— Un problème ?

Harry contempla la route un instant. Un long ruban de voitures progressait lentement vers le centre-ville. Autour de lui s'étendait Altona, plate et monotone, toute de soumission grise, morne et fonctionnelle. La plage n'était pourtant qu'à quelques centaines de mètres au sud, mais elle aussi paraissait bien moche, comparée à la langue de mer émeraude, étincelante, qui bordait pratiquement sa pelouse. « Putain, pensa-t-il, ce que je déteste la banlieue ouest. »

— Oui, dit-il finalement, je crois qu'il y a un problème.

Alex éteignit sa cigarette, ramassa son chiffon et se retourna vers le moteur. Cela voulait dire que la discussion était terminée. Quoi qu'il pensât – et à condition qu'il pensât quelque chose –, il le gardait pour lui.

Harry finit sa cigarette en silence, puis se dirigea vers ce qui servait de bureau, un petit appentis qu'il avait construit lui-même après l'achat du garage. Il fouilla dans le classeur à tiroirs, trouva les registres comptables, alluma la radio et s'assit.

Trop de responsabilités se traduisait par de l'inquiétude, du stress, et il regrettait parfois de ne plus être un simple commerçant. L'automobile en soi n'avait jamais été pour lui une obsession – contrairement à Alex. Il était simplement bricoleur de naissance. Sa mère – que Dieu bénisse son âme – avait vécu dans la hantise que son bien-aimé fils unique meure électrocuté, à force de réparer les grille-pain défaillants, les batteries usagées et les jouets électriques foutus. « Fais quelque chose ! hurlait-elle à son mari. Arrête-le, il va finir par se tuer. » « La ferme ! gueulait le père. Fous-lui la paix, tu vas en faire un sale *pousti*[1]. » Au contraire, Tassios Apostolous – que Dieu bénisse aussi l'âme de ce pauvre con – aidait Harry à explorer le monde complexe des fils et des circuits, jusqu'à lui permettre un beau matin d'étudier la voiture familiale. Lorsqu'ils se penchaient ensemble sur le moteur, les liens qu'entretenaient le père et le fils étaient inaltérables. Les seuls lieux où Harry ne se sentait pas en sécurité étaient la cuisine, voire la maison tout entière. Ses parents pouvaient passer des semaines sans rien ne se dire que l'essentiel, et il avait appris très tôt à apprécier le silence… avant qu'il soit rompu par la haine explosive que se vouaient père et mère. C'est toujours elle qui commençait. « Tu es un animal ! s'exclamait-elle brusquement au milieu du repas. Un violeur, un dégé-

1. Grec : pédé.

néré ! » Le mari continuait de manger sans moufter. « Tu ne sais pas à qui tu as affaire, lançait-elle à son fils. Tu ne sais rien de ses putains, tu ne sais rien de ses crimes, contre Dieu, contre la nature ! » Harry guettait le moment où Tassios se lèverait pour la frapper. Il priait pour qu'il n'y ait qu'un coup de poing, qu'une seule gifle. Parfois il voyait son père détacher son ceinturon et il tentait d'intervenir, lui criait d'arrêter. Mais Tassios Apostolous était costaud et le repoussait. « Tu comprendras un jour, lui disait-il, que les femmes sont l'incarnation du diable. » Harry partait dans sa chambre, oubliait tout en réparant les jouets, la radio, la vieille télé noir et blanc que Tassios lui avait donnée pour s'entraîner. Lorsqu'il revenait dans le salon, son père regardait la nouvelle télé, sa mère était en train de repasser ou de coudre à la cuisine. Son corsage était parfois déchiré, elle pouvait avoir du sang au coin des lèvres, mais les hurlements, les déchirements avaient cessé. Harry se félicitait que le silence soit revenu.

Il se signa, pria pour l'un et l'autre. Ils lui avaient donné le gîte, le couvert, lui avaient payé une formation et laissé de quoi démarrer quelque chose. On ne pouvait pas demander plus.

Ce matin, il n'était pas là pour bricoler. Consultant son portable, il vit que les messages s'accumulaient déjà. Harry ne s'occupait plus guère de bagnoles, maintenant, sauf celles des clients de longue date. Alex et Tino faisaient le boulot à Altona, il avait trois employés à Hawthorn, et trois autres encore dans le nouveau garage. En outre, il avait adjoint à Moorabbin une mini-épicerie, ouverte vingt-quatre heures sur vingt-quatre, dans laquelle se relayaient une équipe de jeunes. Harry passait maintenant sa vie à établir les fiches de paie, ventiler les cotisations, gérer les livraisons et les commandes. Sandi l'avait secondé jusqu'à la naissance de Rocco, après quoi il lui avait répété qu'elle était libre d'arrêter. Ce qu'elle avait fait pendant un an, puis elle lui avait demandé de reprendre à mi-temps. Harry avait accepté, plein d'un sentiment de fierté qu'il gardait pour lui. Il aimait leur nouvelle maison, et la plage à côté – il en avait rêvé depuis l'enfance. Et il se foutait bien des voisines – riches pétasses australiennes au sourire synthétique, aux seins siliconés et bronzés en cabine, qui dépensaient le fric de leur mari dans les salons de thé, les boutiques, ou entre les mains de leur coach favori. Il tendit le bras pour toucher le bois de la table. « Merci, *Panagia*, merci pour toutes ces choses. »

Sandi avait vu juste. Il y avait des bizarreries dans les comptes. Alex affirmait que les affaires marchaient bien, même que les recettes avaient augmenté les douze derniers mois. Cela ne se vérifiait pas dans les profits. Évidemment, cette guerre de merde au Moyen-Orient avait eu des répercussions désastreuses sur le prix de l'essence, et ils avaient claqué pas mal d'argent pour réaménager le garage depuis deux ans. Mais tout cela était comptabilisé. Entendant Tino se garer dehors, Harry alluma une cigarette et leva les yeux vers la pendule. Trois grosses mouches étaient prises au piège dans l'épais cocon de toiles d'araignée qui recouvrait le cadran.

Tino salua Alex dehors, puis il s'arrêta net, surpris, en trouvant Harry dans le bureau.

— Yo, boss.

Ce petit con s'était fait faire la coupe yuppie des footballeurs anglais – court sur les côtés, des mèches relevées en haut du crâne, d'autres teintes en blond sur le front.

— Faudrait nettoyer la pendule.

Harry balaya le bureau du regard et ajouta :
— En fait, faudrait tout nettoyer.
— Très bien, je le fais aujourd'hui. Comment va Sandi ? Et le petit ?
— Bien tous les deux.
— Que nous vaut l'honneur ?
Le portable d'Harry émit plusieurs bips en vibrant.
— Prends l'appel.
— Plus tard. Je consulte les registres.
Tino fit voler une cigarette qu'il attrapa entre ses lèvres. Il sourit. Ce petit con était gonflé.
— Un problème ?
— Oui, j'ai un problème. Et c'est toi, le problème.
Le sourire disparut. Tino commença à tripoter nerveusement sa cigarette.
— Comment ça, mec ? Je comprends pas.
Harry se contenta de l'observer sans rien dire.
— Merde, Harry, tu vas pas me virer ?
La voix du jeune homme se brisa, et il se mit à sangloter. Harry aperçut une Toyota Corolla rouge vif, dehors devant les pompes, près de l'endroit où travaillait Alex. Une jeune Asiatique venait d'en descendre et étudiait les lieux d'un air hautain, le menton levé, serrant contre elle un sac de toile à motif imprimé – des roses jaunes et roses. « Tu peux attendre autant que tu veux, poulette, Alex ne lèvera pas le petit doigt. » Il attendit que Tino cesse de pleurnicher pour se retourner vers lui.
— Assieds-toi.
L'employé prit place aussitôt sur la chaise face au bureau, essuya ses yeux et étudia son patron avec inquiétude.
— Je n'ai aucun moyen d'établir avec précision ce que tu m'as volé, *pousti*. Tu veux me donner un chiffre ?

— J'ai fait une connerie, mec, je sais. Je rembourserai tout, Harry.

— Tu veux me donner un chiffre ?

Le gosse hésitait, effrayé.

— Vraiment, je sais pas.

— En gros ?

— Vingt mille ?

Harry siffla doucement, longuement. C'était une bonne réponse. Moins que ça, et le petit merdeux se prenait des coups de matraque.

— Je dirais le double. Tu me dois quarante mille.

Hochant lentement la tête, Tino tendit ses deux mains ouvertes.

— Je les ai pas.

— Où sont-ils passés ?

Harry le savait précisément : dans les traites monstrueuses de l'appart à la con que Tino avait acheté en ville, dans sa Peugeot neuve, la coke, les pilules et les bouffes qu'il payait à la petite Australienne qu'il essayait d'impressionner. Qu'il ne se figure pas que cette pétasse l'allumerait encore après ça…

— Je sais pas, je sais pas où c'est passé…

Il se remit à chialer.

C'était vraiment un petit chiard sans couilles, mais Harry eut pitié de lui. Raisonnablement. Il décida sur-le-champ de lui donner une chance. Sandi ne serait pas d'accord, mais Tino n'avait pas tenté de mentir ou de l'embobiner. Fallait lui reconnaître ça.

— Tu vas me laisser un tiers de ton salaire toutes les semaines, et je calcule les intérêts sur quarante mille à compter d'aujourd'hui. OK ?

Tino respirait péniblement. Incapable de parler, il fit signe que oui.

— Tu oses foutre le camp ou me refaire ce genre de coup, je file droit chez les flics ! Seulement, avant, tu te prends une clé anglaise dans les dents et je t'encule avec un tournevis comme une tarlouze un enfant de chœur, pigé ?

Les larmes avaient séché. Le gamin se leva.

— Merci, dit-il en tendant sa main.

Harry l'ignora.

— Va bosser, connard. Je te serrerai la main quand tu m'auras remboursé, et jusqu'au dernier cent. Le jour où tu seras à nouveau un mec.

Un éclat rebelle, plein de haine féroce, brilla dans les yeux du jeune homme. Cela ne dura pas et il baissa la tête.

— OK, boss.

Vaincu, il partit à pas lents rejoindre Alex.

Harry écouta ses messages sur son portable. Un vieux client italien voulait qu'il examine sa voiture. Harry hésita avant de rappeler, puis confirma à M. Pacioli qu'il serait à onze heures à Hawthorn. Le message suivant était de Warwick Kelly. « Oh, après tout, se dit-il, autant attendre chez elle que ça roule un peu mieux. »

Il composa le numéro, et Angela, la plus jeune fille de Kelly, répondit.

— Ta maman est là ?

— Comment va, oncle Harry ?

— Ça roule. Et toi, ma chérie ? Tu pars bientôt à l'école ?

— Je suis malade.

— Vraiment malade ?

— Ouais, j'ai mal au ventre.

La gamine semblait vexée qu'il doute.

— Ah, ben, je t'apporterai pas de chocolat, alors. C'est mauvais pour l'estomac.

Un silence s'ensuivit et Harry sourit.

— Je le mangerai quand ça ira mieux.

La voix de Kelly résonna à l'autre bout du fil.

— Angela n'est pas bien.
— À ce qu'elle dit.
Harry entendit la petite protester.
— J'arrive, annonça-t-il.

Kelly habitait un appartement dans Geelong Road, qu'il mit seulement dix minutes à atteindre. Elle était encore au téléphone lorsqu'il sonna ; elle ouvrit la porte et l'embrassa, tout en poursuivant d'une voix forte une conversation en arabe. Vu le ton irrité, cela devait être sa mère, pensa Harry. Il rejoignit la chambre de la petite. Allongée dans son lit, un ours en peluche rose à côté d'elle sur l'oreiller, Angela regardait une émission pour enfants sur un petit poste de TV. Bien décidée à jouer les invalides, elle ne leva même pas la main pour le saluer. Il s'assit près d'elle et lui embrassa le front.
— Tu m'as apporté du chocolat ?
— Ouais, mais faudra que tu attendes. Tu as l'air trop malade.
— Je *suis* malade. Mets-le au frigo.
— Oui, ma chérie.
Il l'embrassa de nouveau.
Elle se redressa pour lui demander lorsqu'il repartit :
— C'est quoi, comme chocolat ?
— Cherry Ripe.
— Ouais ! s'écria Angela.
Se souvenant, elle s'effondra sur l'oreiller en geignant.
— Merci, oncle Harry, dit-elle.
Toujours en conversation avec sa mère, Kelly lui indiqua un siège. Il s'assit à la petite table ronde de la cuisine, éplucha les factures du gaz, de l'eau, du téléphone, puis sortit de son portefeuille cent cinquante dollars qu'il posa à côté. Harry payait tout, sauf le téléphone fixe. Il avait donné à Kelly un

portable pour le joindre et il réglait cet abonnement-là. Elle ne l'appelait qu'avec cet appareil, évitait sérieusement de lui faire courir le moindre risque. Il l'observa tandis qu'elle déambulait dans l'appartement. Kelly était minuscule, potelée, avec un joli cul rebondi et une épaisse poitrine plantée bas. Son teint mat contrastait avec celui de Sandi, qui, d'origine serbe, était grande avec la peau claire. Leurs différences émoustillaient Harry. Kelly lui fit une grimace. Enjoué, provocant, il déboutonna sa braguette et commença à se caresser la queue. Elle lui jeta un regard exaspéré, referma la chambre de la petite et s'avança vers lui.

— Oui, maman, dit-elle soudain en anglais, je te les amène dimanche.

De sa main libre, elle se mit à lui chatouiller les couilles, puis à tapoter du bout des ongles son sexe qui gonflait.

— Mais non, bien sûr que je n'oublierai pas, poursuivit-elle.

Harry vit la Madone qui, sur le mur de la cuisine, l'observait d'un air réprobateur. Il referma sa main sur celle de Kelly et, toujours assis, donna des coups de reins. De l'autre, il lui tira un téton et le tortilla jusqu'à ce qu'elle le fasse cesser d'un coup sec. Il pensa à la jeune fille qui regardait la télévision dans la pièce voisine. Excité par l'odeur de sueur qui se dégageait de Kelly, il lui embrassa le bras, le cou, les cheveux tandis qu'elle finissait de parler à sa mère. Réprimant un gémissement, il frissonna et jouit dans la main de sa maîtresse. Celle-ci reposa le combiné du téléphone.

— Regarde-moi ça, dit-elle en lui montrant ses doigts couverts de sperme. Tu es un vrai porc.

Comme si cela faisait partie de son ménage quotidien, elle saisit adroitement une lingette, la passa sous le robinet et nettoya ses mains avant de la lui lancer.

— Tu veux un café ?

— Oui.

Harry s'essuya la queue, frotta un instant une goutte de sperme tombée sur son jean, et renvoya la lingette à Kelly, qui la jeta dans la poubelle.

— Van a appelé ce matin. Son matos est en rade, il a besoin d'un peu de fric.

Putain. Cette journée commençait vraiment mal.

— Combien il lui faut ?

— Deux mille dollars.

Apercevant l'argent sur la table, Kelly ajouta :

— Merci, chéri.

— Mais non. Tu es mon soleil du Liban.

Il l'attira vers lui et se demanda, en l'asseyant sur ses genoux, s'il avait le temps de bander à nouveau et de la baiser. Il regarda sa montre : impossible. Kelly éteignit la bouilloire et versa l'eau chaude dans les tasses. Elle prit place en face de lui et sourit en se grattant le sein gauche sous son sweat-shirt.

— Van ne fait jamais le con, Harry, tu sais bien.

Elle avait raison. Van, un de ses vieux copains de lycée, dupliquait des DVD à domicile. Il recevait les masters de Shanghai ou de Saigon – essentiellement des nouveautés hollywoodiennes, plus quelques films pornos – et, comme les démarcheurs d'antan, faisait avec Kelly la tournée des quartiers, organisait des séances l'après-midi pour vendre ses copies pirates. C'était une bonne petite affaire, stable et prospère. Harry et Sandi avaient chez eux un placard plein de DVD qu'il leur avait fournis.

— Il a de quoi pourvoir, non ?

— Non, trop d'argent dehors, comme l'Australie. Il est à court de trésorerie, cette semaine.

— Je prends vingt pour cent sur la prochaine livraison, dit Harry en se marrant.

— Dix pour cent, et les deux mille cash la semaine prochaine, répondit Kelly du tac au tac.

Il éclata de rire. Elle en avait, cette nana. Il repensa à Constantinos qui, une heure plus tôt, pleurnichait comme une chienne.

— OK. Je passerai lui filer le fric dans l'après-midi.

— Merci, chéri. Quand est-ce que je te revois ?

— Bientôt.

Ils n'étaient pas mariés, il n'avait aucune obligation envers elle.

Harry but rapidement son café, embrassa sa maîtresse et passa dans la chambre d'Angela lui donner son Cherry Ripe. La gamine était accroupie sur son lit en train de jouer à la poupée. À cette heure-là, les autres élèves étaient en classe, et elle avait gagné la partie. Il la serra fort contre lui. Elle sentait la même odeur que Rocco – ils devaient utiliser le même savon. Il sifflotait en regagnant sa voiture.

Le portable sonna alors qu'Harry contournait lentement les abords de la ville. Le numéro de son domicile s'inscrivit sur l'écran, il préféra ne pas répondre. Sandi voulait sûrement savoir s'il avait joint l'avocat. Il monta le volume de l'autoradio jusqu'à ce que les haut-parleurs saturent légèrement, et il se balança sur le rythme violent et entêtant du hip-hop. À gauche, un Cruiser Pajero récent essayait de déboîter devant lui. Sans lui laisser un millimètre, Harry pressa sur le champignon et se marra en apercevant l'air furieux du vieux gros *malaka*[1] dans le rétroviseur latéral. Se sentant vaguement coupable – ce n'était pas rare après une visite chez Kelly –, il décida d'acheter des roses à sa femme en rentrant ce soir. Elle avait raison, il fallait consulter l'avocat.

Hautaine et compassée, la secrétaire tenta de faire barrage.

— M. Petrious reçoit un de ses clients.

— Dites-lui que c'est Harry Apostolou.

Un bref silence à l'autre bout du fil.

— C'est pour prendre rendez-vous ?

« C'que ça peut te foutre, pétasse ? »

— Andrew est au courant.

Il suffisait de l'appeler nonchalamment par son prénom. La fille changea de ton aussitôt.

— Un instant, je vous prie. J'en réfère à M. Petrious.

Depuis son bureau, Harry voyait ses gars bosser sur deux voitures, un SUV Ford et un coupé BMW qui devait bien avoir vingt ans. De ses trois affaires, c'était celle d'Hawthorn qu'il préférait. Le bâtiment lui-même était beau. Solide, en brique, de style Art déco, il datait des années 30. Ce qu'on construisait à cette époque était fait pour durer. Le garage était situé dans une allée si proche de Glenferrie Road qu'on pouvait aller déjeuner à pied. Il y avait toujours du monde sur le boulevard, et Harry adorait s'y promener, s'arrêter boire un café chez le Turc, prendre le temps de lire le journal, fumer quelques cigarettes et discuter avec Irzik. La station-service d'Altona se trouvait dans cette banlieue prolo et moche, là-bas, et, bien qu'il fût fier de la taille de Moorabbin, cette station-là était également trop pro-

1. Grec : branleur.

che de la Nepean Highway : une horreur d'asphalte à huit voies, parcourues par une mer constante de voitures. Apparemment, ça n'arrêtait jamais. Et pas la peine de chercher un café correct dans le coin. Non, il aimait mieux Hawthorn, à commencer par son odeur. Il y avait une rangée d'eucalyptus derrière le garage, parallèle à la voie ferrée. L'air sentait le propre ici. Pas aussi agréable que celui de Sandringham – non, pas aussi bon, frais, tonifiant que celui de son balcon au bord de la plage –, mais un million de fois mieux qu'à Altona, où ça puait le sel et les égouts. Et bien plus sain qu'à Moorabbin, noyé dans la sécheresse et l'oxyde de carbone. Dans quelques années, quand Rocco serait grand, Harry fermerait le garage, transformerait le site et l'immeuble en zone résidentielle. Il ferait tout refaire et le petit y habiterait. Ça resterait proche de la ville, de l'animation, des loisirs – une banlieue riche, bien fréquentée. Rocco aurait là son premier appartement, et sans emprunt immobilier.

La voix grave d'Andrew interrompit sa rêverie.

— Alors, clébard, tu te les roules ?

— Ouais, sur ta tête, mon gars.

Andrew hurla comme à un match de foot, lorsqu'il reste trois minutes avant le coup de sifflet et que l'équipe adverse a l'avantage. Harry dut éloigner le téléphone de son oreille.

— Tu veux me voir aujourd'hui ?

— Ouais.

— Tu fais quoi, pour déjeuner ?

— Je déjeune avec toi.

— T'as raison, *malaka.*

— Où ?

— Où es-tu ?

— Hawthorn.

Andrew proposa un pub à Richmond.

— On se retrouve à treize heures.
— Merci, Andrea.
— Ta gueule, Apostolou. C'est toi qui paies.
Andrew raccrocha en rigolant.
Aussitôt Harry rappela Sandi.
— 'scuse-moi, chérie, il y avait du monde sur la route.
— Tu as appelé l'avocat ?
— Oui.
Elle était contente, il le savait, il en avait presque le goût sur les papilles. Sandi adorait les roses blanches. Il en prendrait des blanches.

Et il lui acheta une boîte à musique. Finissant plus tôt que prévu, il déambula un quart d'heure le long de Burke Road, à lécher les vitrines. Il aperçut dans l'une d'elles un coffret en cuivre, serti de brillants argentés, avec une inscription dorée, en relief, qui ressemblait à de l'arabe. Sandi aimait bien ces machins bouddhistes à la con. Il entra et montra la boîte à la vendeuse.
— C'est une merveille ! fit-elle, au bord de l'extase, avant d'ouvrir le couvercle.
Aussitôt un air oriental, plaisant, s'égrena doucement à l'intérieur, qui était garni de velours froncé, rouge rubis. Harry indiqua l'inscription sur le devant.
— Qu'est-ce que ça veut dire ?
— C'est du sanskrit.
— Et c'est quoi, ça ?
Il n'était pas gêné par son manque d'instruction, et il ne voyait aucune raison de le cacher à cette jeune femme. Il avait le fric, et cela seul comptait.
— La langue ancienne des Indiens.
Elle avait hésité. Elle racontait n'importe quoi.

— Vous ne savez pas ce que ça veut dire ?

Avec un air d'excuse, elle hocha la tête en se mordant la lèvre.

— Ça doit se traduire par « J'emmerde les ricains ».

D'une bouche parfaitement ronde, la vendeuse retint un « Oh ! », avant de s'esclaffer franchement. Harry lui fit un clin d'œil.

— Emballez-moi ça, chérie, que ça ait l'air chouette. C'est un cadeau pour la bourgeoise.

Andrew était au comptoir devant une bière quand Harry entra dans le pub. L'établissement venait d'être rénové, mais les nouveaux propriétaires avaient conservé autant que possible l'ancienne décoration, et leurs quelques ajouts correspondaient bien au style victorien de l'immeuble et de la salle. Étudiant rapidement celle-ci, Harry, séduit, se promit d'y emmener Sandi un de ces jours. Andrew eut droit à une grande claque dans le dos. Sous son veston, la cravate joliment nouée autour du cou, l'avocat était en sueur. Il était d'une minceur surprenante – un insecte filiforme –, si grand qu'assis il se trouvait à la même hauteur qu'Harry debout. Les deux hommes s'embrassèrent, puis Andrew fit signe au barman d'apporter une autre bière. Harry indiqua qu'il n'en voulait pas, mais Andrew n'en tint aucun compte.

— *Una, per favore.*

— Eh, mec, je conduis tout l'après-midi.

— On va manger, on boira un café et tout ira bien, répondit Andrew avec un regard suspicieux. Ne me dis pas que tu cèdes aux sirènes moralistes de notre cher État-providence ?

— T'as vu ça où, toi ?

Harry se posa lourdement sur le tabouret à côté, puis examina le menu du jour inscrit sur un tableau noir.

— La bouffe est bonne ?

— Première bourre !

C'était le cas. Harry opta pour les calamars grillés, tout en sachant qu'il n'aurait pas le temps d'aller à la gym dans l'après-midi. À l'évidence, Andrew n'avait pas ce genre de souci. Il commanda un hamburger, des frites, et une bouteille de vin qu'il but pratiquement seul. Harry était toujours épaté que l'avocat arrive à manger en quantité tout ce qui lui plaisait sans jamais prendre un gramme. La raison était qu'Andrew ne savait pas se tenir tranquille. Il était déjà ainsi petit, lorsqu'ils étaient voisins à Collingwood. Au collège, une salope de prof aux penchants sadiques avait tenté, jour après jour, de le calmer à coups de règle. À peine le voyait-elle s'agiter qu'elle le plaçait devant la classe et lui frappait l'arrière des jambes. Andrew tressaillait, grimaçait et, pendant une minute, s'efforçait de rester immobile. Sans jamais y arriver. À la fin du cours, ses jambes étaient violettes après une pluie de coups. La prof avait mis fin à ce régime brutal le soir où Mme Petrious l'a agressée, lors d'une réunion parents-professeurs. La maman d'Andrew la maintenait par les cheveux pour la gifler. Andrew évita l'exclusion pour la simple raison qu'il était l'élément le plus brillant, le plus intelligent d'un établissement qui comptait sur ses succès au concours général de maths et d'anglais pour compenser les résultats minables des autres élèves. Apparemment, il n'entretint pas de rancune contre cette prof. Qui était un animal, pensa Harry, toutefois un peu de cette sauvagerie n'aurait pas nui aux établissements d'aujourd'hui. Le juste milieu restait à trouver. À l'époque, il ne serait venu à l'esprit de personne d'avertir la police ou de contacter un avocat pour régler le problème. Mme Petrious avait présenté ses excuses, et l'enseignante – sans doute de mauvaise grâce – les avait acceptées.

— Tu te souviens de miss Ballingham ?

— Qui ça ? demanda Andrew, la bouche pleine.

— Miss Ballingham, en cinquième.

— Putain, cette tarée ! Elle doit être quelque part dans un quartier de sécurité. Comme gardienne, je veux dire.

— Elle n'était pas si nulle.

Andrew avala ce qu'il mâchait, étudia son ami, reposa sa fourchette et but une gorgée de vin.

— Pourquoi tu me dis ça, *malaka* ?

Harry entendait le *clac-clac-clac* de son talon sur le sol. Il plaqua son pied par terre.

— Les gens vont penser que je suis exactement comme elle.

Andrew parut consterné, puis agacé.

— Tu n'as rien à voir avec cette conne.

— Évidemment que je suis pas aussi con, dit Harry en grec.

Andrew essuya ses lèvres et son menton, puis roula sa serviette en boule et la jeta sur la table. Il se munit d'une cigarette, s'adossa à sa chaise et rota bruyamment.

— J'ai fini. Parlons affaires.

Il se balança d'avant en arrière et continua :

— J'assure le coup, *malaka*. Tu n'as jamais été condamné pour coups et blessures, ton casier judiciaire est vide, à l'exception d'une infraction quand tu étais môme. Tu es un bon père, un bon mari, un entrepreneur digne de ce nom. On ne va pas te pendre pour une baffe que tu as collée à un petit con, parce qu'il la méritait.

— C'est ce que je dois dire au tribunal ?

S'esclaffant, Andrew brossa distraitement une cendre tombée sur sa chemise.

— Non, tu auras l'air contrit d'un père et d'un mari affectueux. Ce que tu es. Il n'y a que moi qui parlerai. Voilà pourquoi tu auras mal au portefeuille, *malaka*, tu me paies pour avoir la chance de me voir faire des étincelles.

Il rota encore, aussi fort que la dernière fois, pour bien choquer les tables voisines.

— Si on a du bol, cette sous-merde de *loser* se présentera bourré. J'y compte presque, d'ailleurs.

— Sandi aimerait savoir pour quand c'est programmé.

— Bah, dit Andrew, insouciant, en levant les bras. On a des semaines devant nous.

— Je veux une date.

— La convocation partira sans doute le mois prochain. Qu'est-ce qui presse ?

— Je voudrais juste en finir avec ça. Que tout ce bordel soit terminé.

L'avocat fit un geste nonchalant par-dessus les assiettes et les verres.

— Mais non, c'est rien, ma poule. Qu'est-ce qui peut t'arriver de vraiment chiant ?

— Tu as dit que je risquais une condamnation. La seconde.

— Ta gueule, Apostolou.

Se penchant en avant, Andrew prit soudain un ton pressant.

— Tu as été mêlé à une bagarre quand tu avais seize ans. C'est tout. Personne ne te condamnera jamais pour ça. Tu as giflé un sale môme parce qu'il menaçait ton enfant. OK, ils peuvent essayer d'enjoliver les choses, mais ça n'ira pas loin. Leur accusation de coups et blessures ne tiendra pas. Au pire, on te tapera un peu sur les doigts, si on tombe sur une juge chienne de garde enragée, ou un rescapé des camps qui voit de la maltraitance partout. Mais même s'ils sont cinglés, ton affaire, c'est que dalle ? Tu piges ? *Nada*. Zéro.

Il poursuivit d'une voix plus dure :

— Tu sais ce qu'il aura vu avant toi, le juge ? Je vais te le dire, parce que moi, je le sais, Harry. Il aura vu un bébé de deux ans, la mâchoire fracturée et le crâne défoncé par le petit copain d'une gamine, aussi camé qu'elle, qui l'a fracassé contre un mur parce qu'il a pas trouvé sa dose ce matin-là. Il aura condamné un malade mental qui enculait sa fille de cinq ans si souvent que la pauvre ne pourra plus jamais chier, et que, jusqu'à la fin de sa vie, elle sera obligée de porter une poche en plastique sur l'estomac. Voilà le monde où on vit. Bienvenue dans l'Australie du XXIe siècle. Pas étonnant que les Arabes nous envient à ce point. Tu ne serais pas malade de jalousie, à leur place ? C'est pas le paradis, ça ?

Gêné par sa soudaine virulence, Andrew s'interrompit, renifla, et finit ce qui restait de vin dans son verre. Lorsqu'il parla de nouveau, il avait retrouvé sa voix traînante et son ton légèrement moqueur.

— Tout se passera bien. Toi, Sandi et Rocco, vous êtes des gens normaux. Tu n'as aucune raison de t'inquiéter. Alors, dis-moi, qu'est-ce qui t'emmerde vraiment ?

— Mais tu rigoles ou quoi ?

Tout en se balançant sur sa chaise, l'avocat étudia silencieusement son ami. Harry regardait une table, à la limite du petit patio, autour de laquelle trois jeunes femmes finissaient de déjeuner. La blonde était canon, avec de longues jambes bronzées sous une minijupe moulante en jean. « Rock-and-roll, pensa-t-il, rock-and-roll. » Il se retourna vers Andrew. Celui-ci avait toujours les yeux braqués sur lui.

— Sandi a peur qu'une chaîne de télé ait vent de l'affaire.

Pendant une seconde, Harry eut l'impression ridicule qu'il allait pleurer. Il se menaça intérieurement : « Je t'interdis de chialer, pauvre con ! » Ramassant son paquet, il alluma une clope en vitesse, inspira profondément la fumée. C'était un soulagement, c'était bon de pouvoir confesser ses angoisses à un ami. Les craintes de Sandi étaient devenues les siennes, une graine qui avait germé pour – lentement, obstinément – prendre racine dans son esprit où elle s'était épanouie. Tout ce qu'ils avaient créé ensemble risquait d'être souillé, bousillé par un animal veule, décidé à déguiser la réalité afin de faire passer Harry pour un monstre.

C'est la sensation qui l'avait taraudé quand, le lendemain du barbecue, les poulets – un homme et une femme – étaient venus les interroger, Sandi et lui, à la maison. Cette fliquette en particulier, une blonde, plutôt mignonne elle aussi. Il voyait bien qu'elle le méprisait. Ça se voyait toujours, avec les flics. Il s'était efforcé d'être poli, il avait usé de tous ses charmes, mais rien n'y avait fait. La fille avait souhaité parler à Sandi dans une autre pièce, et Harry était resté avec le mec. Aussi désobligeant que sa collègue. Un gamin, à peine sorti de l'école de police, pratiquement la morve au nez.

— Alors, vous avez frappé un enfant ? avait-il dit, dédaigneux, les lèvres ourlées, comme si Harry était une ordure. Ça vous arrive souvent ?

Il l'aurait tué, ce mec. Il s'était esclaffé, tournant la chose en plaisanterie. Le keuf n'avait pas envie de rire, et Harry se sentait de plus en plus humilié. Sandi lui avait rapporté que la blonde avait essayé de lui faire cracher qu'il les frappait, elle et Rocco, qu'il était d'un tempérament violent. Courtoisement, Sandi avait répondu que son mari n'était ni agressif ni violent, qu'il avait simplement giflé Hugo parce qu'il avait eu peur que celui-ci fasse mal à Rocco. « Oui, c'est un saint, n'est-ce pas ? » avait persiflé la gonzesse. Sandi avait eu une moue de dégoût en relatant leur conversation. Puis elle avait fait un sourire ironique. « Je me suis permis de lui poser une question à mon tour, à cette salope. Je lui ai demandé si elle avait des enfants. » Évidemment pas. Ça lui avait cloué le bec. « Non, avait pensé Harry, ils ont arrêté leurs conneries quand ils ont voulu voir Rocco. » C'est lui qui avait fermé leur clapet, car il est évident pour tout le monde, même pour ces tronches à cul de poulets, que Rocco est un gosse normal, merveilleux, sain. « Merci, *Panagia*, de nous avoir donné un enfant aussi merveilleusement normal et sain. » Voilà ce qui leur avait cloué le bec.

— Cette affaire n'intéresse pas la télé.

— Ah ouais ?

— Qu'est-ce que tu veux que ça leur foute ?

— Au téléphone, le père d'Hugo, ce pauvre minable, a dit à Sandi qu'il voulait soumettre le cas à *A Current Affair*[1].

Andrew gloussa.

— Ça n'a rien de comique !

— Si, je trouve ça comique d'avoir peur d'un truc aussi bête et aussi grotesque que *A Current Affair*. Quelle importance ça a, ce qu'elles racontent, ces émissions à la con ? Ça n'est même pas du journalisme, c'est des images sur un écran réservées aux crétins.

1. *A Current Affair* : émission australienne de télé-réalité.

— Tu t'en fiches peut-être, mais pas mes voisins, ni les parents des copains de Rocco, ni mes employés, ni même ma *thea*. C'est nous, les cons qui regardent ça.

Andrew s'adoucit, s'excusant presque.

— *A Current Affair* ne parlera pas de toi. Pas assez de matière. T'es pas assez taré. Si tu veux qu'on te voie chez eux, envoie le môme à l'hosto, la prochaine fois.

— Tu sais ce qu'on a constaté, le lendemain de leur visite ? Les voisins ne nous regardent même plus. Comme si on avait disparu, juste parce qu'on avait une bagnole de flics devant la porte.

— Tu as pour voisins des gens qui tiennent à ce qu'ils soient disponibles vingt-quatre heures sur vingt-quatre, mais qui, dans leur vie quotidienne, ne veulent pas en entendre parler.

Andrew continua avec ce ton cassant qui lui était coutumier :

— Je ne crois pas vraiment que ça les ait surpris, tes voisins. Ils devaient s'y attendre, depuis que les métèques ont débarqué dans le quartier…

« Connard d'avocat avec tes sarcasmes débiles. Tu mériterais que je te bute, enculé de ta mère. »

— J'essaie de te faire comprendre pourquoi Sandi a les jetons, pourquoi on est tellement à cran. Ça m'a pris des années, de construire cette maison. Et ce loubard de merde, ce fumier d'Australien dégénéré, veut nous foutre en l'air ! Pourquoi on me demande de comparaître ? Tu peux pas les en empêcher ? Ça n'est pas *juste*, merde !

— Non, ça ne l'est pas, admit Andrew en empochant son paquet de cigarettes. Bon, je dois y aller. Je t'appelle dès qu'on reçoit la convocation. Dis à Sandi de ne pas s'inquiéter pour *A Current Affair*. Si l'autre naze a pris son téléphone pour les appeler, il était sûrement pété comme un coing, et la standardiste lui aura raccroché au nez. Et pour ce qui est de tes voisins, je te conseille d'apprendre à vivre avec eux. Si tu en voulais des plus sympas, fallait pas acheter une parcelle de terrain à Brighton Beach.

Lorsqu'il rentra chez lui à la fin de la journée, Harry regrettait la bière et le vin qu'il avait bus. L'alcool l'avait engourdi, et une migraine sourde ne l'avait pas quitté depuis trois heures de l'après-midi. De plus, le jeune Indien de service à Moorabbin lui avait fait perdre patience. Ce flemmard invétéré voulait toujours changer d'horaires. À peine Harry était-il entré que Sanjiv, quittant le comptoir, lui avait demandé son samedi.

— Et « bonjour », jamais ?

— S'il vous plaît, monsieur Apostolou, je ne peux pas travailler samedi soir.

Il y avait au fond de la boutique un groupe de collégiens, probablement en train de chourer. Un jeune ouvrier du bâtiment poussa la porte, et Harry fit signe à Sanjiv de s'occuper de lui. Sans lever le petit doigt, l'Indien attendait patiemment la réponse du patron.

« Putain, je ne sais pas ce qui me retient de te lourder sur-le-champ, espèce de sac à merde d'hindou de mes deux ! »

— Non, dit sèchement Harry. Il faut me prévenir à l'avance. Je n'ai personne pour vous remplacer samedi soir. On en reste à ce qui était prévu.

Impassible, l'Indien hocha lentement la tête, puis il repartit derrière le comptoir. Harry se posa une main sur le front. Il avait les yeux lourds, et cette douleur lancinante dans le crâne. Lorsqu'il croisa les collégiens, il eut envie d'attraper un de leurs sacs et de le vider par terre. Sûr qu'ils avaient piqué des trucs. Ils étaient quatre, deux Aussies, deux Asiatiques, à ricaner – le plus grand des deux Blancs parlait de cul à voix haute pour impressionner les autres. Harry se mordit la langue. Il se retint de dire à ces petits merdeux : « Hé ! Si vous n'achetez rien, vous foutez le camp de chez moi ! » Mais impossible. Le gros malin était capable de lui lancer une repartie stupide. Vu son état du moment, Harry ne pouvait risquer de péter un plomb. Il se sentait horriblement mal, pris au piège, sans issue.

Le bourdonnement électrique de la boutique, l'air, les voix des gamins formaient un brouillard autour de lui. Sa main tremblait, crispée sur la clé, lorsqu'il ouvrit la réserve. Il s'y engouffra, claqua la porte derrière lui, posa la tête sur le métal froid de l'étagère. Un coup d'œil à la pendule au mur et, comme un gosse, il se prit à rêver, éhonté, qu'il remontait le temps, avant le barbecue chez son cousin, avant la gifle. Il avait été si heureux jusque-là. Se redressant, il poussa ce monde-là hors de son esprit. « Tu ne mérites pas ces conneries, se dit-il. Tu n'as rien fait de mal. »

Il s'occupa des salaires, fit un peu de compta et verrouilla le bureau. En passant, il annonça à Sanjiv qu'il trouverait quelqu'un pour le remplacer samedi soir.

— Un petit massage ?

Ce furent les premiers mots de Sandi à son retour. Sa prévenance, sa gentillesse, son affection vinrent aussitôt à bout de cette migraine persistante. Harry étreignit sa femme, qui se délassa à son contact. Il la serra plus fort et elle s'abandonna, sans peur, sans inquiétude.

Elle le repoussa doucement au bout d'un instant, mais se retint à ses bras.

— Quoi de neuf, mon amour ?
— Rien. Je suis fatigué et je suis content de rentrer.
— Qu'a dit Andrew ?
— Que tout va bien. Il ne faut pas s'en faire.
Le bourdonnement se réveillait dans sa tête.
Sandi voulut dire quelque chose, mais se ravisa. La voyant tendue, Harry regretta de ne pas détenir quelque formule magique pour la délivrer de ses soucis, supprimer définitivement toutes ses angoisses. C'est alors qu'il se décida à mentir.
— Je te répète qu'il ne faut pas se faire de bile. Un représentant d'une télé a téléphoné à Andrew, qui lui a mis les points sur les *i*. Le type a admis qu'il avait des doutes, car l'auteur de l'appel avait l'air soûl. Il a insulté la standardiste et tous ceux qu'elle lui a passés. Personne ne le prendra au sérieux, ce con.
À mesure qu'il inventait, Harry trouvait le mensonge à son goût, au point presque d'y croire lui-même.
Sans répondre, Sandi se plaça devant l'évier pour essuyer la vaisselle.
La rejoignant, il lui ôta le torchon des mains.
— Laisse, je le fais.
— Il s'adressera ailleurs, voilà…
« Putain, ce que je suis crevé. »
— On lui dira la même chose partout. Tu ne comprends pas, Sandi ? Ce naze n'a aucune chance.
— On ne peut pas l'affirmer. Quelqu'un finira par l'écouter, flairera la bonne affaire.
Harry jeta le torchon sur le comptoir.
— Mais putain, quelle affaire, Sandi ? J'ai giflé un môme, c'est tout. Ça n'intéresse personne !
Elle restait parfaitement immobile. On aurait cru une publicité : sa femme au milieu de la cuisine moderne, impeccable, parfaite, qu'il avait construite pour elle.

Il lui caressa les cheveux, l'embrassa doucement sur les lèvres.

— Je ne laisserai pas ce salaud te faire du mal.

Sandi récupéra son torchon. Elle avait maintenant une petite voix.

— Ce n'est pas pour moi que je m'inquiète, mais pour toi. C'est ce qu'il essaie de te faire qui me blesse.

Elle libéra un sanglot. Harry se sentit comme paralysé. Il se rappela brusquement que Rocco était dans la maison, dans sa chambre. Sandi pleurait bruyamment, il ne voulait pas que son fils l'entende. Il l'attira et la serra contre lui.

— Allons, murmura-t-il, tout ira bien.

Elle se détendit peu à peu, sécha ses larmes. Elle se cramponnait à son cou.

— Je le tuerais, marmonna-t-elle contre son torse. Je les tuerais, lui et son arrogante pétasse.

« Et ce crétin de môme de merde. Je lui réglerais bien son compte, à celui-là. »

— Je vais ranger la vaisselle. Va dire bonsoir à Rocco.

Il était dans sa chambre devant sa PlayStation. Harry s'assit en tailleur près de lui.

— Tu joues avec moi ?

— Ouais.

Son père se pencha pour l'embrasser.

— C'était bien, l'école ? demanda-t-il.

— Comme d'hab'.

— Qu'est-ce que vous avez fait ?

— Regardé une vidéo.

— Sur quoi ?

— Les Esquimaux, sauf qu'ils avaient un autre nom.

— C'était comment ?

— Ça allait. Un peu soûlant.

Rocco lança un autre jeu. Ses yeux ne quittaient pas l'écran de la télé.

— Ce qu'ils avaient l'air d'avoir froid… Il y avait une famille qui était obligée de vivre sous terre dans une maison en glace pendant des mois, et des mois, et des mois, et ils n'avaient rien à manger que de la graisse de phoque. Un truc vraiment crade.

— Ils avaient une PlayStation ?

Rocco regarda son père et lui sourit.

— Non, pas de PlayStation, mais ils avaient Internet. C'est pas top, ça ?

Adossé avec son fils contre son petit lit, jouant avec lui et s'esclaffant de le voir si combatif, Harry sentit sa migraine se dissiper. Il n'avait plus besoin ni d'un verre, ni d'un comprimé, ni même d'une cigarette, et à l'heure du dîner, il avait une faim de loup. Sandi avait préparé des steaks, de la purée de pommes de terre, un repas simple et solide qui était un pur bonheur. Pendant qu'elle faisait la vaisselle, Harry posa la boîte à musique dans l'armoire à pharmacie, près de sa brosse à dents. Puis il se doucha, sauta nu sous les draps et attendit. Un cri ravi retentit dans la salle de bains. Sandi bondit sur le lit et s'assit à califourchon sur son mari.

— Je t'aime.

Elle actionnait le couvercle, dans un sens puis dans l'autre, et la petite musique orientale, métallique, s'arrêtait et repartait. Il défit le soutien-gorge de Sandi, traça des cercles autour de son sein gauche. Sans arrêter de jouer avec la boîte, elle tendit le bras droit et soupesa délicatement ses couilles. Puis elle posa le cadeau sur le rebord de la fenêtre, et descendit le long de son mari, lui embrassant le torse, léchant son ventre et le titillant. Ses lèvres effleurèrent sa queue et la retinrent. Harry ferma les yeux, se concentrant sur ce qu'elle lui faisait. Soudain surgit dans son esprit l'image de Kelly en train de le branler dans sa cuisine. Rouvrant aussitôt les yeux, il redressa la tête pour regarder sa femme, tenta de la tirer vers lui.

— Non, chuchota Sandi. Je veux que tu jouisses dans ma bouche. Baise-moi la gueule.

— Tu es sûre ?

Le langage pornographique l'excitait.

— Baise ma bouche, le pria-t-elle avant de happer son sexe.

Il referma les yeux et, cette fois, joua du bassin.

— Chérie, c'est super, vas-y.

Silencieusement, pour ne pas la vexer, il poursuivit en pensant à Kelly. « Suce-moi, salope. Allez, chienne, suce-moi bien. » Il prit appui sur la tête de lit, se mit à genoux, et continua de baiser Sandi. Elle hoquetait parfois et, lorsqu'il s'immobilisait, lui empoignait le cul et le repoussait dans sa gorge. Les joues gonflées, Harry réprima un cri et jouit brutalement. Sandi refusait de le lâcher. Il se contracta violemment et tomba à la renverse. Lorsqu'elle partit à la salle de bains, il ne la regarda pas. L'eau coulait sous le robinet et il savait qu'elle se brossait de nouveau les dents. Il lui sourit, penaud, quand elle revint se coucher. Elle saisit la boîte à musique et s'allongea. Il se tourna sur le côté, se colla contre elle en chien de fusil et la prit dans ses bras.

— Ce n'était pas très marrant pour toi.

Elle examinait son cadeau.

— J'aime te faire l'amour. Tu es mon mari, ne me remercie pas.

— Ma queue te remercie.

Sandi jouait de nouveau avec le couvercle et la petite musique. Harry resserra son étreinte.

— Parle-moi de ta journée, dit-elle.

Tout en la caressant, il se remémora – Constantinos qu'il avait fallu mettre au pas, Sanjiv qui lui cassait les couilles, Van qui avait besoin d'argent. Il avait commencé à travailler sur une voiture à Hawthorn, une Valiant de la fin des années 60 que le propriétaire voulait remettre à neuf. Sandi écouta jusqu'au bout.

— J'aimerais inviter les filles samedi, choisir quelques DVD. Tu peux demander à Van ?

Il murmura que oui. Il s'endormait.

— Invite aussi Hector et Aisha. On ne les a pas vus depuis une éternité.

Harry se figea en attendant la suite. En fait, ils n'avaient pas revu son cousin depuis le barbecue. Mais Sandi semblait insouciante, détendue. Il la serra encore.

— Je les appellerai.

Cela paraissait efficace, comme mensonge. Quand Sandi l'accompagna le mercredi à Moorabbin, elle riait, plaisantait gaiement avec le personnel et les clients. Harry nota avec plaisir les coups d'œil admiratifs que lui jetaient les jeunes Indiens. En la voyant sereine, heureuse, il se félicita d'avoir menti, et plutôt deux fois qu'une. Personne ne leur ferait aucun mal. Tout irait bien – ils étaient à l'abri, protégés. Ravi que les choses reprennent leur cours normal, il téléphona à Kelly pour annuler le dîner qu'il lui avait promis. Comme toujours, elle prit ça stoïquement.

— Super. Alors, je te vois quand ?

— Je ne sais pas.

— Appelle-moi si tu te sens seul.

— Je t'appelle si je bande.

Elle se marrait au bout du fil, et c'était excitant.

— Il paraît que tu as invité Van, samedi ?

Merde, il le lui avait dit. Ce n'était pas une surprise, Van étant la seule personne au courant de leur liaison. Harry était sûr que cet enculé de Viet ne répéterait jamais rien à Sandi – n'empêche, c'était chiant d'avoir ce fil à la patte, un témoin de ses infidélités. Dommage que Kelly ne soit pas foncièrement une pute, que leurs échanges ne soient pas seulement d'ordre financier, et puis marre. C'était une leçon à apprendre. Le jour où ça serait fini, il ne recommencerait pas la même connerie. Il se trouverait une superbe gagneuse, qu'il verrait tous les quinze jours contre monnaie sonnante. Ça lui coûterait d'ailleurs peut-être moins cher.

Kelly interpréta correctement son silence.

— On peut faire confiance à Van.

« La confiance, ça se limite à la famille. Point, barre. Et encore, pas toujours. »

— Oui. Je sais.

Harry appela Hector dans la foulée.

— *Yia sou*, Ecctora, c'est ton cousin.

— Comment vas-tu, mon vieux ? Et Sandi ? Et le petit ?

« Putain, fallait toujours se fader le blabla ? »

— Bien, tout le monde va bien. Et chez toi ? Aish, Adam, Lissie ?

— Y a pas à se plaindre.

Il se rendit compte qu'il était sur ses gardes en parlant à Hector. Certes, celui-ci était de son côté, mais Harry n'avait pas oublié le visage dur, fermé, de sa pétasse le soir du barbecue. Elle devrait avoir honte. Ce n'était pas une de ces connes d'Aussies, à la cervelle d'oiseau – mais une Indienne, une métèque. La famille aurait dû représenter quelque chose pour elle.

— Y a notre pote qui se pointe samedi après-midi avec une tonne de nouveaux DVD. Ça serait cool si tu venais avec Aisha et les petits.

Harry sentit un moment de flottement à l'autre bout.

— Ouais, Adam serait content de voir Rocco. Mais Aish est de garde à la clinique, samedi. Je peux venir avec les enfants.

— C'est pas grave, on la verra bien un de ces jours.

Il attendit que son cousin raccroche, puis fit claquer violemment son portable sur la table. Le temps d'allumer une cigarette, et il sortit de son bureau. Les gars bossaient et ne lui prêtèrent aucune attention. Il marcha jusqu'au bout de l'aire de stationnement, étudia l'autoroute dans les deux sens – le flot, le vrombissement incessant de la circulation. Il savait exactement ce qu'il redoutait : il fallait dire à Sandi qu'Aisha ne viendrait pas.

Mais le mensonge faisait toujours effet. Quand Harry annonça la nouvelle, le soir venu, Sandi se contenta de hocher la tête.

— Elle travaille trop, cette nana.

Il embrassa l'épaule nue de son épouse.

Samedi au lever du jour, le ciel était dégagé et il faisait doux. Se réveillant tôt pour aller au marché, Sandi passa ensuite la matinée à composer des salades. Après avoir nagé, Harry se prépara une pipe à eau et s'avachit sur le canapé, la télé branchée devant lui sur une chaîne musicale. Rocco le rejoignit et tous deux, sans rien dire, regardèrent les singes gesticuler d'un vidéoclip au suivant. Toutes les Noires se comportaient comme des salopes, et Harry se demanda s'il était vraiment bon que son fils voie ces apprenties putes se caresser le cul et les nichons.

Rocco se redressa sans lui laisser le temps d'ouvrir la bouche.

— Ça me gave.

Son père lui tendit la télécommande.

— Mets autre chose, si tu veux.

— Nan, je vais piquer une tête dans la piscine.

— Bien. Je devrais en faire autant.

Mais la dope l'avait rendu léthargique. Il posa la zappette en continuant de regarder l'écran.

— Qu'est-ce que tu en penses, de celle-là ?

Une ado noire, en T-shirt sans manches et mini-jupe en jean, tournait autour d'un rappeur rebondi qui débitait des conneries à propos d'armes, de salopes, et de crack. Harry aimait bien le hip-hop, mais ce morceau-là était ridicule et de mauvais goût. Il n'y avait pas de mélodie, même pas de rythme à proprement parler. Putain, ce que c'était nul. Devant la télé, Rocco étudiait la fille qui se frottait les cuisses en mimant l'orgasme.

Il se retourna vers son père.

— Ça va.

— Ça te plaît, ça ?

— Non, mais ça va.

— Et comment tu la trouves, la meuf ?

Rocco était perplexe.

— Qu'est-ce que tu veux dire ?

— Tu la trouves sexy ?

— Oh, arrête, papa !

Rocco ne cachait pas son dégoût.

Harry s'esclaffa et coupa le son.

— Un jour, tu comprendras, mon petit Rocco. On n'échappe pas aux griffes des femmes.

Il montra l'écran en ajoutant :

— Elle est superbe, mais c'est une poule. Et les poules dans son genre, ça ne vaut rien de bon.

« À l'exception d'une chose, mais ça, on a encore le temps d'en parler. »

Rocco gardait un œil sur le mannequin qui se déhanchait silencieusement sur un zoom arrière caméra. Ça le soûlait, et il tourna les talons.

— Toutes des putes, dit-il à son père, avant d'aller se changer. Les Noires sont toutes des putes, c'est bien connu.

Van arriva à midi pile. Il remonta l'allée et cria à Harry de lui ouvrir le garage. Harry, qui venait d'allumer le barbecue, apparut sur le balcon et se pencha en rigolant.

— Pourquoi tu sonnes pas, eh, chinetoque de mes deux ? On fait ça, chez les gens civilisés.

Van se marra.

— Va te faire mettre, chien galeux de métèque. Mais ouvre le garage, d'abord.

Il avait dans son coffre cinq caisses pleines de DVD, qu'Harry l'aida à transporter jusqu'au salon. Sandi s'essuya les mains et embrassa le Vietnamien, qui lui sourit.

— Vous êtes superbe, madame Sandi. Il faut quitter ce bâtard enragé et venir vivre avec moi.

— Et Jia sera d'accord ?

— Sandi, ma chère, si vous acceptez, je la quitte aussitôt.

Ressortant de sa chambre, Rocco serra la main de Van. Toujours souriant, celui-ci ouvrit un des coffrets, sortit trois DVD de leur boîtier et les tendit au garçon.

— Tu aimes bien Adam Sandler, je crois ? C'est un nouveau, celui-là.

— Cool. Je peux le mettre ?

Plein d'expectative, Rocco regardait sa mère.

— Oui. Mais tu éteins quand tout le monde sera là, promis ?

— Promis.

Avec un cri de joie, il courut vers le lecteur de DVD. Puis se retourna.

— Merci, oncle Van.

Une heure plus tard, il ne manquait personne. Alex se dirigea droit vers les saladiers, avant de passer le reste de l'après-midi à jouer sur l'ordinateur avec Rocco. Il n'avait pas fait d'effort vestimentaire : pantalon de survêt noir, T-shirt Olympiakos troué sous l'aisselle gauche. Les filles ne lui prêtèrent aucune attention. Elles étaient mariées, de toute façon, à part Tina, qui était célibataire, et Annalise, divorcée. Il ne sembla même pas remarquer leur présence. En revanche, Hector attirait les regards, ce dont Harry s'enorgueillit. On avait belle allure dans la famille, pas de doute là-dessus. Ils prenaient l'un et l'autre le chemin de la cinquantaine, et la gent féminine leur faisait toujours honneur. Comme pour se distinguer d'Alex, Hector portait une chemisette bien repassée, qui lui allait parfaitement, et un vrai short de marque, classique, en coton. Après l'avoir accueilli à la porte, son cousin lui avait glissé : « T'es tellement beau que je te baiserais. » Tandis que, dans la véranda, il s'occupait des saucisses et du barbecue, il le voyait par les baies vitrées du salon discuter avec Annalise, tous deux assis sur le canapé. Elle l'écoutait d'un air admiratif. Harry sourit. Il aimait bien cette fille. Elle parlait trop, mais elle était sympa, avec un caractère généreux. Sûr qu'elle n'avait pas mérité ce mari à la con. Si elle se mettait à la colle avec Hector, il pourrait quitter la pétasse coincée qui lui servait de femme. Harry entendit des rires, des cris de plaisir et un bruit d'éclaboussures – Rocco, Adam et Melissa venaient de plonger dans la piscine et il eut honte de lui. Aisha était la mère des deux petits, un point c'est tout.

Il les appela :

— On mange !

— Encore dix minutes, papa !

— Non, sortez de l'eau !

Il ajouta plus gentiment :

— Si vous sortez tout de suite, peut-être qu'on peut vous emmener à la plage, cet après-midi.

— Ouais, putain, cool !

En signe d'avertissement, Harry pointa une brochette vers son fils.

— Surveille ton langage, toi.

Il retourna une dernière fois ses saucisses.

— C'est prêt !

Van vendit une sacrée chiée de DVD cet après-midi-là. Il avait les collections complètes de toutes les séries télé à succès, et tous les films récents, dont le dernier Tom Cruise qui n'était pas encore sorti en Australie. Tranquillement assis sur le canapé, Harry regarda les filles éplucher les boîtiers. Sandi acheta plusieurs comédies sentimentales, la dernière saison de *Lost*, et l'intégrale de *Sex and the City*. Elle piocha également quelques films d'action pour lui. Alex, qui ne s'intéressait qu'aux arts martiaux, se lança avec Van dans une discussion animée sur le genre.

— Ça, c'est le top, mec, lui dit Van, emballé, en exhibant un DVD orné d'une photo criarde d'une Chinoise en bikini, agenouillée devant un type en cuir et lunettes de soleil, qui lui braquait un fusil sur la tête. Carrément fou furieux.

— Je le prends.

Sandi leva les yeux vers son mari.

— Tu le veux, chéri ?

Il fit signe que non. Certains de ces trucs façon Hongkong n'étaient pas mal, mais c'était toujours pareil. Il en avait vu assez. Poliment, son cousin passait l'éventail en revue sans avoir encore rien choisi.

— Allez, Ecttora, il y a bien quelque chose qui te plaît, là-dedans ?

Hector hocha la tête en souriant.

— Désolé. On préfère voir les films en salle, avec Aisha.

— Je rêve ! lâcha Van, indigné. C'est fini, le cinéma, mec. Tu as quoi, comme système, chez toi ?

— Ça s'appelle une télé, répondit Hector en riant.

Nadia, une des plus vieilles amies de Sandi, cessa d'étudier les jaquettes et leva les yeux.

— Benj et moi, on n'est plus allés au cinoche depuis des années.

Van ne l'écouta pas.

— Ah, et quel genre de télévision ?

Hector hésita.

— Une Sony. Oui, je crois que c'est une Sony.

— Ancienne ?

— Elle a peut-être huit ans ? On l'a depuis la naissance de Melissa.

— Tu déconnes, ou quoi ? Paie à ta femme une télé neuve, avec un super écran plat et le son *surround.*

— Je suis comme toi, Hector, dit Annalise en souriant. Moi aussi, je préfère voir les films en salle.

Moqueur, Van alluma une cigarette.

— Voilà, faut que je craque trente dollars pour emmener Jia au ciné, encore trente dollars pour le pop-corn et les boissons, ensuite une gamine à moitié stoned nous conduit à nos places pour que je pose mon cul sur un siège en velours où un gros con vient de péter pendant deux heures. Tout ça pour voir un film que je peux télécharger gratos. Je déteste le cinéma, lança Van d'un air dégoûté.

Mais il ne laissait pas tomber :

— Allez, mec, j'ai bien quelque chose pour toi ?

— *À la Maison Blanche*, tu l'as ?

De mauvais poil, Harry alla au bar remplir son verre. Il adorait son cousin, mais merde, Hector et Aisha étaient de vrais branleurs. Attends... *À la Maison Blanche* !? Ils n'en finissent pas de dégoiser, dans cette série. Du blabla et encore du blabla. Toutes les nanas étaient moches à hurler. Il se servit une bonne rasade de whisky et s'accouda au comptoir. Peut-être pourrait-il emmener Sandi au ciné, un de ces jours ? Elle aimait bien ça, et ça faisait longtemps. Mais il était de l'avis de Van. Quel intérêt ? Harry regarda avec orgueil l'immense écran plasma au mur.

— Quelle saison tu veux ?

Harry sourit. Visiblement, Van détestait cette série autant que lui.

— On a suivi les deux premières, et on n'a jamais pu voir le reste. Tu sais comment c'est, avec les chaînes, maintenant. Une semaine, elles diffusent ça le mardi, et la semaine suivante c'est le jeudi à minuit. C'est un peu difficile d'être à l'heure.

« Et pourquoi tu prendrais pas le câble, gros radin ! » Le whisky faisait du bien au fond de la gorge. Harry rejoignit sa femme, s'assit en tailleur sur le sol et commença à remplir le narguilé.

— *La Maison Blanche*, je l'ai pas avec moi, mon pote, dit Van en regardant tout le monde avec un fin sourire.

Il fit un clin d'œil à Nadia.

— Mais j'apporte la série entière la prochaine fois, promit-il.

— Vendu, dit Hector. Tu as *Six Feet Under*, aussi ?

Fallait reconnaître ça au cousin, ce con-là ne se laissait pas intimider par le mépris que ses goûts de branchouille inspiraient à Van.

— Métèque, métèque ! chanta ce dernier pour Harry, en prenant exprès l'accent asiatique. Je crois que ton cousin est un vrai *pousti-malaka*.

La pipe à la bouche, Harry réprima un rire. Sans arrêter de sourire, Hector referma le boîtier qu'il avait en main, le tendit à Van et quitta le canapé.

— Sandi, j'emmène les enfants à la plage.

Van prit la pipe que lui offrait Harry.

— Eh mec, je voulais pas te vexer.

— Je ne suis pas vexé. Tu penseras à la *Maison Blanche* ?

Van tira une bouffée, l'eau glouglouta, puis il recracha la fumée.

— Sûr, t'inquiète.

— Tu me feras une copie aussi ? demanda Annalise. Il y a longtemps que j'ai envie de voir ce truc.

Elle voulait vraiment se taper son cousin, celle-là, pensa Harry.

— Toi aussi ? Pas de problème, chérie.

Van remit de l'herbe dans le foyer de la pipe, la passa à Annalise, et poursuivit d'un ton charmant et innocent :

— Tu as qu'à appeler Hector, vous vous donnez rendez-vous, comme ça vous décidez quelle saison vous préférez.

Cette fois, Harry éclata de rire et fit semblant de tousser pour donner le change.

— Tu m'accompagnes, Harry ?

Il étudia son cousin. Harry se sentait bien, raide et un peu bourré. Sa femme était près de lui, il avait plutôt envie de dormir que d'aller à la plage. Mais Hector le fixait d'un œil froid, insistant.

— Ouais, OK, dit-il en se levant maladroitement. Allons-y.

— Ce type est un connard.

Alex s'était joint à eux.

— Mais non, il est cool.

— Ce Niakoué est une tête de con, je te dis. Tu le laisses parler comme ça à ton cousin ?

Harry était étonné. Il avait toujours cru qu'Alex et Van s'entendaient bien. Il attendit qu'Alex continue sur sa lancée, mais celui-ci, fidèle à lui-même, en resta là. Ils traversèrent la rue au feu et prirent le sentier de la plage, entre les buissons. Les enfants couraient devant, en maillot de bain, leurs serviettes sur les épaules. Une fois arrivés, les petits pressèrent Hector et Harry de les enduire d'huile solaire, et ils se ruèrent dans l'eau. Harry était fier de son fils. Rocco continua à courir dans les petites vagues molles, puis plongea sans hésitation. Alors qu'Adam, dodu et frissonnant, chercha longtemps le courage de l'imiter. Même la petite Melissa y était avant lui. Harry alluma une cigarette et s'allongea sur son drap de bain. Alex avait retiré ses chaussures et, dans l'eau jusqu'aux genoux, surveillait les enfants – ou plus probablement les deux blondes qui nageaient les seins à l'air derrière eux.

— Sandi veut que j'organise une réunion avec elle, toi, Rosie et Gary, pour discuter.

Harry grogna. Finalement, son mensonge n'avait servi à rien. Il se redressa, l'œil rivé sur la mer. Intrépide, Rocco nageait plus loin que tout le monde. Partagé entre l'orgueil et l'anxiété, Harry allait l'appeler quand il le vit plonger, et émerger un instant plus tard près de ses cousins.

— Elle t'a demandé ça quand ?
— Juste avant de déjeuner.
« Ce culot ! »
— Elle se fait vraiment du souci, Harry. Et ce Gary est vraiment un sale con. Impossible de lui faire entendre raison. En ce qui me concerne, je ne pense pas que vous mettre autour d'une table servira à grand-chose.
« Si encore je pouvais étriper leur chiard. »
— Elle a dit autre chose ?
Hector étudiait avec envie le paquet de cigarettes posé sur le drap de bain. Harry prit un plaisir pervers à en allumer une autre, alors qu'il venait juste d'écraser la précédente. Le goût de la fumée et la nicotine le calmèrent.
— Allez, insista-t-il en grec. Qu'est-ce qu'elle a dit d'autre ?
— Elle s'inquiète pour toi. Elle craint que tu ne maîtrises pas la situation. Paraît que tu es tout le temps en colère.
Hector regardait droit devant lui, vers les enfants, que tous deux entendaient rire.
— J'assure, mec. C'est elle qui ne maîtrise pas la situation.
Harry enfonça la deuxième cigarette dans le sable ; il n'avait tiré que deux ou trois taffes.
— Elle n'arrête pas d'y penser.
— Je comprends, dit Hector. Cette plainte pour coups et blessures, c'est n'importe quoi. Ce mec a besoin de vivre dans le drame. Il est comme ça.
— Et *elle* est innocente ?
Hector hésita.
— Personne n'est innocent dans l'affaire.
« Connard. »
— Tu veux dire que je ne le suis pas.
— Tu n'aurais pas dû le gifler.

— Ta gueule, Hector. Ce petit enculé le méritait. Je n'ai fait que protéger mon fils. C'est le boulot d'un père.

Harry serrait les poings. La chaleur du soleil, l'immensité du ciel étaient presque écrasants. Son cœur battait dans sa poitrine. Sentant la main d'Hector sur son épaule, il la repoussa d'une contraction.

— Harry, écoute-moi. Tu es un mec bien. Tu ne mérites pas ça.

— Mais ?

— Mais tu n'aurais pas dû.

Il en aurait pleuré. Qu'on retire cet instant de sa vie, qu'on le remplace, qu'on le change ! Que jamais il n'ait touché cet enfant ! Ce sale con de gamin, cet animal. « *Panagia*, murmura-t-il, je veux qu'il crève, le mouflet. » S'allongeant sur le sable, le soleil chaud dans sa nuque, il perçut le rire de Rocco – Rocco qui, comme toujours, le ramenait à lui-même.

— Bon, d'accord. Je vais leur présenter mes excuses. Tu peux arranger ça ?

Hector fit la moue.

— Je le connais, cousin. Ça n'avancera à rien.

— Je vais essayer. Pour Sandi. Mais elle ne vient pas avec nous – je veux la garder à l'écart de cette *vroma*, cette… ordure. Tu organises une rencontre ?

Lentement, Hector hocha la tête.

— Tu en parleras à Aisha ?

Hector avait l'air sombre, déterminé.

— Bien sûr que je lui parlerai. De toute façon, Rosie lui dira. Ne t'inquiète pas pour ça.

Harry observa les trois enfants qui jouaient dans l'eau.

— Je suis heureux qu'ils s'entendent si bien, dit-il en se raclant la gorge. C'est chouette pour Rocco, qui n'a ni frère ni sœur. Chouette qu'il ait Adam et Lissie.

— Ils forment une famille, répondit simplement Hector.

Harry se marra en montrant la mer.

— Ça me rappelle quand on était mômes, pas toi ? demanda-t-il en ramassant son paquet. Tu en veux pas une, tu es sûr ?

— Ne me tente pas, salopard, dit Hector en lui faisant face. Tu ne vas jamais arrêter ?

— Le jour où j'en aurai marre. Pour l'instant, j'aime ça.

Il alluma sa cigarette.

— Mec, dit-il, imitant l'accent gangsta-rap. Tout mon fric part dans l'alcool, l'essence et les clopes.

— Ouais ! s'esclaffa Hector. Qui aurait cru que, des trois, c'est l'essence qui nous mènerait à notre perte ?

— De Dieu, cousin, grogna Harry en lui posant un bras sur l'épaule. Tu réfléchis trop. Oublie toutes ces merdes de réchauffement, de terrorisme, de guerre, de climatosceptiques, et les putains d'Arabes. Qu'ils aillent se faire foutre ! Qu'ils aillent tous se faire foutre !

D'un geste, il embrassa la mer éblouissante et le ciel sans fin.

— On a la belle vie, dit-il. Pense qu'on a la belle vie, putain !

Silencieusement, ils regardèrent leurs enfants jouer.

Ça lui coûtait – car il était la proie d'une telle fureur qu'il aurait cassé la gueule au bon Dieu –, mais au retour de la plage il demeura poli, courtois, classe. Il ne doutait pas que, pour son cousin, son fils, Alex, Van et les amies de sa femme, il parût content ; peut-être un peu distant à cause de la beuh. Il était fier de savoir contenir sa rage, de garder le sens de l'humour jusqu'au bout de cet après-midi interminable. Une fierté qu'il chérissait en jouant consciencieusement son rôle d'hôte généreux, pour ne pas perdre tout contrôle, péter un sérieux câble, se ruer sur Sandi et la secouer jusqu'à ce qu'elle ait les dents qui s'entrechoquent au fond de la gorge, que ses yeux sortent de leurs orbites, qu'elle le supplie à genoux de lui pardonner. « À GENOUX, cette conne de merde ! » À leur départ, il embrassa affectueusement Hector et ses enfants, continua de plaisanter aimablement lors du petit dîner qu'avait préparé Sandi pour Van, Alex et Annalise – mais ils foutraient le camp un jour, ces nazes ? Il lut une histoire à Rocco pour qu'il s'endorme. Van offrit à Alex de le ramener, et Harry était bien content d'avoir trop bu et fumé pour raccompagner Annalise à Frankston. Il sourit en descendant l'allée avec elle jusqu'au taxi. Elle l'embrassa maladroitement sur les lèvres et il pensa : « T'es bien une salope, tiens. »

— Sandi a vraiment de la chance, dit-elle pendant que le véhicule, en marche arrière, crissait sur le gravier pour reprendre Beach Road.

Passant la tête par la fenêtre, elle ajouta en criant :

— Mais c'est toi qui es verni ! Ne l'oublie pas !

Il entendait les vagues s'écraser sur la plage, et la voix d'Annalise, berk, ressemblait aux cris stridents des mouettes. Harry sourit une dernière fois, leva la main, opina du chef comme si c'était vrai. Il regarda le taxi s'éloigner, puis remonta lentement l'allée, tout sourire effacé.

Sandi était en train de charger le lave-vaisselle. Elle aussi un peu paf, elle fit volte-face, enjouée, en l'entendant derrière elle. Une grande tasse à café tomba par terre, rebondit et roula sur elle-même avant de s'arrêter – intacte.

— Coup de bol, dit Sandi, bon enfant, avant de se pencher pour la ramasser.

Il aurait pu lui flanquer un coup de pied dans la figure. Elle se redressa avec ce sourire impossible au milieu de la tronche.

— On a eu une journée magnifique, se réjouit-elle.

Elle dut lire le danger dans ses yeux, car elle recula et sa cuisse heurta la porte ouverte du lave-vaisselle.

— Chéri, qu'est-ce qu'il y a ?

— De quel droit tu parles à Hector dans mon dos ?

Voyant la peur gagner son visage, il sentit une violente excitation le submerger. Attrapant sa femme par les cheveux, il tira sa tête vers lui.

— Qui t'a permis ?

Elle était soudain molle. Ne se débattait même pas.

— Harry, j'allais te le dire.

— Espèce de conne, nos affaires sont nos affaires. Je t'interdis d'en parler à Hector, à ta mère, à tes sœurs, à tes copines, à quiconque. Ça nous regarde nous, et nous seulement.

Il parlait à voix basse, pour ne pas réveiller son fils. Il tira encore sur les cheveux de Sandi, ses longues mèches enroulées autour de son poignet.

— Tu tiens vraiment à ce que son Indienne de merde, sa mère la morale, là, foute son nez là-dedans ? C'est ça ? Ça ne t'est pas venu à l'esprit qu'elle irait illico voir l'autre connasse, parce qu'elles se connaissent bien, pour tout lui raconter ? Qu'est-ce que tu as dans le crâne ?

Il aurait voulu crier, maintenant, à pleins poumons, et lui foutre son poing dans la gueule. Il tira encore jusqu'à ce que leurs visages se touchent presque.

La terreur se lisait dans les yeux de Sandi. Pétrifiée, elle tremblait comme un animal désespéré et il comprit, en la regardant, qu'il avait perdu sa confiance. Jamais elle ne saurait lui pardonner sa violence, jamais elle ne lui pardonnerait la gifle. Il aurait pu maintenant la frapper, répéter les gestes de son père, voir jusqu'où il oserait, quelle était la limite, à quel moment Sandi riposterait, ou s'enfuirait.

Il lâcha ses cheveux, prit sa femme dans ses bras et la serra fort, fort, jusqu'à ce que son désarroi, ses pleurs s'effacent en cet instant béni où son corps se fondit contre le sien et il sut qu'elle n'avait plus peur.

— Excuse-moi, répétait-elle. Je suis navrée. Excuse-moi, Harry.

— Mais oui, dit-il en lui embrassant le front. Je vais aller voir ce baltringue, je vais aller le voir avec Hector, lui et sa pétasse. Merde ! C'est pas de gaieté de cœur, mais je vais m'excuser chez ces cons. Je le fais, chérie, promis. Mais tu ne viens pas avec moi. Toi et Rocco, vous ne reverrez plus ces gens.

Elle acquiesça, convaincue. Elle lui donnait à nouveau l'impression d'un animal, stupide et fidèle.

Quand Hector s'engagea dans la petite rue latérale, Harry repensa soudain à son enfance. Le vieux l'avait jadis emmené se promener dans ce quartier. Harry devait être plus jeune que Rocco – quel âge avait-il alors ? Cinq ans ? Six ans ? Et c'était sans doute un dimanche, car son père portait une chemise blanche, fraîchement repassée, sans son bleu de travail. Il n'y avait pas eu d'arbres ici, dans le temps, le bitume était recuit par le soleil et Harry avait été fasciné par les nappes noires de chaleur qui semblaient s'élever par-dessus. Il se rappelait que les maisons n'étaient pas aussi jolies, elles avaient paru moches et étriquées. Mais depuis, les yuppies avaient remplacé les métèques, tout était rénové, tout avait embelli, ça sentait l'argent à plein nez. Le long de la chaussée, qui puait autrefois l'essence, les égouts et la merde des chiens, la mairie avait fait planter des platanes et des buissons. Harry n'irait jamais habiter là pour autant. Même s'ils coûtaient à présent la peau du dos, c'était toujours de ridicules taudis. Son père l'avait emmené dans une de ces baraques ; les hommes avaient joué aux cartes jusqu'au soir, et Harry avait passé la journée au parc voisin avec un gamin de la maison.

Quand Hector tourna à nouveau, Harry était sûr qu'ils longeaient le même parc. Sauf qu'à l'époque il n'y avait ni bancs, ni balançoires, ni rien. Pour autant qu'il s'en souvînt, ça tenait plutôt du terrain vague. Lorsque, le soir venu, il était rentré avec Tassios, des hordes de métèques, sur le pas de leur porte, buvaient du café, fumaient, se hélaient les uns les autres. Le soir tombait aujourd'hui aussi, et tout était silencieux.

Hector ralentit et se gara. Harry regarda par la fenêtre et son cousin lui indiqua une masure, dont la façade de bois peint avait piètre allure entre deux constructions en brique, récemment rénovées. La peinture avait dû être blanche, au départ – Dieu seul savait combien de décennies plus tôt –, mais la pluie et le vent s'étaient chargés d'en faire un jaune pisseux. Côté rue, le jardin était envahi par les mauvaises herbes, et l'unique rosier était en train de crever.

— C'est là qu'ils vivent ?

Hector hocha la tête.

Ça voulait tout dire. Ces cons-là n'avaient même pas la dignité d'entretenir leur baraque. Harry aurait eu honte de laisser les voisins penser qu'il était trop flemmard, insouciant ou incapable pour s'occuper de ce jardin minuscule.

— Ils sont propriétaires ?

— Locataires.

Évidemment. Trop fauchés pour acheter, ils loueraient toute leur existence. Pourtant, ils habitaient bien là ; comment peut-on accorder si peu d'importance à son cadre de vie ? Et le gamin ? Quel exemple voulaient-ils lui donner ? Peut-être qu'ils s'en foutaient tout autant.

— Bon, allons-y.

Harry n'avait pas encore défait sa ceinture. Il resta immobile un instant, puis se mit en branle.

— Ouais.

La sonnette ne fonctionnait pas. Harry frappa du plat de la paume à la lourde porte en bois rouge. Ils entendirent l'enfant qui appelait, puis des pas rapides dans le couloir. C'est le type qui ouvrit. Il portait une salopette par-dessus une chemise au col ouvert, tachée de peinture. Il y avait de la tension dans l'air. Harry tendit sa main. Troublé, incertain, Gary l'étudia, l'accepta mollement.

La maison sentait l'encens. En marchant derrière les deux autres hommes, Harry jeta un coup d'œil dans les pièces. Elles paraissaient sombres, mal rangées. Il remarqua un lit qui n'était pas fait, et aucune ne ressemblait à une chambre d'enfant. Ils arrivèrent à la cuisine, où l'éclairage était dense. Une grande table occupait une bonne partie de l'espace. Assise au bout, Rosie donnait le sein au gamin. Harry sourit. Elle l'ignora.

— Bonjour, marmonna-t-il. Merci de me recevoir.

— Je n'y tenais pas.

La voix était froide et distante. Avait-elle fumé ou pris quelque chose ?

Cette salope était vraiment belle, avec quelque chose de glacial – trop blonde, et ces yeux de cristal. Harry ne lui trouvait cependant rien de séduisant. C'était des yeux auxquels on ne pouvait se fier. Des yeux de serpent, sournois.

Le gosse les regarda, lui et Hector, d'un air interrogateur quoique amical. Le tableau était à la fois obscène et – peut-être de ce fait – érotique. À cet âge-là, on ne tète plus sa mère. Harry se demanda brusquement ce qu'elle ferait quand il commencerait l'école. Elle lui tendrait le sein à la récré, à travers le grillage ?

— Comment vas-tu, Hector ?

Rosie était aussi froide envers son cousin. Gary revint de la petite pièce adjacente, muni de trois bouteilles de bière. Il n'y avait pas la place, dans cette cuisine, pour un frigo. Comment pouvait-on vivre ainsi ? Rosie ne les ayant pas invités à s'asseoir, Gary les en pria d'un geste.

Harry s'assit, but une gorgée de bière, mais il n'avait pas soif.

— Te souviens-tu de cet homme, Hugo ?

Le petit avait les cheveux de sa mère, et son regard étrangement clair. Ce dernier ne révélait ni peur ni animosité. Le garçon hocha lentement la tête.

— C'est le méchant qui m'a tapé. On va le mettre en prison.

Les trois hommes rirent. La tirade, innocente, leur permettait en quelque sorte d'aborder le problème un peu plus détendus. Surpris par leur réaction, Hugo les observa tour à tour. Rosie restait de marbre. Elle le déplaça sur ses genoux, recouvrit son sein avant de dégager l'autre. Hugo se précipita sur celui-ci. « Quelle conne ! » Trouvant le spectacle insupportable, Harry jeta un coup d'œil au père. Visiblement,

Gary réprouvait cet allaitement tardif. Ça l'emmerdait, mais il n'avait pas le cran de s'y opposer.

— Que venez-vous faire ?

— Présenter mes excuses.

— Je m'en fous, de vos excuses.

— Rosie, écoute au moins ce qu'il a à te dire.

Ah, c'était vraiment une couille molle, ce type. Harry remarqua qu'il avait presque fini sa bière.

— J'ai entendu. Il est venu s'excuser.

Elle se tourna vers Harry.

— Et ensuite ?

Il se demanda d'abord si elle se moquait de lui, puis il comprit : cela ne suffisait pas.

— Je suis désolé d'avoir giflé Hugo. Je n'aurais pas dû faire ça. Il faut que vous compreniez que j'avais peur pour Rocco…

Elle l'interrompit d'un ricanement.

— Il est deux fois plus grand qu'Hugo !

« Soyez d'ailleurs remerciée, *Panagia*, que Rocco soit mon fils, et non ce petit pédé accroché à tes nibards. » Que faisait-il là ? Il avait envie de coller deux tartes à la grosse vache.

— Harry est vraiment navré, Rosie. Tu peux me croire. Tout ça s'est enchaîné très vite, il voulait protéger Rocco.

— Ça n'est pas tes affaires, Hector.

« Pas ses affaires ? Bien sûr que si ! Ça s'est passé chez lui, où il nous avait invités. »

— Je sais que ce n'est pas mes affaires, mais je suis là aujourd'hui pour essayer de trouver une solution avec vous. Cette histoire me porte sur le moral. Harry est mon cousin, tu es la meilleure amie de ma femme. Je suis forcément concerné.

— Non, retentit la voix de Gary dans le débarras, où il cherchait d'autres bières. Tu es hors de cause.

Les seules personnes que cela concerne sont moi, Rosie, et ce connard. C'est simple.

Il revint avec trois bouteilles. Harry et Hector avaient à peine touché la leur.

Gary fit claquer les bouteilles sur la table et s'assit avec un sourire idiot.

— Simple, dit-il à nouveau en regardant Harry. C'est entre nous.

— Et Sandi.

— Ouais, fit Gary, tout sourire envolé. Elle aussi.

— Nous n'avons rien à lui reprocher, lâcha Rosie d'une voix sourde.

Elle les détestait autant l'un que l'autre.

— Ce n'est pas sa faute si elle a épousé un porc, poursuivit-elle.

La coupe était pleine. « Qu'ils aillent se faire foutre, qu'ils tombent encore plus bas, s'ils peuvent. » Cette flemmasse n'avait pas commencé à préparer le dîner. Dans quelques années, Hugo attaquerait sa première bière en sortant de l'école et trinquerait avec son père. Harry se résolut à faire une dernière tentative, mais une seule.

— Peu importe ce que vous pensez de moi, seulement Sandi est très perturbée par tout ça. Je vous en prie, n'allez pas plus loin. Ça ne sera qu'une perte d'argent et une perte de temps pour tout le monde. C'est injuste. Injuste envers elle.

Sans se départir de son air méprisant, Rosie étudiait Harry en silence. Il se força à ne pas ciller, à soutenir son regard froid. Gary, le môme, Hector, tous avaient disparu. Ne restait qu'une bataille à mener contre Rosie. Le gamin lâcha son sein en hoquetant. Brusquement inquiète, sa mère baissa les yeux. Harry souffla doucement. Elle caressa les cheveux du môme, l'assit dans l'autre sens et il se mit à jouer avec les clés de son père.

— Je suis navré pour votre femme, mais c'est elle qui a choisi de vivre avec vous. Vous avez frappé mon enfant. Vous la frappez, elle aussi ?

Harry ne bougeait pas. Inspirer, expirer lentement.

Elle continua.

— Je parie que vous lui tapez dessus. Le petit aussi ? Vous faites ça souvent ?

Inspirer, expirer.

Ce n'était pas fini.

— J'espère que ça la décidera à vous quitter. Qu'elle aura le bon sens de prendre la porte, espèce de porc sexiste et répugnant.

Gary émit un petit rire nerveux, éthylique. La salive moussait aux coins de ses lèvres. Cette fois, c'en était trop.

Harry se leva si brusquement que sa chaise heurta le mur à grand bruit et l'enfant se mit à hurler. Rosie eut un mouvement de recul.

— Maman !

Terrifié, Hugo braillait tout ce qu'il savait.

Le serrant dans ses bras, Rosie se leva à son tour.

— Gary, dit-elle avec un sourire triomphant. Appelle la police.

Cette salope. Elle l'avait pris au piège.

— Gary, je te dis d'appeler les flics.

— Mais enfin, calme-toi, Hugo a eu peur, c'est tout.

Elle ignora la remarque d'Hector.

— Il nous menace. Il effraie mon enfant. Appelle les flics !

Gary avait quitté son siège et, titubant, regardait alternativement son épouse et Harry, qui avait les yeux rivés sur elle. « Si seulement je pouvais planter mes poings dans ta jolie gueule, te faire mal, t'abîmer. » À l'abri dans les bras de Rosie, le gamin gueulait toujours, épiant furtivement le visiteur en colère, et cherchant à chaque fois la protection de sa mère.

— Alors, je les appelle ?

Encore un que sa femme menait par le bout du nez. Ou par les couilles. Une espèce de sous-homme. C'était l'occasion à saisir. Le battre comme plâtre, le passer à tabac, ici même, dans cette pièce, devant son fils. Hector tenterait d'intervenir, mais il n'y arriverait pas. Harry démolirait Gary devant le gamin, et ce môme de merde ne l'oublierait jamais. Le souvenir le poursuivrait toute sa vie. Toute sa vie il saurait que son père n'était qu'un lâche, une serpillière.

Harry soupira.

Mais ensuite, il était foutu. Ils le crucifieraient. Quel monde de merde, pourri, moche, injuste, un monde où l'on permettait aux faibles, aux tarés, aux incapables, de s'en sortir, même d'avoir le dessus. Une balle dans le crâne à chacun, net, sec, *tchouc*, *tchouc*, *tchouc*.

Harry ramassa sa veste et s'en alla calmement dans le couloir. Il entendit la pétasse gueuler qu'elle appelait la police, Hector qui le suivait, le gamin qui hurlait et hoquetait, hystérique, comme en train d'étouffer. Ouvrant la porte d'un coup de pied, Harry émergea dans la nuit claire et fraîche.

Il respira.

En attendant Hector près de la voiture, il alluma une cigarette bien méritée. La première bouffée était un pur plaisir.

— Aisha ne veut pas qu'on fume dans la bagnole.

Par les couilles. Elles les tenaient tous par les couilles. Harry écrasa sa clope.

— Désolé.

— Laisse tomber. C'était pas malin d'essayer de discuter, de toute façon. Ils sont trop cons.

Ils partirent chez Hector.

— Tu entres un moment ?

« Je peux filer des baffes à ta pouffiasse ? »

— Non, je file. Je suis trop sur les nerfs.

— C'est des…

Hector n'avait pas de mots pour décrire cette soirée.

— Qu'est-ce que tu fous avec ces connards de dégénérés, cousin ? Tu peux m'expliquer ?

Harry quitta Hector qui, embarrassé, le regardait bouche bée. Il démarra sans se retourner, enfonça l'allume-cigare, s'engagea dans la rue, alluma une autre clope. Il y aurait de la fumée plein la bagnole, s'il voulait, il se taperait un arbre, il tomberait dans le fleuve, c'est lui qui décidait. Mais il conduisait prudemment, d'une main ferme. Putain, c'était bon de fumer. Super bon.

Il ne s'était pas rendu compte qu'il allait chez Kelly. Il tapa sur la porte à coups de poing. Elle apparut, vêtue seulement d'un débardeur et d'un pantalon gris bouffant. Sans maquillage, avec une queue-de-cheval, elle paraissait plus jeune. Il se pencha, l'embrassa, lui mordit la lèvre. Inquiète, Kelly recula en le dévisageant.

— Chéri, qu'est-ce qui ne va pas ?

Il entra en trombe sans répondre, la tira vers la chambre. Se détachant de lui, elle alla jeter un coup d'œil dans celle des filles. Du salon, Harry entendait leurs voix sans comprendre ce qu'elles disaient. Kelly referma soigneusement la porte en revenant dans le couloir.

— Tu leur as fait peur. Tu as bu ?

Il la regarda. Elle était si brune, si brune et petite et grasse, comparée à l'autre enculée d'Australienne avec ses grands airs.

— Pas une goutte, dit-il enfin, avant de la pousser vers sa propre chambre. Je bande, j'ai envie de te baiser.

Elle lui résistait, quoique le visage bientôt fendu d'un large sourire.

— Ah, comme ça, tu as envie de baiser ? Je vais faire un brin de toilette.

Il lui sauta dessus.

— On s'en fout. Ramène-toi.

Elle fit un bond de côté en lui tirant la langue.

— J'arrive tout de suite.

La pièce sentait l'encens, et l'essence citronnée du parfum de Kelly. Harry ouvrit le premier tiroir de la commode, farfouilla dans les T-shirts et les culottes.

— Qu'est-ce que tu cherches, bébé ?

Sans son débardeur, un de ses énormes seins à l'air, doux et dodu, Kelly se tenait devant la porte. Elle se débarrassa de son soutien-gorge et le rejoignit. Puis elle prit sa main, la guida vers le fond du tiroir et la surface froide d'une petite boîte en métal. Kelly dégagea celle-ci, ornée d'un portrait de Tupac Shakur. Elle en sortit un sachet de poudre blanche, et étala trois lignes sur le bois verni de la commode.

— Tiens.

Harry lui baisa les seins, le gauche, le droit. Il repensa au gamin en train de téter, et son sexe se durcit. Roulant un billet de vingt, il engloutit deux des lignes. Kelly se pencha et sniffa la troisième. Elle était tellement bien, Kelly, elle ne posait jamais de questions, n'exigeait rien de lui. Pourquoi toutes les femmes n'étaient-elles pas comme ça ? La coke était bonne ; Harry avait soudain les idées claires, et une vague de chaleur lui parcourut le corps. Ses gencives s'engourdirent et il soupira. C'était exactement ce dont il avait besoin.

Se débarrassant de ses chaussures, il se laissa retomber sur le lit.

— Viens là.

Il ferma les yeux. Les mains de Kelly étaient partout, sous sa chemise, sur son ventre, son torse. Elle colla sa bouche à son cou, ouvrit sa braguette, glissa les doigts sous l'élastique du slip. Il se représenta Rosie, ses pommettes saillantes, ses iris bleus, insondables. Kelly pressait maintenant ses lèvres contre les siennes, introduisait sa langue. Il rouvrit les yeux. Elle se redressa pour le regarder. Elle paraissait soudain laide, brune, une vraie métèque. Kelly n'était pas Rosie.

Il la repoussa, se leva, remonta sa fermeture éclair, boucla sa ceinture.

Kelly ne bougeait plus.

— Qu'est-ce qu'il y a ?

— Ça doit être la poudre. Je le sens pas.

Elle essaya de toucher sa bite, il repoussa sa main d'une claque.

— Je le sens pas, je te dis.

— OK.

Il contemplait la commode.

— Je peux avoir une autre ligne ?

— Bien sûr, chéri.

Sortant son portefeuille avant de partir, il préleva deux cents dollars et les lui tendit. Kelly étudia les billets.

— Harry, je ne suis pas une pute.

Elle en préleva un de cinquante.

— Pour la coke, dit-elle.

Elle était bien, cette fille. Vraiment bien. Pourquoi n'étaient-elles pas toutes comme ça ?

Dehors, la nuit qui l'enveloppa était fabuleuse.

Il franchit le pont et, au lieu de suivre Kings Way au sud, choisit de traverser la ville et déboucha bientôt dans Brunswick Street. La circulation était plus dense et il y avait du monde partout. Continuant vers le nord, Harry finit par sillonner les petites rues de Fitzroy et, retrouvant celle de tout à l'heure, se gara et étudia la maison dans le noir. Même la nuit, elle paraissait délabrée, abandonnée. On n'avait pas tondu la pelouse depuis des mois, l'herbe était si haute que le gamin se perdrait dedans. Harry inspira profondément. Darebin Creek, le ruisseau, n'était pas loin, de même que le fleuve – enfin, ils n'avaient pas peur des rats, des souris, des vipères ? Jamais il ne prendrait de tels risques avec Rocco. En y pensant, il se rendit compte qu'il n'avait aucune raison de s'inquiéter. Ces gens n'étaient que de la vermine, guère plus que des animaux. Gary un ivrogne, Rosie une imbécile. Pas étonnant que le gosse soit mal élevé. Pour la première fois depuis le barbecue, Harry éprouva quelque chose qui, sans être exactement de la compassion, s'en rapprochait. Il n'y était pour rien, ce môme – pouvait-il être autre chose avec ces parents-là ? Il y en a qu'on devrait stériliser, vraiment. Harry tourna la clé dans le contact. Il n'aurait pas dû venir : et si l'un d'eux était sorti et l'avait reconnu, de l'autre côté de la rue ? Quand la coke avait monté, il s'était vu leur tirer à chacun une balle dans le crâne. Nul besoin. Cette racaille ne valait pas le prix des douilles. Rocco, Sandi et lui appartenaient à une tout autre espèce, aussi éloignée de la leur que la lune de la terre. En fait, il n'aurait même pas besoin de lever le petit doigt. L'avenir se chargerait de le venger.

Harry repartit. Vers le sud, l'océan, chez lui. Il pensa à cette maison qu'il aimait, à la piscine, la cuisine neuve, le double garage, la stéréo, l'écran plasma ; il pensa à son barbecue et ses lignes de pêche ; il pensa à sa magnifique épouse et son superbe fils. Toutes fenêtres fermées, il conduisait silencieusement, mû par un sentiment d'urgence. La musique, les bruits du monde extérieur étaient susceptibles d'altérer la pureté de tant de bonheur, de tant de satisfactions. C'est qu'il en avait, de la chance, quel veinard il était.

La voiture semblait voler le long d'Hotham Street. En tournant, il aperçut les lumières qui scintillaient sur la surface noire de la baie. Il était presque arrivé. Les rayons de la lune étincelaient sur l'eau, il pressa un bouton pour baisser une vitre et laisser entrer l'odeur de la mer. Il emplit ses poumons de celle-ci, de la lune, de la nuit, de l'air pur. Levant les yeux lorsqu'il s'engagea dans l'allée, il vit la fenêtre éclairée de sa chambre. Sandi l'attendait. Elle lui avait sans doute préparé quelque chose. Il mangerait, passerait embrasser son fils, puis il se glisserait au lit près de sa femme, l'envelopperait de ses bras et il s'endormirait. « Merci, mon Dieu. » Il rangea la voiture, actionna la télécommande et la porte du garage se déroula lentement. « Merci, *Panagia*. » Il était chez lui.

CONNIE

C'est pendant un contrôle surprise en cours de biologie qu'elle s'en aperçut : s'il vivait encore, son père aurait eu cinquante ans ce jour-là. Elle venait juste de répondre à une question sur le génotype lorsqu'elle remarqua la date sur le coin en bas à droite de la feuille. Les chiffres parlaient d'eux-mêmes. Connie s'efforça de ne plus y penser et de s'occuper de l'interro, mais la chose, bien présente dans son esprit, ne voulait plus en sortir. Elle se mit à dessiner un visage dans une marge de la feuille : le sien, d'un trait fin de stylo-bille bleu. Tasha, sa tante, lui répétait toujours qu'elle ressemblait à son père, et c'était vrai. Sur les portraits qu'elle avait de lui, Connie reconnaissait sa propre mâchoire, forte, carrée, et ces oreilles légèrement trop longues qu'elle détestait. Cependant elle avait hérité de sa mère son épaisse chevelure blonde, et sa bouche. (Qu'elle n'aimait pas non plus. Elle la trouvait trop grande, elle avait les lèvres charnues et les dents en avant, ce pour quoi elle souriait rarement sur les photos.) Connie tourna la page et tenta d'analyser correctement les diagrammes, tableaux et données fournis, concernant la fréquence des maladies respiratoires sur quatre générations de jumeaux. Il fallait évaluer l'importance respective des facteurs génétiques et environnementaux dans la transmission de l'affection. Son regard était toujours attiré par la date en bas à droite, mais elle se concentra et, terminant assez tôt, s'adossa à son siège.

Derrière elle, Jenna avait elle aussi fini.

— Ça va ?

— À peu près, murmura Connie en jetant un coup d'œil furtif vers M. De Santis qui, les mains derrière le dos, regardait par la fenêtre.

Mais quoi ? Le terrain de basket vide ? Connie jeta un coup d'œil à la pendule, près du tableau blanc. Encore dix minutes. Le prof s'ennuyait sans doute autant qu'elle. Dix minutes – six cents secondes – avant la sonnerie. À la table à côté, la langue entre les lèvres, Nick Cercic couvrait sa feuille d'une grosse écriture maladroite. Il paraissait fiévreux, anxieux. C'était l'un des meilleurs élèves de la classe, mais, moins doué que Connie, il se donnait beaucoup de peine ; tout lui demandait un effort. Comme il grattait sa tignasse rousse, les pellicules tombaient en pluie sur sa copie. Il avait dû jouer au foot à l'heure du déjeuner – au vrai foot, le *soccer* britannique, pas la version australienne où l'usage des mains était permis – et il sentait la sueur âcre des garçons. Elle résista à l'impulsion de se pencher pour lui souffler une réponse. De Santis venait de se retourner et regardait maintenant la salle, les mains toujours derrière le dos. En s'ennuyant encore, probablement. Quatre cent trente et un, quatre cent trente.

Ne pas penser à Hector. Elle ne penserait pas à Hector. Elle regrettait d'avoir terminé si tôt. Cent vingt-six, cent vingt-cinq. Connie poursuivit son compte à rebours, mais sursauta quand la cloche retentit. Le prof parcourut les allées pour ramasser les copies. Un bruit de chaises qui raclent le sol, et tout le monde se précipita vers la sortie. Les écouteurs dans les oreilles, Jenna manipulait son iPod. Dans le couloir, la plupart des élèves consultaient leur portable, ou gueulaient déjà à quelqu'un au bout du fil. Assise à son bureau, Connie rangeait lentement ses affaires. Nick, qui n'avait pas bougé, l'observait avec un sourire triste et perplexe.

— C'était dur, lui dit-elle, un rien faux derche.

Les mains sur la nuque, il se balançait sur sa chaise. La sueur avait tracé des cercles noirs sur la chemise blanche de son uniforme. Répugnant.

Son sac à l'épaule, Connie partit à grands pas en lâchant :

— À plus.

Tous les élèves de tous les bahuts étaient dans le tram – les camarades de Connie, les filles du lycée privé en haut de la rue, les gars de l'école catholique. Se frayant difficilement un chemin, elle alla s'asseoir avec Richie sur les marches sales de l'issue de secours. Son sac de sport sur les genoux et les coudes par-dessus, il fredonnait un air.

— Eh, ta gueule, pédé !

Richie se tut aussitôt et s'avachit sur son sac. Connie se retourna et dressa le majeur en direction d'Ali. Il se marra. Son sourire éclairait un visage anguleux, au teint mat. Il mima une fellation.

— Beurk, fit-elle, dégoûtée, avant d'ajouter à voix haute : Un porc, ce type.

Ali et son copain Costa pouvaient glousser dans son dos autant qu'ils voulaient, elle n'y prêtait aucune attention.

Richie, vexé, se redressa soudain et lui fit un clin d'œil.

— Assez sexy, comme gros porc, lui murmura-t-il à l'oreille.

Ça la choquait toujours, qu'il dise ce genre de trucs. Ce qu'elle s'efforça de cacher.

— Tu trouves ?

— Pas toi ?

— Tu rigoles ?

Elle fit semblant de frissonner, puis de vomir, la bouche tordue.

— Le prototype du macho nul, conclut-elle.

Richie éclata de rire en se trémoussant, si fort qu'on l'entendait à l'autre bout du tram.

— Eh, pédé ! T'as l'air d'un cheval quand tu rigoles.

Une vieille femme derrière eux toussa puis, en arabe, lança une remontrance à Ali, qui la boucla.

Connie fit volte-face et le regarda une seconde. C'est vrai qu'il était beau, méchamment beau. Cet enfoiré avait une peau impeccable, comme si l'adolescence, avec son cortège d'acné et de vexations, l'avait épargné jusque-là. Il avait les cheveux courts, frisés, noirs de chez noir. La surprenant, Costa murmura quelques mots à l'oreille de son pote. Rougissant, Connie se retourna vers Richie.

— C'était quoi que tu chantais ?

— Bah, une chanson.

— Sans blague. Mais quoi ?

— Un truc de Jack Johnson.

— Tu crains, fit-elle, baissant la voix pour ajouter : En musique, c'est comme pour les mecs, t'as des goûts de chiotte.

Connie s'efforçait de rester cool, comme si elle se foutait de ce qu'il lui avait révélé l'autre jour. Elle aurait préféré qu'il ne dise rien, ou du moins pas encore, pas avant la fin de l'année scolaire. Dans un sens, ça les avait rapprochés, bien sûr, mais le fait qu'il était gay semblait dominer leurs conversations, chaque fois qu'ils étaient ensemble. Même s'ils n'en parlaient pas, c'était toujours là, dans l'air, à vif, et ça la soûlait. Ç'avait été si simple d'être juste sa copine, jusque-là. Elle voulait le considérer comme un ami, pas comme un ami *gay*. Connie se demandait si l'on pouvait hériter de la tolérance comme d'autres caractères génétiques. Dans ce cas, c'était le destin – car, de ce point de vue, elle tenait, et de son père, et de sa mère. Évidemment que c'est bien d'être tolérant. Mais elle aurait aimé, parfois, être sectaire, bornée, proférer tranquillement des horreurs comme tout le monde. Seulement, voilà, ça, elle ne savait pas faire, et n'avait jamais su.

— Il fait vraiment tapette, Johnson, dit-elle, vacharde, lorsqu'ils descendirent.

Regrettant aussitôt ses paroles, elle chercha la main de Richie avant de traverser St. George Road en dehors du passage. « Tout le monde croit qu'on sort ensemble, pensa-t-elle, tout le monde en est sûr. Et il faut que j'oublie Hector. Ce n'est pas sa main que j'ai dans la mienne. »

« Ne te marie jamais, ça devient casse-pied ensuite. » Dans leur cuisine minable et étriquée de Birmingham, Connie préparait un gâteau au chocolat, pour son septième anniversaire, avec sa mère. Elle n'avait encore jamais vu celle-ci faire de la pâtisserie. Sur le moment, elle avait cru qu'elle parlait de son propre mariage. Connie était encore tellement gamine, un tel conseil ne signifiait pas grand-chose pour elle. Mais elle n'avait pas oublié. C'est seulement après le décès de Marina qu'elle avait compris : elle faisait sans doute allusion au type dont elle était tombée amoureuse. Peu après les obsèques, son père lui avait révélé qu'ils s'étaient installés à Birmingham, car elle était éprise d'un

Pakistanais qui habitait là, et qui refusait de quitter sa femme. Avec le recul, Connie trouvait peu probable que sa mère ait parlé du mariage en ces termes. Il y avait mille autres adjectifs pour ça – extravagant, exaspérant, insensé –, mais pas casse-pied. Son père ne lui avait jamais dit le nom de ce type, mais elle était assez sûre de savoir qui c'était. Connie se souvenait d'un homme bien bâti, à la barbe soigneusement taillée, avec quelque chose de majestueux. Il portait un costume et conduisait une BMW, dans laquelle Marina disparaissait de temps en temps. Jamais il ne sonna à la porte, jamais on ne le lui présenta. L'aventure avait dû tourner court, car moins d'un an plus tard ils étaient revenus à Londres. « Birmingham est un trou à rats », avait déclaré Luke, et il avait probablement raison. Cela dit, il avait lui aussi un faible pour les Orientaux, alors peut-être ne s'était-il pas ennuyé tant que ça. Quant à elle, Connie se rappelait qu'elle était l'une des rares filles blanches de son collège, et qu'il faisait un froid de canard là-bas. Elle avait appris quelques rudiments d'ourdou ; voilà ce qui lui était resté de Birmie.

— Tu te marieras avec moi ?

— C'est quoi, ce délire ?

Richie s'arrêta net et lâcha sa main. Elle rigola en voyant sa tête, et il lui donna un petit coup de poing à l'épaule.

— Pourquoi, tu veux pas ?

Comme chaque fois qu'il réfléchissait, il passait sa langue sur sa lèvre supérieure. Ça lui donnait un air bizarre, un peu mongolo.

— Si.

— Cool.

— Quand ?

— Quand on aura eu plein d'amants et qu'on aura fait le tour du monde.
— OK.

En rentrant, elle mit des croquettes dans l'écuelle des chats. Lisa vint ronronner contre ses chevilles. Il faisait encore jour, et Bart continuerait à rôder dans les jardins du voisinage jusqu'à la tombée de la nuit. Connie alluma l'ordinateur et lança MSN. Avec le décalage horaire, il devait être un petit peu plus de huit heures du matin en Angleterre. Zara serait peut-être en ligne. Mais il n'y avait que les avatars de Jenna et de Tina Cocccoccelli. Connie tapa un court message pour Zara, qu'elle envoya dans le cyberespace. Elle clavarda un court instant avec les autres, et se déconnecta en entendant Tasha rentrer. La rejoignant à la cuisine, elle la trouva en train de se frotter les mains, son sac à dos encore à l'épaule.
— Il fait froid. Ce coup-ci, l'hiver va arriver.
— Sûrement.
— Ça va, au lycée ?
— Ouais.
— Tu as beaucoup de devoirs à faire, ce soir ?
— J'en ai. Pourquoi ?
— Je pensais qu'on pourrait aller au cinéma et manger dehors, ensuite. J'ai la flemme de faire la cuisine.
— Oh oui, dit Connie en regardant sa tante.
Celle-ci avait des cernes sous les yeux. Elle avait besoin d'aller chez le coiffeur. Connie l'embrassa sur la joue.
— Je peux faire à manger.
— Non, je te sors.
Tasha posa son sac sur la table et commença à éplucher le courrier.
— Super, un cinoche ! Merci, Tash.

Connie hésita avant de lâcher :
— Ça serait l'anniversaire de papa, aujourd'hui.
Sans lever les yeux de la facture qu'elle étudiait, sa tante répondit :
— Oui. Il aurait eu cinquante ans.
Elle reposa le courrier et remplit la bouilloire.
— Tu veux du thé ?
— Non, ça va.
— Tu sais que je suis nulle avec les dates, mais je n'oublie jamais l'anniversaire de ton père. J'oublie ceux de tout le monde, comme les visages et les numéros de téléphone, mais je me rappelle l'anniversaire de Luke depuis que je suis toute petite.
— Et celui d'oncle Pete ?
Tasha rit.
— Le 15 août.
— Ça doit être normal, quand on est frères et sœurs. On se souvient du jour où les autres sont nés.
Tasha s'assit et observa sa nièce.
— Tu as ce qu'on appelle un esprit pénétrant, Connie, hein ?
Joli mot. C'était sûrement bien, d'avoir l'esprit pénétrant. Au lycée, la semaine dernière, M. Dennis avait reproché à Connie de ne pas s'être trop foulée pour sa dissert d'histoire. Il avait raison. Elle l'avait rédigée au dernier moment en regardant un épisode de *Newport Beach* à la télé. « Tu es tellement plus intelligente que les autres, tu pourrais t'appliquer un peu, quand même ? » Elle avait eu envie de crier : « Intelligente ? Qu'est-ce que ça veut dire, ces conneries ? Les autres sont tous des cons et des prolos pour vous, alors ça me fait une belle jambe d'être intelligente ! » Elle l'avait mal pris, et elle s'était excusée de mauvaise grâce. En revanche, sa tante ne faisait jamais de compliments sans une bonne raison. Un trait de famille.

— C'est peut-être héréditaire ?

Perplexe, Tasha parut sur le point de répondre, puis son visage s'adoucit et elle s'affaissa dans son fauteuil.

— Ce que je déteste ce boulot.

Elle se redressa en souriant.

— Occupe-toi de tes devoirs, qu'on file. J'ai fait une petite sélection, déjà. Il y a *Les Berkman se séparent* ; *Caché*, un film français ; et le dernier Jennifer Aniston. Choisis un de ces trois-là. Regarde les horaires quand tu as fini.

À part un cours de maths à revoir, Connie n'avait rien d'urgent sous le coude. L'anglais pouvait attendre le lendemain. Elle cliqua à nouveau sur MSN. Il n'y avait pas de message de Zara et donc elles ne se parleraient sans doute pas avant le week-end. D'autres élèves étaient en ligne, mais Connie se déconnecta sans prendre la peine de s'y attarder. Elle relut le cours de maths, puis chercha sur le Net ce qu'on disait des films. *Les Berkman se séparent* semblait intéressant, quoiqu'un peu prétentieux – une histoire de divorce chez les intellos, et ça se jouait à Carlton, ce qui plairait à Tasha. On mangerait bien, après. Le film français avait de super bonnes critiques. Ça avait l'air compliqué, il faudrait réfléchir, et de plus c'était sous-titré. Connie savait que sa tante l'avait sélectionné en pensant que ça la changerait de voir quelque chose qui demande un minimum d'effort. C'était sûrement une bonne idée, mais Connie avait eu sa dose de pédagogie aujourd'hui. Le nouveau Jennifer Aniston s'appelait *La Rupture*. La moitié des filles au lycée l'avaient déjà vu. Apparemment, ça leur avait plu. Vince Vaughn tenait le premier rôle masculin. Elle étudia son visage. Il ressemblait à Hector, en moins beau, mais avec la même grosse tête un peu bébête. Elle avait bien envie de voir celui-là, le cinéma se trouvait dans le centre, et elles pourraient dîner à Chinatown.

Connie éteignit l'ordi, enfila sa veste et chaussa ses bottes. S'agenouillant devant le miroir, elle appliqua soigneusement son rouge à lèvres. C'était son père, et non sa mère, qui lui avait appris. Marina ne se maquillait jamais. Luke venait de le faire, ce jour-là. « Le secret, avait-il dit en se poudrant les joues, le menton et le nez, c'est le fond de teint. Les taches disparaissent, expliquait-il en montrant un sarcome sous le menton, et ça élimine les reflets. » Connie fit la moue. Son père lui aurait conseillé de choisir *Caché*, il aimait les trucs touffus, obscurs, le genre *art et essai* – ce que les Australiens qualifient de « péteux ». Ce n'était pas à cause de ça qu'il avait quitté l'Australie ? Et Marina, qu'aurait-elle choisi ? Un grand Pakistanais, costaud et en costard. Qui ressemblait lui aussi à Vince Vaughn. Connie finit par deux traits fins d'eye-liner.

Tasha s'était recoiffée. Elle avait troqué sa robe contre un pantalon et une veste années 50, lavande, en fausse fourrure et au col doublé de laine, qu'elle avait trouvée aux puces. Connie adorait cette veste. Sa tante était trop mignonne avec ça.

— Tu as décidé ?

— *Les Berkman se séparent*. Ça a l'air bien.

Tasha, enthousiaste, se frotta les mains.

— Parfait. On mangera italien, après.

Connie irait voir *La Rupture* avec Richie. Ou avec Jenna, si elle n'y était pas encore allée. Ou toute seule. Elle ferait semblant. « Ta gueule, ne pense pas à lui. » En route vers la gare, elle agrippa fermement le bras de sa tante.

Elles trouvèrent au retour un message de Rosie, qui demandait à Connie si elle pouvait garder Hugo jeudi soir. Connie regarda la pendule. Il n'était pas encore onze heures, et elle décrocha le téléphone.

— Tu vas accepter ?

Sa tante s'était servi un verre de vin rouge et avait allumé la télé.

— Oui, je crois.

— Tu auras le temps ?

Connie aurait aimé que Tasha lui lâche un peu la bride. Elle était assez grande pour prendre ses décisions elle-même.

— Je peux travailler chez eux. Ça n'est pas très gênant.

Visiblement, Tasha voulait ajouter quelque chose. Connie retint son souffle. Mais sa tante regardait ailleurs. Connie composa le numéro en vitesse. Le répondeur se mit en route à l'autre bout, et elle commença à laisser un message. Soudain retentit une cacophonie électronique, suivie par la voix de Gary.

— Connie, c'est toi ?

— Oui. C'est bon, pour jeudi. À quelle heure j'arrive ?

— T'es chouette, toi. T'es une chouette fille, Connie.

Il mangeait ses mots. Il devait être soûl.

— Vers sept heures, dit-il.

— OK.

— Cette fichue Rosie nous a inscrits à un atelier à la noix sur l'éducation des enfants. J'ai horreur de ces trucs. J'ai toujours l'impression d'être le cancre au fond de la classe.

Connie se mordit la lèvre. Il n'y avait rien à répondre. Elle voyait mal Gary dans la peau d'un étudiant. Non qu'il fût incapable d'apprendre, cet aspect-là lui plairait ; il lisait tout le temps, et il regrettait sûrement d'avoir abandonné ses études si jeune. En première, lui avait-il dit, et elle n'avait pas eu le cran de lui demander pourquoi. Sans doute acceptait-il mal la discipline, les règlements, les emplois du temps. Gary ne tenait pas en place, et Connie était toujours un peu anxieuse en sa présence.

— OK, lâcha-t-elle finalement, se rendant compte qu'un long silence s'était écoulé. À jeudi.

Peut-être avait-il fumé un oinj ?

— Oui, oui, merci, Connie, tu es un ange.

Tasha zappait d'une chaîne à l'autre, passant de l'Irak à *Big Brother*, puis à une série policière américaine. Connie lui prit la télécommande des mains et remit les actualités. La carcasse noire d'une voiture se consumait au milieu d'une autoroute dans le désert. Des femmes voilées hurlaient.

— S'il te plaît, arrête ça ! C'est insupportable.

Connie pressa une autre touche. Deux femmes discutaient sodomie dans un sauna.

— Ah, mais c'est pas vrai !

Tasha reprit la télécommande. Retour à la série américaine.

Connie bâilla, se pencha et embrassa sa tante.

— C'est nul, tous leurs trucs, hein ? On pourrait peut-être s'abonner au câble ?

Jenna avait le câble chez elle, mais ils passaient leur temps à zapper aussi. Connie hocha la tête.

— Bah, ça vaut pas mieux, en fait. Bonne nuit.

— Bonne nuit, mon ange.

Allongée sur son lit, la lumière allumée, elle entendait le bruit étouffé de la télé et regardait les photos au mur. L'été dernier, elle avait retiré tous les posters, toutes les célébrités, les stars du rock et du ciné ; au revoir Robbie Williams, Gwen Stefani, Missy Elliott et Johnny Depp. Connie n'avait gardé qu'une petite photo en noir et blanc, découpée dans un *TV Week* – Benjamin McKenzie, un des acteurs de

Newport Beach. Il lui rappelait Richie et elle l'avait collée avec un peu de Patafix dans un angle du miroir. Elle avait en face de son lit, dominant son bureau, une grande gravure de Londres au XIXe siècle que sa tante lui avait offerte, encadrée, pour son seizième anniversaire. Il y avait aussi deux nouveaux posters dans la chambre. Le premier représentait le ciel du désert, une vaste étendue bleu clair découpée par des barbelés. Connie l'avait piqué lors d'un meeting contre le racisme, l'année précédente, où l'on dénonçait les conditions atroces de détention des réfugiés en Australie. Le second, cru, austère, montrait un petit Arabe sur la tête duquel était braqué le robinet d'une pompe à essence. La mention BUSH : NON À TA GUERRE POUR LE PÉTROLE ! était tracée en bas à grands traits rouges, en arabe et en anglais. Zara le lui avait envoyé pour ses seize ans également. À présent, les murs étaient ornés de photos de gens qu'elle connaissait : Tasha avec son imper bleu, munie d'un immense parapluie noir ; Richie, dans son T-shirt informe *Thank Drunk I'm A God*[1], qui faisait un sourire diabolique ; Connie, Jenna et Tina super-sapées avant une teuf ; Zara vêtue d'un sweat à capuche, avec un portrait de Kurt Cobain imprimé sur le devant ; Connie avec sa classe de première, à l'époque où ses jambes étaient encore minces. Et puis il y avait une photo de ses parents, dans un drôle d'accoutrement – elle ne les avait jamais vus ainsi. Son père, maigre comme un clou, les cheveux courts à l'exception d'un genre de banane sur le front, fixée au gel et teinte en blanc ; sa mère coiffée à l'iroquoise, les yeux et la bouche outrageusement maquillés. Ils avaient un air de gangsters – pas ceux des clips de rap ou des pubs

1. « Il y a un ivrogne pour les dieux. »

pour Coca-Cola, non, de vrais hors-la-loi, romantiques, sortis du fond du XXe siècle. Marina portait des bas de dentelle blanche, elle avait agrafé une broche sur son soutien-gorge, qui reproduisait le drapeau impérial du Japon. Luke, sa chemise blanche boutonnée sous une fine cravate noire, fumait une cigarette et, rigolard, braquait un œil lubrique sur l'objectif. Marina semblait en adoration devant lui. Juste au-dessus, Connie avait collé une photo du Noël de la clinique. Tout le monde était un peu ivre et, en demi-cercle autour de la table, semblait figé pour la pose. Aisha se trouvait au centre, Hector à une extrémité. Comme toujours élégant, il portait un costume, et il était si beau. Si beau que ça faisait mal. Connie étudia son père, puis Hector, puis sa mère, et enfin elle-même. Sur la photo de la clinique, elle regardait Hector avec la même expression, exactement, que Marina son père sur celle du dessous. Comment ne l'avait-elle jamais remarqué ? Elle éteignit la lumière en rougissant.

Lisa, qui dormait sur l'oreiller, miaula lorsqu'elle la dérangea. « Navrée, ma fille », murmura Connie, avant de la chatouiller sous le menton. Elle perçut un coup de griffe à la porte. Attendit. Bart entra, elle l'entendit trotter sur le tapis. Le chat sauta sur le lit, et elle souleva les couvertures pour lui faire une place. Lisa quitta l'oreiller, bondit sur la commode, lapa un peu d'eau dans le verre. Bart se lova sur lui-même en ronronnant.

Connie s'efforça de penser au lycée, au travail, au film qu'elle avait vu ce soir – l'acteur lui rappelait son père et elle se demanda si celui-ci, à cinquante ans, avec une barbe et peut-être un peu de ventre, lui ressemblerait encore. En réalité, elle pensait à Hector. Bart se glissa plus près d'elle sous le drap ; elle le sentait respirer, ronronner, tout chaud contre son ventre. Son thorax se gonflait régulièrement. Le son de la télévision était à peine audible dans le salon. Fermant les yeux, Connie se mit à rêver.

Elle était dans l'appartement de *Big Brother*. C'était le premier épisode d'une nouvelle saison, et tous les participants qu'elle avait aimés étaient là. Elle avait pris place d'un côté du canapé, Hector de l'autre. Elle était plus âgée, plus mince aussi. Lui n'avait que vingt-cinq ans. « Big Brother » leur parlait, détaillait le règlement. Excités, les locataires couinaient, bavardaient, l'interrompaient. Elle et Hector ne disaient rien, mais ne pouvaient s'empêcher de se regarder de temps en temps. Les caméras n'en perdaient pas une miette, et tout le monde comprenait bien ce qui se passait. Hector fit un clin d'œil à Connie, qui rougit. Le chat ronronnait. Elle s'endormit.

— Jordan fait une teuf. Il compte sur vous.

— Quand ?

— Samedi soir. Vous venez ?

Elles étaient censées passer la dernière heure du mercredi à étudier à la bibliothèque mais, comme d'habitude, les trois filles avaient séché pour aller au Juice Bar de High Street. Connie sirotait un jus de pastèque au gingembre en regardant par la fenêtre. Il faisait un temps pourri, c'était une de ces journées cinglantes qui lui rappelaient les rigueurs de Londres. Elle avait mis une jupe ce matin, et toute la journée, le vent lui avait mordu les jambes. Connie frissonna.

— Eh, j'ai demandé si vous venez ! répéta Jenna, vexée, à son intention.

S'excusant, Connie reprit part à la conversation.

— Peut-être.

— Bon. Et toi ?

Tina hocha nonchalamment la tête.

« Merde. » Connie se souvint qu'elle venait de promettre à Richie d'aller au cinéma avec lui samedi.

— Il a invité Rich ?

— Putain, est-ce que je sais, moi ? Je lui fais pas ses RP, à Jordan.

Surprises, Connie et Tina s'interrogèrent, les sourcils levés. Tina s'adossa à son siège.

— Eh, pouf', relax ! Elle te posait une question, c'est tout.

Horrifiées, elles virent Jenna fondre en larmes. Gênée, Tina balaya la salle du regard, puis posa un bras sur l'épaule de son amie. Connie tripotait sa paille. Cessant peu à peu de sangloter, Jenna renifla, ramassa sur la table une serviette en papier, et se moucha.

— Désolée, dit-elle, je suis une vraie débile.

Elle reprit bruyamment son souffle. Craignant qu'elle se remette à pleurer, Connie lui serra la main.

— Qu'est-ce qui ne va pas ?

— J'ai couché avec Jordan, hier soir.

Tina leva les yeux au ciel et retira son bras.

— Eh ben, pourquoi tu pleures ? Ça fait des siècles que tu en meurs envie.

— Non, il m'a juste baisée par amitié.

Jenna avait vidé un sachet de sucre en poudre dans sa main et laissait glisser les grains entre ses doigts. Perplexe, Tina dévisagea Connie, qui haussa les épaules.

— C'est quoi, baiser par amitié ? demanda Tina.

« C'est quand un hétéro te laisse le sucer ou t'encule, parce qu'il sait que tu es amoureux de lui et qu'il a pitié de toi. » Avait-elle entendu son père le lui dire ou avait-elle rêvé ? Ou était-ce quelque chose qu'il aurait *pu* dire ?

Sans répondre, Jenna continuait de jouer avec le sucre.

— Putain, ça veut dire quoi, Jenna ?

— T'as pas une cigarette ?

Tina fit signe que non.

— J'ai besoin d'une cigarette. Combien on a de fric ?

Les filles fouillèrent leurs poches. Une fois payé les jus de fruit, il leur restait en tout cinq dollars et trente cents.

Se levant, Jenna enfila son cartable sur ses épaules.

— Je vais aller en piquer, dit-elle.

Elles réglèrent leur note et suivirent leur amie dans le centre commercial. Déterminée, Jenna fila droit chez la buraliste, qui eut à peine besoin d'apercevoir leurs uniformes pour murmurer :

— Dehors.

— Salope.

Connie eut envie de s'en aller. Jenna avait un sale caractère et, lorsqu'elle s'y mettait, elle se fichait complètement de s'attirer des ennuis, à elle comme aux autres. Elle courait déjà presque vers le supermarché. Lorsqu'elles la rattrapèrent, elle était penchée au-dessus du comptoir, au rayon tabac. Sans la remarquer, la caissière la plus proche s'occupait d'une cliente, une *giagia* qui leva soudain les yeux vers elle et fit la moue. Cette vieille conne indiqua le comptoir à la caissière, qui se retourna. Connie tira sa copine par le bras.

Jenna cria en direction de la caisse :

— Eh, bande de rats, s'il y avait assez de personnel, je n'aurais pas besoin de me servir toute seule !

Elle tira la langue à la cliente, puis lui lança une gerbe d'insultes en grec de cour d'école. Dégoûtée, la *giagia* ourlait les lèvres. Elle était édentée, et sa bouche ressemblait exactement à un pruneau. Connie reconnut Lenin, lui aussi en uniforme de lycée, derrière les portes vitrées de la galerie. Ses longues boucles brunes désordonnées dansaient sur ses épaules. Il marchait à pas lourds et empruntés. Les portes s'ouvrirent, il entra et Connie lui fit signe d'approcher.

— Quoi de neuf ? demanda-t-il.

L'apercevant, Jenna lui lança d'un air mauvais :

— T'as pas des clopes ?

— Nan. Je fume pas. Ça donne le cancer et ça rend impuissant.

— Va te faire mettre.

Lenin la regarda, puis Connie derrière elle.

— Qu'est-ce qu'elle a ?

— Tu peux nous en trouver ?

Il jeta un coup d'œil inquiet à la caissière, puis hocha lentement la tête.

— Je ne commence que dans un quart d'heure, murmura-t-il. Revenez plus tard.

Changeant aussitôt d'humeur, Jenna se hissa sur la pointe des pieds pour embrasser le garçon qui, aussi grand qu'il était maigre, se baissa pour lui tendre la joue. Connie était en extase devant sa peau, la plus claire, la plus blanche qu'elle ait jamais vue. Comme du lait. Les trois filles le regardèrent s'éloigner le long de l'allée, vers la réserve au fond du magasin. Il sautillait mollement au son d'une musique qu'il était seul à entendre.

Elles traînèrent dans le centre commercial, firent une virée chez le disquaire, puis à l'animalerie. Quand elles revinrent au supermarché, Lenin, derrière une caisse, vêtu d'une blouse de travail orange, sale, était en train de scanner les codes-barres d'un client. Son badge était épinglé de travers sur son revers.

Jenna l'appela. Sans se retourner, il lâcha un objet posé près de sa caisse, qu'il leur envoya d'un coup de pied. Le paquet de cigarettes glissa par terre vers les trois filles. Se penchant, Jenna fit semblant de lacer ses baskets – ce qui était plutôt chelou, pensa Connie, celles-ci tenant avec du velcro – et ramassa les clopes.

Elles soufflèrent un baiser à Lenin, qui les ignora. Hilares, elles traversèrent le parking en courant, montèrent la côte en direction d'All Nations Park, où elles s'affalèrent, haletantes, sur un banc en haut de la colline. La ville s'étendait en bas, et Jenna fit passer le paquet doré. Connie l'étudia, l'ouvrit et le referma, prit finalement une cigarette que Tina lui alluma. La première bouffée avait un goût infect.

— Alors, c'est quoi, baiser par amitié ?

— C'est quand quelqu'un couche avec toi parce que tu lui fais pitié.

Son père l'*avait* dit. Il l'avait dit à sa mère. Marina pleurait toutes les larmes de son corps, à cause d'un type, et Luke essayait de la consoler. Connie faisait une aquarelle au milieu de la pièce. Cela devait être à la maison d'Islington, qu'ils partageaient avec Greg et son mec Clem, Shelley et Joanne. Il y faisait froid, l'eau chaude tombait toujours en panne, mais Connie adorait cet endroit. La maison était pleine de cachettes – il y avait même un grenier. À cette époque, Connie avait eu trois mères et trois pères.

Jenna semblait avoir fini sa cigarette au bout de quelques taffes. Quand elle jeta le mégot dans les broussailles, Connie se retint de l'engueuler. Jenna savait bien où il finirait, son mégot. Dans la mer. Se levant, Connie le ramassa et le fourra dans une poche de son sac à dos. Elle le mettrait plus tard à la poubelle.

— Excuse-moi, dit Jenna.

Connie haussa les épaules.

— Pourquoi tu crois qu'il avait pitié de toi ?

— Parce que, toute la soirée, il n'a fait que parler de Veronica. Il est toujours amoureux. On était censés bosser, mais il n'y en avait que pour elle. Ensuite sa mère nous a fait à dîner, et on est partis au square en face de chez lui. Il lui restait un demi-ecsta du week-end dernier, on l'a gobé ensemble et il continuait de parler d'elle. Il était tellement triste. Et tellement mignon. Fallait que je l'embrasse.

Tina et Connie se taisaient.

— Il m'a dit que j'étais sa meilleure amie. Qu'on ne devrait pas aller plus loin. Alors je lui ai fait : « J'ai envie de toi. »

Jenna secoua sa tignasse d'un air de défi.

— Et on a baisé.

— Dans le square ?

Tina paraissait tellement stupéfaite que les deux autres éclatèrent de rire.

— Non, on est revenus chez lui.

— Sa mère était là ? demanda Tina.

— Chaipas, dit Jenna d'un air meurtrier. Fais pas ta salope, métèque. Elle devait dormir, sa reum.

— Il sait bien que Veronica est maquée ?

Connie se mit à rêvasser. Elle hochait la tête de temps en temps, mais ne suivait plus la conversation. Jenna était amoureuse de Jordan depuis des années. Enfin, par intermittence… Connie se demandait si son amie souhaitait réellement engager une relation avec lui, ou préférait se complaire dans la douleur d'un amour non partagé. Et que savait-elle de l'amour ? De ses douleurs, de ses ivresses ? De l'angoisse et du mal au cœur ? Savait-elle que c'était tout ça en même temps ? Sans y penser, Connie prit une autre cigarette dans le paquet volé et se pencha vers Tina et son briquet.

— C'était bon ?

Tina, qui n'était encore jamais sortie avec un garçon, éprouvait une vive fascination pour le sexe. Elle voulait des descriptions, des détails intimes. Jordan Athanasiou était sans doute le plus beau garçon de toutes les terminales. Sans même pratiquer aucun sport, il avait un corps splendide, ce qui le rendait d'autant plus séduisant. Il portait toujours des T-shirts inspirés de groupes de rock – les Cure, Placebo ou les Pixies – et il avait une peau superbe. Toutes les filles craquaient pour lui – même Tasha avait eu le souffle coupé en le voyant pour la première fois. « Waouh, Connie, on dirait Elvis quand il était jeune. Ton père aurait fondu. »

Jenna se remit à pleurer. Connie lui passa un bras sur l'épaule, et son amie se blottit contre elle en sanglotant. Elle lui caressa la tête pendant que Tina répétait doucement :

— Ça va aller, ça va aller.

Connie commençait à grelotter tant il faisait froid.

Jenna se leva, sécha ses larmes, se moucha dans la manche de sa chemise.

— Excusez-moi, leur dit-elle sans les regarder.

Elle renifla avant d'ajouter :

— C'est pour ça qu'il faut venir à la teuf. Voilà.

Il n'y avait pas d'autre solution. Elles promirent.

— Nick Cercic pose des tonnes de questions sur toi. Il n'arrête pas.

Connie était assise en tailleur par terre. Venu travailler à la maison, Richie était allongé en travers du lit. Il avait retiré ses chaussures et posé les pieds contre le mur, juste en dessous des photos. Son livre refermé, il étudiait celle de Luke et Marina. Sa chemise était déboutonnée en bas, et Connie voyait ses petits poils blonds sous le nombril. Richie avait du mal à se concentrer, elle devait toujours le remettre sur les rails. Elle ne répondit pas. Il l'observait depuis le lit, le cou presque dévissé.

— Je t'ai parlé.

— J'ai entendu.

— Il te plaît ?

— Sans plus.

Nick était gentil, ne sentait pas très bon, il était un peu niais, voilà.

— À mon avis, tu le fais kiffer.

Richie attendit une réponse. Il se retourna vers le mur.

— Tes parents étaient punk ? demanda-t-il.

— Il faut croire.

— Trop cool.

— Ta mère est cool, aussi.

— Elle est super, mais pas cool. Elle est plouc, prolo, et elle le sait.

— Comme Nick Cercic.

— Pourquoi ?

— Parce que.

— Et moi, je suis plouc, aussi ?

Oui. Il portait des polos de sport de chez Target, achetait ses jeans au Louis's Economy Store, et des baskets sans marque chez Northland. Elle ne voulait pas qu'il change, qu'il se mette de l'eau de Cologne, des T-shirts moulants, qu'il joue les chochottes avec elle. Elle le préférait plouc et prolo.

— Ouais, mais bien.

— Cercic, il est bien comme plouc ?

Connie se concentrait sur son algèbre, mais les chiffres et les lettres dansaient maintenant sous ses yeux. Elle avait perdu le fil. En soupirant, elle referma son cahier, rampa jusqu'au bureau et lança MSN. Richie roula au bas du lit et s'agenouilla près d'elle. Tendant le bras, il alluma la chaîne. Une guitare hurla dans la pièce sur un rythme de rock.

— Moins fort !

Il baissa légèrement le volume.

Connie poussa son ami et régla au minimum. Elle entra son mot de passe sur l'ordinateur. Accroupi, Richie commença à étudier sa collection de CD. Connie envoya un smiley à Jenna, qui était en ligne. Celle-ci écrivit aussitôt : « Merci pour hier. » « Pas de souci », répondit Connie. Oubliant complètement ses devoirs, elle passa la demi-heure suivante à chatter. Assis en tailleur, Richie enchaînait disque sur disque, coupant souvent avant la fin des morceaux. Une des piles de CD était marquée « Tasha ». Connie savait que certains avaient appartenu à son père – le premier album de Madonna, un type qui s'appelait Jackson Browne. Richie écouta trois chansons entières de *Niño Rojo*.

Sans rien demander, sans que Connie ou sa tante prennent la peine de l'inviter, il s'assit à table pour dîner avec elles. Le repas terminé, Tasha déplia le lit de camp dans la véranda et posa une couette pardessus.

— Appelle Tracey.

Ils étaient allongés côte à côte au salon, par terre devant la télé. Indolent, Richie sortit son portable d'une poche et composa le numéro de sa mère.

— M'man, je reste chez Connie, ce soir. C'est bon ?

Il rempocha son téléphone et sourit à son amie – un grand sourire, immense. Il avait l'air si heureux, si enthousiaste, comme un petit garçon. Richie avait des yeux gigantesques, vifs et brillants. Connie était si près de lui qu'elle sentait l'odeur de moisi de ses chaussettes. Elle lui sourit aussi et il lui toucha un doigt. Ils regardèrent la fin d'un épisode de *New York police judiciaire*.

— Tu veux qu'on aille à une fête, samedi, plutôt qu'au cinéma ?
— Chez qui ?
— Jordan Athanasiou.
— Je ne suis pas invité.
Richie avalait à grand bruit son yaourt aux fruits. Il mangeait vite, salement, sa bouche était cernée de taches blanches.
— Eh bien, je t'invite.
— Jordan ne veut pas me voir.
Il n'y avait rien de plaintif ou de vexé dans la réponse. Connie s'étonnait de le voir accepter calmement le monde tel qu'il était. C'était vrai, Jordan ne tenait sans doute pas à ce que Richie soit là. Elle n'était pas sûre elle-même d'en avoir envie. Pas question de le materner toute la soirée. « Tu parles d'une bonne copine ! »
— J'aimerais vraiment que tu viennes.
Il s'essuya énergiquement le menton.
— OK.
Il ne s'était pas douché, n'avait pas sa brosse avec lui, ne s'était pas lavé les dents. Connie lui avait proposé d'utiliser la sienne, elle avait été soulagée qu'il décline. Elle savait que, à un moment ou un autre de la journée, il se ferait charrier au lycée. En terminale, ils étaient presque tous adultes, mais le bon vieux « Tu sens, tu pues » enfantin restait la plus blessante des insultes.

En anglais, Connie défendit avec la dernière énergie son interprétation d'*Un Américain bien tranquille*. Elle éprouvait une aversion profonde pour la passivité du personnage féminin, responsable à ses yeux de ce qui lui arrivait. Elle ne répondit pas à M. Thompson lorsque, l'interrompant, il demanda si elle pardonnait aux Européens et aux Américains d'avoir colonisé le Vietnam. L'accusation la rendit furieuse. Ce n'était pas du tout ce qu'elle avait voulu dire. Elle aurait aimé que cette femme en fasse plus, s'exprime davantage, qu'elle prenne une part active à sa destinée. Connie lui reprochait de chercher le réconfort dans la drogue.

Au déjeuner, elle partit avec Jenna et Tina regarder les garçons jouer au foot sur le petit terrain de sport près de Merri Creek. L'un d'eux shoota si fort qu'elles durent bondir pour éviter le ballon. Nick Cercic vint en courant s'excuser. « Ce n'est pas toi qui as tiré, pensa Connie, pourquoi tu t'excuses ? » Essoufflé, en sueur, il avait le soleil derrière lui, et elle plissa les paupières pour le regarder. Il avait envie de l'embrasser, c'était évident. Connie en avait l'estomac soulevé. Ce grand dadais ne saurait jamais faire. Il fallait être un homme pour ça. Hector savait embrasser une femme. Elle donna un violent coup de pied dans le ballon qui, s'envolant au-dessus de Nick, atterrit sur le terrain où les autres joueurs, stupéfaits, s'exclamèrent.

— Cercic dit que tu l'as jouée comme Beckham, c't'aprèm.

À genoux, Richie assemblait lentement un petit train en bois sous l'œil captivé d'Hugo, qui l'interrompait de temps en temps avec des cris d'angoisse : « Non, pas là, le mets pas là ! Mets-le ici ! »

Connie ne répondit pas. Elle ne s'occupait plus du train, ça ne l'intéressait pas. En revanche, Richie avait une patience d'ange avec Hugo. La pièce puait le tabac et l'herbe. Rosie allumait de l'encens pour masquer les odeurs, mais le bois de santal, trop léger, trop sucré, n'y suffisait pas. Laissant les garçons jouer, Connie envoya des textos au hasard à quelques amies. « Pourkoi lé mecs m lé trins ? » Une minute plus tard, son portable vibrait. C'était Tina : « Afer de bite. »

Richie se releva si brusquement qu'Hugo et elle sursautèrent.

— Il faut que j'aille aux toilettes, annonça-t-il, presque implorant, comme s'il demandait la permission.

Hugo se redressa.

— Je veux voir.

Perplexes, les deux ados s'observèrent. Hugo tourna la tête vers Connie puisque, apparemment, c'est elle qui décidait de tout. Merde, elle ne savait pas quoi dire. Un truc de mecs, vraiment ? Étaient-ils tous obsédés par leur pénis et leur pisse ? Ce qu'elle trouvait étrange – peut-être du fait qu'elle était une fille et n'avait pas eu de frères. Merde, merde. Elle ne savait pas quoi faire. Maussade, elle dévisagea Richie en articulant sans bruit : « Fais quelque chose, idiot. »

— Eh mon pote, je vais juste faire pipi. Je n'en ai pas pour longtemps.

— Je veux voir, répéta Hugo sur un ton menaçant, prêt à donner de la voix.

Il n'en démordait pas. Connie redoutait plus que tout qu'il se mette à pleurer. Rosie et Gary ne seraient pas rentrés avant une bonne heure, au grand minimum. Si Hugo faisait un caprice, ça serait des hurlements, des larmes, et il y en aurait jusqu'au lendemain.

— Non. Certaines choses se font dans l'intimité.

Les sourcils froncés, Hugo la défiait du regard. Richie avança vers la porte et le gosse se jeta sur ses jambes.

— Je veux venir, je veux venir !

Il pouvait se mettre à crier d'une seconde à l'autre. Richie, immobile, avait la main sur la poignée de la porte. Connie s'esclaffa. Il semblait tellement effrayé que c'en était comique. Le petit merdeux les tenait à sa merci.

— Bon, d'accord, allons-y, puisque tu insistes.

Elle se demanda un instant si Richie n'allait pas pleurer aussi, mais il ouvrit simplement la porte et laissa passer Hugo.

Hochant la tête, elle se rapprocha de la bibliothèque. Contrairement à celle de Tasha, celle-ci était tellement pleine qu'une pile de livres était tombée. Connie passa une main sur le bois noir, sale, examina la poussière recueillie sur ses doigts. Les étagères montaient presque jusqu'au plafond, et elles étaient profondes. Pour atteindre le haut, il fallait prendre une chaise à la cuisine. Le choix de lectures l'intriguait. Il y avait des livres d'art, des biographies de peintres et d'écrivains, des ouvrages de philosophie et des traités sur les religions orientales. Les pages étaient cornées, tachées. Un rayonnage entier de DVD, un autre de vieilles cassettes, avec une prédominance de films européens et asiatiques. Provocateur, Gary avait couché quatre vidéos pornos sous une épaisse bio de Bertolt Brecht. Connie avait envie de lire Brecht. Son père, qui l'adorait, l'avait un jour emmenée voir une curieuse pièce, intitulée *Mère Courage*. Connie se souvenait mieux des sensations que lui avaient procurées les acteurs sur la scène que de la pièce elle-même. Elle dégagea le livre. Elle avait imaginé un vieil auteur barbu mais, sur la couverture, Brecht était jeune et glabre, pas spécialement beau, avec des yeux perçants. Elle se demanda si elle connaîtrait jamais des auteurs, des artistes. Gary était peintre, elle le connaissait. OK, connaîtrait-elle un jour des gens *célèbres* ? Tout en bas de l'étagère se trouvaient deux albums de photos sous un exemplaire de *Trainspotting* d'Irvine Welsh. Elle reposa la biographie à sa place, dégagea un des albums, se rassit sur le canapé – qui sentait aussi le tabac froid –, et l'ouvrit.

Gary était l'auteur de ces photos, qui étaient superbes. Connie pensa qu'il était bien meilleur photographe que peintre. Les premières pages étaient garnies de gros plans de fleurs. Les couleurs étaient vives, les prises de vue très nettes. On distinguait les nervures des feuilles et des pétales. Plus loin, Rosie, les joues pleines et des cernes sous les yeux, allaitait un tout petit Hugo. On la retrouvait quelques pages après, avant la grossesse, les cheveux décolorés, dans un bikini jaune à tournesols, avec une peau cuivrée, hâlée par le soleil. Sur un autre cliché, Connie reconnut Aisha. Waouh, on aurait dit une gamine ! Elle avait toujours dû être aussi mince. Il y avait des dizaines de photos de plage. Le ciel et l'eau étaient d'un bleu intense, enchanteur, la lumière avait l'éclat des étés australiens. Tournant une nouvelle page, Connie retint son souffle : un crève-cœur.

Bien sûr que c'était lui. Le même homme en plus jeune, tout simplement. La fossette au menton, le regard hautain, les lèvres douces et charnues. Elle était frappée par son visage lisse, son torse imberbe, bronzé, ses tétons pleins et sombres. Hector ne regardait pas l'appareil ; il avait le front plissé comme si une urgence réclamait son attention. Elle était sûre qu'il observait la mer, c'était évident. Il ressemblait à un monument, un héros de pierre, plus époustouflant que la plus belle des statues. La photo voisine devait dater du même jour. Il portait un bermuda démodé, ses cheveux courts ruisselaient, on voyait la peau entre les mèches, et il tenait Aisha dans ses bras : son bikini blanc faisait un tel contraste avec sa peau brune qu'on l'aurait crue noire. Aish souriait franchement devant l'objectif, et Connie eut soudain une pensée vacharde : ce qu'elle avait l'air bête, avec ce sourire béat et ces dents de lapin ! Connie s'en voulut aussitôt – moins furieuse contre elle-même, cependant, que prise d'une jalousie dévastatrice. « Si seulement tu étais morte. » Elle avait prononcé ces mots à voix basse, sans même s'en rendre compte. La honte l'atteignit comme un coup de poing. Elle se détestait. « Putain de salope. T'es vraiment une salope. »

— Qu'est-ce que c'est ?

Connie referma sèchement l'album.

— Vous en avez mis, un temps ! remarqua-t-elle.

Cela sonnait comme une accusation, pourtant involontaire.

— Il a fait la grosse commission ! s'esclaffa Hugo, aux anges.

— Et tu l'as regardé ?

Elle était consternée.

— Ouais, dit le petit garçon, hilare, en se pinçant le nez. Ça pue !

Joueur, Richie fit mine de se ruer sur lui.

— C'est pour ça qu'on va aux toilettes tout seul.

Hugo poussa un cri ravi et lui échappa. Il s'agenouilla et se remit à jouer avec le petit train. Richie se laissa tomber sur le canapé, près de Connie. Il ramassa l'album qu'il commença à feuilleter, pendant qu'elle étudiait le portrait d'un clown, accroché au mur au-dessus du radiateur. C'était une peinture de Gary, une caricature outrée, brossée à grands traits colorés. Le prof de dessin, l'année dernière, l'aurait sans doute qualifiée d'expressionniste. La bouche lascive paraissait se moquer de Connie. Elle trouvait ce tableau repoussant, mais ne pouvait en détacher ses yeux. Richie tournait les pages et s'arrêta soudain. Sûr qu'il regardait la photo d'Hector. Quelle chance avait eue Aish de le rencontrer alors. Le clown avait un gros nez rond, les touches écarlates de peinture ressemblaient à du sang. Quelle connerie d'avoir mis ça au mur ! Ce truc était con et moche. Nul à chier. Richie avait tourné la page. Les mains de Connie tremblaient.

Elle devina à peine avaient-ils refermé la porte : Rosie et Gary s'étaient engueulés. Connie puis Richie avaient bien essayé de coucher Hugo, mais rien à faire. Allongé par terre dans le salon, en pyjama, il regardait *Pinocchio*. Il courut dans les bras de sa mère. Rosie détacha son soutien-gorge pour lui donner le sein. Gary poussa un grognement, alla à la cuisine, d'où il cria :

— Vous voulez une bière ?

Richie regarda son amie.

— Comme tu veux, murmura-t-elle.

— Ouais.

Gary revint avec trois bouteilles. Connie n'aimait toujours pas le goût, mais elle était décidée à s'y faire.

— C'était bien, cet atelier ?

Gary observait sa femme, son petit, et ne répondit pas à la question de Richie. Rosie affichait un grand sourire forcé, dont Connie ne voyait pas l'utilité.

— Des conneries.

— Gary, c'était pas mal. On a appris plein de choses.

— Que dalle.

— Gary, ils n'ont pas besoin de savoir qu'on n'est pas d'accord.

— Oui, mais j'ai envie de leur dire.

Connie avala farouchement plusieurs gorgées de bière. Richie sirotait lentement la sienne ; elle aurait aimé le presser. Si les deux autres continuaient sur leur lancée, elle ne tenait pas à rester.

Gary reprit la parole avec un calme et un détachement qu'elle trouva presque effrayants.

— On s'est disputés parce que je crois que Rosie devrait cesser d'allaiter Hugo. Il a bientôt quatre ans et je pense que ça suffit.

— La fille n'y voyait pas d'inconvénient, elle ! répliqua Rosie en haussant le ton. Il n'y a pas d'âge pour arrêter.

— Elle n'allait pas affirmer le contraire. Toutes ces bourgeoises étaient là pour qu'on leur dise qu'elles ont raison de faire n'importe quoi.

Gary se tourna vers les deux jeunes.

— Vous en pensez quoi, vous ?

Ils haussèrent les épaules.

— Pas d'opinion ?

Soupir de Rosie.

— Fiche-leur la paix. Ils n'ont pas envie de se mêler de ça. Et puis on ne va pas recommencer. C'est notre culture occidentale de merde qui gèle tout par des règles et des interdits. J'arrêterai de lui donner le sein quand il sera prêt. C'est parfaitement naturel, de toute façon.

— *C'est parfaitement naturel, de toute façon*, répéta Gary, acerbe.

— Va te faire foutre !

— Putain, j'aimerais bien.

Sans la finir, Connie posa sa bière sur la table basse et se leva.

— Navrée, il faut que j'y aille. J'ai mes devoirs à terminer.

— Bien sûr, ma chérie.

Rosie se redressa maladroitement avec le gamin qui la tétait. Elle avait encore ce sourire forcé.

Connie craignait qu'elle trébuche et s'affale par terre. Richie regardait sa bouteille à moitié pleine.

— Prends-la, mon gars, dit Gary. Tu la boiras en chemin.

Il fouilla dans sa poche à la recherche de ses clés.

— Ce n'est pas la peine de nous ramener, Gary. On va marcher.

— Mais ça gèle, dehors.

— M'est égal. J'aime bien marcher dans le froid.

Richie acquiesçait, un grand sourire aux lèvres. Sauf que le sien était sincère. La tension, les mots durs ne semblaient pas l'affecter. Comment faisait-il ? Bien sûr qu'il avait entendu. Mais la merde des autres ne l'atteignait pas. Comment faisait-il, vraiment ? Connie aurait tant voulu lui ressembler. Elle se sentait honteuse, coupable – ce qui était idiot, car elle n'était responsable de rien.

— Comme vous voudrez.

Titubant, Gary l'embrassa et partit à la cuisine en quête d'une autre bière. Il était sans doute trop bourré pour conduire.

Raccompagnant les deux ados à la porte, Rosie prit la main de Connie pour lui glisser deux billets sales. Trente dollars.

— Tu n'es pas obligée.

— Mais si, mais si. Il a été sage ?

— Oui, très bien, adorable.

Richie approuva silencieusement.

— Je peux encore te demander un service ?

— Vas-y.

— Tu pourrais le garder une heure samedi ? Gary est occupé.

— Je suis à la clinique jusqu'à quatre heures. J'ai la matinée ou la soirée de libre. Ça colle avec tes horaires ?

— Impeccable. Je t'amène le petit à quatre heures, si tu veux bien. J'ai rendez-vous une demi-heure plus tard. C'est parfait. Merci. Juste pour une heure ou deux.

Se détachant du téton de sa mère, Hugo tendit la joue pour un baiser. Rosie l'imita et serra la jeune fille dans ses bras.

— Vraiment, je te remercie, dit-elle. Je suis un peu gonflée.

Connie embrassa l'enfant. Elle aimait son odeur, mêlée à celle, exquise, du lait maternel.

— Pourquoi gonflée ?

— Parce que c'est mon cours de yoga. Le seul luxe que je m'autorise.

— Aucun problème, Rosie, dit Connie en taquinant une mèche du petit. À samedi, Hugo.

— Richie sera là ?

Connie le consulta du regard. Il fit signe que oui et tordit doucement l'oreille du gamin.

— À plus, p'tit bonhomme.

Ils partagèrent le reste de la bière en traversant le square.

— Ils nous ont fait la totale, hein ? lâcha Richie.

— La quoi ?

Interloquée, Connie le regarda. Puis elle se marra.

Le temps de finir les devoirs, et c'était presque minuit. Tasha était couchée, la maison silencieuse. Connie frissonna, referma la porte de la salle de bains, ouvrit les robinets. Elle se déshabilla et se regarda dans la glace. Ces jambes épaisses – elle aurait tant aimé avoir le corps d'Aisha. Elle se tapa sur le ventre en soupirant. Cette toison touffue – il faudrait se raser, se faire faire le maillot dès que possible. Ce qu'elle était moche ! Connie coupa l'eau, plongea lentement les pieds dans la baignoire. Elle apprécia en frémissant le contraste entre l'eau brûlante sur ses jambes et son torse glacé. Puis, avec précaution, elle s'immergea jusqu'au cou.

La ventilation produisait un ronronnement métallique et continu. Connie s'étendit de tout son long, regarda ses seins danser sur l'eau, ferma les yeux et se transporta à la plage. Hector – le jeune Hector – revenait en courant du rivage. Elle le sécha lorsqu'il s'allongea près d'elle, et il l'embrassa. Elle aimait ses baisers forts, longs et pressants, sa barbe naissante sur sa peau, étrangement douce. C'étaient les baisers d'un homme sûr de lui, pas ceux d'un garçon. Connie imagina ses bras autour d'elle, sa bouche dans son cou, ses mains sur ses seins, sur son sexe. C'est ainsi qu'il l'avait fait jouir, dans la voiture, avec les doigts, en murmurant qu'elle était si belle. Elle rouvrit les yeux, se dressa à moitié hors de l'eau, saisit le flacon de shampooing. Referma son poing autour de l'objet cylindrique, oblong. En érection, le sexe d'Hector avait atteint la même grosseur. S'immergeant de nouveau, elle posa les pieds sur le bord de la baignoire, referma les yeux, retrouva la plage. Il y faisait chaud, bien plus chaud. Hector la prenait dans le sable. Lentement, elle pressa le flacon de shampooing contre son vagin. Il ne voulait pas entrer, et c'était douloureux. Serrant les dents, elle essaya encore, mais autant se crever la peau. Connie avait les paupières ourlées de larmes. Aurait-ce été aussi atroce si Hector l'avait pénétrée ? Elle tenta de pousser le flacon plus loin, mais c'était au-dessus de ses forces. Cuisant, au-delà du supportable. Elle cligna des paupières pour chasser ses larmes, fit couler de l'eau chaude pour rincer le flacon. Hector n'avait pas voulu la baiser. Elle aurait aimé le sucer, dans la voiture aussi, il l'en avait empêchée. Quel salaud, elle le détestait, lui en voulait de tout ce qu'il avait fait.

La salle d'attente était pleine samedi, lorsqu'elle arriva au travail. Voyant Connie entrer, Tracey, en ligne, fit une grimace ironique. Connie entendit le téléphone sonner sur son bureau, se précipita, étudia l'emploi du temps sur l'ordinateur. Pas une seconde de libre jusqu'à la fermeture.

Au bout du fil, une femme insistait pour venir.

— Mon chien ne mange plus depuis une semaine.

« Il aurait peut-être fallu réagir plus tôt. » Connie lut attentivement le carnet de rendez-vous. Il y aurait deux vaccinations dans la prochaine demi-heure ; ce qui se faisait en général tout seul.

— Excusez-moi, je vous mets en attente pendant que je demande au vétérinaire.

Elle se débarrassa de son cardigan, prit sa blouse dans la penderie, l'enfila en vitesse, frappa à la porte du cabinet et entra. Aisha terminait une consultation. La vieille femme assise devant le bureau sourit aimablement. Connie s'approcha de la table d'examen, caressa le chat noir et blanc en guettant une pause dans la conversation.

— Qu'y a-t-il ?

Connie était maintenant habituée au ton sec d'Aisha à la clinique. Les premiers mois, elle avait cru qu'elle faisait tout de travers.

— J'ai une femme au téléphone, dont le chien n'a rien mangé depuis une semaine.

— Et elle attend le samedi après-midi pour me l'apporter ?

Aish et Connie échangèrent un sourire complice et contrarié.

— On la connaît bien ?

Connie haussa les épaules.

— On a vu son chien deux fois en cinq ans.

Soupir d'Aisha.

— Dis-lui de l'amener.

Le téléphone sonnait de nouveau. Connie laissa Tracey répondre à la réception, et reprit l'appel en attente.

— Pouvez-vous venir tout de suite ?

— C'est que j'ai un déjeuner de prévu, là.

Elle n'était pas là depuis cinq minutes qu'elle avait déjà envie de hurler.

— Navrée, on est toujours surchargés, le samedi. C'est maintenant ou lundi.

Long silence à l'autre bout. Son sac en bandoulière, Tracey passa la tête par la porte. Connie la salua de la main. Tracey lui souffla un baiser et fila.

— D'accord, j'arrive.

Elle n'était pas contente, cette conne. Qu'elle aille au diable.

Connie l'inscrivit dans le carnet de rendez-vous. Elle avait à peine fini que le téléphone sonnait à nouveau.

Pas le temps de souffler. C'était la course, la salle d'attente était constamment pleine, le téléphone sonnait toujours, mais Connie aimait ce boulot. Rapide, consciencieuse, Aisha menait son affaire tambour battant.

Le chien qui ne mangeait plus était un labrador gras aux yeux tristes. Cette race étant plutôt docile, Connie s'étonna que la patronne lui demande d'apporter une muselière, puis de l'aider à le maintenir pendant qu'elle l'examinait – par terre, tant l'animal était gros. Connie dut peser de toutes ses forces pour l'empêcher de se redresser. Quant à la maîtresse du chien, elle ne savait pas se faire obéir.

Aisha tâta le ventre et l'abdomen.

— Que lui donnez-vous à manger ?
— Oh, les trucs habituels.
Connie réprima un rire. Rien n'agaçait plus la patronne que ces réponses idiotes.
— C'est quoi, les trucs habituels ?
— Du Pal. Des croquettes. Parfois des restes.
— Des os ?
— Ah oui, Monkey adore les os.
« Monkey[1] ? Mais quel nom à la con, surtout pour un labrador. »
Aisha soupira en se relevant. Connie détacha la muselière. Le chien alla s'affaler en grognant aux pieds de sa maîtresse. Il était énorme, vraiment trop gras, ce qui était très mauvais pour ses pattes.
— Je peux y aller ? J'ai des gens en attente au téléphone.
Sans répondre, Aisha regardait l'animal en pesant différentes options. Elle se tourna finalement vers Connie, hocha la tête, et la suivit au bureau.
— Il reste beaucoup de monde ?
— On n'a pas une minute. Pourquoi ?
— Il a un truc coincé dans le ventre, je l'ai senti. On peut faire une radio, mais je suis pratiquement sûre que c'est un os. Il faudrait lui faire un lavement.
Connie ne dit rien. Il y en aurait pour des heures, et c'était impossible avant la fin des consultations.
— Tu veux que je prépare le matériel ?
Souriante, Aisha regarda la jeune fille.
— Non. Merde, on n'a pas le temps, et le chien aura besoin de rester une nuit en observation. Je les envoie aux urgences vétérinaires.
Aisha repartit dans la salle d'examen, et Connie prépara la paperasse.

1. Singe.

Tracey avait laissé au frigo plusieurs tranches du gâteau au chocolat qu'elle avait préparé la veille. Également un petit mot de sa grosse écriture nerveuse : « Richie en a englouti la moitié hier soir. PAS QUESTION qu'il prenne l'autre. Bon appétit. » Entre deux consultations, Connie et Aisha se pressaient dans la petite cuisine pour grignoter. C'était sucré, moelleux, et Connie avait faim. Le téléphone s'était enfin calmé, et la dernière cliente de la journée, une Italienne âgée avec un bichon maltais qui jappait sans arrêt, attendait son tour. Préparant la fermeture, Connie comptait l'argent dans la caisse. On sonna brusquement à la porte, plusieurs fois, et la jeune femme qui entra en trombe tenait dans ses bras un chien, enveloppé d'une serviette pleine de sang. L'animal, un kelpie, respirait difficilement. Connie referma brutalement la caisse et se précipita.

— Qu'est-ce qui lui est arrivé ?

— Je ne sais pas ce qu'il a foutu. Il a essayé de sauter par-dessus la clôture.

Cette femme sentait un peu la sueur, et beaucoup le tabac. Elle avait les larmes aux yeux. Connie souleva la serviette. La plaie était profonde à la patte arrière gauche : on voyait l'os. Craignant une réaction violente, elle n'osa pas toucher le chien. Après avoir invité sa maîtresse à s'asseoir, elle entra dans la salle d'examen.

— On a une urgence.

— Qu'est-ce que c'est ?

Aisha venait de vacciner un gros chat écaille et blanc, qui ne semblait guère apprécier les piqûres.

— Un chien, avec une vilaine blessure à la patte.

— Il a perdu beaucoup de sang ?

Connie se sentit bête. La serviette en était pleine. Elle pouvait évidemment répondre par l'affirmative, cependant elle pensa : « Qu'est-ce que j'en sais, moi ? C'est toi, le vétérinaire. »

— Pas mal, oui.

Le propriétaire du chat récalcitrant, un monsieur barbu d'une quarantaine d'années, prit celui-ci des mains d'Aisha et le remit dans sa boîte.

— On n'a plus besoin de rien, dit-il. C'est vous qui avez une urgence.

Connie fit entrer la nouvelle arrivée et son kelpie dans la salle d'attente, puis prépara la note du monsieur. Elle allait s'excuser auprès de l'Italienne quand cette dernière l'arrêta d'un geste.

— Pas de problème, ma petite. Il faut s'occuper de ce chien. C'est plus important que nous.

Elle souleva son bichon à poil long et posa ses lèvres sur son museau.

— Ma petite Jackie O, ma petite Jackie O, comme je ne voudrais pas qu'il t'arrive ces choses-là !

Le chien lapa joyeusement le visage ridé de la vieille dame.

— Il faut opérer.

Connie hocha la tête.

— Tu peux faire du rab ?

— J'avais prévu de garder Hugo.

— Connie, si tu as besoin de partir, il n'y a pas de problème. Je les enverrai, eux aussi, aux urgences.

— Non. Tu veux que je m'occupe de la préméd ?

— Oui, merci.

Connie crut un instant qu'Aisha allait l'embrasser. Se contentant de sourire, celle-ci invita la vieille femme à lui porter son bichon pour le vaccin. Connie mit en marche le répondeur de nuit, puis pesa le kelpie avant de l'installer dans une cage.

— Tout se passera bien, lui dit-elle.

Hésitant à quitter son animal, sa maîtresse la suivait. Elle s'agenouilla devant la cage et le chien lui lécha les doigts.

— Ne vous inquiétez pas, la rassura Connie.

La femme se releva.

— Vous êtes gentille. Je vous donne tous mes numéros.

Connie les nota rapidement sur un post-it.

La propriétaire fit un dernier au revoir à l'animal, et Connie la raccompagna à la porte. Elle verrouilla derrière elle, puis courut à son bureau pour téléphoner à Rosie sur son portable. Changeant d'avis, elle appela d'abord Richie.

— Quoi de neuf ?

— Il faut que j'aide Aisha à opérer un chien.

— Cool. Qu'est-ce qu'il a ?

— Rich, j'ai pas le temps. Est-ce que tu peux garder Hugo tout seul ?

Silence. « S'il te plaît, Rich, je t'en prie. »

— Oui, bien sûr, je le fais.

— Merci. Je dis à Rosie de le déposer chez toi.

— Non, non. J'y vais tout de suite à pied.

— Rich, tu es génial.

Il émit un son qui tenait à la fois du grognement et du crachat. Le « génial » était de trop.

— Et à part ça ? demanda-t-il.

Elle raccrocha et passa à Rosie.

Connie avait une expérience restreinte en la matière. Elle avait juste quinze ans lorsqu'elle avait commencé à la clinique où, les premiers mois, ses tâches s'étaient limitées à nettoyer les cages, le matériel, et à recevoir les clients. Peu à peu, Tracey l'avait encouragée à s'occuper des animaux, à assister aux interventions, à prendre des responsabilités. Connie s'était aperçue qu'elle avait un certain sang-froid. Elle ne craignait pas d'administrer des médicaments, de faire des piqûres, mais la chirurgie continuait de l'impressionner. Lui expliquant que la surveillance anesthésique était une garantie, Aisha et Brendan l'avaient initiée aux procédures d'urgence en cas de réaction malvenue sur la table d'opération. Mais la froide réalité restait ce qu'elle était, Connie détestait cet appareillage compliqué, ses tubes et ses cadrans, et elle redoutait terriblement un accident respiratoire ou un coma. Tout en étant consciente que céder à la panique n'arrangerait rien. Pendant qu'Aisha terminait avec la dernière cliente, elle pêcha dans son casier les consignes qu'elle avait tapées des mois plus tôt. Aidée par Tracey, elle avait noté tout ce qu'il était nécessaire de se rappeler pendant une opération. Puis elle prépara le kit chirurgical, les injections, les gants et les scalpels pour Aisha.

Depuis toujours Connie aimait les animaux, bien qu'elle n'en ait pas eu petite – ses parents déménageant bien trop souvent. Sa tante adorait les chats, et Connie en était venue à admirer elle aussi le caractère noble et indépendant des félins, leur incorrigible indolence. Jamais elle n'abandonnerait ni Bart ni Lisa. Ça ne l'empêchait pas d'avoir envie d'un chien – un bon gros chien sympa qu'elle emmènerait faire de longues promenades et qui dormirait près d'elle la nuit.

Couché en rond dans un coin de sa cage, le kelpie souffrait. Il avait des yeux tristes, larmoyants, et il respirait la peur, comme prêt à faire sous lui. Connie jeta un coup d'œil au post-it sur lequel elle avait inscrit le nom et les téléphones de la propriétaire. Le chien s'appelait Clancy. S'agenouillant, elle ouvrit la cage et le caressa doucement derrière les oreilles. « Tout se passera bien, Clancy », lui dit-elle à voix basse. Gentiment, le chien lui lécha la main. Coinçant l'embout de la seringue entre ses dents, elle l'attira près d'elle, puis elle introduisit l'aiguille dans la peau épaisse de la nuque. L'animal ne moufta pas. Elle remit l'embout sur l'aiguille, cala la seringue sur son oreille et sortit la suivante de la poche de sa blouse. La pénicilline était un liquide crémeux. Connie planta la seconde aiguille, mais cette fois Clancy gémit en reculant vers le fond de la cage. La solution aqueuse se répandit sur son pelage.

— Merde !

— Il faut faire attention avec l'antibiotique. C'est irritant.

Aisha, qui venait d'entrer, alla au comptoir prendre une seringue neuve.

— Tu as réussi à en injecter ?

— Je ne crois pas, dit Connie.

Aisha lui tendit l'autre seringue.

— Recommence. Je vais le tenir.

Connie se sentait bête et s'en voulait furieusement. Qu'est-ce qui l'intimidait ? Aisha lui faisait confiance et elle le savait. Elle tira sur la peau du chien, la serra entre le pouce et l'index, planta l'aiguille dans le repli. L'animal glapit mais Aish le maintenait. Connie vida la seringue. Clancy gémit une fois encore, puis se recoucha au fond de la cage. Aisha en referma la porte et s'approcha de l'ordinateur.

— Comment s'appelle la propriétaire ?

Connie eut un mouvement de recul. Elle ne connaissait ni le chien ni sa maîtresse, elle n'avait pas vérifié s'ils étaient déjà venus – la première chose qu'elle aurait dû faire. Conne, elle était conne ! Elle perdait les pédales, paniquait complètement.

— La cliente est Mme Rivera. Excuse-moi, je n'ai pas regardé le fichier.

Devant l'écran, Aisha frappa quelques touches.
— C'est bon, je l'ai.
Connie poussa un long soupir.

L'opération se déroula rapidement et sans problème. Admirative, Connie regardait faire Aisha. Celle-ci débrancha le goutte-à-goutte au bout de vingt minutes, et elles attendirent que le chien se réveille.
— Rosie dit qu'Hugo t'adore.
Le visage de Connie se fendit d'un large sourire. Elle rougit.
— C'est réciproque.
— Elle apprécie beaucoup que tu sois aussi disponible pour elle. Rosie traverse une sale période, en ce moment.
Connie dévisagea sa patronne. Il n'était jamais simple de savoir ce qu'elle pensait. Sauf lorsqu'elle était contrariée, ce qui se voyait à sa bouche pincée. Tout le monde à la clinique avait peur d'elle quand elle faisait cette grimace. Brendan et Tracey s'en moquaient parfois dans son dos, en général sans méchanceté.
Consciente de leur différence d'âge, Connie était fière qu'Aisha se confie à elle.
— Oui, ils se disputent souvent, avec Gary... bafouilla-t-elle.
Aisha serra les lèvres. « Sa tête de lait caillé », selon l'expression de Brendan. Un court instant, Connie craignit d'avoir dit une bêtise, puis elle se rendit compte qu'Aish n'aimait pas Gary.
— C'est comme ça depuis toujours. Du moins *lui* se dispute avec elle. Gary est une grande gueule mal dans sa peau qui sera toujours fâché avec la terre entière, parce qu'on a autre chose à faire que le prendre dans ses bras et lui torcher le cul.

Connie caressait doucement le chien. Se réveillant, celui-ci commença à mordre le tube respiratoire, qu'Aisha retira sans attendre.

— Rosie est complètement obsédée par cette audience au tribunal. Si au moins ils pouvaient lui donner une date, ça serait déjà quelque chose.

— C'est terrible, ce qui s'est passé. Harry n'aurait pas dû frapper Hugo.

— C'est ce que tu crois ?

Aisha posait la question simplement, sans trahir la moindre émotion. Une fois de plus, Connie n'arrivait pas à la cerner. Elle alla devant l'évier nettoyer le matériel tandis que le médecin installait le kelpie dans sa cage. Que pensait Aisha ?

— Pour moi, un adulte n'a pas le droit de maltraiter un enfant, voilà ! assena Connie sur un ton fiévreux, passionné, qui la surprit elle-même.

C'était son opinion, ni plus ni moins. On ne fait pas de mal aux gosses, on ne les touche pas.

La rejoignant pour l'aider, Aisha commença à essuyer pinces et scalpels, qu'elle plaçait ensuite sur un linge. Connie regarda son aînée et lui demanda :

— Tu n'es pas de cet avis ?

Elle n'était plus indignée, mais honteuse de paraître soudain indécise. « Pathétique », se dit-elle.

— Je crois que frapper un enfant est un acte répréhensible, répondit Aisha. Mais Hugo, qui était déchaîné ce jour-là, avait besoin d'être rappelé à l'ordre. D'autre part, Harry a un tempérament violent et il devrait apprendre à se contrôler. Cependant, quand il est allé s'excuser, Gary et Rosie n'ont rien voulu savoir et ils ont eu tort. En réalité, personne ne s'est très bien comporté dans l'affaire.

Aisha disposait proprement les ustensiles, par ordre de taille, sur le carré de linge.

— En définitive, conclut-elle, Hugo est un enfant, et Harry un adulte. Même s'il a perdu son sang-froid, un adulte est responsable de ses actes.

Connie avait tant de questions à poser. Elle aurait aimé avoir l'avis d'Hector. S'était-il disputé avec Aisha, le soir du barbecue ? Et si Adam, ou Melissa, avait été à la place d'Hugo ? Connie sentit une agréable bouffée de chaleur se répandre dans son cou et ses épaules. Elle adorait cette femme, douce, généreuse, intelligente, sexy – mon Dieu, si seulement elle pouvait lui ressembler ! Dire qu'elle avait commis des horreurs dans son dos, contre elle. Quelle honte ! Connie tenta de réprimer les larmes qui lui montaient aux yeux, et elle était soudain essoufflée. Agacée, elle essuya ses paupières.

— Connie, qu'est-ce qui ne va pas ?

Aisha lui posa un bras sur l'épaule. Connie la serra contre elle, puis tenta maladroitement de s'en détacher. Elle se sentait conne, immature. « Oui, pensa-t-elle, il vaut mieux pour toutes les deux ne pas s'épancher ainsi. »

— Excuse-moi, je suis bête.

Aisha replia le linge. Le petit paquet était difforme, mal fagoté.

— Tracey se débrouille toujours pour faire des kits impeccables. Je me demande comment elle s'y prend.

— Ah ! pouffa Connie, elle répète que les vétérinaires ne savent rien faire de leurs dix doigts. Attends, je vais arranger ça.

Aisha lui fit un clin d'œil.

— Connie, tu as été super, aujourd'hui. J'apprécie beaucoup tes qualités, dit-elle en dégageant une mèche blonde de son front. Il ne faut pas être gêné par ses sentiments, tu sais. Ni avoir honte de se révolter devant le comportement des adultes. C'est le privilège de la jeunesse. Mais attention à ne pas laisser l'indignation se transformer en complexe de supériorité.

C'était ça, son problème ? Se croyait-elle supérieure ? C'était quoi au juste, un complexe de supériorité ? Connie n'en savait rien, mais sans doute était-elle concernée. En tout cas, ça ne lui plaisait pas. Un peu lourd à porter, sûrement.

— Mais je ne pense pas que ce soit ton cas, bien au contraire.

Peu après cinq heures, Aisha la conduisit chez Rosie. La porte d'entrée étant ouverte, Connie s'engagea dans le couloir, passa devant la cuisine, traversa le salon aux grandes baies vitrées – même au cœur de l'été le plus sec, il sentait toujours l'humidité. Elle déboucha dans le jardin. Richie était allongé dans l'herbe. L'apercevant, il sourit et lui fit un clin d'œil. Accroupi dans le carré de légumes mal entretenu, Hugo était presque invisible derrière les grandes tiges des fèves. Il fit comme si elle n'était pas là.

— Qu'est-ce que vous fichez ?

Connie s'assit près de son ami. Son sweat-shirt noir serré, avec un portrait d'Eminem, laissait à découvert le bas d'un ventre plat, blanc comme la craie. Une bande de poils roux clairsemés apparaissait au-dessus de la ceinture. Connie eut envie de râler : « Je n'ai pas besoin de le voir, ton pubis ! » Lasse, désorientée, elle avait un peu la nausée et prêta plutôt attention au petit garçon.

— Eh, Hug', à quoi tu joues ?

— Il cherche des sous.

— Il y a un trésor, enterré là ?

Hugo ne prit pas la peine de répondre à cette question stupide. Affichant une moue dédaigneuse, il fit claquer sa langue dans sa bouche.

— J'ai jeté quelques pièces au milieu des légumes, maintenant il va à la pêche.

Richie roula sur lui-même et plaça une main au-dessus de son front. Connie était à contre-jour.

— Ça s'est bien passé, là-bas ?

— Oui, pas de problème.

Fermant les yeux, elle sentit sur son visage et ses bras les rayons tardifs du soleil hivernal. Elle avait sur elle les odeurs âcres, chimiques, de la clinique, des solutions de trempage, et celle, fauve, des chiens et des chats. Dans une heure, il faudrait être prête pour la fête. Elle se prélasserait autant qu'elle voudrait sous une douche brûlante.

— Tu viens à la teuf ?

Richie hocha la tête sans enthousiasme et se remit sur le dos. Hugo poussa un cri et émergea, tout excité, du carré de légumes. Il brandissait une pièce d'un dollar.

— Trouvé !

— Merci, p'tit gars, je la prends.

Sans l'écouter, le gamin empocha la pièce et courut vers son ballon de foot jaune et vert.

— *Kick-to-kick*[1], annonça-t-il.

Les deux ados se regardèrent.

— *Kick-to-kick*, répéta Hugo, plus fort.

Richie bâilla et fit la moue.

— Je suis fatigué, Hug', joue avec Connie.

Elle faillit lui taper dessus – c'est elle qui avait travaillé aujourd'hui. Mais elle se redressait déjà.

Hugo boudait.

— Non, c'est une fille. Je veux jouer avec toi.

Le sourire aux lèvres, Connie se laissa retomber dans l'herbe et tira la langue à Richie.

1. Australien : jouer à deux au football.

— Tu as entendu : tu es le garçon. C'est toi qui t'y colles.

Allongée les paupières fermées au soleil couchant, elle entendait les *pof-pof* du ballon qui allait et venait. Connie était tombée amoureuse de Melbourne à la fin de son premier automne austral, quand le soleil vivace des antipodes tient tête, déterminé, à l'hiver approchant. Celui de l'Angleterre n'avait pas cette force. Connie n'avait pas besoin de rouvrir les yeux, elle savait que Richie et Hugo étaient là, qu'ils ne risquaient rien dans le jardin. C'était un peu comme s'ils étaient mariés, pensa-t-elle, qu'ils avaient cet enfant, que ce jardin était le leur. Une famille. Peut-être l'avenir ressemblerait-il à cela ? Évidemment, Richie ne serait pas son époux. Elle n'en imaginait pas – du moins pas d'autre qu'Hector s'il ne voulait pas. Hugo s'esclaffa soudain et Connie ressentit une vive douleur au flanc quand le ballon la percuta.

— Eh, salopards !

Elle était furieuse et ça les faisait rire. Connie courut vers Hugo et le souleva. Il eut beau se tordre dans tous les sens, elle l'emporta vers la mare et le maintint au-dessus de l'eau. Un gros poisson rouge bâillait mollement à la surface. Leur ombre le dérangea et, d'un bref coup de nageoire, il disparut dans les profondeurs troubles.

— Je vais te lâcher.

— Non ! cria le garçon, battant l'air avec ses jambes.

— Dis pardon.

— Non !

— Dis pardon !

— Non !

— Alors dans l'eau !

Au lieu de quoi elle le serra fort et l'embrassa. S'agrippant à elle, le petit lui murmura à l'oreille : « Pardon. » Sa peau était chaude et moite, il sentait le lait maternel et une vague odeur de terre. Connie frotta son visage dans ses cheveux.

— Il y en a qui s'amusent, apparemment.

Hugo desserra son étreinte, Connie le posa par terre et il se précipita vers Rosie, qui le recueillit dans ses bras. Elle s'assit sur l'une des vieilles chaises de cuisine éparpillées dans le jardin, dont le vinyle, autrefois rouge vif, tendait au rose fané. Le garçon cherchait le sein de sa mère, qui le lui donna.

Richie continuait de jouer avec le ballon, le faisant rebondir des pieds à la tête, puis sur le genou et ainsi de suite. Hugo renonça à la tétée pour le regarder.

— Je veux apprendre ! lança-t-il à Richie, qui l'invita à le rejoindre.

Hugo quitta sa mère et courut vers lui.

— Je crois que j'ai un sérieux concurrent, dit-elle en arrangeant son soutien-gorge. Ce n'est sans doute pas plus mal. Je t'offre une tasse de thé, ma chérie ?

— Je m'en occupe, répondit Connie, avant de demander : Richie, tu veux boire quelque chose ?

Il déclina. Richie tentait de montrer à Hugo comment faire un tir droit. L'enfant, énervé, coordonnait mal ses mouvements. Patiemment, Richie lui laissait le temps de rater, puis de recommencer. Rater, recommencer : l'ami de Connie savait s'y prendre avec les mômes. Tous les deux, d'ailleurs.

Le store était baissé dans la cuisine sombre et fraîche, les couverts de la matinée empilés dans l'évier. Connie alluma la lumière, mit la bouilloire en marche. Elle entendait les garçons jouer, Rosie rire et encourager son fils. Elle se glissa dans le salon, jusqu'à la bibliothèque. Un coup d'œil coupable derrière elle, si possible en ignorant l'affreux clown au mur, et elle dégagea l'album de photos. Cherchant la série sur la plage, elle tourna les pages. Elle voulait juste y revenir une fois. Un carré vide la contemplait à la place d'Hector, qui avait disparu.

Un peu hébétée, elle eut soudain froid. C'était exactement comme dans un rêve. Un instant plus tard, elle versait l'eau dans la théière. Quand était-elle revenue à la cuisine ? La bouilloire avait-elle sifflé ? Richie rit de nouveau dehors, et Connie se sentait prête à exploser. Muette, elle tendit sa tasse à Rosie.

— Ça va, Connie ?

— Je suis fatiguée, c'est tout. J'ai eu une longue journée à la clinique.

— Tu sais qu'Aisha te vénère ? Elle a confiance en toi. Elle pense que tu ferais une très bonne vétérinaire.

Connie ne comprenait plus ses émotions. La fureur contre Richie, la culpabilité, la sensation d'avoir avalé du poison. Inspirer normalement demandait un effort. Quelques minutes plus tôt, c'était encore une journée parfaite, et maintenant tout était gâché, souillé. Connie se détestait, et détestait Richie.

Buvant son thé trop vite, elle se brûla la langue.

— Il faut que j'y aille.

Richie lança le ballon à Hugo.

— Temps que je rentre, mon p'tit gars.

Et Hugo de commencer à geindre. Connie ne pensait qu'à fiche le camp, loin de ces deux-là et de leur balle à la con. Accroupi, Richie s'efforçait d'apaiser le petit.

— On jouera une autre fois, mon vieux. Dans quelques jours, dit-il avant de sourire à son amie. Pas vrai, Connie ?

Elle aurait bien rétorqué : « Nan, j'ai pas le temps, j'ai mes devoirs à faire. Si tu veux jouer avec Hugo, tu te démerdes tout seul. » Mais elle ne dit rien.

Hugo essuyait ses larmes.

— Promets !

— Je promets.

Le gamin serra l'ado dans ses petits bras, puis courut vers Connie.

— Promets !

Elle hésita. Il la fixait de ses yeux bleus. Elle le souleva, l'embrassa.

— Promis.

Il suait. Sentait le garçon, comme Richie.

Ils traversèrent le square. Le visage dur, Connie se taisait. Richie, qui semblait ne rien remarquer, fredonnait en marchant et elle n'en pouvait plus.

— Stop !

— Quoi ?

— Tu chantes faux.

— Mais qu'est-ce que tu as ?

— Ta gueule.

— La tienne !

Elle s'arrêta au milieu de l'allée. Un homme jeune aux cheveux gris en pétard, l'oreille gauche garnie d'une demi-douzaine de boucles – total rock attitude –, poussait un landau en tenant une petite fille par la main, qui sautillait en babillant. Elle lui parlait sans doute de sa journée d'école. Connie s'écarta sur leur passage, et Richie se retourna sur le papa qui s'éloignait tranquillement.

« Évidemment. Quel pédé. »

Il la regarda ensuite. Sans sourire.

— Qu'est-ce qui ne va pas, Connie ?
— Tu as pris la photo, n'est-ce pas ?
Il pâlit, rosit, et s'empourpra jusqu'au cou. Puis il siffla bêtement, mollement, à la manière d'un oiseau effrayé. Elle eut envie de le gifler.
— Mais qu'est-ce que tu racontes ?
« Enfoiré de menteur. »
— Tu as pris la photo.
Elle n'en doutait pas. Non seulement c'était lui, mais en plus il était trop lâche pour avouer. Connie repartit à grands pas le long de l'allée. Il la suivit maladroitement.
— Connie, qu'est-ce que j'ai fait ?
Elle refusa de répondre. Ses yeux s'embuèrent et elle se pinça les paumes pour ne pas pleurer. Rien à faire, ces connes de larmes se mirent à couler. Richie la prit par le bras et l'empoigna carrément lorsqu'elle se débattit.
— Lâche-moi ou je hurle !
Ils atteignaient la limite du parc et, de l'autre côté de la rue, les réverbères puissants d'Hoddle Street éclairaient la gare. Un train approchait. Sans lâcher Connie, Richie regarda à droite, puis traversa avec elle jusqu'au terre-plein central. Elle pensa à lui donner un coup de pied et partir en courant. Mais elle pleurait encore, et son corps n'avait plus de ressort, plus aucune énergie. Richie attendit que la circulation se calme et ils gagnèrent l'autre trottoir. Il tira Connie sous le pont, à travers le trou dans la clôture, et ils franchirent les voies ferrées. « Je vais glisser et me faire écraser par le train, se dit-elle en l'entendant arriver. Richie sera obligé de regarder. Ce sera sa faute, il vivra avec ça jusqu'à la fin de ses jours. » Elle eut une vision rapide de l'enterrement, de la tête de son ami, égaré, éperdu. Ça lui apprendrait, si elle mourait, s'il la tuait. Il la guida vers le remblai,

l'aida à s'asseoir sur une grosse pierre, où il prit place à son tour. Il lui avait serré le bras si fort qu'elle avait mal. Le train passa en trombe, puis ralentit à l'approche de la gare.

Prête à l'engueuler, à lui cracher tout son venin, Connie se tourna vers Richie et remarqua qu'il pleurait lui aussi. Soudain terrifiée, elle ne pensait plus qu'à arranger les choses, à repousser ce mélange de honte, de peur et de tristesse qui menaçait de l'engloutir. Supprimer la dernière demi-heure. Revenir avec lui dans le jardin, s'étendre au soleil, écouter les rires et les allers et retours du ballon. La gorge serrée, elle fondit en sanglots, haletante, balançant son corps d'avant en arrière. Alarmé, Richie lui posa un bras sur l'épaule. « Oh, réparer tout ça, et que les choses reprennent un sens. »

— Hector m'a violée.

Ses hoquets étouffaient ses mots, et elle les répéta. Abasourdi, Richie retira son bras, puis reposa sur elle une main incertaine, qu'il voulait réconfortante. Les sanglots s'espacèrent. C'était comme jouer dans un film. Comme si elle flottait au-dessus de leur grosse pierre, à les regarder tous deux, à diriger la scène.

— Quand ?

Pâle, affligé, il continua :

— Je veux dire, comment…

Il hésita, déglutit.

— Dis-moi ce qui s'est passé, Connie.

Elle était décontenancée, n'avait prévu ni questions ni réponses. Elle reprit son souffle en frissonnant.

— Il y a environ un an, au retour du travail. Dans sa voiture.

Elle imagina aisément la suite d'un souvenir. Il n'y avait qu'à enchaîner les phrases… C'était l'hiver dernier, il pleuvait des cordes. Hector était venu chercher Aisha puis m'avait proposé de me raccompagner. Il l'avait déposée avant d'aller chez moi. Sauf qu'il était parti au hangar à bateaux, qu'il s'était garé, qu'il m'avait embrassée. Elle avait voulu crier, mais il avait mis sa main sur sa bouche. Puis sur ses jambes, dans sa culotte. Et soudain c'était fait, il l'avait pénétrée. Oh oui, c'était douloureux, mais elle ne pouvait toujours pas crier. Elle aurait dû lui mordre la main. Elle le regrettait, vraiment pourquoi ne l'avait-elle pas fait ? Il l'avait baisée et ça lui avait fait mal. Il lui embrassait le cou, les seins. Il avait joui et allumé une cigarette. Sa braguette toujours ouverte. Elle avait encore sa culotte sur les genoux. Elle saignait. Il lui avait dit qu'il l'aimait. Que si elle parlait à quiconque, c'en serait fini de lui et Aisha. Il répétait qu'il l'aimait. Elle l'avait mis en garde : s'il recommençait, elle irait voir les flics. C'était un salaud, elle le lui avait dit. Elle le haïssait.

— Et il continuait avec ses « Je t'aime », ça n'en finissait pas, c'était écœurant.

Connie sentit la main de Richie sur la sienne – elle était moite, brûlante. L'autre Connie, qui dirigeait la scène, qui réalisait le film depuis son abri dans le ciel, pouvait maintenant dire que c'était vrai, c'était bien arrivé.

Elle voulait la retirer, cette main, mais ne savait comment s'y prendre. Richie le fit avant elle, et elle poussa un soupir de soulagement.

— Tu l'as dit à quelqu'un ?

— Non. Je ne peux pas. Il ne faut pas qu'Aisha soit au courant.

— Si, il faudrait.

« Qu'il se taise, qu'il se taise, qu'il ne dise rien. »

— Je ne peux en parler à personne. Sauf à toi…

Affolée, elle gémissait presque.

— Ne dis rien, Rich, rien. À personne, personne.

Il était silencieux.

— Rich, il faut me promettre. Il faut ! cria-t-elle, comme Hugo lorsqu'il voulait une chose qu'on lui refusait : au bord du désespoir.

— Tu dois me promettre.

— Je promets.

Il avait l'air de bouder.

— Promis ?

Son visage respirait la crainte, la tristesse, la confusion.

— Promis.

Ils rentrèrent main dans la main.

— Tu es superbe, dit Tasha.

Connie fit la grimace. Leur salle de bains était minuscule, un vieux réduit maladroitement rattaché à l'appartement, et la lumière crue de l'ampoule nue accentuait tous les défauts de sa peau. Pinçant les lèvres, Connie passa le bout de la langue sur le rouge qu'elle venait d'appliquer. Tasha se dressait devant la porte ; Connie, les cheveux mouillés après la douche, n'avait sur elle que sa culotte et un vieux polo de gym.

— Non, je suis moche.

Tasha entra et rit en se plaçant derrière sa nièce.

— Je te dis que tu es superbe et c'est vrai. Qu'est-ce que tu vas mettre ?

— Un jean, un T-shirt. Voilà.

— Je pense que tu devrais t'habiller un peu mieux.

— Tash, dit Connie d'une voix lasse, c'est rien qu'une teuf.

— Exactement. Une fête, et il n'y en aura plus avant la fin des cours et les exams. Tu as beaucoup travaillé, cette année, tu as le droit de te faire plaisir.

Ton jean et ton T-shirt, ça ira pour te soûler le dernier jour de classe. Je te répète que tu devrais t'habiller.

Connie étudia sa tante dans le miroir. Ni maquillée ni coiffée, elle portait un vieux pull vert pâle à moitié mangé par les mites, et un pantalon de survêt gris.

— Tu fais quoi, toi, ce soir ?

— Je reste à la maison. J'irai chercher quelque chose que je mangerai en regardant *Brigade volante* à la télé.

Connie se mordit la lèvre. Son rouge s'étalant tout autour, elle le fit disparaître du bout du doigt.

— Pas très marrant, comme soirée.

— Au contraire. Je n'attends que ça depuis le début de la semaine, ma chère.

Connie ne la croyait pas. Elle était sûre que Tasha aurait préféré boire un verre dehors avec des amis, sinon un amoureux. Depuis combien de temps n'avait-elle plus de petit ami ? Des années. Se retournant, Connie la prit dans ses bras. Surprise, sa tante la serra contre elle.

— Merci, Tasha, lui dit sa nièce, tout juste audible, la bouche sur la laine légère du pull-over.

C'était doux, chaud, les peluches lui chatouillaient les joues, le vêtement portait l'odeur de Tasha, du tabac, et une trace de son parfum à la pomme. Une bonne odeur.

— Merci pour quoi ?

Impossible de répondre. Au cours des semaines pendant lesquelles il délirait, juste avant de sombrer dans le coma, Luke avait dit sur son lit d'hôpital : « Tu adoreras Tash. Tu détesteras tous les autres connards de la famille, mais elle, tu l'aimeras. »

Cela n'était pas totalement vrai. Aucun des grands-parents et, non, pas même son oncle, ne pouvait être qualifié de connard. « D'autres adjectifs commencent par C, papa. Conformiste, contrariant, peut-être même couard. » À l'heure actuelle, ils étaient encore incapables de prononcer les mots SIDA et bisexuel. Incapables d'admettre qui Luke avait vraiment été, comment il était mort. Mais en aucun cas ce n'étaient des connards.

— Je ne t'entends pas, mon ange.

— Merci de t'occuper de moi. De me faire passer avant ta propre vie.

Connie savait qu'il y avait de quoi rendre Tasha furieuse. Elle s'apitoyait en fait sur elle-même, elle cherchait une confirmation. Elle le savait, mais il avait fallu que ça sorte, car elle voulait entendre qu'on l'aimait, qu'on l'entourait, la préservait.

— Qu'est-ce que c'est que ces conneries ? Tu ne passes avant rien du tout !

— Je voulais simplement dire que…

— Je sais très bien ce que tu veux dire. Ça te paraîtra peut-être bizarre, mais figure-toi qu'un jour viendra où, toi aussi, tu auras envie de rester chez toi un samedi soir devant la télé. On appelle ça souffler. Je t'élève et j'en suis heureuse, je ne t'apprends rien.

Tasha partit au pas de charge dans le couloir.

— C'est vraiment dégueulasse, ce que tu as dit, lança-t-elle.

Connie ne put se retenir de sourire en se regardant dans la glace. Elle alla dans le salon où sa tante, avachie, venait d'allumer la télévision. Connie s'assit près d'elle sur le bras du canapé.

— Qu'est-ce que je dois me mettre, alors ?

Tasha restait de marbre, les yeux fixés sur l'écran. Connie se tourna vers celui-ci : des bombes, quelque part à l'étranger. S'emparant de la télécommande, elle coupa le son, l'image, puis regarda sa tante, qui réprimait un rire. Connie se pencha vers elle et lui chatouilla les flancs.

Tasha se contracta en gloussant.

— Arrête !

— Qu'est-ce que je me mets ?

— Quelque chose d'élégant, de raffiné. Pas un de ces trucs sportifs avec la marque en évidence.

— *No logo*. Énorme. Je kiffe.

— S'il te plaît, ne parle pas comme une ado, Connie.

— Je suis une ado.

— Oui, mais bien plus intelligente que beaucoup d'autres. Je ne supporte pas la langue des jeunes d'aujourd'hui. C'est si compliqué de faire des phrases entières ?

Elle se remit à rire, plus fort encore.

Perplexe, Connie l'étudia.

— Qu'est-ce qu'il y a de drôle ?

Sa tante lui caressa la joue.

— Ce qu'il y a de drôle ? Ce que nous étions, ce que nous allons devenir…

Elle se leva en ajoutant :

— Bouge pas.

Tasha revint un instant plus tard, les bras chargés de vêtements. Connie entrevit un tourbillon d'étoffes. Un gilet rouge et noir, finement brodé de perles brillantes, rubis et saphir ; une jupe longue en poil de chameau, piquée sur un côté de gros boutons argentés ; mais aussi un chapeau, conique, coupé dans un épais tissu ivoire, avec une drôle de pointe qui se terminait en angle.

— D'où ça sort ? demanda-t-elle, épatée, d'une voix aiguë.

— C'était à moi.

— Tu portais tout ça ?

— Je *cousais* tout ça. *No logo*, dit Tasha en souriant. C'est assez énorme pour te faire kiffer ?

Elle disposa les vêtements sur le canapé.

— En fait, ce n'est pas vrai, poursuivit-elle. On avait une marque : « Nietzsche ». Un rien prétentieux, non ?

Connie ne répondit pas. Elle souleva un tailleur anthracite, soupesa la laine un peu rêche.

— C'était le début des années 80, expliqua Tash. Ça voulait dire quelque chose à l'époque. L'hiver nucléaire, et tous ces trucs... On écoutait Public Image et Joy Division...

Elle sourit en voyant sa nièce séduite.

— ... mais tu ne connais sans doute rien de tout ça.

— Si. Papa adorait Joy Division, dit Connie en appliquant la jupe longue sur ses hanches. J'aime bien certains morceaux. C'est un peu noir, quand même.

— Mais c'est bien, ce qui est noir. Mieux que cette pop imbécile que tu écoutes avec ta bande, fit sa tante en lui retirant le vêtement. Ne mets pas ça, c'est beaucoup trop lourd, chérie.

Connie étudia une robe mi-longue, au style épuré, sans bretelles. Le coton fin, blanc et léger, était moiré de bleu. Deux pans de satin formaient un double losange sur le devant.

Connie la déploya contre elle.

— Je ne peux quand même pas porter ça ?

— Bien sûr que si. Ça t'ira à ravir.

— Non, je ne peux pas.

Connie courut dans sa chambre et, se plaçant devant le miroir, plaqua la robe sur elle. Tasha la suivit et s'arrêta à la porte. Sa nièce paraissait si troublée en se retournant que Tasha s'élança vers elle.

— Je ne peux pas.

Cela n'était plus une affirmation, c'était une plainte.

Sans rien dire, Tasha installa gentiment Connie sur son lit et balaya la chambre du regard.

— Il me faut une brosse et un peu de gel.

Connie indiqua son sac de sport par terre. Tasha l'ouvrit, fouilla, trouva ce qu'elle cherchait. Se rasseyant, elle appliqua du gel dans ses mains, qu'elle frotta l'une contre l'autre. Les deux femmes restaient silencieuses. Tasha commença à brosser les cheveux de Connie vers la nuque, si fort que la jeune fille grimaçait.

— Je vais les coiffer en arrière. C'est le look qui va avec cette robe. À moins que tu ne préfères essayer le chapeau ?

Connie parut effrayée.

— Je n'y connais rien, moi, en chapeaux.

— Eh oui, triste déclin de notre civilisation. Que veux-tu que je te dise ? C'est pas grave. Je n'en porte plus non plus, maintenant que je suis hippie.

— Tu n'es pas hippie.

— Ce n'est pas une injure. Maintenant, mets-la.

Connie retira soigneusement son chandail et, avec moult précautions, enfila la robe. Le tissu était frais contre sa peau, et le vêtement lui allait parfaitement. Elle s'examina dans le miroir. Elle avait une verrue, bien en évidence, sur l'épaule gauche ; trop de taches de rousseur, apparues cet été, sur son nez ; ses seins paraissaient disproportionnés ; ses jambes trop grosses. Tout cela était évident, mais ne comptait pas, elle n'avait jamais eu si belle allure. Et elle se sentait bien, comme une star de cinéma, un mannequin, quelqu'un de plus âgé, de plus raffiné. Connie avait hâte que Jenna et Tina la voient. Imaginant la réaction de Richie, son étonnement, elle eut envie de rire. Il faudrait se tenir droite toute la soirée, comme une adulte. Dans une telle robe, on ne s'avachit pas, on n'est plus une ado. Elle devrait prendre garde à sa façon de manger, de boire. À ne pas s'asseoir n'importe où. Il y aurait mille choses auxquelles elle n'avait pas encore pensé pendant une fête, mais qu'importe. Elle s'en fichait parce qu'elle n'avait jamais été aussi belle. Faisant volte-face, elle consulta sa tante, toujours assise sur son lit.

— Tasha, qu'est-ce que tu en penses ?

La voix était celle d'une petite fille, à la fois enthousiaste et hésitante.

Tasha se leva et la prit dans ses bras.

— Je te trouve superbe. Sublime, dit-elle en la regardant de pied en cap. Mais tu as besoin d'un rouge à lèvres plus vif.

Elle tendit un doigt vers ses pieds.

— Et tu ne peux pas garder tes baskets.

Connie était décomposée.

— Je n'ai pas de chaussures, moi.

— Tu as de la chance qu'on fasse la même pointure, hein ? Et que, j'ai beau être une vieille hippie, je n'aie jamais eu le cœur de jeter mes pompes.

Connie embrassa sa tante.

— On ne m'avait pas dit que tu étais aussi douée.

— Moi, non.

Incrédule, Connie hocha la tête en indiquant la robe.

— Il faut du talent pour créer ces trucs.

— Je n'ai gardé que ce qui me paraît valable. Quatre robes, un ou deux gilets, quelques corsages. Pas grand-chose. Et ce n'est pas moi qui avais du talent.

Posant un doigt sur les lèvres, Tasha empêcha sa nièce d'objecter.

— Qu'est-ce qu'on s'est amusées, mon ange. La semaine, je cousais avec Vicky les modèles qu'elle inventait et, le dimanche, on allait les vendre à Victoria Market. C'est elle qui avait du talent. J'aimais bien ça, mais sans être douée comme elle.

Tasha ajusta soigneusement la robe.

— Ce soir, quand même, je suis fière de celle-là, dit-elle. À quelle heure dois-tu être chez Jenna ?

— Sept heures et demie.

— Je vais acheter des plats préparés au thaï de Station Street, ça t'intéresse ?

Connie fit signe que non.

— Je n'ai pas encore faim. Il y aura à manger chez Jenna. Mme Athanasiou prépare toujours des tonnes de bouffe.

— Ouais, ben, n'oublie pas de manger. Pas question que tu vomisses tripes et boyaux sur cette robe.

— Beuh… Bien sûr que non.

Tasha glissa quarante dollars dans la main de sa nièce. Connie protesta et voulut les lui rendre.

— Je n'en ai pas besoin. C'était jour de paie, la semaine dernière, dit-elle.

— Tu ne bois pas de bourbon, habillée comme ça. Promis ?

— Promis.

— Je vais te chercher les bonnes chaussures.

Connie revint se placer devant la glace. Ce qu'elle aurait aimé qu'Hector la voie. Peut-être pouvait-elle s'arrêter chez lui avant d'aller chez Jenna ? C'était sur la route. Elle trouverait un prétexte – elle n'aurait pas vérifié son emploi du temps de la semaine à la clinique… Elle imagina Hector lui ouvrir, puis la regarder, muet d'admiration. Il la désirerait à nouveau. Elle rouvrit les yeux. Non, Aisha serait plus belle encore dans cette robe. Le tissu blanc moiré ferait ressortir son teint mat. Connie recula. Elle se donnait l'impression d'une petite fille déguisée. Une tristesse accablante, dévastatrice, s'abattit sur elle. Un étau.

« Ta gueule, chochotte. »

Elle se rapprocha de la glace.

« Tu es Scarlett Johansson, ce soir, dit-elle doucement à son image. Tu es Scarlett Johansson dans *Lost in Translation.* »

Elle se sentit mieux. Hector ne l'avait-il pas comparée à Scarlett ? Si elle ne l'avait pas cru, elle n'avait pas oublié non plus.

Ce soir, elle *serait* Scarlett Johansson.

Jenna avait crié en la découvrant devant la porte. Derrière elle, Tina en perdait le souffle. Elles avaient poussé Connie dans le long couloir sombre, jusqu'au salon où Fiona, la maman de Jenna, regardait la télé, pelotonnée contre son amie Hannah.

Hannah avait sifflé et pris la main de la jeune fille.

— Connie, tu es fantastique.

Les filles tâtaient le tissu, caressaient la robe.

— C'est ma tante qui l'a créée.

De fait, elle se sentait fantastiquement bien.

Tina et Jenna s'étaient également habillées mais, à côté de Connie, le bustier de Tina et le dos nu rouge de Jenna sur son jean serré avaient quelque chose de quelconque, d'adolescent.

Jenna avait acheté deux X à son frère, qu'elles avaient décidé de gober tout de suite.

Inquiète, Tina avait regardé les comprimés et refusé tout d'abord d'en prendre.

— Pas cette année, avait-elle dit, hésitante. Je ne peux pas. Il y a tellement de boulot au lycée. J'attends la fin des cours pour me faire toxico, promis.

— Mais c'est juste pour ce soir, l'avait pressée Connie, répétant presque les mots de Tasha. Après, il n'y aura plus de fêtes jusqu'aux exams.

Tina faisait la grimace.

— J'ai peur de ne pas pouvoir me contrôler.

Jenna avait levé les yeux au ciel.

— Eh bien, le bouffe pas ! Je ne suis pas dealer, moi. Comme ça, ça en fait un entier pour Connie et pour moi.

D'un coup de dents, Connie avait sectionné un petit bout d'un comprimé et l'avait donné à Tina. Angoissée, celle-ci le faisait rouler entre ses doigts.

— Pour les drogues, mon père m'avait dit que, la première fois, il faut prendre la moitié de la dose habituelle. On ne risque pas trop de péter un plomb et, si tout se passe bien, on en prend un peu plus après quelques heures. Je ne t'ai même pas donné un quart. Tout ira bien.

Tina l'étudiait d'un air dubitatif.

— Et il t'a dit ça quand, ton père ?

Connie s'empourpra et s'en aperçut. Évidemment, son père, sa mère n'étaient pas des gens ordinaires.

— Je crois que j'avais onze ans. Il allait à une teuf.

— Quand tu rougis avec cette robe, poupée, t'as l'air d'une langouste, remarqua Jenna, vacharde, une lueur froide dans ses yeux verts mouchetés.

Les deux filles se dévisagèrent. Connie sourit. Son amie était jalouse de la voir aussi belle. Non, ce n'était pas de la jalousie, plutôt de l'envie.

— Merci, je vais tâcher de ne pas être trop émotive, dans ce cas.

Se jetant à son cou, Jenna l'embrassa direct sur la bouche.

— Je suis tellement jalouse que je vais t'étrangler. Bon, *fiesta*.

Connie sentit en chemin sa belle humeur se dissiper. Le soir tombait, il faisait froid, elle avait la chair de poule le long des bras. Juste avant de partir, Tasha lui avait mis un châle de dentelle noire sur les épaules, qui était beaucoup trop léger. Elle frissonnait tandis que le trio s'engageait dans Bastings Street. Ça n'était pas pratique, ces chaussures, il fallait marcher lentement, prudemment, ne pas trébucher. Les talons n'étaient pas très hauts, mais Connie avait les pieds comprimés et elle était mal à l'aise. Elle enviait ses amies, leurs baskets et leur veste en jean. Tina avait épinglé trois badges sur la sienne : le signe de la paix, un pin's Robbie Williams, et un autre « Votez Pedro ». Connie se demanda si elle n'allait pas lui en emprunter un, pour atténuer un peu son look tenue de soirée. Elle se rendait bien compte qu'elle attirait les regards. Dans Hugh Street, un groupe de métèques, garçons et filles, fumait devant l'entrée d'une salle de réception. Elle entendit un des gars s'écrier : « Eh, matez-la, celle-là ! » Un des plus jeunes la siffla. Ne pas rougir – toute la soirée, elle allait s'efforcer de ne pas rougir. Elle se retourna une seconde vers eux. Tous la clope au bec, sur leur trente et un, ils donnaient l'impression que le monde leur appartenait. Il y en avait un auquel elle ne penserait pas ce soir. Pas question qu'il lui gâche son plaisir.

Les Athanasiou habitaient une immense maison de deux étages, perchée sur la colline de Charles Street. Les filles montèrent la longue allée en pente, et les talons de Connie lui cisaillaient les pieds. Des guirlandes électriques étaient suspendues dans la véranda, et la musique gueulait à l'arrière de la maison. S'arrêtant à la porte, le trio se retourna pour contempler la ville. Melbourne étincelait tout en bas, le ciel mauve et profond avait le lustre du satin.

Jenna poussa un soupir admiratif.

— Waouh, j'adore la vue qu'on a d'ici !

Tina écarquillait les yeux.

— C'est l'ecsta, ou tout a l'air super, ce soir ?

Les deux autres s'esclaffèrent. « Attends, c'est pas aussi rapide… »

Connie glissa un bras sous celui de Tina et ouvrit la porte.

— T'inquiète, murmura-t-elle, ça va venir…

À la cuisine, Mme Athanasiou sirotait un whisky, pendant que son mari, devant la table, remplissait de petits bols avec différentes sauces. Les filles aperçurent Jordan, derrière la baie vitrée, qui disposait saucisses et côtelettes sur le barbecue. Il y avait déjà une quinzaine de jeunes dans le jardin, et un morceau de Jay-Z sur la sono.

Mme Athanasiou s'avança vers les nouvelles arrivées et leur fit à chacune une bise sur la joue.

— C'est bien, on manquait de jeunes femmes, justement.

Elle étudia Connie d'un air approbateur.

— Ça valait la peine de faire un effort, lui dit-elle, avant de demander à son mari : Elles ne sont pas formidables ?

C'est eux qui étaient formidables. Selena Athanasiou était originaire de l'île de Sulawesi, en Indonésie. Du moins Connie pensait-elle que c'était là. « Ou peut-être en Malaisie ? » Selena avait d'épais cheveux lumineux, noirs de jais, qui ondulaient jusqu'au bas de son dos. Jenna avait affirmé un jour que ses ancêtres étaient membres d'une tribu de chasseurs de têtes – et Jordan se flattait d'avoir eu un roi pour grand-père. Dans ce cas, Mme Athanasiou était une princesse, et elle en avait l'allure. Elle portait ce soir un chandail rouge vif sur un jean sombre, ce qui, pour être simple, n'attirait pas moins l'attention. Une fine touche de mascara et un léger trait de rouge à lèvres complétaient le tout. Rien de plus. Pas rasé comme d'habitude, son mari arborait une chemise de batik colorée et un pantalon bouffant en toile. Mais même sapé comme un clochard, il ne déparait pas devant une princesse. Il avait lui aussi une belle tignasse noire, bouclée, avec quelques touffes grises, et des yeux dans lesquels brillait toujours l'éclat de la jeunesse. Sa peau bronzée et lisse était presque aussi brune que celle de son épouse.

Vingt ans plus tôt, M. Athanasiou, en bon hippie, avait parcouru le globe, plus particulièrement les régions qui n'intéressaient encore personne. Ses exploits s'offraient au regard de ceux qui, comme Connie, avaient le bonheur de contempler le mur de brique rouge de sa cuisine. Une photo en noir et blanc, de la taille d'un poster, le montrait jeune, barbu, une masse de cheveux sales sur les épaules, en compagnie d'une vieille femme voilée dans une rue de Kandahar, tous deux en train d'assister au départ de l'armée soviétique. Mais c'est une autre, au format carte postale et encadrée celle-là, qui avait toujours épaté Connie. Elle représentait le jeune couple – le mari, pour une fois glabre, et sa femme enceinte, les mains croisées sur le ventre, devant une église orthodoxe sans âge, au fin fond de la Géorgie. Les icônes peintes sur le portail de bois avaient l'air de fantômes rongés par la rouille. Peu de temps s'était écoulé entre cette photo-là et le jour où Antoni avait créé un site Internet à l'intention des voyageurs assez aventureux – ou fous à lier – pour risquer autre chose que des coups de soleil et un vol de portefeuille pendant leurs vacances. C'était alors la préhistoire du Web, cependant il avait fait fortune. C'est-à-dire qu'il était vraiment, vraiment, vraiment pété de thunes.

Connie sourit en l'embrassant, et jeta un coup d'œil vers Jordan. Derrière la baie vitrée, il s'occupait des grillades et riait d'une blague de Bryan Macintosh. Une blague imbécile, certainement, Bryan n'en faisant jamais d'autres. Jordan, aussi bronzé que son père et déjà presque aussi grand, avait les yeux et le sourire de sa mère. L'année dernière, ils l'avaient emmené en Ouzbékistan pour les vacances, puis à Trabzon en Turquie, pour finir chez ses grands-parents sur les rives de la mer Égée. L'année précédente, c'était New York et la Bolivie. « N'envie jamais les riches », avait dit un jour Marina à sa fille, chez Harrods où elle l'emmenait parfois à la sortie de l'école. Elle fourrait des chemises, des jupes et des jouets dans le cartable *La Petite Sirène* de Connie. « N'envie jamais les riches parce que, si tu commences un jour, tu ne pourras plus jamais t'arrêter. Et tu gâcheras ta vie. »

Connie était-elle jalouse de Jordan, son argent, sa beauté, sa famille ? Non, elle suivait le conseil de sa mère. Elle avait quand même fait un sourire narquois en apprenant que M. et Mme Athanasiou s'étaient rencontrés à Paris, où ils étaient tombés amoureux. Certes, c'était romantique, mais tellement convenu, cliché…

— Puis-je faire quelque chose pour vous, madame ?

Selena leva son verre et étudia rapidement le four.

— Non merci, Connie, va rejoindre les autres et t'amuser. On attend que les tourtes soient cuites, et ensuite on va au ciné. La maison est à vous, les enfants.

Elle indiqua le bar au fond de la grande salle à manger.

— Il y a de la bière, du champagne et quelques alcools pour vous, précisa-t-elle. Ne touchez pas aux bouteilles du haut. Vous êtes trop jeunes, ça serait du gâchis.

Antoni ouvrit la baie vitrée et, avec une révérence, invita les filles à sortir.

— Bonne soirée, leur dit-il.

Jello Biafra et son débit rapide avaient succédé à Jay-Z, et les haut-parleurs du jardin diffusaient maintenant *Are You Gonna Be My Girl* des Jet. À l'évidence, Jordan ne s'était pas foulé en programmant l'iPod ; la sélection suivait l'ordre alphabétique…

Les ados s'étaient rassemblés en trois groupes. Il y en avait un autour du barbecue, en train de faire griller la viande ; ensuite, plusieurs filles étaient réunies autour de Lenin – le seul garçon parmi elles – qui roulait un joint à la table du patio, d'où quelques marches menaient à la piscine, devant laquelle d'autres encore avaient pris place.

Tout le monde tourna la tête vers les trois filles, à peine avaient-elles mis un pied dehors. Vivement embarrassée, Connie se sentait ridicule, beaucoup trop habillée. Elles firent un signe à Jordan, puis s'assirent dans le patio où, aussitôt, les commentaires fusèrent sur la robe de Connie. Elle s'efforçait d'accepter les compliments de bonne grâce, mais gardait les bras croisés en rêvant de disparaître. Lenin avait-il les yeux rivés sur ses seins ? Aucun garçon ne lui avait encore rien dit. Observant un instant le jardin, elle distingua deux silhouettes sous les immenses eucalyptus au niveau de la clôture. Un feu de joie était allumé dans un vieux baril de pétrole et, à la lumière des flammes, Connie reconnut Richie.

Priant ses amies de l'excuser, elle se leva et longea le groupe devant le barbecue, en essayant d'ignorer les regards. Elle se faisait l'impression d'un animal de foire et elle faillit rater une marche.

— Ça va ?

C'était Ali, au bord de la piscine, qui portait un débardeur trop grand à l'effigie des Chicago Bulls. Son jean remonté jusqu'aux genoux, il avait les pieds dans l'eau. « Quel idiot, pensa-t-elle, il va se les geler. » Lui aussi roulait un joint. Sa peau luisante semblait huilée, il avait de beaux bras musclés et il le savait, voilà pourquoi ce con n'avait que son débardeur. Prêt à se taper une pneumonie pour le seul plaisir de frimer.

— Ça va bien.

Baissant la tête, il en revint à son pétard.

— Tu fais mieux qu'aller bien, dit-il.

Postés de chaque côté de lui, Costa et Blake se mirent à ricaner. Une insulte à Connie ?

— La ferme, crétins, fit Ali.

Les deux garçons se turent. Sans se retourner, Ali tendit le joint à Connie.

— T'en veux ?

— Plus tard, peut-être.

— Comme tu voudras.

Elle sentit leurs yeux braqués sur elle tandis qu'elle poursuivait le long de l'allée. « Ils se marrent, ces idiots ? »

Serait-elle toute la nuit dans cet état ?

— Tu as fait un effort.

Assis sur une caisse retournée, Richie arborait le même T-shirt que cet après-midi.

— Toi aussi.

Il s'esclaffa. Nick Cercic était installé sur une caisse identique. Il avait coiffé ses cheveux en arrière avec du gel, et il portait une chemise de supermarché, blanche et raide, sur un pantalon de costume bien trop grand pour lui. Nick avait marmonné quelque chose en voyant Connie approcher – pour la saluer, supposait-elle – et voilà soudain que, d'un mouvement sec, abrupt, il quitta son siège pour le lui offrir. Tous trois regardèrent la trace laissée par ses fesses sur la poussière. Grommelant à nouveau, Nick ramassa son chandail et l'étala sur la caisse.

Connie fut touchée par ce geste chevaleresque – un mot qu'elle connaissait par ses lectures, mais qu'elle n'avait jamais eu l'occasion d'employer. Elle prit place.

— Merci, Nick. C'est très galant de ta part.

Richie pouffa, et elle lui tira la langue. Comme il faisait meilleur devant le feu, Connie retira son châle, qu'elle roula et serra dans ses mains, puis elle se pencha pour prendre une cigarette dans le paquet de Richie, posé à ses pieds.

Nick s'éloigna avec la même brusquerie.

— Qu'est-ce qu'il a ?

Richie haussa les épaules.

— Chaipas. Il a peut-être besoin de pisser.

— Il est gentil, mais…

— Mais quoi ?

— Je ne sais pas.

Connie tentait de trouver ses mots. Elle avait le cerveau ramolli ; même devant les flammes, il recommençait à faire froid, et elle remit le châle sur ses épaules. Cette fois, l'ecsta montait. Elle répéta :

— Je ne sais pas, il est toujours… tendu. C'est ça qui me rend mal à l'aise.

— On a bouffé des champis, ce soir, dit Richie en tapotant sur la poche de son jean. Il est un peu décalé. Tu en veux ?

— Nan, j'ai pris un X.

— Il est bien ?

Connie claquait des dents. Son dos lui donnait l'impression de ne pas soutenir son corps, et elle avait vaguement la nausée. Ah, sans cette robe idiote, elle pourrait s'étendre sur l'herbe et regarder le ciel. Ça serait si agréable de s'allonger. Tout serait tellement joli, la danse des flammes, les étoiles entre les branches de l'eucalyptus. Elle tenta de trouver une réponse, mais elle ne réussit qu'à rigoler. Ce qui fit rire Richie, et elle de plus belle.

— Ouais, bien, lâcha-t-elle dans un souffle.

C'est vrai que c'était bon, très bon. La nausée avait disparu. Elle se sentait très, très, très bien.

— Je me plains pas non plus.

Ils se remirent à rire. Richie cessa le premier, brusquement sérieux.

— Qu'est-ce qu'il y a ?

— Connie, tu es ma meilleure amie.

— Toi de même.

— Tu es stoned.

— Toi aussi.

Et de rire encore.

Nick revint et s'assit en tailleur dans l'herbe. Connie et Richie s'arrêtèrent lentement de glousser. Regrettant encore de ne pouvoir s'allonger, Connie enviait Nick et son pantalon à la noix. Il faisait total ringard mais au moins il était à l'aise.

— Merde, j'aurais dû mettre un jean, dit-elle. Je me fais l'effet d'une extraterrestre.

Nick grattait le sol avec une brindille.

— Tout le monde parle de toi. Ils disent tous que tu es superbe.

Il ne marmonnait plus. Il n'avait pas levé la tête, mais il ne marmonnait plus. C'était un si gentil garçon, sans rien d'arrogant, de mauvais, de macho. Voilà pourquoi les mecs se fichaient de lui, et les nanas encore plus. Ça n'était pas méchant en soi, mais certainement perçu comme tel. Sans y penser, Connie effleura une de ses mèches rousses. Nick tressaillit.

— Pardon.

Comme un électrochoc.

— Pas grave.

— J'adore les cheveux roux.

« Non, sans blague ? » C'est les *siens* qu'elle aimait.

— Y a pas plus roux que Nick, dit Richie.

Lui jetant un regard noir, Nick rétorqua :

— Ta gueule. Toi aussi, t'es rouquin.

— Que dalle. Moi, c'est blond vénitien.

Ils s'enfermèrent dans le silence. Connie s'interrogeait : « Faut-il parler ? » Au fond, ça lui était égal. Elle s'amusait à regarder les autres, devant la maison. Jordan avait dû mettre l'iPod en mode aléatoire, car juste après les Kaiser Chiefs et Kraftwerk, tout le monde s'anima sur le riff d'enfer de *Seven Nation Army* des White Stripes. Nick et Richie se disputèrent pour savoir lequel de deux albums, *Elephant* ou *De Stijl*, était le meilleur. Hector aimait bien les White Stripes. Ce naze. Trop vieux pour réellement les apprécier. Connie remarqua Ali, à quelques mètres, qui roulait un autre joint. Elle se leva.

— Je vais à l'intérieur, dit-elle en souriant à Nick. Merci pour le siège et le pull-over. Tu es un vrai gentleman.

Ça faisait très chic. Ça devait être la robe.

En passant devant la piscine, elle prit le joint des mains d'Ali. Il sentait lui aussi l'après-rasage, mais l'odeur était discrète, avec un fond de tabac – celui du tabac à pipe, imagina Connie. Elle tira deux taffes en vitesse et lui rendit le pétard. Leurs doigts se touchèrent. Sous le débardeur, Ali avait un torse lisse et musclé, comme ses bras. Elle se demanda s'il se rasait. « Les Libanais sont poilus, en général, non ? »

— Merci.

Il chuchota quelques mots d'arabe.

— Qu'est-ce que ça veut dire ?

Ali ne répondit pas. Connie haussa les épaules, puis rejoignit Jenna et Tina qui, assises à la table, écoutaient Lenin et Tara débattre de politique. Connie s'assit sur les genoux de Tina. Furieux que Tara donne son premier vote au Parti libéral, Lenin opinait du chef et la traitait d'attardée mentale. « Putain, mais donne-moi une alternative, une vraie alternative ! » rétorqua Tara. Les filles crièrent pour qu'ils la ferment. Costa et Blake se mirent à scander : « Font chier ! Font chier ! Font chier ! » Connie murmura à l'oreille de son amie :

— On se barre.

Un petit signe à Tina, et elles s'éclipsèrent.

Quand elles eurent refermé la baie vitrée de la cuisine, Jenna les prit chacune par la main et les entraîna d'un bon pas à travers la maison. Elles arrivèrent à la chambre des parents, passèrent dans le dressing, débouchèrent dans la salle de bains contiguë. Connie admira le carrelage blanc, l'antique baignoire grecque, émaillée de bleu, qui trônait au centre de la pièce sur ses quatre pieds de fonte, et enfin le miroir qui couvrait tout un mur.

Jenna referma la porte et lâcha un cri aigu.

— Oh waouh, ce qu'il est bon, cet ecsta !

Assise sur le bord de la baignoire, Tina hochait vigoureusement la tête.

— Incroyable, dit-elle. Dommage qu'on n'en ait pas d'autres.

— Tant pis pour toi, ma poule, fallait y penser avant.

Jenna se colla au dos de Connie et elles se regardèrent dans la glace. Jenna enfouit son nez dans ses cheveux et lui embrassa l'épaule.

— T'as l'air d'une star à Hollywood.

Tina se releva pour les prendre toutes les deux dans ses bras.

— Vous êtes mes meilleures copines.

Connie l'embrassa sur la joue.

— Mes meilleures copines, pour la vie.

Jenna reposa ses lèvres sur l'épaule de Connie.

— Pour moi aussi.

Brusquement, elle tâta le sein gauche de Connie.

— Tiens, comment ils sont, tes nichons ?

Connie frissonna. Ce n'était pas désagréable. Jenna avait encore les doigts autour du téton. Connie observa leur image dans la glace. Leurs visages se touchaient presque. Allaient-elles s'embrasser ? Jenna se détacha, sortit un paquet de cigarettes de sa poche et en alluma une.

— C'était limite lesbo, non ? Maman m'aurait demandé une photo. Je crois que je pourrais faire n'importe quoi sous ecsta.

— On peut fumer, ici ?

Inquiète, Tina étudiait la pièce.

Jenna sortit deux autres clopes du paquet et les offrit.

— Jordan m'a dit que son père fumait dans son bain. On s'en fout, dit-elle en faisant la grimace. C'est la bohème, c'te piaule.

Connie alluma sa cigarette en lorgnant sur la baignoire.

— Je prendrais bien un bain. Ce qu'elle est grande !

— Chiche !

Connie regarda Jenna.

— Tu rigoles ?

— Non.

Connie rejeta l'idée.

— Impossible, dit-elle, les yeux baissés sur sa robe. Il faudrait que je la remette ensuite, et ça prendra des heures.

Jenna hocha lentement la tête.

— Tu te la pètes grave, avec ça, mais t'es pas à l'aise dans tes baskets, dit-elle avant d'ouvrir la porte. Allez, on y retourne. J'espère que Lenin et Tara ont arrêté de se prendre le chou.

Et elle éteignit la lumière.

— Ouais, fit Tina en repassant dans la chambre. Ou qu'il l'a assommée, cette conne.

À dix heures et demie, tout le monde était soûl, défoncé ou les deux. Jordan avait sorti ses platines, et se relayait avec Ali pour faire le DJ. Au lieu de boire du bourbon comme d'habitude, Connie marchait à la vodka-citron vert. Elle était fantastique, elle ressemblait à Scarlett Johansson dans *Lost in Translation*, et jamais elle ne remercierait assez sa tante. Sans appétit, elle grignotait à gauche à droite, elle avait peur de salir sa robe. En fait, elle avait surtout envie de danser. Aidé par Costa et Lenin, Jordan avait poussé tous les meubles du salon contre les murs, allumé d'autres guirlandes électriques et recouvert le globe qui pendait au milieu de la pièce d'une énorme lanterne chinoise. Le plafond avait beau être très haut, la lanterne était si grosse que Lenin, de loin le plus grand de la bande, devait éviter de se trémousser en dessous. Faute de quoi, il l'envoyait valser et la lumière zigzaguait sur les danseurs. Jordan passait du vieux heavy-metal des années 70, du punk-rock assez violent ; et Ali du rap, de l'afro-américain, de l'électro, et les tubes du moment. Connie dansait. Sur Justin et Christina, sur

Eminem, sur 50 Cent ; elle ôta ses chaussures et bondit sur les Arctic Monkeys et Wolfmother. Elle oscillait au rythme d'un vieux Usher, *You Make Me Wanna*, quand Ali la rejoignit. Les yeux fermés, elle sentait son corps à proximité du sien. Il tournait autour d'elle, lentement et sûr de lui. Il savait se déhancher, quoi faire de ses bras et ses jambes. Un bon danseur. Elle se rapprocha de lui. Il chantait silencieusement les paroles ; une goutte de sueur, une larme, glissait sur sa poitrine. Connie se demanda quel goût cela aurait. C'était bientôt la fin du morceau, et Ali se précipita sur les platines. Les yeux fermés, elle continua à onduler en rythme. Il ne fallait pas penser à Hector, non, ne pas penser à lui. Les haut-parleurs libérèrent les syncopes de Destiny's Child. Rouvrant les yeux, Connie repéra Ali, derrière la sono, qui lui souriait timidement. Elle leva les bras en lâchant un cri de joie. Il la rejoignit.

À minuit, Jenna était en larmes dans la véranda, côté rue. Melbourne scintillait en bas de la colline, Jenna sanglotait dans les bras de Connie, pendant que Tina, assise près d'elle, lui passait une main dans les cheveux. Adossé au mur devant elles, Lenin se dressait de toute sa hauteur, un seau et un balai-brosse à ses pieds. Le clair de lune et les lumières de la ville nimbaient ses boucles folles d'une lueur orangée. Il avait quelque chose d'angélique, pensa Connie. Jenna avait vomi, c'est lui qui avait nettoyé. Jenna était dans tous ses états, car Jordan avait emmené Veronica Fink dans sa chambre. Personne n'avait de doute sur ce qu'ils y faisaient.

— Mais pourquoi ? gémit Jenna en se redressant.

Ce qu'elle répétait en pleurant depuis dix minutes.

Lenin haussa les épaules.

— Jenna, je t'ai déjà expliqué, c'est des copains de baise. Pas comme entre toi et lui, c'est pas une relation sérieuse.

Elle se leva en prenant soin de ne pas perdre l'équilibre, essuya son menton et ses lèvres d'un geste furieux.

— Alors c'est quoi, entre lui et moi, merde ! Ça veut dire quoi ? Il la saute, cette conne de Veronica. Mais pas moi ! Dans ce cas, c'est eux qui ont une relation sérieuse. Et moi, que dalle, je suis juste la bonne copine à baiser.

Ses derniers mots se perdirent, car elle recommençait à chialer. Connie la serra plus fort. Sa robe était un peu sale, mais qu'importe, sa meilleure amie était en train de craquer. D'ailleurs, tout le monde était ivre, s'en foutait, on ne remarquerait rien. Elle observa Lenin qui, gêné, coupable, regardait la porte. Elle suivit son regard.

Jordan était là, qui lui chuchotait quelque chose. Lenin fit un geste à l'intention de Connie et Tina.

— Venez, dit-il.

Elles se mirent en mouvement et Jenna, perplexe, tourna la tête. Apercevant Jordan, elle croisa les bras.

— Va te faire mettre !

Il avança vers elle et lui tendit la main.

— Viens, on va se promener.

— Je t'ai dit d'aller te faire foutre !

Il gardait sa main tendue. Sur le pas de la porte, Connie se demandait s'il ne valait pas mieux rester et prendre soin de Jenna. Lenin la poussa gentiment et ils filèrent dans le couloir.

— Qu'ils s'arrangent tous les deux, murmura-t-il.

Le petit groupe retrouva les autres.

Connie n'avait plus guère envie de danser. Elle traversa la maison, direction le jardin. Nick et Richie étaient toujours plantés sur leurs caisses, près du feu. Elle s'assit sur les genoux de Richie, colla sa tête dans ses cheveux.

Il lui caressa les épaules.

— Tout va bien, Connie ?

— Mmm.

Elle se redressa.

— Jenna et Jordan sont en train de s'engueuler, dit-elle avec un sourire à Nick. Alors, ce trip ?

Cercic fit une grimace enthousiaste. Il rayonnait. Connie se marra.

— Vous en avez repris, non ?

Richie confirma.

— Tu en veux ?

Elle réfléchit. Le gros de l'ivresse sensorielle s'était dissipé, mais l'effet était encore là, chaleureux, sécurisant, euphorique. En fait, elle se sentait un peu soûle. Connie hocha la tête à contrecœur.

— Nan, je serais complètement déchirée.

— C'est comme ça que c'est bon, dit Nick avec une véhémence qui surprit ses compagnons. Je veux rester comme ça jusqu'à la fin de ma vie. Ne plus jamais être normal.

— T'es pas normal, toi, d'façon, lâcha Richie.

Nick lui jeta un regard torve.

— Qu'est-ce que tu veux dire ?

Connie intervint.

— Qu'est-ce que ça peut faire, d'être normal ? C'est mieux d'être différent, de ne pas ressembler à tout le monde. Qui a envie d'être normal dans l'Australie de John Howard ?

Richie émit un bruit obscène.

— Tous les glands dans le jardin, là-bas. Moi, ça me plaît que tu sois pas normal, mon gars.

Doigt provoc' de Connie.

— Je le trouve assez normal, Nick, moi. C'est plutôt toi, le problème.

— Merci beaucoup, la remercia Richie.

Elle lui passa les bras autour du cou.

— Je ne veux pas que tu sois normal. Jamais.

Sans dire un mot, Nick s'éloigna d'un pas incertain le long de l'allée.

— Encore la pause pipi ?

Richie confirma en s'esclaffant.

— Il y a passé la soirée. Je lui ai conseillé le jardin, ça ne dérange personne.

Il indiqua, derrière les eucalyptus, une rangée de buissons et de plants de jasmin fanés, parallèles à la clôture.

— J'ai fait ça là, conclut-il.

Connie étudia le ciel. Les nuages voilaient la lune et les étoiles.

— J'aimerais arriver à pisser debout.

— C'est peut-être pas impossible.

— Pas avec cette robe, ça me complique la tâche.

Richie la repoussa.

— Je suis trop lourde ?

— Ouaip, t'as un gros cul.

Il pêcha dans sa poche un petit tas de papiers déchirés. Qu'il lui tendit.

— Qu'est-ce que c'est ?

— La photo d'Hector.

Elle se tut. Elle avait envie de lui dire : « Oublie tout ce que je t'ai raconté, cet après-midi. » Et de s'excuser, et qu'il en fasse autant. Connie savait qu'il ne le ferait pas, qu'elle-même en serait incapable. Richie se leva et jeta les restes de la photo dans le feu. Ils s'enflammèrent, dansèrent un instant au-dessus du baril, se rétractèrent sous l'effet de la chaleur. L'odeur était âcre, chimique. Connie tenta de se rappeler à quoi ressemblait Hector sur cette photo. Il était jeune, comme Richie, comme Nick, Jenna, Ali. Comme elle. Sauf qu'il ne l'était plus. Elle étudia les cendres noires. Elle aurait tant aimé se détacher de lui, aussi simplement que ça, le retirer de son corps. « Il ne veut pas de moi. » Cela faisait toujours mal, comme une brûlure. Elle revit le soulagement dans son regard, lorsqu'il lui avait dit que c'était fini. Elle l'avait traité de gorille. C'était bête, puéril. Elle était ravie de voir ces flammes danser, camoufler son humiliation.

— Connie, ça va ? dit Rich.

Elle recula, reprit place sur ses genoux, posa la tête sur son épaule. Il lui caressa la joue.

Nick, revenu, se tenait devant l'autre caisse.

— Tu veux t'asseoir ? proposa-t-il, mal à l'aise. Je peux me mettre dans l'herbe.

Il écarquillait les yeux comme un animal effrayé et vulnérable. Connie se demanda s'ils étaient aussi bons que ça, leurs champis.

Elle se releva.

— J'ai froid. Je rentre. Vous devriez aller danser.

Richie refit le même bruit obscène que tout à l'heure.

— Pas avec ces connards.

— Ils sont cool.

Il se tourna vers Nick.

— Tu vois, je t'avais dit qu'elle faisait partie des réplicants[1]. Ceux qui ressemblent aux normaux.

Ce qu'il pouvait être con, parfois. Tout le monde était cool, ce soir, de bonne humeur. Elle les aimait tous.

Connie tendit la main à Nick.

— Viens danser.

Affolé, le garçon hocha la tête.

1. Référence au film *Blade Runner*.

— Je ne danse pas très bien.

— On s'en fout, c'est pas un concours.

— Nan, j'aurais l'air d'un taré.

— T'es pas un taré.

— Si. Il est aussi taré que moi, dit Rich.

La main toujours tendue, Connie ne répondit pas.

Nick se rassit sur la caisse et contempla la pelouse.

Elle haussa les épaules.

— OK, à plus.

Elle entendit Richie chanter dans son dos, assez faux, *Freak Like Me*[1] des Sugarcubes.

— Ta gueule, lui dit Nick.

Richie continua.

— Tu veux fumer ?

C'était Ali. Elle dit oui. Il prit sa main – la sienne, immense, la recouvrait entièrement – et l'entraîna vers une porte au fond du couloir, qu'il referma derrière eux. Il faisait sombre. On n'entendait soudain plus rien, ni les autres, ni la musique. Ali alluma la lumière. C'était une chambre.

— Qui dort ici ?

— C'est la chambre d'amis.

— Waouh, ce qu'elle est grande !

Tout l'était – le lit double, la reproduction du Manet au mur –, sauf le petit bouddha allongé, en or, sur le secrétaire. Ali s'assit en tailleur au milieu du lit, sortit son tabac, ses feuilles, une minuscule boulette de shit, et commença à rouler. Connie, embarrassée, se demandait où se poser. Elle retira ses chaussures, prit place au bord du lit, et le regarda faire. Impossible de s'asseoir en tailleur avec cette robe.

— Tu es si jolie, ce soir, dit Ali à voix basse.

1. « Taré comme moi. »

Elle effleura une de ses mèches et un peu de gel resta collé au bout de ses doigts. Son maquillage avait sûrement coulé, elle avait sué en dansant. Connie chercha un miroir quelque part. Lisant dans ses pensées, Ali lui montra une porte rouge, à la peinture écaillée et fanée.

— La salle de bains est là.

Elle alla se laver le visage et se repeigner. Recula pour mieux se voir dans la glace : elle n'avait pas si mauvaise allure. La robe miroitait légèrement sous le faible éclairage. Connie commençait à avoir des contractions aux mâchoires, elle aurait bientôt besoin d'un autre verre. Il faudrait éviter de fumer, les cigarettes lui desséchaient les lèvres, et elle aurait demain une haleine effroyable. Elle ouvrit grand la bouche. Avait-elle les dents jaunes ? Ce sourire était trop grand pour sa petite tête. Elle aurait aimé des lèvres plus fines, des dents plus courtes. Mais la robe était superbe.

Connie revint s'installer sur le lit. Ali lui tendit son pétard et l'alluma. Après quelques bouffées, elle ressentit dans tout le corps l'effet apaisant du hasch. Elle lui rendit le joint et s'allongea. Il l'enjamba, gagna la salle de bains, d'où il rapporta un petit croissant de verre, garni de galets et de coquillages, qu'il vida sur le bureau. Il avait trouvé un cendrier.

— Les parents de Jordan ne sont pas rentrés ?

Minuit devait être passé depuis longtemps, le film était forcément terminé. La maison puait l'herbe et le tabac.

— Non. Athanasiou a réservé une chambre dans un hôtel en ville. Ils ne reviennent que demain matin.

— Ils font drôlement confiance à Jordan.

— Ils peuvent. Ce n'est pas un imbécile. Ils savent que ça ne sera pas le foutoir.

Connie examina le plafond – un plafond à l'ancienne, avec une rosace au milieu et des moulures autour de la pièce, représentant des guirlandes de fleurs et de feuilles, qu'on avait peintes en rouge, jaune, vert et blanc. On aurait dit une aquarelle. Ali repassa le joint à Connie, qui le dévisagea. Ses cheveux étaient mouillés par la sueur, et il n'avait pas un seul bouton sur sa peau cannelle. Lui aussi avait une grande bouche, mais elle convenait à son visage. Il aurait pu être mannequin, sauf qu'il n'avait rien de doux, ni de féminin. Il était assez directif, comme garçon. Elle tourna le mot dans sa tête. *Directif.* Elle avait un peu peur de rester seule avec lui.

— Pourquoi tu me regardes ?

— Pour rien.

À peine une taffe et elle lui rendit le pétard.

— Je me demandais comment vous étiez devenus copains, avec Jordan.

— Parce que, lui, c'est une tronche, et moi un connard de mus' ?

Connie rougit. Jusqu'au cou, elle s'en rendait compte. Elle était mal à l'aise car, dans un sens, ce n'était pas loin de ce qu'elle pensait – qu'il soit musulman, elle s'en moquait, et il n'était pas bête. Non, c'est surtout qu'il n'avait pas le genre intello. Ali s'amusa de la voir gênée.

— On se connaît depuis qu'on est mômes. On jouait au foot ensemble chez les poussins.

— Non ?

Féru d'arts et de littérature, Jordan avait déposé un dossier au Victorian College of the Arts pour étudier le cinéma, la comédie ou quelque chose. Jordan Athanasiou n'avait rien d'un sportif.

— Il n'était pas très bon, mais il n'était pas con.

Ali écrasa le joint dans le cendrier improvisé.

— La plupart des gens sont des crétins, dit-il.

Il se dressa sur ses genoux et la regarda.

— Pas toi, assura-t-il.

Il paraissait immense, un géant au-dessus d'elle.

— Connie, je vais t'embrasser.

Sa bouche était dure et douce à la fois. Elle s'abandonna – langue, lèvres, dents, salive. Se rappela qu'Hector hésitait toujours avant de l'embrasser. Il se retenait. De son côté, elle se trouvait trop agressive, trop empressée. Ali savait ce qu'il voulait, ses mains, ses hanches suivaient sa bouche. Connie aurait pu continuer toute la nuit. Jamais elle ne se serait doutée que c'était aussi simple, aussi naturel. Elle ne pensait à rien – mais son esprit n'était pas détaché de son corps. Ils formaient un baiser à tous deux. Il n'y avait que ce baiser.

— Je peux te sauter ?

Elle n'en demandait pas tant, mais elle fit signe que oui. Voilà, ça serait la première fois. Avec ce beau mec brun que, quelques jours plus tôt, elle prenait pour un macho arrogant. Elle avait peur mais elle hocha la tête. Ce serait maintenant. Elle était ivre. « Non, je ne vomirai pas », se dit-elle. Elle toucha sa peau. Ne pas oublier qu'elle était douce. Elle toucha le débardeur. Il faudrait se rappeler le tissu rêche, mélange de coton et de polyester, le grand numéro 3 sur le devant. Les guirlandes au plafond, le bouddha allongé, l'odeur du shit. Écrire tout ça en rentrant à la maison. Ne pas oublier de tout, tout, tout consigner dans son journal.

Ali avait défait sa ceinture et baissé son pantalon sur ses genoux. Il bandait lorsqu'il fit glisser son slip noir. Il avait l'air bien pourvu. Elle devrait faire semblant de ne pas souffrir. Ne rien dire si cela faisait mal. Gênée, elle préféra relever les yeux. Il lui souriait. D'une main, il caressa son visage, pendant que l'autre remontait vers l'intérieur des cuisses.

— Tu prends la pilule, je suppose ?

« Lui mentir ? Non, jamais de la vie ! »

— Non.

— Merde.

Un doigt sur son pubis, il paraissait hésiter. Avait-elle trop de poils ? C'était ça ? De sa main libre, il sortit un préservatif de sa poche.

— Mets-le-moi, ordonna-t-il.

Lorsqu'elles étaient en classe de troisième, Connie et Tina s'étaient un jour entraînées avec une banane et elles avaient rigolé tout l'après-midi. Connie ne parvint pas à ouvrir l'emballage. Ali le lui reprit, le déchira avec les dents, puis la tira vers lui, jusqu'à ce qu'ils soient face à face.

— Allez, chérie, tu m'excites grave.

Lorsqu'ils s'embrassaient, un instant plus tôt, Connie était là tout entière. Maintenant ses idées flottaient au-dessus de son corps, contemplaient la scène. Ali parlait comme un film porno, un mauvais sample de rap, un idiot. Elle se sentait un peu bête. Ses mains étaient froides, maladroites, elle dégagea le petit rouleau de plastique collant, mais impossible de le dérouler sur le gland. Ali commençait à perdre de sa vigueur. Il posa sur elle un regard interrogateur.

— Tu n'as jamais fait ça, hein ?

Elle rougissait de nouveau.

— C'est les garçons qui le font, en général.

Il sembla acquiescer et lui reprit la capote. Par bonheur, il n'avait plus un air lascif, mais tout bonnement embarrassé.

— Connie, dit-il doucement. Tu veux me sucer ? Juste pour me faire bander.

Elle ne résista pas. Il la guida gentiment vers son sexe, sans forcer, et elle se laissa faire. Voilà ce que font les filles. Ce qu'elle aurait tant voulu faire à

Hector. Elle flaira l'odeur, qui ne lui rappelait rien. Cela sentait la chair, mais ce n'était pas une odeur humaine qu'elle connaissait déjà.

Elle se ravisa, se rassit.

— Non.

Elle ne pouvait s'y résoudre. Sans vraiment savoir pourquoi. Ça faisait trop salope, ou c'était trop intime. Beaucoup plus intime que se faire sauter.

Connie hocha la tête.

— Désolée.

Ali l'étudiait curieusement.

Elle était mortifiée – vierge, et pathétique par-dessus le marché.

— C'est pas grave. Embrasse-moi encore.

Ce qu'ils firent, allongés l'un contre l'autre. Connie réintégra son corps. Attira Ali plus près d'elle. S'ils avaient pu en rester là. Il tâtonnait avec le préservatif, et elle ne voulait pas y penser. Plutôt se concentrer sur sa bouche, son goût de bière, d'herbe, le chewing-gum à la menthe. Elle sentit sa main entre ses jambes, puis un doigt dans son vagin. Elle tourna la tête et grogna. Il lui tenait gentiment la nuque dans son autre main, si grande. Il répéta :

— Qu'est-ce que tu es jolie.

Il tenta de la pénétrer.

Elle cria. Comme si un couteau venait de la transpercer. Il essaya une deuxième fois, elle tressaillit, cria encore – un gémissement étrange, semblable à celui des chiens lorsqu'ils se réveillent, terrifiés, d'une anesthésie. Ali se retira et elle joignit ses mains entre ses cuisses. Elle avait l'impression d'être écorchée, elle avait honte, elle était en larmes. Ali la serra contre lui. Elle pleura contre sa poitrine. Il la serra plus fort. Lentement, très lentement, la douleur recula. Connie se cramponnait à lui, ne voulait pas voir son visage.

— Connie, Connie ! dit-il enfin, pressant, mais toujours doux. J'ai le pied tout engourdi !

À contrecœur, elle se détacha de lui. Il se redressa et se tapa sur le mollet. Il avait encore son slip et son jean à hauteur des genoux. Connie remonta sa culotte, puis tâta ses cuisses, ses jambes, le dessus-de-lit. Il n'y avait pas de sang. Ali fit la grimace, et se leva entièrement.

— Je vais pisser. Tu restes là, s'il te plaît ?

Elle eut envie de rire. Il bandait toujours.

Il insista :

— Tu promets ?

— Je promets.

Elle rit franchement lorsque, le pantalon sur les chevilles, il se dirigea à cloche-pied vers la salle de bains. Sa queue rebondissait en rythme. Ça lui rappelait les disputes de Terrance et Phillip dans *South Park*.

En son absence, elle essuya ses joues et ses yeux sur la taie d'oreiller. Elle devait avoir une sale gueule. Ça serait peut-être bien de partir. Mais elle resta immobile, les yeux rivés sur la porte derrière laquelle il avait disparu. Elle ne voulait pas affronter les autres toute seule. Ils s'étaient éclipsés ensemble, et tout le monde ferait des commentaires. Non, elle ne supporterait pas ça.

Elle entendit la chasse d'eau. Ali revint, tout habillé. Connie regarda le parquet, les lattes bien cirées, la laine épaisse du tapis à fleurs, aux mêmes couleurs que les moulures du plafond.

Il s'assit près d'elle. Posa un bras sur son épaule.

— Tu es vierge, hein ?

Elle ne répondit pas.

— Je suis content. Tu ne joues pas les salopes.

Ça la rendit furieuse.

— Ah, parce que j'en serais une, si tu m'avais baisée !

— Me sors pas ton couplet féministe. Tu n'es pas une salope.

— Oui, ça craint, les salopes, évidemment.

Elle s'écarta brusquement.

Il la tira vers lui.

— Non. Et tu es bien autre chose, dit-il avant de se lever et de lui prendre la main. Allez, viens, on va boire un coup.

Et il garda sa main jusqu'au bout – lorsqu'ils dansaient, qu'ils allaient remplir leurs verres. Il la gardait toujours à la fin de la soirée quand, dans le salon, ils n'étaient plus que quelques-uns – Jenna et Jordan, Tina, Veronica, Costa, Lenin et Casey – à écouter *Niño Rojo* de Devendra Banhart. Jordan avait posé la sienne sur les genoux de Jenna, assise à côté de lui sur le canapé. Veronica ne semblait pas s'en offusquer.

Jenna avait fait un clin d'œil à Connie en les voyant ressortir de la chambre d'amis. « Traînée », avait articulé silencieusement Tina, le sourire aux lèvres. Connie ne leur raconterait rien ce soir. Elle le ferait au lycée, et elle dirait la vérité. Renfrogné, Richie avait fait irruption et inspecté le salon. L'apercevant avec son compagnon, il s'était approché.

— Ça va, Rich ? avait demandé Ali.

Il l'avait ignoré.

— Je me barre, avait-il dit à Connie.

— Où est Nick ?

— Dans la rue, il m'attend.

— Dis-lui au revoir pour moi.

— Pff.

— Qu'est-ce qui ne va pas ?

— Tout va bien. T'es vraiment trop normale. T'es normale à pleurer, des fois.

Il lui en voulait. Connie ne comprenait pas pourquoi, mais n'avait pas envie de s'embêter avec ça maintenant.

— Je t'appelle demain.

— C'est ça.

Il avait tourné les talons sans la saluer.

— À plus, Richo ! avait dit Ali dans son dos.

Pas de réponse non plus.

— Il est jaloux ?

— Non, pas du tout.

— Il est amoureux de toi, c'est évident. Et depuis des années.

— Ce n'est pas ça.

— Eh ben ? Il est pédé ou quoi ?

Connie avait failli confirmer, mais s'était ravisée au dernier moment. Elle ne pouvait pas trahir Richie. Encore moins devant Ali. Richie ne se doutait pas que c'était un mec bien. Ces deux-là, elle en ferait des amis. Il fallait qu'ils s'entendent.

— Ce n'est pas ça, OK ?

Ali avait ouvert la bouche, et l'avait refermée.

— Qu'est-ce que tu allais dire ?

— Rien.

— Allez.

— Tu sais, quand je dis « pédé », ce n'est pas méchant de ma part. C'est comme si tu nous traitais de métèques, Costa et moi.

— Je ne vous traite pas de métèques.

— Tu comprends ce que je veux dire.

— Non, qu'est-ce que tu veux dire ?

Il gigotait à côté d'elle. Puis avait murmuré contre son oreille :

— Il paraît que ton père était gay.

— Bisexuel.

Sourire d'Ali.

— Oui, oh…

Il avait repris son sérieux.

— Je dis parfois des trucs sans réfléchir. Je m'en fous qu'un tel ou une telle soit ça ou ça. Ça serait cool que tu me croies.

— Je te crois, avait dit Connie avec un sourire ironique. Mon père t'aurait trouvé à son goût. Tu es exactement son type.

Ali l'avait embrassée.

Il la raccompagna chez elle, main dans la main, presque silencieusement. Jordan lui avait prêté un col roulé noir. Elle l'aimait bien en noir. Arrivé devant sa porte, il l'embrassa encore.

— Comment tu vas rentrer ?

— À pied.

— Jusqu'à Coburg ? Il y en a pour des heures.

— Nan. Quarante minutes, maximum.

Ils ne voulaient plus se lâcher. Ali, mal à l'aise, se balançait d'un pied sur l'autre. Quand finalement il retira sa main, Connie eut une sensation de vide – la sienne paraissait molle, froide, sans vie. Elle pensa, terrifiée, à ce qu'elle lui dirait lundi au lycée. Il continuait de se dandiner.

— On pourrait aller au cinéma ?

— Quand ?

Avait-elle couiné comme une chèvre ? « Oui, comme une chèvre. »

— Vendredi soir ?

— Ouais. Sûr.

— Super.

Il l'embrassa tendrement sur les lèvres.

— À lundi, lui dit-il.

Elle le regarda partir dans la rue, les mains dans les poches. Arrivé à hauteur d'un réverbère, il se retourna et lui fit signe. Elle y répondit. Il avait l'air d'un petit garçon. Elle inséra sa clé dans la serrure.

Il y avait de la lumière sous la porte de Tasha. Connie frappa doucement.

— Entre.

Sa tante lisait au lit.

— Je n'arrive pas à dormir, dit Tasha.

— Excuse-moi. Il est tard, non ?

— Trois heures et demie. Pour un samedi soir, ça va. C'était bien ?

Connie souleva la couette et se glissa près de sa tante.

— Je crois qu'on vient de m'inviter au cinéma.

— C'est qui ?

— Il s'appelle Ali.

— La fille de son père.

— Il est vraiment sympa, Tash.

— Je verrai ça par moi-même. Il a craqué sur ta robe ?

Connie étudia la pièce – la pile de livres près du lit, les vieux posters féministes et socialos sur les murs, la Vierge catholique à l'Enfant dans les bras. L'atmosphère était chaleureuse, apaisante.

— Tu ne te sens jamais seule, Tash ?

— Non. Tu es là.

— Si tu ne t'occupais pas de moi, tu aurais quelqu'un dans ta vie, non ?

Tasha ne dit rien.

Connie se tourna vers elle.

— Je n'ai pas complètement tort ?

— C'est possible. Mais je pourrais aussi bien vivre seule dans cette maison. J'avais trente-sept ans quand je t'ai prise sous ma coupe, j'en ai quarante-deux aujourd'hui. Je n'avais pas trouvé de prince Ali à trente-cinq ans, je le trouverai peut-être à quarante-trois. Ça m'est un peu égal. Je t'ai, toi, et j'estime que j'ai de la chance.

Elle se pencha pour embrasser sa nièce.

— Maintenant, au lit, lui dit-elle. Tu voulais t'assurer de mon affection. Et tu l'as, tu le sais bien.

Connie bondit hors du lit en souriant.

— J'envoie juste un petit mot à Zara et je me couche.

Faute d'arriver à s'endormir, Connie alluma l'ordinateur, puis ouvrit le tiroir du bas de son bureau. Sous les petits pots de correcteur liquide, les post-it, les blocs-notes et les crayons se trouvait une boîte en fer, avec le portrait d'un prince Charles et d'une Lady Di souriants. La boîte était assez vieille pour qu'elle n'ait plus de nez, et lui plus de menton. Connie retira le couvercle, écarta les papiers, cartes postales, tickets périmés de concerts – Placebo et Snoop Dog. La lettre était au fond, à sa place. Tasha ignorait qu'elle en avait un exemplaire. Luke l'avait donnée à Connie, sur son lit d'hôpital à Londres, avant de mourir. « C'est une copie, lui avait-il dit. Une copie de celle que j'ai envoyée à ta tante. Elle m'a répondu, et la réponse est oui. »

Connie commença à lire.

Ma chère sœur,

Je t'écris pour te demander de prendre soin de mon enfant, ma fille, qui est toute ma vie. Je sais bien que je ne te donne plus de nouvelles depuis des lustres, mais j'espère que l'affection que tu m'as toujours témoignée – non, je ne l'ai pas souvent méritée – vaudra aussi pour ta nièce. Elle est épatante, Tasha, c'est vraiment une gamine géniale.

Je suis sur le point de mourir – en fait, depuis des années. C'est une des raisons pour lesquelles j'ai gardé mes distances. Je savais pouvoir compter sur ta gentillesse, mais je n'attendais guère de compréhension de la part de Peter et de papa. C'est en 1989 qu'on m'a déclaré séropositif. Souviens-toi, j'étais venu vous rendre visite. Tu étais fâchée, car ma présence était source d'anxiété et de conflits, disais-tu. J'ai été cassant avec toi aussi, et tu m'as révélé plus tard, à Londres, que tu m'avais trouvé cruel et arrogant, ce que tu attribuais à l'Angleterre. J'aurais dû t'expliquer à ce moment-là ce qui m'arrivait, mais j'avais peur, et maman m'a supplié de ne pas le faire. Oui, elle savait. Elle avait honte, mais elle s'est très bien comportée. Et non, bien sûr, elle n'a jamais rien dit à papa.

Connie n'a rien. Elle a sans doute été conçue avant que Marina ou moi ayons contracté le virus. Ou alors, et remercions Dieu, elle a eu beaucoup de chance.

Oh, frangine, je dois encore résister à l'impulsion de mentir. Même si près de la fin, je reste un dégonflé qui se cache derrière une lettre. C'est moi *qui ai contaminé Marina. Je suis sûr du moment précis où le virus est entré dans mon corps. Évidemment, c'était à Soho, dans les toilettes d'une boîte, au tréfonds du Londres des pédés. Un dénommé Joseph m'a fait un shoot d'héroïne. J'étais soûl, j'étais épris de sa beauté, j'avais profondément envie de baiser un mec ce soir-là. Ce qu'on n'a pas fait – à cause de l'héro, justement – mais, le voyant me planter sa seringue dans le bras, je savais qu'il m'empoisonnait.*

Maintenant la partie la plus dure à lire. Toujours la plus dure.

Pendant un an ensuite, j'ai baisé Marina comme un fou, souvent, en espérant, je suppose, qu'un miracle nous sauverait. Elle est morte, comme tu le sais, il y a cinq ans. Je ne lui ai jamais avoué ce que je t'écris, et elle ne m'a jamais rien reproché. Sans doute ne l'aurait-elle pas fait non plus, si je lui avais tout dit. Qui sait où ses propres penchants la menaient !

C'est vraiment une confession que je t'envoie, hein ? Marina s'était convertie au bouddhisme sur le tard, mais moi, je vis toujours dans la crainte d'un Dieu unique et rigide. Non que j'aie été un mauvais homme, loin de là. Je ne me crois pas voué aux flammes éternelles de l'enfer, mais je ne peux m'ôter de l'idée que les vieux patriarches sont détenteurs d'une logique et d'une vérité. J'ai si peu obéi dans mon existence. Je ne suis pas quelqu'un de très éclairé.

Connie aura bientôt quatorze ans, elle poursuit sa scolarité dans un collège du sud de Londres. Elle est intelligente, elle réussit brillamment et, comme on peut s'y attendre, elle est très en avance sur son âge. La façon dont elle a affronté le décès de sa mère, dont elle affronte aujourd'hui ma maladie, a quelque chose de sidérant. Si parmi ses amis, certains ont des préjugés, ou se distinguent par leur ignorance, elle n'en montre rien. Je crois plutôt qu'elle a le soutien de ses camarades. La mère d'Allen est lesbienne, et sa meilleure amie, Zara, est une jeune Turque vraiment super. (Zara a économisé deux ans sur son argent de poche pour se payer un T-shirt Prada ! Ce n'est pas tellement le T-shirt qui m'impressionne, mais la volonté de cette petite, bien que cette tendance à s'afficher dans une marque ait tout pour me déplaire.)

Je ne sais pas si tu fréquentes beaucoup d'ados, sœurette, mais je les trouve fascinants, et dans un sens encourageants. Notre génération ne m'inspire pas les mêmes sentiments. Je n'idéalise pas pour autant les gamins d'aujourd'hui – ils sont super durs, en tout point les enfants de Thatcher, malgré les lieux communs écolos et antiracistes qu'ils aiment à répéter. Quiconque n'a pas les capacités, pour une raison ou une autre, d'aspirer à la réussite est aussitôt catalogué. Même les mômes des cités qui lorgnent sur Connie se moquent de ceux qui ne s'imaginent pas chef d'entreprise dans une voiture de sport. Mais ils ne sont pas hypocrites et, contrairement à nous, ils ne prétendent pas en savoir plus qu'ils ne savent réellement. Ils ne parlent qu'en leur nom propre. Nos petits Australiens sortent-ils du même moule ?

Il pleut et je vais bientôt avoir la visite de mon infirmière de jour. Elle me coûte près de la moitié de mon chômage. Oui, je suis toujours chômeur – ce qu'il n'est pas utile de répéter à papa. A-t-il pris sa retraite ou enchaîne-t-il encore les chantiers comme il enchaîne les verres, tout en se plaignant que ses enfants ne sachent pas ce que c'est de travailler ? Quelle connerie ! J'ai su très vite ce que ça voulait dire et je me suis bien promis de ne jamais l'imiter, de ne pas me briser le dos comme lui. De ne pas sacrifier mon corps, de ne pas me noyer dans l'amertume. Enfin, si, je suis devenu amer, mais pas de la même façon. Contrairement à lui, je ne regrette pas les choses que je n'ai pas faites, plutôt celles que j'ai faites. J'ai beau dire que j'ai fini par accepter cette maladie de merde, en réalité je repense sans arrêt au jour où je l'ai contractée. Je regrette cette boîte où j'étais, je regrette de m'être laissé séduire par ce type, je regrette d'avoir par-

tagé cette seringue, et plus que tout, plus que tout, je regrette d'avoir continué à coucher avec Marina. Je regrette d'avoir été si lâche.

Prie pour moi, frangine. J'ai réellement peur du bon Dieu.

Connie n'est au courant de rien. Elle sait que vous êtes tous là-bas en Australie, et que j'ai beaucoup d'amour pour ma petite sœur. Si tu ne peux l'accueillir chez toi, je te le dis sincèrement : il ne faut pas te sentir coupable. Ce n'est quand même pas ta fille, n'est-ce pas ? Connie ignore que je vais bientôt mourir, c'est pourquoi nous n'avons pas évoqué l'avenir. Si c'est trop difficile pour toi, il y a toujours la tante de Marina, qui vit à Lancaster, dans le nord-ouest de l'Angleterre. C'est une femme généreuse qui se dévouera pour elle. Je souhaite que Connie connaisse son oncle et son grand-père, mais je ne veux pas les laisser, l'un ou l'autre, décider de ce que fera ma fille. De tout le clan, il n'y a que toi en qui j'ai confiance.

Tasha, si pour quelque raison que ce soit tu ne peux la prendre avec toi, auras-tu la gentillesse de garder le contact avec elle ? Marina et moi n'avons pas été des modèles de parents, cependant nous avons réussi à mettre un peu d'argent de côté. Cela représente cinq mille livres. Par ailleurs, tout est prêt pour mes obsèques, qui sont déjà payées, et il n'y aura pas de dettes à régler. Je serai incinéré et enterré à Londres. Je n'ai pas le mal du pays... D'après ce qu'on entend ici, certaines choses n'ont pas beaucoup changé là-bas. Nos petits nègres se font toujours avoir, hein ? Non, je suis plus qu'heureux d'être enterré ici.

Frangine, je sais qu'on ne va pas loin avec cinq mille livres, je sais que je te demande la lune. Mais je crois que tu aimeras Connie. Je lui ai rappelé la dernière fois que vous vous êtes vues, il y a si longtemps – elle n'avait pas cinq ans. Tu lui disais que tu avais peur de prendre le métro le soir. Tu te souviens de ce qu'elle t'a répondu ? « Mais, tante Tasha, le soir, c'est mieux éclairé, alors c'est moins dangereux. » Elle n'est vraiment pas très exigeante. À mon grand étonnement, elle m'a demandé l'autre jour si j'avais des disques de Simon and Garfunkel. J'aurais cru que, en bonne Londonienne, elle ne connaissait que le hip-hop et la dance. *Elle s'intéresse aux années hippies ! Elle m'a parlé aussi de Joni Mitchell et de Fleetwood Mac. Où a-t-elle écouté ça ? Sur Radio 2 ? Quand même pas ?*

« Si, papa, sur Radio 2. C'est ce qu'on mettait avec maman quand tu n'étais pas là. Je haïssais Joy Division, je haïssais les Clash, et la techno encore plus. En revanche, j'adorais Fleetwood Mac. »

Je vais bientôt mourir. Ça serait sympa que tu répondes à cette lettre aussi vite que possible. Je t'en prie, décide ce qui est le mieux pour toi, ce sera également le mieux pour Connie et moi. Tu peux bien sûr me téléphoner, mais j'ai peur, ma chérie, de fondre en larmes au son de ta voix et de ne plus pouvoir m'arrêter. Ma fille me traite de dinosaure parce que je ne me sers pas de l'Internet et des e-mails, mais après tout, c'est un des rares luxes qu'on accorde aux mourants : celui d'être partial. Comme tu le sais, j'ai toujours détesté la télé et le téléphone, et l'Internet me paraît être un horrible mélange des deux. À l'évidence, je n'étais pas fait pour ce nouveau siècle, et j'ai bien choisi mon moment pour partir.

S'il te plaît, écris. J'aurais aimé être un grand frère plus proche et plus attentif. Je t'ai négligée comme un minable. Je pleure au fil de ces lignes, et je me rappelle comment nous nous moquions de notre voisine, la vieille Mme Radiç, quand elle se lançait dans ses monologues sur l'exil et ses douleurs. Eh bien, je la comprends maintenant, tout au fond de moi. Pauvre Mme Radiç – au moins, ici on parle ma langue maternelle. Elle mettait son exil sur le compte de la pauvreté et de la guerre. Et moi, ne dois-je m'en prendre qu'à moi-même ?

Ma chère sœur, dis la vérité à notre frère et à notre père. Si, à son âge, Connie est capable de l'entendre, alors eux aussi. Je ne veux pas qu'elle grandisse dans le mensonge, je tiens à ce qu'elle connaisse ma famille, et que ma famille soit digne d'elle. Surtout ne lui mens jamais, jamais.

L'infirmière est là, qui me demande à qui j'écris. Je réponds que c'est à l'une des trois femmes que j'ai sincèrement aimées. Il y a Marina, ma Connie, et il y a toujours eu toi.

Je t'embrasse, Natasha.
Ton frère qui t'aime.
Luke

Connie replia la lettre et la replaça au fond de la boîte en fer. « Ting ! » fit l'ordinateur. Zara était en ligne. Séchant ses larmes, Connie se mit à lui raconter sa soirée en détail. Ne pas penser à Hector, non, elle n'y penserait pas. Elle parla de sa super robe, de Richie et Jenna et Jordan, et de son ecstasy. Sans oublier tout ce qui s'était passé avec Ali, tout ce qu'elle se rappelait soigneusement, son apparence, ses mots, son odeur, le goût de sa bouche. Elle rapporta tout à Zara.

Se réveillant à midi avec un bon mal de crâne, elle grogna en voyant ses livres et ses cahiers sur son bureau. Elle se traîna à la cuisine, où Tasha préparait le déjeuner. Des filets de saint-pierre attendaient dans un plat, et il flottait une odeur de citronnelle et de coriandre.

— Je ne peux rien manger.

— Mais si. Je ne sais pas ce que tu as avalé hier soir, mais je recommande le poisson, dit Tasha en lui tapotant un coin du crâne. C'est bon pour la cervelle. Ça fait remonter le taux de sérotonine.

Connie s'assit, lut la une du journal, et détacha le supplément télé.

— Je ne sors pas de la maison jusqu'à demain.

— Rosie a appelé. Elle veut que tu gardes Hugo mercredi.

— Pas de problème, dit Connie.

— Je lui ai dit que non.

— Oh, quelques heures, ça ira.

— Non. Tu as tes exams à la fin de l'année, il faut que tu les prépares. Tu en fais déjà trop. Je lui ai répondu que tu n'avais pas le temps. Je ne veux pas qu'ils se reposent sur toi.

— Rosie n'a pas la vie facile. Elle n'a pas de parents à Melbourne, et ils vont bientôt être convoqués au tribunal, elle ne pense plus qu'à ça.

— Il y en a qui se compliquent la vie tout seuls.

— Le type a frappé Hugo.

Tasha ne dit rien.

— Rien ne justifie qu'on se défoule sur un gosse. J'espère qu'ils le foutront en taule, dit Connie, revêche.

Tasha assaisonna ses filets.

— Tu vois, ce qui me gêne dans l'adolescence, c'est qu'elle rime souvent avec violence.

Connie ne releva pas. Sa tête lui faisait toujours mal, ça n'était pas le moment de se disputer. Elle pensait à Ali – elle n'avait pas son numéro, il n'avait pas le sien. Jordan le lui donnerait-il ? L'appellerait-il, ou attendraient-ils lundi, au lycée ? Elle regarda ce qu'il y avait à la télé aujourd'hui. Que des conneries.

— Tash, si je travaille deux ou trois heures cet aprèm, tu m'emmèneras au vidéostore ? Je vais avoir besoin d'un DVD.

Tasha fit chauffer l'huile dans le wok, où elle disposa les rondelles d'ail et de gingembre. Connie se rendit compte qu'elle n'avait presque rien mangé la veille. Elle se leva et enlaça sa tante.

— Je prends une douche en vitesse.

— Trois minutes, pas plus. Ça va être prêt. Et ça ne sert à rien de gaspiller l'eau.

— Trois minutes.

Connie fit volte-face à la porte.

— Il reste du chocolat ? demanda-t-elle.

Tasha se mordit la lèvre.

Connie fit une moue indignée.

— Tu as tout bouffé hier soir, hein ?

— OK, d'accord... On passera en acheter d'autre, et tu auras ton DVD.

— Merci, Tash. Tu es un amour. Je suis prête pour déjeuner dans un quart d'heure.

En fredonnant sur le chemin de la salle de bains, Connie entendit sa tante marmonner :

— Pour être violents, ils sont violents.

ROSIE

En se retenant bien aux bords de la baignoire, Rosie glissa dans l'eau brûlante. Laissant son corps se détendre peu à peu au contact de la chaleur, elle poussa un profond soupir et ferma les yeux au monde extérieur – gardant cependant une oreille attentive pour Hugo, qui regardait *Le Monde de Nemo* avec son père. Le petit devait être sur le dos, en train de pédaler dans le vide, pendant que Gary entamait sa deuxième bière, son bleu de travail déboutonné jusqu'à la taille. Rosie avait promis de ne pas se prélasser trop longtemps, pour que l'eau soit encore chaude pour lui. Elle entendait à peine les bruits du salon, les dialogues étouffés, les passages musicaux. Plus tôt dans la journée, Hugo avait déjà vu le film entièrement. C'était son préféré depuis quelques semaines, il le connaissait maintenant par cœur. Rosie jouait parfois avec son fils à Doris et Nemo. Elle aurait aimé prendre son bain avec lui (sauf que la température était trop élevée pour le petit bonhomme), ils auraient navigué dans les profondeurs bleues du monde sous-marin. Comme Doris, elle aurait fait semblant de tout oublier, en s'efforçant de ne pas rire quand Hugo, à son tour, aurait fini par s'énerver.

Rosie rouvrit brusquement les yeux. Merde, elle avait reçu la lettre à l'heure du déjeuner, en revenant du square. Elle avait pâli en lisant l'intitulé sec, qui précisait la date et l'heure de l'audience au tribunal d'instance de Heidelberg. Elle s'était vite assise car elle ne se sentait pas bien. Heureusement qu'Hugo était devant la télé, il n'avait pas besoin de la voir angoissée comme ça. Elle avait aussitôt téléphoné à l'aide juridique et, par chance, Margaret, leur avocate, était dans son bureau. « C'est une bonne nouvelle, avait assuré la jeune femme, on sait maintenant que ça sera bientôt fini. » Hébétée, Rosie avait raccroché. Quatre semaines, l'affaire serait conclue dans quatre semaines. Elle avait failli appeler Gary sur son portable, mais s'était vite ravisée, préférant mettre de l'ordre dans ses idées. Non, elle ne l'avertirait que vendredi. Cela ne faisait que deux jours à attendre, il valait mieux aborder le sujet plus tard, quand Gary aurait le week-end devant lui. Si elle lui en parlait maintenant, il se mettrait à boire, il ne dormirait pas et serait constamment de mauvaise humeur.

Une fois sa décision prise, Rosie avait retrouvé son calme, mais cela n'avait pas duré. Elle n'arrêtait pas de réfléchir à la suite des événements. Margaret avait affirmé qu'ils n'auraient pas besoin de déposer, à moins que le juge demande des éclaircissements à l'une ou l'autre partie. Rosie aurait voulu témoigner, annoncer à tout le monde qu'un animal sauvage avait frappé son enfant. « Mais ce n'est pas comme ça que ça se passe, avait cent fois expliqué Margaret, la procédure engage la police et l'accusé, c'est tout. »

Tout au plaisir de la chaleur qui l'enveloppait, Rosie s'autorisa un petit sourire en se rappelant les mots de Shamira. « Qu'on me laisse y aller, à la barre, je leur dirai à tous combien ce type est cruel, le plaisir qu'il ressentait à malmener le petit. Je l'avais devant moi, je voyais bien son air réjoui. Il a pris son pied, il faut que ça se sache. »

Rosie lui avait téléphoné à réception de la lettre. Son premier réflexe aurait été de consulter Aisha, mais celle-ci, en plein travail, n'aurait peut-être pas eu le temps de discuter. Et c'était compliqué ; sans doute Hector était-il déjà au courant, l'immonde cousin les aurait avertis.

Elle avait donc appelé Shamira, qui avait réagi de la façon souhaitée. Sa nouvelle amie lui avait apporté un soutien affectueux, inconditionnel et sans réserve. Exactement ce dont Rosie avait besoin.

— Merde, répéta Rosie à voix basse, en s'enfonçant dans la baignoire.

L'eau clapotait sur son menton, ses lèvres, son front. Elle n'avait qu'à ouvrir la bouche, et le flot lui emplirait les poumons, l'estomac, toutes les cellules du corps jusqu'à ce qu'il explose. Se relevant subitement, elle aspergea le carrelage du sol au plafond. « Qu'il crève, ce salaud ! » Elle n'arrivait pas à se détendre, ne le souhaitait même pas. C'était son combat, sa guerre. « Qu'il crève, ce type ! » Qu'on le crucifie, que tous soient bien conscients du crime qu'il avait commis, contre son fils, contre elle, sa famille. Les vagues de rage et d'indignation avaient quelque chose d'enivrant. Rosie pressa doucement son sein droit et quelques gouttes de lait se dispersèrent sur la surface de l'eau.

On frappa bruyamment à la porte.

— Ça va être froid !

Rosie s'immergea une dernière fois, puis se leva tout entière. Gary avait poussé la porte. Elle se retourna vers lui avec un sourire innocent.

— Tu me passes la serviette ?

Elle surprit le désir dans ses yeux. C'était comme un réflexe, une urgence bestiale. Ruisselante, elle aplatit ses cheveux sur son crâne, prit la serviette qu'il lui tendait et posa le pied sur le tapis de sol. C'était agréable de voir Gary la regarder.

— Eh bien, vas-y, dit-elle. Ça va geler, maintenant.

Il se déshabilla en vitesse. Elle fit semblant de l'ignorer tandis que, devant le lavabo, elle séchait ses jambes, ses cuisses, ses bras, son cou, ses épaules. Il avait son bleu de travail sur les chevilles et elle remarqua le début d'une érection. Le débardeur et le slip atterrirent sur le carrelage, et Gary monta dans la baignoire.

Elle se retourna de nouveau.

— C'est assez chaud ?

Un espiègle sourire aux lèvres, il hocha la tête. C'était un sourire de gamin, le sourire d'Hugo exactement. Et comme Hugo, Gary avait ce sourire lorsqu'il avait une chose à lui demander. Sa queue dépassait de la surface. Il lui prit la main et montra son entrejambe. Rosie entendit son fils crier au salon. Elle hésita ; les doigts autour de son poignet, Gary resserrait son emprise.

Elle recula en chuchotant :

— Hugo m'appelle.

Il la lâcha, elle s'enveloppa dans la serviette, sortit et referma la porte.

Elle donnait le sein quand Gary revint dans la pièce. Ses cheveux mouillés, peignés, formaient une frange épaisse dans sa nuque, collée au col de sa chemise. Il portait son bas de survêt préféré, un truc sans âge et plein de trous. Se dressant devant eux, il regarda son fils téter béatement.

— J'en veux aussi.

Rosie fronça les sourcils.

— Commence pas.

— Si. Donne-moi de ton néné.

Se détachant du sein, Hugo observa son père d'un air méfiant.

— Non, c'est à moi.

— Pas du tout.

Hugo chercha l'approbation de sa mère.

— À qui ils sont, les nénés ?

— À nous trois, répondit-elle en riant.

— Non, rien qu'à moi !

Gary se posa près de sa femme sur le canapé. Il déboutonna son chemisier, lui pinça le mamelon, durement, avant d'appliquer ses lèvres dessus. La douleur, vive au début, se transforma en picotement plaisant tandis qu'il mordillait le téton.

Ébahi, horrifié, Hugo le regardait faire, puis se mit à le marteler de coups de poing.

— Arrête ! Arrête ! cria-t-il. Tu fais mal à maman !

Gary releva la tête.

— Mais non, dit-il, taquin. Elle aime ça.

— Arrête ! exigea le gamin, le visage déformé par la colère.

Comprenant qu'il allait pleurer, Rosie repoussa Gary et assit Hugo sur ses genoux. Gary fit la moue et partit à la cuisine. Hugo lâcha le sein et regarda sa mère. Le pauvre petit bonhomme était effrayé.

— Il est fâché contre nous, papa ?

— Mais non, susurra-t-elle. Il nous aime tous les deux.

Gary revint avec sa bière, s'assit sur le fauteuil en face, saisit la télécommande. L'écran prit vie sur un violent bruit blanc, puis le présentateur hurla dans la pièce.

— Baisse le son ! dit Rosie, à Gary qui n'entendait pas.

Il resta immobile quelques secondes, et le volume retrouva un niveau normal. Hugo ne comprenait pas pourquoi Nemo et ses amis avaient disparu. Il regarda son père en ouvrant et refermant la bouche – comme un vrai poisson, pensa Rosie – puis se réfugia dans les bras de celle-ci et se remit à téter. Elle lui caressa les cheveux et tous trois écoutèrent le JT.

Elle avait souhaité dispenser Hugo de télévision aussi longtemps que possible et, les premières années, Gary y avait consenti. Évidemment : quand les programmes n'étaient pas simplement ridicules, il n'y voyait que le produit du capitalisme et de l'asservissement – ou de l'asservissement et du politiquement correct. Lorsqu'ils s'étaient rencontrés, Rosie avait eu du mal à suivre le fil de sa pensée. Qu'il s'agisse d'art, de politique, d'amour, ou de sujets parfaitement terre à terre, Gary émettait des avis iconoclastes et impossibles. Était-il communiste ou fanatique de l'économie de marché ? L'art était-il un bienfait pour l'humanité, ou la manifestation élitiste de quelques esprits égocentriques ? Il adorait ses voisins ou il souhaitait leur mort. Il n'y avait pas de juste milieu, pas de logique. Après des années d'efforts studieux, Rosie avait compris que son mari – de virevoltes en volte-face – ne distinguait pas l'intellectuel de l'émotionnel. Après la naissance d'Hugo, la télé n'était rien d'autre qu'une influence néfaste. Depuis six mois que Gary travaillait à plein temps, c'était une force bénéfique.

Mais comme il n'attendait qu'une stricte obéissance, quels que soient ses caprices, Rosie avait élaboré une stratégie. Elle choisissait la ligne médiane et, peu à peu, sans qu'il s'en rende vraiment compte, elle le ralliait à sa cause. Jamais elle ne regardait la télé pendant la journée, lorsqu'elle était seule avec Hugo ; sauf pour une vidéo ou un DVD. Quand Gary allumait le poste, elle ouvrait un livre ou un magazine – une forme de rébellion subtile qu'il ne remarquait pas, mais qui avait un impact sur Hugo. Cette foutue lucarne ne devait pas gouverner leur existence. Elle observa Gary, qui sirotait sa bière, un œil absent rivé à l'écran. Elle se pencha pour ramasser un vieux jeu de construction qu'elle avait acheté d'occasion, et commença à emboîter les pièces les unes dans les autres. Voyant s'élever une sorte de tour fuselée, Hugo cessa de téter et – surtout – ne prêta plus attention à la télé. Il se mit lui-même à ajouter des pièces. Rosie étudiait discrètement son mari qui, épuisé, cherchait refuge dans l'oubli.

C'était une bonne idée, elle le savait, de ne pas mentionner la convocation avant vendredi. Les soirs de semaine, il était fatigué, irritable, coléreux, et broyait facilement du noir. « On n'aurait jamais dû aller chez les flics, c'est toi qui m'as forcé. » Voilà ce qu'il lui aurait dit. Mais vendredi, libéré de son travail, il l'écouterait quand elle lui en parlerait. Rosie avait fait ce choix-là à peine avait-elle lu la missive de l'administration, aseptisée et insensible. L'affaire était référencée sous le numéro D41/543. C'était suffisant pour faire exploser Gary. Une simple indication, futile, sans conséquence, mais qui représenterait l'autorité, la banalité du mal ; voilà, ils seraient maintenant prisonniers d'un système répressif, impitoyable, et tout serait sa faute à elle. La paranoïa, la colère, l'amertume rendaient Gary impuissant lorsqu'il bossait le lendemain. Alors que le vendredi, avec la promesse du week-end, il savait se montrer tendre, doux, gentil.

« Et merde », se dit encore Rosie tandis que son fils, devant la table basse, ajoutait d'autres pièces à la tour qui, prenant de la hauteur, défiait les lois de la pesanteur. « Ça serait bien d'avoir plus d'argent. »

Rosie jeta un coup d'œil à la télé. C'était l'heure de la météo et il y avait une date au bas de l'écran. « Putain, c'est son anniversaire ! » Elle était sûre d'avoir gardé la bouche fermée, et voilà qu'Hugo levait la tête vers elle.

— Qu'est-ce qu'il y a, maman ?

C'était sans doute pure bêtise, une superstition idiote, pourtant elle se croyait en mesure de lire dans ses pensées, et lui dans les siennes. Pas toujours, bien sûr, mais parfois, cela semblait bien le cas.

— Rien, mon chéri. Je viens de me rappeler que c'est l'anniversaire de ta grand-mère, aujourd'hui.

Une grand-mère qui ne signifiait rien pour lui. Cela n'était pas bien, mais elle ne voyait pas comment y remédier. Les gens de sa famille, comme celle de son mari, n'étaient pas affectueux.

L'intuition d'Hugo la surprit de nouveau.

— J'ai peur de mamie, elle m'aime pas.

— Pas vrai. Elle t'aime, mais elle ne sait pas te le montrer, c'est tout.

Gary s'esclaffa.

« Je t'en prie, plaida-t-elle en son for intérieur, ne le monte pas contre ma mère. »

Encouragé par son père, Hugo faisait une moue dubitative.

— Elle m'a grondé.

Combien de fois l'avait-il rencontrée ? Trois. La première, il n'avait pas encore un an, il ne pouvait pas s'en souvenir. « C'est bien toi, ça, maman, toujours froide et distante. » Un regret dénué de tout sentiment de culpabilité : ce que Rosie éprouvait pour elle se doublait depuis longtemps d'un raisonnement clair. Catherine était une vieille femme solitaire, maussade, c'était bien triste, et puis voilà.

Rosie regarda son fils avec l'envie de lui dire : « Ta grand-mère est incapable d'amour. Ce n'est pas qu'elle te déteste, qu'elle te rejette, elle est tout simplement indifférente. » Mais il était bien trop jeune pour comprendre. Elle le souleva, le posa sur ses genoux, colla sa bouche contre son ventre.

— Ta grand-mère t'aime beaucoup, Hug'.

Il était encore tôt à Perth ; le soleil ne se coucherait pas avant deux bonnes heures sur l'océan Indien. Rosie savait cependant que sa mère menait une existence routinière, gouvernée par l'ordre, la raison, le goût de la tranquillité – elle ne décrochait plus son téléphone après sept heures et demie du soir. Rosie grimaça à l'idée de laisser un message sur le répondeur. Elle entendait déjà la réaction : « Tu fais toujours tout au dernier moment. »

— Il faut que j'appelle quelqu'un, dit-elle.

Ni Gary ni Hugo ne réagirent.

Elle alla à la cuisine avec le sans-fil, s'assit en tailleur sur la table devant le poster de *Sailor et Lula*. Cette table, en séquoia teinté, massif, était le meuble qu'elle préférait. Elle était assez longue et large pour que Gary puisse déployer entièrement son journal le matin, sans ranger les crayons de couleur et les carnets d'Hugo. Ils formaient autour d'elle une famille. Rosie l'aimait aussi car Gary l'avait faite de ses mains.

« Appelle, se sermonna-t-elle. Appelle ! »

Ses doigts pressèrent les touches, puis elle coupa brusquement et composa un autre numéro.

C'est Bilal qui décrocha.

Elle aurait préféré Aisha, mais ce n'était pas le moment. Rosie n'aurait pas supporté qu'Hector réponde à sa place.

— Salut, Rosie. Sammi vient de coucher les enfants, je te la passe.

Comme tout bon Australien, Bilal avait tendance à manger ses mots. Mais il avait une voix grave et mélodieuse, tout en rondeur, très caractéristique des Noirs. Un ton enjoué très différent de celui, sec et claquant, de l'homme blanc.

— Ouf, mais pourquoi on fait des gosses ? dit Shamira en prenant le téléphone.

— C'était lequel, aujourd'hui ?

— Ibby. Sonja est adorable en ce moment, et Ibby se plaint tout le temps. Il ne veut rien manger, il ne veut pas se coucher, il ne veut pas dormir dans la même pièce que sa sœur. C'est les garçons qui sont comme ça, ou ils naissent tous en pleurnichant ?

Les deux femmes continuèrent d'évoquer leurs enfants, leurs maris respectifs. Jetant un coup d'œil à la pendule, Rosie, à contrecœur, dit au revoir à son amie. Elles venaient de discuter pendant près d'une heure. Hugo et Gary étaient toujours au salon, probablement endormis. Rosie était censée appeler sa mère. Ses doigts composèrent un numéro en vitesse.

Le répondeur d'Anouk se mit en marche, suivi par sa propre voix, froide et lasse. Rosie laissait déjà un message quand son amie décrocha.

— Hey !

— Ouais, hey !

Elles ne s'étaient pas parlé depuis des semaines.

— Quoi de neuf ?

— Rien, dit Rosie en calant le combiné sous son menton.

Elle s'apprêta à rouler une cigarette avec le tabac de Gary, mais se rendit compte qu'elle n'en avait pas besoin. Elle ne fumait plus.

— En fait si, déclara-t-elle. On a reçu la lettre du tribunal, avec une date pour l'audience.

— Ah ouais ?

Le ton ne trahissait aucune émotion.

Rosie ressentit une vive irritation, mais ne répondit pas. Elle voulait que son amie s'ouvre un peu, qu'elle lâche quelque chose.

— Tu es inquiète ?

— Bien sûr que je le suis.

Elle pensa soudain qu'elles ne communiquaient plus depuis des années sans le concours d'Aisha, toujours apaisante. Les nerfs à vif, Rosie regrettait d'avoir appelé et craignait que sa colère éclate. Mais merde, elle avait besoin du soutien d'Anouk.

— Je te souhaite bonne chance.

Maintenant elle avait envie de pleurer. Le soulagement était une libération. Elle essuya une larme au coin de sa paupière.

— Merci, c'est gentil de ta part.

— N'y va pas trop sûre de toi, quand même.

C'était bien Anouk, ça : le pessimisme incarné, et jamais en retard d'une pique. Quand même, avoir son appui faisait du bien.

— C'est ce que me répète Gary.

— Il a raison.

La voix redevenait sèche.

— Il sera content d'en finir, supposa Anouk.

Rosie ne pouvait avouer qu'elle ne lui avait rien dit. Ce serait trop humiliant.

— Qu'est-ce que tu fais ce soir ?

— J'aide Rhysbo à apprendre ses répliques. Quand je pense aux années que j'ai gâchées à écrire ces conneries, dit Anouk avant de rire. Rhys me fait un doigt d'honneur.

— C'est l'anniversaire de ma mère, aujourd'hui.

— Tu lui as téléphoné ?

— Pas encore.

— Allez, fais-le, ça ira mieux après.

Le ton était cette fois encourageant.

C'était un tel plaisir de se connaître depuis longtemps.

— Je sais, je sais. Tu te rends compte que ça me fait encore flipper, après tant d'années ?

— Nos père et mère nous foutent en l'air[1], lâcha Anouk froidement, presque brutalement. Appelle-la. Tu vas te sentir merdeuse, mais ça sert à ça, les mamans.

« Non, ça ne sert pas à ça. » Rosie ne serait pas une de ces mères-là.

— Rachel n'était pas comme ça.

— Je sais, je sais. Ma mère était une sainte.

Sarcastique, maintenant.

— Bon, c'est décidé, je vais le faire.

— À la bonne heure.

Anouk hésita, puis les mots se précipitèrent :

— Tu veux me rappeler ensuite ?

— Non, non, ça ira. Mais ça serait bien qu'on se retrouve.

Un « on » qui désignait Anouk, Rosie et Aisha. Sans les mecs. Rosie dut reconnaître malgré elle que, pour Anouk, cela impliquait aussi sans Hugo. *Sans les garçons.*

— La semaine prochaine ?

1. Vers célèbre de Philip Larkin : « *They fuck you up, your mum and dad.* »

— Vendu.

Rosie allait dire au revoir, mais Anouk avait raccroché.

Elle n'arrivait toujours pas à se décider. Repoussant à nouveau l'échéance, elle alla voir ce que faisaient Hugo et Gary. Tous deux dormaient, le fils avachi sur les genoux de son père, qui ronflait. Un film de salive encore brillante recouvrait les lèvres de l'enfant. Rosie aimait les voir ensemble, enviait leur intimité facile, si différente des liens intenses qui l'unissaient à Hugo. Bien moins insouciant avec elle, il l'enveloppait toujours de ses bras, comme s'ils s'appartenaient l'un l'autre. Bientôt, bientôt, elle le savait, il faudrait cesser une bonne fois de lui donner le sein. D'ici quelques mois, l'année prochaine, avant qu'il entre à la maternelle. Résistant à l'envie de le toucher, Rosie préféra ne réveiller ni l'un ni l'autre. Ils auraient été mieux au lit, mais tant pis, ils avaient l'air heureux. Elle éteignit la télévision et dégagea silencieusement un des albums de l'étagère. Puis elle éteignit aussi la lumière et repartit à la cuisine.

La couverture usée de l'album violet la transporta aussitôt dans le passé, avant Hugo, avant Gary. Elle se rappelait encore la petite papeterie poussiéreuse où elle l'avait acheté. C'était à Leederville, où elle travaillait comme serveuse et partageait une maison avec Ted et Danielle, un couple assez casse-pieds. À l'époque, elle marchait au speed, n'avait aucun projet, flottait entre deux eaux. Cet été-là, Aisha était partie s'installer à Melbourne. Tournant rapidement les pages, Rosie retrouva la photo qu'elle cherchait. Mon Dieu, elle avait l'air si jeune, elle faisait si salope, la petite surfeuse. C'est d'ailleurs bien ce qu'elle était.

Dans ce bikini fluo qu'elle avait adoré ; la couleur, orange vif, avait quelque chose d'hallucinogène qui paraissait aujourd'hui choquant. Comme au bord de l'extase, Rosie souriait devant l'objectif, le menton relevé – puisqu'elle avait lu dans un magazine que c'était la pose à prendre. Rachel se tenait à côté d'elle, avec son banal bikini bleu, une chemise d'homme, blanche, jetée nonchalamment sur ses épaules. Rachel n'avait aucun besoin de jouer du menton. Calme, sûre d'elle, une cigarette à la main, elle affichait un demi-sourire qui semblait se moquer de sa jeune voisine. Elles se trouvaient toutes deux dans la maison d'Anouk à Fremantle, qui dominait la plage, et où Rachel s'était finalement éteinte. Rachel ne ressemblait en rien à Catherine. Oui, elle savait être dure, mais par franchise – ce n'était jamais une arme braquée sur les autres. Intelligente, audacieuse, cosmopolite, Rachel ne reculait pas devant les risques, et elle attendait de ses filles qu'elles l'imitent. À cet égard, non, elle n'était pas si tendre. C'est elle qui avait pressé Rosie de quitter Perth, de suivre Aisha à Melbourne. Elle n'avait pas mâché ses mots : « Fous le camp d'ici, ma fille. Tu vas gâcher ta vie. Tu vas finir mariée à un de ces avocats de Peppermint Grove qui te bichonnera comme un toutou, ou pire, tu joueras les blondes imbéciles chez un taré minable de Scarborough. Dégage, ma petite. » Anouk était bien la fille de sa mère.

Et ça, c'était cruel, injuste : le cancer s'était rapidement étendu aux deux seins, et Rachel était morte dans l'année. Rachel qui aimait la vie, qui n'avait peur de rien – contrairement à Catherine.

Il fallait appeler. Rosie posa doucement son album de photos et, une fois de plus, décrocha le téléphone.

Une sonnerie, puis la tonalité insistante de l'interurbain, et sa mère répondit.

— Bon anniversaire, maman.

— Il est tard, Rosalind.

« Pas question de s'excuser. »

— Hugo a traîné pour se coucher.

— C'est tard pour lui aussi.

« Je ne répondrai pas, je ne répondrai pas. »

— Alors, cet anniversaire ?

— Ne sois pas grotesque, Rosalind. J'ai plus de soixante-dix ans. Il y a des lustres que je ne me soucie plus de ça.

Rosie n'en revenait pas qu'après tant d'années passées dans son trou perdu sa mère ait encore cet accent britannique, cette expression austère. Elle en avait retrouvé l'origine lors de son séjour à Londres, mais plus personne ne parlait comme ça au Royaume-Uni. Il fallait presque être étranger pour le reconnaître, cet accent. C'était le bon anglais qu'on apprenait, des générations plus tôt, en écoutant, comme Catherine, la ABC[1] et le BBC World Service.

— Joan est passée te voir ?

Joan était sa meilleure amie. « En fait, sa *seule* amie », pensa Rosie avec dédain.

— Oui, elle est venue.

« Tu pourrais peut-être demander des nouvelles de ton petit-fils ? »

— Eddie a appelé ?

— Non, il n'a pas appelé.

— Il le fera, bien sûr.

Cette fois, le grognement au bout du fil était presque grossier.

1. *Australian Broadcasting Commission* : le service public australien.

— Ton frère est sûrement devant un comptoir en train de se soûler. Je doute qu'il sache quel jour on est, et encore plus que c'est mon anniversaire.

Quelle aigreur, quelle méchanceté dans le ton. Rosie sentit son irritation se dissiper, se transformer en pitié. C'était un soulagement : dans trois minutes, elle aurait raccroché, et il n'y aurait rien à regretter.

— Joan est la seule qui pense à moi.

Rosie pouvait répondre : « Je te téléphone. » Et : « Tu ne nous facilites pas la tâche. » Elle pouvait même répliquer : « On ne t'appelle pas parce qu'on ne t'aime pas. » Mais elle ne dit rien et cela serait bientôt terminé.

— Ton frère est un alcoolique. Les hommes boivent tous dans cette famille, et nos femmes sont mariées à des ivrognes.

Rosie se vit presque rougir. Tandis que son front, ses joues, son cou s'empourpraient, toute compassion pour cette mégère disparut peu à peu. « Tu n'es qu'une vieille conne détestable. » Gary n'était pas alcoolo, non. Pour les bondieusards étriqués du genre de Catherine, boire ne serait-ce qu'une goutte était péché mortel. En fait, si elle n'aimait pas Gary, c'est parce qu'il travaillait de ses mains. Elle ne pourrait pas être honnête, une fois de temps en temps, cette bourgeoise hypocrite ?

— Eh bien, je t'aurai souhaité un bon anniversaire.

— Merci.

— Je te laisse te coucher.

— Vraiment, Hugo devrait dormir à cette heure-là.

Les idées engourdies, Rosie n'arrivait pas à se dégager des rets de sa mère. Elle choisit la solution la plus sage : mentir.

— En général, il dort déjà. Il couve peut-être quelque chose.

— Tu travailles en ce moment ? Quand elles n'ont pas d'emploi, les mamans trouvent toujours le moyen de se créer des problèmes.

« Ouais, un peu que je bosse. J'élève un enfant. »

— Je chercherai un job l'année prochaine, quand il entrera à la maternelle.

— Ne me dis pas que tu lui donnes encore le sein ?

Fatalement un nouveau mensonge.

— Non.

— Dieu soit loué ! Je ne comprends pas cet empressement des jeunes femmes d'aujourd'hui à jouer les vaches laitières, comme au XIXe siècle. Moi, je ne supportais pas ça.

« J'en sais quelque chose. »

— Tu as arrêté quand ?

— Il y a quatre mois, improvisa Rosie.

— C'est parfaitement absurde. Il a déjà quatre ans, non ?

— Oui, il vient de les avoir.

Impossible de résister :

— Tu n'as pas appelé pour son anniversaire.

Jetant un coup d'œil vers la porte, Rosie vit Gary qui se dirigeait, à moitié endormi, vers les toilettes.

— *J'ai envoyé une carte.* C'est pour ça que tu me téléphones ? Pour m'insulter ? lâcha Catherine, furieuse.

Jeu, set et match. Il n'y avait rien d'autre à faire que donner la réponse attendue :

— Excuse-moi.

— Bonne nuit, Rosalind. Merci d'avoir appelé.

Et elle coupa.

Rosie resta un instant pétrifiée. Le combiné contre l'oreille, elle entendait le souffle du faible courant électrique. Puis elle raccrocha violemment et, comme à l'âge de seize ans, elle eut brusquement envie de baiser un jeune, un vieux, n'importe qui, se défoncer grave, se soûler la gueule, voler à l'étalage, jurer, hurler, faire tout pour l'emmerder, et que sa mère la haïsse autant qu'elle-même la haïssait. Elle tendit la main vers la blague à tabac de Gary. Il faudrait bien en griller une.

— Tu n'as pas besoin de ça.

Elle était prise au dépourvu, elle se sentit coupable. Mais ne retira pas sa main.

— Je viens de parler à ma mère. Et si, j'en ai besoin.

Ils se regardèrent un moment. Elle ne pouvait lire dans ses pensées. « Ne m'engueule pas, ne fais pas le malin, ne cherche pas l'embrouille. » Il se rapprocha d'elle, se pencha, lui baisa le haut du crâne en lui pinçant gentiment les épaules. Un geste de tendresse. Rosie était au bord des larmes. Il lui essuya les yeux, puis lui retira son tabac pour lui rouler une cigarette.

— Elle m'humilie, elle me rabaisse tout le temps. Comme si j'étais une mauvaise fille, une mauvaise épouse, une mauvaise mère.

— Tss. Des conneries, tout ça. Tu es la meilleure des mères, tu le sais bien.

Elle était une bonne mère et, oui, elle le savait, même s'il lui avait fallu du temps pour s'en rendre compte. La maternité lui avait donné un sentiment de plénitude, lui avait permis de comprendre pourquoi l'angoisse et la colère avaient si souvent dominé sa vie. Avec Hugo était venue la paix. Rosie tira une bouffée, dégagea le grain de tabac collé à ses dents. Elle souhaitait profiter de cette rare démonstration d'affection, spontanée, pour demander à son mari : « S'il te plaît, fais-moi un autre enfant. » Sachant qu'il se détacherait d'elle, qu'il se mettrait en rogne, elle ravala ses mots. Elle redoutait l'année à venir, quand Hugo serait à la maternelle, et elle de nouveau seule. C'était différent pour Gary – si elle trouvait un job l'an prochain, il réduirait ses propres horaires et recommencerait à peindre. À barioler ses croûtes de merde. Tous deux avaient besoin de travailler, d'économiser en vue d'une maison. Ils avaient besoin de gagner plus.

— Je vais me coucher, murmura-t-il. Hugo dort. Tu viens ?

— Dans une seconde.

Il l'embrassa sur les lèvres. Rosie poussa un soupir de soulagement, tandis qu'il se dirigeait vers la chambre.

Tout sourire s'effaça de son visage et elle reposa les yeux sur le téléphone. « Oui, je suis une bonne mère. Parfaitement. »

Rien de ce que lui avaient dit ses amies ne l'avait préparée à la violence terrible de l'accouchement. Rosie avait tellement fantasmé sur un petit – poussant, bassinant, tenaillant, harcelant, menaçant Gary pour qu'il épouse son désir – que pas une seconde elle ne s'était doutée que ce serait détestable. Fascinée par l'évolution de son corps, un corps soudain indépendant, elle avait adoré être enceinte. Fini ce physique anguleux, un rien androgyne, Rosie était maintenant souple, féminine. Elle aimait sa nouvelle odeur. Mettant fin à tout cela, l'accouchement l'avait renvoyée à la case départ avec pertes et fracas. Il n'y avait qu'un mot pour décrire la chose : l'enfer. Si la grossesse lui avait permis de trouver refuge dans son corps, l'enfantement était une deuxième naissance qui la confronta à sa duplicité, son hypocrisie, sa laideur, sa haine d'elle-même. Elle s'était persuadée qu'accoucher à la maison, « sans douleur », serait le saint des saints. Aux premières contractions, elle avait mesuré son erreur – et alors il était trop tard pour une péridurale. Dieu merci, elle n'en conservait qu'un souvenir fragmenté : les éclats aujourd'hui voilés d'un cauchemar hallucinant. Mais ce qu'elle se rappelait fort bien – elle ne pouvait l'oublier –, c'est qu'au moment où ils s'escrimaient entre ses cuisses, elle ne voulait qu'une chose, ne pensait qu'à une chose : « Qu'on l'emporte le plus loin possible, ce bébé. » Elle avait commis une affreuse, une indicible erreur.

Pendant six mois, elle avait tremblé de terreur chaque fois qu'elle le prenait dans ses bras. Elle était convaincue qu'elle allait le tuer. Chaque fois qu'il pleurait, elle avait envie de partir en courant. C'était un extraterrestre, il menaçait de la détruire.

Pendant six mois, elle avait continué de se rendre aux cours de yoga. Elle aurait aimé revoir plus souvent Anouk et Aisha, elle avait envie de dormir, de boire, de se droguer, de faire l'amour, d'être une jeune femme – tout sauf une jeune mère. Elle avait l'impression d'être coupée en deux, de ne plus être Rosie, mais cette étrange créature malsaine qui ne ressentait rien pour l'enfant qu'elle avait mis au monde. C'était un souvenir haïssable : bon Dieu, ce qu'elle avait détesté ce môme ! Elle n'arrivait même pas à l'appeler par son nom. Se *méfiait* de lui, car il lui faisait peur. Elle devait être folle, elle avait dû le devenir. Les sanglots irrépressibles, le désir refoulé de le noyer dans son bain, de lui briser la nuque.

Pendant six mois, elle avait déliré sans rien dire à personne – ni à son mari, ni à Aisha, ni aux réunions de mères, ni à sa famille. Elle n'avait pas osé. Tout sourire, elle avait fait comme si elle l'aimait, son gosse. Puis, un matin, alors que, désespérément, elle tentait de partir au cours de yoga, il n'avait pas voulu arrêter de brailler. Rien n'y avait fait, ni le sein, ni les berceuses, ni les cris. Les hurlements étaient terribles, mais Rosie avait éprouvé une curieuse sensation de calme. Elle n'avait qu'à le laisser pleurer, le laisser là dans le minable F2 qu'ils louaient à Richmond, qu'il chiale tout son soûl, ce petit con, elle n'en avait plus rien à foutre. Ses clés en main, son sac de sport sur l'épaule, elle était devant la porte, prête à monter dans sa voiture et à partir. Qu'il hurle, qu'il étouffe, et qu'il crève.

Elle avait ouvert et regardé au-dehors. C'était l'été, le soleil était chaud, il n'y avait pas un souffle de vent, la rue était déserte. Rosie était restée là une bonne dizaine de minutes, le poing serré autour de son trousseau, à contempler le monde extérieur. « Tu n'es plus libre, s'était-elle dit. Si tu veux surmonter l'épreuve, sans te tuer ou tuer ton enfant, tu dois accepter que tu n'es plus libre. Désormais, et cela jusqu'à ce qu'il soit en âge de fiche le camp, ta vie ne signifie rien, c'est la sienne qui compte. » Alors elle avait reculé et refermé la porte – à la rue, et au monde. Elle avait pris le bébé en pleurs dans ses bras et elle l'avait serré contre elle. « Hugo, Hugo, avait-elle murmuré, tout va bien. Ne t'inquiète pas, je suis là. »

Il était au centre de tout, il possédait son corps. Rosie se perdait en lui. Voilà comment elle s'était libérée. Non que les souffrances aient disparu. Une sorte de mélancolie avait, semblait-il, profité des douleurs bestiales de l'accouchement pour s'enraciner au fond d'elle. Hugo l'avait brisée ; il avait dispersé son identité de jeune fille. Mais lentement, avec effort et détermination, Rosie avait réussi à recoller les bouts. La tristesse ne revenait qu'épisodiquement, quand Gary et Hugo étaient physiquement absents, qu'elle était toute seule. Car Gary avait été merveilleux pendant les six premiers mois. Il l'avait soignée, rassurée, glorifiée, soutenue, sauvée. Tout allait toujours mieux lorsqu'ils étaient seulement tous les deux.

Sans son mari, sans son enfant, Rosie ne pourrait plus survivre dans ce monde.

Elle rêva de Xi, cette nuit-là ; il lui était apparu si clairement qu'elle revoyait encore nettement son visage. La poigne de ses mains fermes et sèches, la lassitude, voire le regret dans ses yeux d'ébène, le grain frais et lisse de sa peau. Le rêve en lui-même n'avait pas d'histoire, celle-ci s'était dissipée au matin – il n'en restait que des fragments. Bien qu'il n'y eût rien à manger sur la table, ils dînaient ensemble dans un restaurant, situé dans un étage élevé au-dessus du port de Hong Kong. Plus tard, ailleurs, pendant qu'il la baisait, l'image brutale, instable, pornographique, rendait bien compte de ce qu'avaient été leurs rapports. Xi avait été brusque, obscène ; Rosie s'était sentie sale au réveil, comme souvent sous son influence. Hugo, endormi, était blotti contre elle, Gary ronflait, elle se glissa silencieusement hors du lit. Entra nue dans la salle de bains et s'étudia dans le miroir. Sa peau blanche et sans tache était toujours celle d'une jeune femme. Seuls ses seins trahissaient son âge. Plus charnus qu'à l'époque de Xi, certes, mais striés de vergetures – cruelles, révélatrices. « Enfin, Rosie, ne sois pas idiote, tu avais dix-huit ans. » Une femme la regardait aujourd'hui dans la glace. Une femme, pas une jeune fille.

— J'ai rêvé de mon premier amant, l'autre soir.

— Un *a-mant*, répéta Shamira, enjouée, espiègle, étirant les syllabes. Waouh, en voilà un mot sérieux !

Rosie s'esclaffa malgré elle.

— Je n'en vois pas d'autre. Je pouvais difficilement l'appeler mon petit ami.

En effet. Xi ayant vingt ans de plus qu'elle, seul « amant » convenait. Muette, Shamira attendait la suite au bout du fil. Évidemment, elle ne savait rien de lui.

— C'est sans importance. Un peu bizarre. Je n'avais pas repensé à Xi depuis des années.

— Gary a réagi comment à la convocation ?

— Bien. Il est content.

Il avait lu la lettre en vitesse, l'avait rendue à sa femme, et il avait paru satisfait. « Parfait, avait-il dit avant d'aller prendre une bière au frigo. Ça fait des mois que je veux en finir avec cette histoire de cons. » Inquiète, Rosie l'avait observé, mais il n'avait manifesté ni colère ni amertume. Ç'avait été un vendredi soir idéal. Ils avaient mangé des *Fish and chips*, s'étaient endormis l'un contre l'autre en regardant une série policière anglaise, débile, sur ABC.

— Je peux en parler à Bil ?

— Bien sûr.

Shamira se moquait bien de Xi, et elle avait raison. Tout cela datait de vingt ans, c'était avant le mariage, le bébé, Melbourne. Une autre vie. Rosie entendit Hugo galoper dans le couloir. Gary serait debout dans une minute.

— Faut que j'y aille.

— On se voit à dix heures.

— Ouais.

Rosie raccrocha, mit la cafetière en marche, prépara des toasts pour Hugo, qui braquait sur elle des yeux aussi bleus qu'affamés.

— Nénés, demanda-t-il.

Rosie adorait qu'il dise ça – elle aimait ce mot-là entre tous.

Gary se tut presque d'un bout à l'autre du petit-déjeuner, et prit la porte dès son café terminé. Elle savait parfaitement ce qui l'ennuyait : elle avait promis d'accompagner Sammi et Bilal qui visitaient une maison à vendre. Gary avait commencé à râler à peine leur avait-elle dit oui, jeudi soir au téléphone.

— Mais pourquoi tu y vas ?

— Pour me rendre compte.

— Te rendre compte de quoi ?

— Shamira souhaite un œil extérieur, en plus du leur.

— Où est-ce qu'ils cherchent ?

— À Thomastown.

— Quel intérêt ?

— C'est direct en métro pour aller chez sa mère. Je la comprends.

— C'est un trou, Thomastown.

— Oui, mais un trou pas cher.

Il s'était engouffré dans la brèche.

— Te fais pas d'illusions.

— Non, non.

Son regard était méfiant, féroce.

— Je me fous pas un emprunt au cul. On a déjà assez de mal avec le gamin. Je te suis pas.

— Je sais, avait lâché Rosie.

— Bien. Et j'ai promis à Vic d'aller le voir samedi matin. Il veut me jouer ses nouveaux morceaux. Tu demanderas aux gamins de garder Hugo.

Dieu merci, Connie et Richie étaient là. C'était le seul côté positif de ce maudit barbecue : Connie avait téléphoné le lendemain pour prendre des nouvelles d'Hugo. Ils étaient vraiment bien, ces deux-là – une bénédiction. Et que Vic, le pseudo auteur-compositeur, aille se faire mettre ! Il était aussi nul que Gary avec ses toiles. « Vous êtes des prolos, tous les deux, des ouvriers, foutez-le-vous dans le crâne. »

Rosie avait gardé son calme.

— Très bien, j'appellerai Richie. Connie travaille, le samedi.

Gary avait déjà claqué la porte. Rosie s'était rendu compte qu'elle était à bout de souffle, effrayée.

Inquiet, Hugo l'avait rejointe dans l'entrée.

— Tu t'es disputée avec papa ?

— Mais non.

Elle l'avait pris dans ses bras.

— Mais si.

— Non, je te jure.

Il avait fait une drôle de grimace, tordue, brisée, qui avait rappelé à Rosie son propre père. Elle l'avait serré contre sa poitrine.

— Je te promets, on ne s'est pas disputés.

« Une maison, Gary. J'ai le droit de vivre dans un endroit décent, merde ! »

Elle avait seize ans lorsqu'ils avaient perdu la leur. Rosie se rappelait bien la grande table en formica, à la cuisine, où elle faisait ses devoirs avec Eddie ; la fissure au-dessus de son lit, qui creusait la cloison, et que son père n'avait jamais colmatée ; les invincibles mauvaises herbes ; les rosiers émaciés, courbés dans un parterre que sa mère n'entretenait pas ; le sable qui volait par-dessus la route et qui, chaque jour, desséchait le jardin. C'était une morne bâtisse de la fin des années 60, aux façades couvertes de mortier, aux plafonds bas, aux murs trop fins : un four l'été. Mais c'était sa maison, Rosie y avait grandi, la plage n'était qu'à dix minutes à pied. Une plage que « la fille d'or », comme on l'appelait, habitait la majeure partie de l'année. Toujours bronzée, les cheveux décolorés, presque blanc albinos, elle bondissait dans les vagues, chevauchait l'écume comme si elle y était née. Quand le soleil de Perth – son soleil à elle – se couchait sur l'océan Indien, chaud et calme, le vent, la terre trouvaient un sens en s'unissant à lui. Certes d'un bleu et d'une beauté ahurissants, le Pacifique n'avait pas cette sauvagerie essentielle à laquelle Rosie s'identifiait.

Après la fin des cours, lorsqu'elle avait l'été devant elle, Rosie évitait la maison. Elle détestait le silence délétère qui se dressait entre ses parents. Plus tard, jeune adulte connaissant mieux les hommes, elle vouerait une sorte de respect aux amants qui, l'engueulant, l'insultant, crachaient leur colère et leur venin. Jamais elle ne leur ressemblerait – l'injure lui était étrangère, elle se renfermait dans sa coquille, cependant consciente d'en souffrir. Rester clair, s'exprimer, ne pas refouler, voilà ce qu'elle enseignait aujourd'hui à Hugo. « Tout sentiment est légitime », lui disait-elle à voix basse, comme un mantra, avant même qu'il apprenne à parler.

L'année avant que ses parents divorcent, la maison menaçait d'imploser à force de non-dits et d'émotions contenues. Elle était invivable mais, Dieu merci, il y avait la plage.

« On va être expulsés », avait annoncé Eddie, désinvolte, indifférent.

Il était toujours comme ça : Aisha le lui avait reproché quand ils s'étaient séparés. « Ton frère ne s'intéresse à rien, mais je veux dire, vraiment rien. Ni aux voitures, ni à la plage, ni aux études, ni à son avenir, ni même aux filles. Il a du sang de navet. »

« Oui, on nous fout à la porte, avait lâché Eddie, presque en bâillant. Papa a tout perdu au jeu et vient de se faire licencier. » Catherine ne le savait pas encore. « On n'a plus rien. »

« Où va-t-on aller ? » avait demandé Rosie, terrifiée.

Haussant les épaules, il avait sauté par-dessus le muret et pris sa planche de surf en direction des vagues.

« Où va-t-on aller ? » avait-elle répété en criant.

Rosie était restée toute seule, à le regarder ramer, allongé sur sa planche, jusqu'au point où l'eau et le ciel semblaient se fondre.

Richie arriva à neuf heures et demie tapantes. Rosie était chaque fois surprise qu'il soit si ponctuel – elle l'avait été si peu au même âge. L'apercevant derrière la moustiquaire, Hugo s'élança vers lui avec un cri de joie. À l'évidence, il avait besoin d'un frère. *Ils* avaient besoin d'un second enfant.

— Yo, p'tit gars.

Hugo sautait sur place en essayant d'atteindre le loquet, trop haut pour lui.

— Une seconde, une seconde, lui dit Rosie en riant.

Elle fit glisser la clenche, ouvrit la porte, se pencha pour embrasser Richie, qui rougit. Hugo prit aussitôt sa main et l'entraîna dans le couloir, vers le jardin.

— Désolé, fit Richie en se retournant. Je ne fais que passer…

— Allez jouer, répondit Rosie avec un signe de la main.

Un soulagement de s'installer au volant, de voir le siège-bébé vide à l'arrière, de monter le volume sur le vieux CD de Portishead, de baisser la vitre et de rouler. Seule, mais avec l'assurance que cela ne durerait pas. D'ici à quelques heures, Rosie savait que son fils lui manquerait.

Kirsty, la sœur de Shamira, allait garder Sonja et Ibby. Elle avait les paupières épaisses de Sham, le même visage ovale, la même peau d'Irlandaise, mais la ressemblance s'arrêtait là, le reste était tout en contraste. Kirsty arborait un T-shirt aux couleurs d'une marque de bière balinaise, trop court pour son ample poitrine. Elle portait en dessous un jean noir serré, des sandales, et ses cheveux bruns aux pointes décolorées lui tombaient en cascade sur les joues et les épaules. Selon Shamira, Kirsty avait accepté depuis longtemps sa conversion à l'islam, cependant son look trash de zonarde était déjà en soi une manière de s'y opposer. Affichait-elle par pur hasard une publicité pour de l'alcool ? Quoi qu'il en soit, Ibby et Sonja adoraient leur tante, se disputaient visiblement son affection, ses attentions. Sonja, sur ses genoux, griffonnait dans un cahier d'exercice, tandis qu'Ibby, debout devant elle, semblait attendre qu'elle le prenne dans ses bras. Une paire de bottes en main, Bilal les rejoignit. Il salua brièvement Rosie, assise devant eux, prit place et se chaussa, puis se tourna vers son fils.

— Tu écoutes bien ce que dit ta tante, d'accord ?

Grave et sérieux, Ibby hocha la tête d'un air décidé. Son père lui fit un clin d'œil.

— Bon gars.

Rosie remarqua le sourire fier et heureux du garçon.

Insistant pour monter à l'arrière, Rosie aperçut Bilal dans le rétroviseur lorsqu'elle attacha sa ceinture et, honteuse, évita son regard. Elle entendait presque Gary se moquer d'elle. « Tu as tellement peur de dire ou de penser ce qu'il ne faut pas que tu perds tous tes moyens dès que tu as un Noir devant toi. Ce que tu peux être coincée, petite-bourgeoise, ma fille ! » Évidemment, la pire insulte que son mari pouvait lui jeter, car c'était à la fois vrai et injuste. Rosie trouvait absurde de ne pas posséder de maison, d'être pauvre au point d'habiller son fils chez le fripier, de finir les courses de la semaine avec des pièces d'un et deux dollars. Pesamment, bêtement, obstinément petite-bourgeoise, Rosie était mal à l'aise avec les Aborigènes depuis un jour lointain où, toute gamine, son père l'avait emmenée en ville. Redoutant une catastrophe si elle les observait, elle s'était cramponnée à sa main chaque fois qu'ils en croisaient un. Mais elle ne savait pas pourquoi. À l'occasion, ses parents avaient tenu des propos racistes, quoique jamais teintés de violence ni d'agressivité. Catherine plaignait les Noirs, son mari les méprisait et tous deux se targuaient d'être tolérants. Contournant le conscient et la mémoire, l'air de Perth avait distillé ces angoisses au plus profond de la jeune fille. Les Noirs d'Afrique ou d'Amérique ne lui faisaient pas cet effet. Lorsque, quelques années plus tard, les frégates de l'US Navy avaient amarré dans le port de Fremantle, que Perth grouillait soudain de marins noirs, fringants, sûrs d'eux, elle n'avait ressenti aucune peur. Au contraire, elle aimait leurs manières, leurs œillades gaillardes, leurs sifflements admiratifs, leur baratin. « Viens, ma chérie, on va s'en jeter un ! » Aish, la meilleure amie de Rosie, était indienne. Elle avait la peau noire, non ? Mais Rosie n'osa pas regarder à nouveau Bilal.

Elle lâcha un long soupir. Shamira se retourna, les sourcils levés. S'excusant d'un hochement de tête, Rosie tapota sur l'épaule de son amie et lui dit doucement :

— Ça va.

La convocation au tribunal l'avait mise dans tous ses états. Il fallait garder confiance, ne pas remettre en question la juste décision qu'elle avait prise. « Je suis une fille bien et, si la présence de Bilal me trouble, ce n'est pas seulement parce qu'il est aborigène. » Elle se souvenait de lui, jeune homme – elle l'avait rencontré peu après son arrivée à Melbourne –, il rigolait tout le temps, avec une voix claironnante. Terry avait du charme, une sorte de sauvagerie juvénile, mais paraissait tendu, prêt à libérer une violence terrible. Rosie ne l'aimait pas, le craignait. À quarante ans passés, Bilal n'avait plus rien de commun avec le jeune homme d'antan. Rosie lui faisait confiance, préférant sa nouvelle identité, même s'il semblait avoir perdu le sens de l'humour. En revanche, elle était sûre qu'il la détestait, croyant toujours voir la petite Blanche, cette écervelée de Perth qui redoutait son regard. En deux décennies environ, ils avaient à peine échangé quelques dizaines de phrases. Maintenant que Rosie tissait des liens avec sa femme, elle aurait aimé prouver qu'elle n'était plus cette jeune fille frivole, que tout cela était remisé depuis longtemps.

Tout autour d'eux la trame sans relief et sans fin de la banlieue nord. Plus ils s'y enfonçaient, et plus Rosie la trouvait laide, plus le ciel gris et lourd menaçait de les écraser. Pelouses et espaces verts jaunis, sinistres, desséchés ; ce qu'il restait de nature était partout fané, décoloré. Privé du souffle vital de la mer, ce monde-là étouffait, pensa-t-elle. Elle comprenait pourquoi la simple idée de vivre là – de prendre pied dans ce vide désolé – répugnait tant à son mari. Seulement, ils n'avaient pas les moyens d'autre chose. À moins de partir à la campagne, ce qu'il refusait également. Il pourrait pourtant peindre plus facilement, et cela ne serait pas mal pour Hugo – mais non, il ne voulait pas en entendre parler. Rosie étudia l'image de Bilal dans la vitre. Un type bien, père attentif, mari dévoué. Un court instant, elle regretta – en frissonnant, le souffle coupé – de ne pas être la femme assise à son côté, de ne pas aller en couple visiter cette maison.

Se penchant, elle tapota sur l'épaule de Shamira.

— Tu es contente ?

Son amie fit la moue.

— Non, on a été déçus trop de fois, on ne se fait plus d'illusions.

Tendant le bras par-dessus le levier de vitesse, Bilal saisit la main de sa femme.

— Ne t'inquiète pas, chérie, on finira par trouver quelque chose.

Le ton était bourru, gêné. Rosie s'adossa à la banquette. Visiblement, Bilal aurait préféré qu'elle ne soit pas là. Elle n'aurait pas dû venir – cette affaire les concernait eux, mari et femme. Mais comment avoir une idée, autrement ? On avait l'air de quoi lorsqu'on cherchait toute seule un domicile pour sa famille ?

La maison se trouvait dans une petite impasse, à quelques centaines de mètres de High Street. Il y avait une école au carrefour, où les enfants pourraient se rendre à pied. C'était une construction du début des années 70, basse de plafond, aux murs extérieurs recouverts de briques de parement. Au-dessus de la clôture, le panneau VENTE AUX ENCHÈRES portait la mention « Confort familial ». L'expression ferait horreur à Gary. *Valeurs familiales. Familles ouvrières. La famille d'abord.* Il détestait tout ce qui avait trait à ça. Derrière leurs clôtures, quelques voisins regardaient le flot continu des visiteurs qui entraient et sortaient. Parmi eux un vieil homme de type méditerranéen – grec sans doute – et, plus loin dans la rue, un groupe d'enfants qui jouaient au foot sous la surveillance d'une Africaine. La tête couverte d'un foulard, elle prenait garde aux voitures qui passaient. C'était tranquille, comme coin. Rosie n'aurait pas peur de laisser Hugo sortir.

La maison en elle-même était moche – il n'y avait pas d'autre mot. Les occupants étant partis, elle fit à Rosie l'effet d'une coquille vide, sans charme ni personnalité. Les pièces étaient exiguës, la moquette défraîchie, la buanderie et la salle de bains sentaient nettement l'humidité. Mais le terrain paraissait étendu, avec une grande remise de guingois, au fond, qui pouvait servir d'atelier. Avec ses minuscules parterres de fleurs envahis par les mauvaises herbes, elles-mêmes fanées, le jardin n'était plus entretenu depuis des années. Rosie voyait cependant qu'il plaisait à ses amis – le potentiel, l'espace. Repartant discrètement à l'intérieur, elle se fit l'impression d'une imbécile, sans personne pour l'accompagner. Partout de jeunes couples frappaient sur les minces cloisons, prenaient les dimensions des pièces, essayaient la chasse d'eau aux toilettes. Rosie revint sur ses pas jusqu'à la porte d'entrée. À son arrivée, l'agent immobilier lui avait offert un dépliant, qu'elle avait refusé. Le gars aux joues bien rondes était toujours là, sous l'auvent. Il lui en proposa un autre puis, la reconnaissant, sourit en baissant le bras. Cédant à l'impulsion, Rosie tendit la main. La photo représentait la maison sous son aspect le plus favorable. L'angle de prise de vue permettait opportunément d'exagérer la hauteur et la largeur du bâtiment. Rosie retourna le document et étudia le plan. Il n'y avait que deux chambres à coucher, ce qui impliquait que les enfants dorment dans la même – c'était déjà ainsi dans l'appartement que Sham et Bilal louaient à Preston.

— Thomastown vous plaît ?

Elle décela une touche de cynisme goguenard dans la question ; comme si le type avait étudié ses vêtements qui, bien que de seconde main, étaient assemblés avec style. Elle portait cependant des sandales Birkenstock, pas vraiment bon marché.

— À combien croyez-vous qu'elle partira ?

— Entre deux cent trente et deux cent soixante mille, spécula l'homme, prudent. Quoique…

Il n'eut besoin de rien ajouter à ce maudit « quoique ». *Entre deux cent trente et deux cent soixante mille.* À proximité des commerces, écoles, transports, une affaire que Rosie ne pouvait même pas saisir, qui filerait sans doute pour une somme bien supérieure à celle affichée. Trois cent mille dollars de merde, pour ce taudis, ce concentré de banlieue, de laideur, de banalité. Elle rendit l'imprimé à l'agent.

— Vous cherchez à investir ? demanda-t-il.

Sortant une carte de visite de sa poche, il l'offrit à Rosie.

— Appelez-moi quand vous voulez.

Il la draguait ? Quel âge avait-il ? Vingt-cinq ans ? Moins ? Elle était sûre qu'il lui faisait du gringue, ce qu'elle trouva flatteur et ridicule à la fois. Rosie jeta un coup d'œil au rectangle de carton : Lorenzo Gambetto.

— Merci, Lorenzo.

Il répéta :

— Quand vous voulez.

— J'accompagne simplement des amis.

— Oui, le couple, j'ai remarqué.

Le ton était égal, nonchalant, mais teinté d'une pointe de curiosité. « Le couple. » À peine Shamira et Bilal descendaient-ils de voiture qu'elle avait senti les regards, discrets pour la plupart, mais d'autres insistants, menaçants. À l'évidence, le mari était aborigène, la femme musulmane, bien qu'avec un visage et une peau typiques des classes prolétariennes. « Qui c'est, ceux-là ? »

— Qu'en penses-tu ?

Avec tact, Rosie retourna la question à Shamira.

— Et toi ?

— Il n'y a que deux chambres, mais à moins de s'éloigner encore, on ne trouvera jamais un quatre pièces. J'ai besoin de rester près de maman et de Kirsty, et Bilal de son travail. Je me verrais bien habiter là, moi.

Sham avait les yeux brillants.

Rosie savait exactement quoi dire.

— L'endroit est sympa, la rue accueillante, il y a plein de mômes dehors, et une école primaire au coin de la rue.

— Le lycée est là-bas sur l'avenue, quand ils auront l'âge.

Souriant à Bilal, Rosie se demanda s'il voyait clair dans son jeu, s'il percevait ses doutes, son scepticisme. « Combien de temps supporteras-tu cet endroit, si tu l'achètes ? Jusqu'à quand pourras-tu habiter ici ? »

— C'est parfait.

Rosie les écouta à peine sur le chemin du retour. Elle comprenait leur enthousiasme – leurs appréhensions et leurs inquiétudes aussi. « Comment convaincre Gary de faire quelques visites, ne serait-ce qu'une ou deux ? »

Spring Street redevint St Georges Road, et les gratte-ciel familiers du centre se dressèrent brusquement. Voilà où Rosie souhaitait vivre, ce monde-là était le sien depuis des années, c'est là qu'elle rêvait d'acheter. Mais s'il fallait cracher trois cents billets pour un clapier à Thomastown, qu'est-ce que ça serait ici ? La première couronne de Melbourne. Les cafés. Les boutiques qu'elle aimait. La piscine. Le tram qui l'amenait à Smith Street et Brunswick Street. Les promenades si agréables le long de la Yarra et de Merri Creek. Ce n'était pas juste, leur quartier était là.

— C'est quand, le jour des enchères ?

— Dans un mois.

Le week-end après l'audience.

Bilal travaillerait toute la journée, Sham s'occuperait des formalités, cela ferait une semaine impossible. Sans connaître précisément la procédure, Rosie devinait qu'il y aurait les banques, le notaire, l'agence immobilière, et Dieu sait quoi encore.

Comme si elle lisait dans ses pensées, Sham se retourna et prit sa main.

— Je serai là, dit-elle.

Rosie n'aurait jamais cru éprouver une telle gratitude.

Elle pensa d'abord qu'il n'y avait personne, que Richie avait emmené Hugo au square. En arrivant à la cuisine, elle entendit du bruit. Du bout du pied, Rosie ouvrit la moustiquaire, traversa le jardin et aperçut Gary, une cigarette au bec, derrière la fenêtre brisée de l'appentis.

Tous trois levèrent les yeux vers elle lorsqu'elle entra. Rosie se fit l'impression d'une intruse dans un club masculin, réservé à certains jeux. Gary l'étudia sans expression. Assis en tailleur sur la terre battue, Richie la regardait, bouche bée, d'un air coupable et ahuri, une pile de magazines entre les genoux. Rayonnant d'adoration et de plaisir, Hugo courut vers sa mère qui le souleva, mais trébucha et manqua de tomber. Elle dut se retenir au cadre de la porte. Le petit grandissait, il ne tiendrait bientôt plus entre ses bras. Cela marquait une étape, une séparation physique, et Rosie ressentit une pointe de regret – comme un sevrage à l'envers. Si seulement il pouvait redevenir bébé, cette chose minuscule qui s'ancrait parfaitement sur son corps. Elle l'embrassa une fois, deux fois puis trois, et le reposa doucement sur ses jambes.

— Maman, s'exclama-t-il, on a regardé les nénés !

Richie avait vite refermé son magazine, mais Rosie comprit aussitôt de quoi il s'agissait. Il avait devant lui la collection de *Playboy* – une petite caisse pleine – que Gary avait achetée au marché aux puces de Frankston, lorsqu'ils avaient commencé à se fréquenter. Elle les avait depuis suivis partout. C'était pour l'ensemble des exemplaires des années 70 et 80, quand les modèles avaient perdu leur innocence, après les grandes heures du magazine. Mais à quoi jouait Gary ? Quel intérêt de mettre ces nanas sous le nez d'un enfant et d'un ado ? Un vrai truc de *pervers* – n'était-ce pas évident ?

Il tira une dernière bouffée de sa cigarette et l'écrasa par terre.

— Tu te rends compte que Rich n'avait jamais vu un *Playboy* de sa vie ? dit-il avec un clin d'œil – évidemment provocateur. Je suppose qu'on s'en fout, maintenant, avec l'Internet…

L'entendant, Richie se leva d'un bond en éparpillant les revues autour de lui. Des pages centrales s'échappèrent : les lolos de Miss Janvier 85 côtoyaient le cul de Miss Avril 83. Mortifié, l'adolescent s'agenouilla pour reconstruire une pile désordonnée. Rosie ressentit pour lui un mélange de pitié et d'affection : le pauvre chéri n'osait pas la regarder. Elle comprit finalement ce que faisait Gary. Il la punissait d'être allée visiter une maison, et il avait choisi ce moment, délibérément, pour leur montrer sa collection, puisqu'elle était susceptible de rentrer d'une seconde à l'autre. Il valait mieux ne pas réagir. Non, ne pas se mettre en colère : Gary serait trop heureux, ce con-là cherchait la bagarre.

Elle s'accroupit pour aider Richie.

— Mon père aussi lisait *Playboy*, dans le temps, lui dit-elle simplement. Pour les articles…

Le gamin ne rit pas, ne connaissait sans doute pas cette vieille plaisanterie. Rouge comme une pivoine, il n'osait toujours pas lever les yeux.

— Je vais faire à manger, poursuivit-elle. Tu es le bienvenu à notre table.

Il murmura quelque chose d'inaudible – apparemment, sa mère l'attendait pour déjeuner.

Se redressant, Rosie se pencha vers Hugo.

— Tu veux le sein, mon chéri ?

Elle prit son fils par la main et sortit de la remise, certaine que Gary l'observait.

Il eut finalement ce qu'il voulait car, évidemment, la dispute éclata. Il avait besoin d'un prétexte pour diminuer sa femme, s'emporter un bon coup, partir au pub, y rester jusqu'à la fermeture, peut-être continuer ailleurs. Il reviendrait en titubant, insensible, inintelligible, après le lever du jour. Voilà ce qu'il voulait, ce qu'il cherchait à chaque fois.

Rosie évita au début de tomber dans le piège.

— Tu dois avoir les boules que j'aie montré ça à Richie ?

— Non, ça m'est égal.

Il se plaignit ensuite que la poivronnade manquait de sel, ricana quand Hugo demanda à téter après le déjeuner. Tournant en rond dans le salon, il jura parce qu'il ne retrouvait plus son exemplaire de

Good Weekend[1], avec une photo de Grace Kelly plus jeune en couverture.

— Tu l'as jeté, c'est ça ?

— Non, Gary, je ne l'ai pas jeté.

— Faut toujours que tu foutes mes trucs à la poubelle.

— Je te répète que je ne l'ai pas jeté.

— Alors, où il est ?

— Je n'en sais rien.

— *J'en sais rien, j'en sais rien*, tu sais jamais rien, espèce d'imbécile !

Lorsqu'elle tenta de faire la sieste, il mit à plein volume un disque de Television, *Marquee Moon*, lourd et peu mélodieux, qui l'empêcha de fermer l'œil. Commençant à boire dès la fin du déjeuner, Gary avait englouti son pack de bière à quatre heures de l'après-midi, et il enragea lorsqu'elle lui refusa vingt dollars pour continuer ailleurs.

— Je travaille pour le gagner, ce fric. C'est à moi. Tu fous que dalle, toi. Donne-moi ma thune.

Puisqu'il était au pub, Rosie appela aussitôt Aisha, mais tomba sur le répondeur. Elle essaya ensuite Shamira, mais le téléphone sonnait dans le vide. Alors Rosie décida de rendre visite à Simone, qui habitait quelques centaines de mètres plus loin – Hugo pourrait jouer avec Joshua. Ils étaient prêts à partir quand Gary revint du pub.

— Où allez-vous ?

— J'emmène Hugo chez Simone.

— Il n'aime pas Joshua.

— Mais si.

— Non. Josh n'arrête pas de le pincer. Pas vrai, Hug' ?

1. Magazine inclus dans l'édition du samedi des quotidiens *The Age* et *The Sydney Morning Herald*.

— Joshua ne te pince pas, chéri, enfin ?
— Je te dis qu'il arrête pas.
— Eh bien, tu expliques à Josh que personne n'a le droit de te toucher sans ton consentement, Hugo.
— Oh bordel, encore ce blabla politiquement correct !
— On y va, mon poussin, enfile ta veste.
— C'est ça, vas-y, Hugo, et si Joshua t'emmerde, dis-lui que ta mère appelle les flics et qu'on réglera ça au tribunal. Elle a l'habitude, maintenant.
Il avait touché le point sensible.
Elle en avait plein le dos.
Elle l'insulta.

Quand plus tard ils en eurent fini, Gary étant reparti en claquant la porte, Rosie s'étonna qu'ils aient pratiquement oublié l'existence du petit – ils s'étaient disputés aussi violemment qu'autrefois, avant sa naissance. Allongée sur son lit, affligée, épuisée, elle frissonna en se rappelant qu'Hugo n'avait pas pleuré, n'avait pas eu peur, ne s'était pas mis en colère, comme un autre enfant – égoïste sans doute, mais compréhensible – l'aurait fait. Se réfugiant simplement au salon, il avait allumé la télé, assis tout près de l'écran, et il avait monté le volume. Cela terrifiait Rosie. Lorsqu'elle s'engueulait avec son mari – et à ces moments-là seulement –, Hugo ne demandait plus à être le centre du monde, ne réclamait plus rien. Comment serait-il, adulte ? Refuserait-il les conflits, comme elle ? Ou ressemblerait-il à son père, toujours prêt à contredire, argumenter, chercher noise ? Cependant elle n'y pensa que plus tard, au lit, pendant qu'il la tétait, ce qui eut pour effet de les calmer tous deux.

Rosie ne demandait qu'une chose – le soutien de Gary – et ne supportait pas l'idée qu'il le lui refuse.

Certes, ses appréhensions, la crainte d'être déshonoré à l'audience étaient normales ; elle les éprouvait elle aussi. Cependant elle voulait qu'il l'aide pendant les semaines à venir, qu'ils se préparent, travaillent, espèrent ensemble. Et donc elle lui avait dit d'aller se faire foutre. C'était tout, quelques mots insultants qui lui avaient échappé, mais qui avaient suffi à le faire sortir de ses gonds.

— C'est ta faute si on en est là.

Rosie avait trouvé la remarque profondément injuste ; elle lui était restée sur le cœur. Non, le coupable était cet inconnu, cette brute qui avait frappé leur enfant. Rosie ne doutait pas que l'affront fût aussi cuisant pour son mari que pour elle. Elle avait été fière de lui, au barbecue, lorsqu'il avait fustigé ce salaud, prenant aussitôt et sans réserve la défense d'Hugo. Il avait été parfaitement d'accord pour porter plainte. Ce jour-là, Hugo avait été inconsolable, Rosie n'avait pas réussi à l'endormir. Tel un animal blessé, terrorisé, il s'était cramponné à elle, refusant de la laisser partir. Voilà pourquoi ils agissaient, parce qu'un monstre avait agressé le petit. Calme, convaincu, Gary avait convenu qu'ils faisaient le bon choix, que l'autre enfoiré n'allait pas s'en sortir comme ça. Elle lui en savait gré, car elle connaissait ses sentiments vis-à-vis de la police : tant de choses dans sa vie l'avaient porté à s'en méfier, à la détester. Malgré cela, il avait téléphoné, ce qui était admirable.

— Je ne regrette pas ce qu'on a fait, avait-elle lâché. Ce n'est pas nous qui sommes responsables, c'est lui ! Tout cela est sa faute. Tu ne comprends plus rien ?

Gary avait hurlé si fort que la rue entière l'avait entendu.

— Non, c'est toi, la cause de tout ! Pour commencer, il ne fallait pas appeler les flics.

Elle aurait préféré revenir à la cuisine préparer la soupe, mais il lui avait bloqué la route.

— C'est *toi* qui as téléphoné, je te rappelle.

Voilà, elle l'avait dit.

— Tu m'as forcé.

Elle avait tenté de le raisonner, à tort car il ne voulait plus l'entendre.

— Dans quelques semaines, Gary, ça sera terminé.

— C'est déjà terminé ! avait-il crié, furibard. Et tant mieux ! Hugo a déjà oublié, lui.

— Bien sûr que non, bien sûr qu'il s'en souvient !

— Parce que tu lui ressasses à longueur de journée ! C'est toi qui n'arrives pas à oublier !

Il la supplia presque :

— Laisse tomber, Rosie, laisse tomber cette affaire.

Elle s'était remise en colère.

— Laisser tomber ? Comment peux-tu laisser tomber ? Pour que le mec s'en sorte les mains dans les poches ? C'est comme ça que tu protèges ton enfant ?

Saisissant le portefeuille, Gary avait retiré leurs derniers billets. Elle avait essayé de les lui reprendre, mais il avait sèchement repoussé sa main. Il filait dans le couloir, direction le pub, où il passerait la soirée. Se plaçant devant la porte, Rosie avait tenté de l'arrêter, et il l'avait collée contre le mur.

— *Je te hais*.

Sans crier cette fois, calmement, juste ces trois mots. Il le pensait. Puis il était parti, l'après-midi s'était engouffré dans le silence, et Rosie dans sa solitude.

Pas tout à fait. Car elle avait Hugo, Hugo son enfant ravissant. Allongé près d'elle, il lui caressait les joues, le front, le haut du crâne, comme il aurait fait avec un petit chat.

— C'est fini, maman, c'est fini.

Rosie pouvait pleurer, libérer ses larmes devant lui. Hugo lové contre elle, elle retrouva la paix.

Elle le regarda dormir. Dès qu'il fermait les yeux – des yeux qu'elle lui avait donnés, si pâles qu'ils semblaient irréels –, elle ne voyait en lui que Gary. Il avait le menton, le teint, les grandes oreilles décollées de son père. L'hérédité était si manifeste qu'en l'observant elle ne pouvait s'empêcher de penser à ses grands-parents. Rosie se demanda si elle saurait jamais le préserver. On rapportait maintenant que les maladies mentales, l'alcoolisme, la toxicomanie, tout cela était d'ordre génétique. Comment dévier le cours du destin biologique ? Alistair, le père de Rosie, avait été alcoolique, mais cela n'était pas atavique. Son penchant pour la boisson avait eu une cause, et c'en était l'effet. Il avait perdu son boulot, sa maison, sa femme, et enfin ses enfants. En revanche, Gary avait ça dans le sang. Son père avait été un ivrogne, comme sa mère et ses grands-parents. Une lignée de poivrots qui remontait peut-être au premier navire de bagnards. Rosie s'esclaffa presque. Son mari, un modèle d'Australien ! Elle se rappela une conversation pendant un dîner, dix ans plus tôt, pendant laquelle Hector avait expliqué que boire en Australie n'était pas la même chose que dans les autres pays : cela n'avait rien de convivial, on dépassait toutes les limites, on faisait ça au pub, plutôt que chez soi à table. Rosie avait rougi et rougissait encore en y songeant. Sans méchanceté, sans mimique de dégoût, Hector avait tourné en dérision l'idée d'une « australianité ».

Rosie avait été choquée par son futur beau-père. Il venait juste d'avoir cinquante ans, cependant sa peau, son corps, sa façon de se tenir étaient ceux d'un mourant. « Son foie est foutu », l'avait prévenue Gary, mais elle s'en serait rendu compte toute seule. D'une pâleur cadavérique, Jack avait les bras couverts de plaies rouges et violettes, parlait d'une voix rauque, sifflante, brisée d'épouvantables quintes de toux qui, toutes les cinq minutes, le pliaient en deux. Il crachait dans un mouchoir ou par terre d'épaisses mucosités gluantes, et il avait toujours une cigarette entre les doigts. Rosie avait aussitôt arrêté de fumer. Voilà ce que faisaient l'alcool et le tabac : tuer. Le corps se vengeait froidement de ce qu'on lui avait imposé, et c'était une mort indigne. À quarante-huit ans seulement, la mère de Gary, également alcoolique, souffrait d'obésité. De profondes rides lui creusaient le bord des lèvres, sous un nez bulbeux et couperosé. La sœur était là elle aussi, la clope dans une main, la bière dans l'autre.

Rosie avait été frappée d'horreur ; ces deux jours chez ses beaux-parents semblaient n'avoir pas de fin. La maison était minuscule – un logement social dans la banlieue ouest de Sydney. Ce n'était pas la campagne, mais pas la ville non plus. Rien à voir et nulle part où aller, à l'exception du pub au bout de la rue. Ils y avaient dîné les deux soirs et, pour la première fois, Rosie avait vu Gary boire vraiment, compulsivement, jusqu'à perdre connaissance. Elle n'avait pu dormir de tout le week-end, tant il ronflait, pétait, haletait. De retour à Melbourne, elle s'était interrogée, terrifiée : pouvait-elle épouser cet homme ?

Ç'avait presque été un mariage éclair. Ils ne se connaissaient pas depuis un mois que Gary lui demandait sa main, et Rosie avait accepté. Parmi les trésors dont hériterait Hugo se trouvait un autoportrait de son père, à l'huile et sur toile, guère plus grand qu'une photo, avec la mention « Veux-tu m'épouser ? », marquée au pochoir et à l'encre noire, par-dessus son visage.

Rosie l'avait rencontré peu après son retour d'Angleterre. Comme tant d'autres Australiennes, elle avait gâché huit ans de sa vie à Londres, à enchaîner les emplois intérimaires, faire la fête, surfer successivement sur les vagues de la *techno*, de la *house*, de la *rave*, et finir par bêtement s'enticher d'un homme marié, plus âgé qu'elle. Quoi de plus conformiste ? Rosie qualifiait cette relation d'amoureuse, mais la passion n'y entrait pas. Ni réel bonheur, ni vraies angoisses avec Eric. Tous deux étaient conscients de ce qui les unissait – il savait pourquoi il commettait l'adultère, Rosie pourquoi elle était sa maîtresse. Eric disposait d'une superbe jeunette à baiser ; elle profitait du super appart qu'il louait pour eux deux, avec vue sur le palais de Westminster. Il lui achetait des sapes d'enfer, payait l'herbe, l'ecsta et la coke. Branchés, élégants, ils avaient belle allure ensemble – Eric portait fort bien le costume trois-pièces. C'était un bon amant, prêt à réaliser tous les fantasmes. Elle aimait son côté homme mûr, se soumettait avec grâce : « Je peux baiser avec toi, papa ? » Il l'avait emmenée à la première du *Racing Demon* de David Hare, avait réservé les meilleures places pour le Girlie Show de Madonna à Wembley. Rendons-lui justice, jamais il n'avait parlé de quitter son épouse, jamais il n'avait fait cette ignoble promesse. Rosie avait une autre raison de rester avec lui : ça emmerderait sa mère.

En fait, elle était sûre de rentrer tôt ou tard, de retrouver ses amis, quand bien même Eddie n'aurait pas appelé. « Rosie, je suis navré. Papa est mort, il s'est pendu. »

Elle avait versé une larme le jour du départ, toutefois elle savait comme Eric qu'ils n'auraient pas de regrets. Ils ne jouaient qu'un rôle dans une sorte de série télé, compassée, qui devait se terminer avec le XXe siècle. Bref, ils s'ennuyaient. Toujours gentleman, Eric s'était occupé du billet d'avion, l'avait aidée à plier bagage et conduite à l'aéroport. Avec un dernier baiser, il lui avait glissé un Valium dans la main pour le voyage interminable aux antipodes.

Les obsèques étaient prévues le lendemain de l'arrivée de Rosie à Perth. Catherine n'y était pas allée et, pour la contrarier, sa fille était restée une semaine chez Eddie, à enjamber les cartons à pizza, supporter les W.-C. immondes et la baignoire entartrée. Puis elle avait loué une voiture pour se rendre à Melbourne. Elle voulait s'imprégner à nouveau de son pays, s'enfoncer dans la toile ouverte du ciel, du désert et de la terre. Conduisant par périodes de dix heures, elle n'avait vu que des broussailles desséchées et le bleu infini du firmament. Rosie se garait le soir dans des stations-services au milieu de nulle part, se forçait à dormir en bravant le froid glacial. En atteignant Port Augusta, elle avala un hamburger au pain rassis dans un café minable en évitant le regard ahuri des Aborigènes. Alors elle eut le sentiment d'avoir laissé l'Europe au loin. Huit ans venaient de disparaître.

À Melbourne, elle s'installa tout d'abord chez Aisha et Hector, apprit à changer les couches de Melissa, trouva un job de réceptionniste, à Fitzroy, pour une petite marque de confection, et loua un studio à Collingwood. Deux mois plus tard, elle rencontrait Gary lors d'un vernissage à Richmond. Lui seul avait eu le cran de dénoncer le bricolage du peintre – postmoderne, complètement dépassé. Il portait à cette époque un costume gris industrie, une fine cravate noire, des bretelles mauves à boutons, achetées chez un fripier de Footscray. Contrairement à Eric, l'élégance n'était pas pour lui un apanage de classe, mais un instinct, et il avait créé son propre style. Gary était aussi moins beau qu'Eric, mais cela n'importait pas. Tout en lui était disproportionné, extravagant : le menton pointu, les pommettes saillantes, l'intensité du regard, et son seul Dieu s'appelait sincérité. Rosie le trouva fascinant et dangereux. Le contraire d'Eric. Certes, celui-ci avait eu du charme, comme le père de Rosie, et des manières, comme sa mère. Mais la suavité et la politesse sont des qualités ambiguës qui ne servent qu'à masquer la vérité.

Fondant droit sur Gary, Rosie lui avait reproché d'être injuste envers le peintre, faisant valoir qu'un vernissage n'était pas une tribune pour les critiques, mais une célébration. Moqueur, il s'était esclaffé – la première fois qu'il la traitait de bourgeoise ? –, mais tous deux avaient le sourire aux lèvres. Il lui avait demandé son numéro et l'avait appelée le lendemain. L'invitant à dîner le vendredi soir, il s'était lancé dans un discours brillant qui englobait la musique, le cinéma, la peinture. Il avait remis en cause les dogmes féministes, au nom de la psychologie évolutionniste… Rosie était transportée. Tant de choses lui plaisaient : il lisait beaucoup sans avoir fait d'études ; il avait quitté le lycée à seize ans ; s'était lancé dans la menuiserie, pour abandonner également et s'installer dans le quartier branché de Kings Cross à Sydney, où il avait mené une vie de bohème, éliminant toute trace de son existence précédente. Gary s'était ouvert entièrement, sans laisser de zones d'ombre. Il s'était un temps prostitué, avait mis une copine au tapin, perdu trois ans à cause de l'héroïne, quitté Sydney avec plusieurs milliers de dollars de dettes. Éblouie par ses dons de narrateur, son assurance, la séduction qui opérait, Rosie avait à peine ouvert la bouche de la soirée. Elle avait eu envie de lui aussitôt, mais ne l'avait pas invité chez elle. Gary avait encore rappelé le lendemain et ils avaient passé le dimanche après-midi sur les berges de la Yarra. Ce soir-là, il était resté et, après son départ, Rosie avait téléphoné à Aisha avant de se rendre au travail. « Je suis amoureuse. »

Dès le début, Gary avait été sur ses gardes devant ses amis. Il trouvait Aisha froide, Anouk arrogante, et les tentatives d'Hector de la jouer copain avec lui l'emmerdaient plus que tout. Dans l'ensemble, ils lui paraissaient vaniteux, suffisants. Rosie s'aperçut que, pour donner le change, elle se lançait dans de longues palabres lorsqu'elle les confrontait, pensant éviter ainsi tiraillements et conflits. « Ce qu'ils sont bourgeois, sans intérêt ! s'exclamait Gary en rentrant à l'appartement. Comment peux-tu les supporter ? » Elle prenait leur défense mais, à sa grande surprise, se réjouissait intérieurement de cette inimitié. À travers les yeux de Gary, Aisha, Anouk et Hector étaient soudain moins sûrs d'eux et de leur réussite, en un mot moins parfaits. Rosie ne leur dit rien de Jack et de Valerie après son séjour à Sydney. Gardant ses doutes pour elle, elle décida d'épouser Gary car elle l'aimait, et qu'importent les avertissements de ses amis. Ceux-ci lui restèrent cependant fidèles. Anouk assista au mariage, Aisha et Hector servirent de témoins.

Rosie embrassa doucement Hugo sur la joue. Il sentait le caramel et l'enfance. Hugo s'étira, couina une seconde, se retourna. Elle s'en voulait de le penser, mais elle était contente que ses deux grands-pères soient morts. Le premier brutalement, de sa propre main, l'autre tué par l'alcool. Quant aux grands-mères, elles ne valaient guère mieux – Valerie ivrogne, Catherine handicapée de l'amour. Le monde se réduisait à Gary, Hugo, Rosie et ses amis. C'était une famille et le reste ne comptait pas. « Tout se passera bien, mon chéri, murmura-t-elle. Il n'y a pas lieu de s'inquiéter. »

Quand, le lendemain matin, elle découvrit Gary en train de cuver dans le jardin, ni l'un ni l'autre n'évoqua leur dispute. Rosie leur prépara une omelette, des toasts pour Hugo, et ils regardèrent ensemble *Le Monde de Nemo*. Hugo rigolait en voyant son père murmurer les répliques de Dory – il les connaissait par cœur – en même temps que le poisson à l'écran.

Si les jours passaient à toute vitesse, les semaines parurent fort longues avant l'audience. Rosie, angoissée, y pensait chaque instant. Pour épargner le même sort à Hugo, elle se consacra à la maison, entama un méga nettoyage de printemps, décapa le four, poursuivit les toiles d'araignée de pièce en pièce, réorganisa les étagères de la cuisine. Elle préparait ses menus à l'avance, remplissait le frigo, emmenait son fils un jour sur deux faire les boutiques de Smith Street. Il fallait aussi rester à l'écoute de Gary. S'il rentrait du travail de mauvais poil, elle attendait qu'il se détende et qu'il finisse sa première bière. Elle harcela Margaret de coups de téléphone jusqu'à ce que celle-ci lui donne un autre rendez-vous ; bien que la jeune avocate n'eût rien de nouveau à lui conseiller, sinon de garder son calme, Rosie revint remontée à bloc. Margaret répéta qu'elle avait pris avec Gary la décision qui s'imposait, que toute agression envers un jeune enfant devait être punie. Rosie regrettait que son mari se méfie de cette femme : il la trouvait immature, braquée contre les hommes. Mais l'aide juridique ne coûtait rien, et ils pouvaient s'estimer heureux.

Elle vouait une vive reconnaissance à Connie et Richie, qui gardaient Hugo ensemble, ou se relayaient, ce qui lui permettait d'aller à la piscine, au yoga, même de rêvasser. Margaret avait eu beau lui expliquer qu'elle ne témoignerait pas, Rosie s'imaginait à la barre, détaillant avec passion et conviction les circonstances du crime monstrueux perpétré contre son enfant. Elle nagea une fois cinquante longueurs avant d'avoir terminé sa plaidoirie…

Se révélant une amie véritable, Shamira appelait tous les jours, emmenait Ibby et Sonja jouer avec Hugo lorsqu'elle ne travaillait pas au vidéoclub. Elle invita Rosie un après-midi au parc de Northcote, où se retrouvait un groupe de mères à la sortie de l'école, pendant que leurs enfants s'ébattaient sur le terrain de jeux. Rosie apprécia l'intention, mais elle s'ennuya ferme. Ces femmes étaient toutes musulmanes, d'origine arabe ou turque – excepté Shamira bien sûr. Si elles étaient polies, accueillantes, Rosie se rendit compte qu'une invisible barrière les séparait. Non que la religion fût en cause ; seulement quelques-unes de ces filles portaient le voile. Mais leur intimité simple, leurs plaisanteries – elles se traitaient, elles et leurs parents, de « mus' » et de « métèques » –, couplées à leur manque d'intérêt pour l'existence en général, déprimèrent Rosie. Elle se demanda si Shamira éprouvait elle aussi cette forme de distance – serait-elle toujours une « Aussie » pour ces femmes bruyantes, sûres d'elles, issues d'une autre culture ? Resterait-elle une étrangère, quel que soit le nombre de prières répétées chaque jour ? Hugo tenta de jouer au foot avec les autres enfants. Il paraissait si blond, si blanc devant eux. Rosie l'observa et se tut : il renonça au bout d'un moment, puis s'en alla tout seul au terrain de jeux s'amuser sur les toboggans et les portiques. En le remarquant, Shamira ordonna promptement à Ibby de le prendre dans son équipe.

« Ne fais pas ça ! pensa Rosie, amère. N'humilie pas mon petit ! »

Elle se leva en souriant.

— Ravie de vous avoir rencontrées, mesdames, mais il est temps pour nous de rentrer.

Shamira se redressa, mais Rosie l'arrêta.

— Non, ça ira, il fait un temps merveilleux, ça nous fera une jolie promenade.

À la vérité, Aisha lui manquait tant qu'elle était révoltée comme une enfant. Dans un moment pareil, son amie aurait *dû* être là. Jamais encore Rosie n'avait eu autant besoin d'elle. Elle était injuste, et elle le savait. Aisha – et Anouk – l'avait aidée quand ses parents avaient divorcé, lorsqu'elle s'était retrouvée sans maison ; elles avaient pris soin d'elle quand Rosie avait quitté Perth pour Melbourne ; elles étaient là aussi à son retour de Londres, quand Alistair s'était pendu ; Aisha était même venue à l'enterrement. Oui, Rosie était injuste, mais voilà ce qu'elle éprouvait. Il y avait bien Shamira, si douce et prévenante, cependant les deux femmes n'avaient pas d'histoire en commun. Et Connie, généreuse, attentionnée, n'était qu'une adolescente. « Je suis toute seule », pensa Rosie, prenant la main d'Hugo avant de traverser Heidelberg Road. Depuis la naissance du petit, le cercle des relations se limitait à la famille et à quelques amis. Elle ne devait pas avoir revu ses anciennes collègues de travail depuis plus d'un an. « Tu es ma vie, Hugo. » Ce qu'elle ne tenait pas à dire à voix haute, et qu'il n'avait pas besoin d'entendre. Mais c'était vrai. Il était toute sa vie, sa seule vie.

Ce fut donc une grande joie, mêlée de soulagement, de trouver en rentrant un message d'Aisha. « Rosie, comment va ? Tu veux qu'on boive un verre avec Anouk, quelque part jeudi soir ? Rappelle-moi. Nous pensons toutes les deux à toi. On t'aime. »

C'était comme se préparer pour un tête-à-tête amoureux. Depuis longtemps, Rosie avait décidé d'aller chez le coiffeur pour l'audience, et elle prit rendez-vous. Une fille a besoin de ça, parfois. Antony fut aux petits soins à peine avait-elle passé la porte. En l'asseyant, il lui reprocha sans ambages de se négliger. Son baratin la fit rigoler. Lorsqu'il demanda des nouvelles d'Hugo, Rosie lui apprit qu'elle comparaissait dans une semaine.

— Mais quelle connerie, le tribunal, les juges, les avocats ! Quel merdier inutile, tout ça ! Et si je disais à mon cousin Vincent de s'occuper de ce con ? Il lui couperait les couilles, et puis voilà !

Il se tourna vers son assistant.

— Tu te rends compte que ce type a foncé sur le petit pour lui balancer une tarte, comme ça ?

L'assistant, bouche bée, était horrifié.

Déterminé, Antony hochait la tête.

— Mais ouais, faut le zigouiller, ce connard. Pardon si je suis grossier. Mais bon, c'est ça, quoi.

Rosie avait fait le bon choix. Le bon choix – point, barre.

Arrivée la première, elle ne résista pas à l'impulsion de commander une bouteille de champagne. Sachant qu'Anouk voudrait fumer, Rosie choisit une table dehors et, tout en s'asseyant, regarda son image dans la vitrine. Comme d'habitude, Antony avait fait plus que « rafraîchir » – lui laissant cependant une bonne frange du côté droit. C'était une coupe garçonne, du genre années 20, que Rosie aimait bien. Elle portait une vieille chemise blanche de Gary, sous un gilet en velours bleu qu'elle avait depuis vingt ans. La jupe – courte, noire, chic – venait de chez David Jones[1]. Rosie l'avait achetée avant la naissance d'Hugo, et elle venait de découvrir, ravie, qu'elle lui allait encore. Plutôt contente d'elle, elle s'assit. On ne l'accuserait plus de ressembler à une hippie.

Anouk arriva quelques minutes plus tard, vêtue d'un costume d'homme. Elle se laissait pousser les cheveux, et ses épaisses mèches noires, par endroits grisonnantes, lui tombaient sur les épaules. Mutuellement admiratives, les deux femmes s'observèrent en souriant.

Anouk embrassa son amie.

— Tu es superbe.

— Toi aussi. On en mangerait.

Anouk dégagea une clope de son paquet, l'alluma, hocha la tête avec plaisir quand le jeune garçon remplit le deuxième verre qu'il venait discrètement de poser.

— Tu n'es pas venue avec Aisha ?

— Elle a toujours un travail fou à la clinique, répondit Rosie en levant son verre. J'ai pris le tram. Elle me ramènera, si elle peut.

— Bien.

1. Les Galeries Lafayette australiennes.

Anouk parcourut du regard Fitzroy Street jusqu'au vert-de-gris de la baie, luisant sous le soleil de fin d'après-midi.

— Joli, non ? dit-elle. Plus chouette que le béton et la poussière, chez toi là-bas.

Rosie ne répondit rien. Elle habitait Melbourne depuis assez longtemps pour comprendre ses divisions et ses mythologies, mais ce jeu mesquin la laissait froide. Se rendre à St Kilda était certainement agréable, la lecture de *Vanity Fair* l'avait délassée pendant le long trajet en tram, elle était heureuse de s'habiller et de sortir. De toute façon, il n'y avait pas de comparaison entre la baie et l'océan de sa jeunesse. Jamais elle ne venait nager ici. Les rares fois où c'était arrivé, elle était ressortie de l'eau avec une impression de saleté, comme recouverte d'une couche de graisse.

— Ça avance, ce livre ?

Anouk grogna.

— Tu es contente ?

— J'ai une haute image de moi-même, chérie, mais je dois avouer, à ma grande honte, que je me trouve médiocre. Je bosse fort en ce moment, j'avance dans l'histoire, seulement j'ai relu ce matin un chapitre du début, et je me suis sentie comme une merde, lâcha Anouk avant de reprendre son souffle. Ça fait tellement bonne femme, new-age et toutes ces conneries.

Elle afficha soudain un sourire égrillard.

— J'ai dit à Rhys que, la prochaine fois, je donnerai dans le porno. Le porno pédé. Pas d'émotions, pas de sentiments, pas d'histoires de gonzesse. Rien que du cul, direct et droit au but.

— Tu me feras lire ?

— Quoi, le porno ?

— Non, ce que tu écris maintenant.

— Quand j'aurai le courage de te le montrer. Quand ça ne sera plus de la merde.

— Ça n'en est sûrement pas.

Une évidence. Depuis toujours, Anouk sous-estimait ses dons. Arrogante, solide, courageuse à tous égards sauf un : elle doutait de son talent. Aisha et Rosie pensaient que la télévision, les feuilletons n'étaient qu'une échappatoire. Anouk gagnait des tonnes de fric avec ça, mais son destin l'appelait ailleurs. Plus jeunes, elles avaient deviné qu'elle serait célèbre – taquines, elles lui demandaient laquelle des deux aurait l'honneur de l'accompagner aux Oscars. Aisha et Rosie avaient été ravies d'apprendre qu'Anouk abandonnait ses scénarios pour se consacrer à un livre. Il marcherait bien, elle serait reconnue, l'avenir tiendrait ses promesses.

— Et Rhys, ça va ?

— Il joue dans un film de fin d'études, et il est aux anges. Ça ne lui rapporte rien, mais le rôle est génial.

Rosie but une gorgée de champagne. Anouk ne demanderait de nouvelles ni de Gary ni d'Hugo. Rosie la connaissait suffisamment pour savoir que cela n'était pas délibéré. Anouk s'en fichait, et voilà. C'était plus facile lorsque Aisha était là : la conversation rebondissait toute seule. Rosie reposa son verre pour évoquer une anecdote relevée dans *Vanity Fair*. Anouk la prit de court.

— C'est aussi bien qu'Aisha soit en retard, annonça-t-elle avec une lueur sauvage dans l'œil. Je voulais te dire une chose, mais il faut me promettre de ne pas lui répéter, OK ?

— OK.

— J'insiste. Tu promets ?

— Je promets.

— Ce week-end, Aisha s'est violemment disputée avec Hector. Elle voulait t'accompagner mardi, elle n'a pas pu et elle s'en veut terriblement.

Rosie ne fit pas de commentaire.

Anouk parut mal à l'aise.

— Ça va ?

Si ça allait ? Rosie buvait du petit-lait. C'est ce qu'elle avait besoin d'entendre. Non qu'elle se réjouît des déboires conjugaux de son amie, mais c'était un soulagement d'apprendre qu'Aisha pensait à elle. Aisha comprenait sûrement qu'elle traversait une période cruciale de sa vie. D'une certaine façon, il n'était pas nécessaire qu'elle soit là physiquement : Aisha restait présente, quoi qu'il en soit.

— Merci de me l'avoir dit.

Anouk respira de nouveau profondément.

— Écoute, si tu me le demandes, je viendrai avec toi.

Rosie faillit éclater de rire. Non, elle serait trop préoccupée, ce jour-là, pour veiller en plus à ce qu'Anouk et Gary ne s'arrachent pas les yeux. Elle saisit la main de son amie.

— Chérie, je te remercie, mais tu n'es pas obligée. J'aurais trop peur que ton témoignage se retourne contre nous.

Anouk allait protester et, cette fois, Rosie se marra.

— Je plaisante, dit-elle. Merci aussi de m'avoir parlé d'Aisha. Je sais qu'elle ne pourra pas venir. Shamira nous accompagne.

Voyant son amie mal à l'aise, Rosie retira sa main.

— Comment vont-ils, elle et Terry ? demanda Anouk. Euh, je veux dire : Bilal.

Hochant la tête avec dédain, elle ajouta :

— À quoi ça rime, de changer de nom comme ça ? On ne peut pas être musulman et s'appeler Terry ?

Au fond d'elle, Rosie était de cet avis. Pourquoi Shamira ne restait-elle pas Sammi, et Bilal Terry ? Ces changements de prénoms lui avaient toujours paru affectés – comme si l'un et l'autre doutaient d'être de vrais musulmans. Elle se rappela les Turques et les Libanaises du parc, l'autre jour. Il y avait une Tina, une Mari, qui n'avaient pas besoin d'afficher leur religion. « Pas plus que toi, se dit Rosie en regardant Anouk. Tu es née juive, c'est ainsi, quel intérêt de le crier sur les toits ? » Elle voulut cependant défendre ses amis.

— Ça doit être un peu comme le baptême, un acte de foi. Pour que ça soit clair aux yeux de tout le monde.

— Je crois que tout le monde s'en fiche un peu.

— Je pense aussi que Terry a fait preuve de courage en devenant Bilal.

— Parce qu'il est aborigène ?

— Oui.

Anouk alluma une autre cigarette.

— Je ne vois pas pourquoi cela serait plus courageux de la part d'un Noir que d'un Blanc.

Rosie haussa les épaules.

— Dans le monde d'aujourd'hui, n'importe qui a besoin de courage pour s'affirmer musulman.

— Et Shamira ? Elle s'est convertie pour l'épouser ?

— Non, c'était déjà fait. Ils se sont rencontrés à la mosquée.

— Ah bon ? dit Anouk, surprise. Qu'est-ce qui pousse une fille de prolo à devenir mus' ?

— Elle a entendu la voix.

— La quoi ?

Rosie se sentait mal placée pour livrer toute l'explication. Probablement aussi perplexe qu'Anouk, elle avait posé bien plus tôt la même question à Shamira. La réponse de celle-ci avait été si simple, et si charmante dans sa simplicité, que la répéter à Anouk – bien connue pour son athéisme et son cynisme – ne lui rendrait pas justice. Sammi travaillait au vidéoclub de High Street, où elle était toujours employée, lorsqu'un homme et son jeune fils s'étaient présentés dans l'intention de louer une vidéo. Sammi, qui écoutait Triple J[1] sur la chaîne du magasin, s'était rendu compte que le garçon répétait à voix basse une sorte de chant. Elle avait éteint subitement la radio. « J'ai perçu une lumière, Rosie. J'ai perçu la lumière et un sentiment de paix. » Quand ils étaient arrivés au comptoir, elle leur avait demandé ce que marmonnait le petit. En riant, le grand Africain avait répondu que ce n'était pas un chant, mais un verset du Coran. Shamira semblait se rappeler l'instant dans les moindres détails : le père portait une calotte vermillon ; le fils avait une dent ébréchée ; ils avaient loué *Le Roi Lion*. « Rosie, quand ce soir-là je suis rentrée à la maison, maman et Kirsty étaient sur le point de sortir. Elles m'ont offert un verre et un bong, comme d'habitude, et pour la première fois de ma vie, j'ai dit non. Je fume des pétards et je picole depuis l'âge de douze ans. Mais j'ai dit non. J'avais simplement envie de m'allonger et de penser à ce chant. C'est vraiment comme ça que ça a commencé. Sûr, on m'a emmerdée, ensuite. J'ai eu toutes les peines du monde à faire comprendre autour de moi que je voulais étudier l'islam. Les Libanaises au lycée m'ont prise

1. Radio australienne, notamment versée dans les musiques alternatives.

pour une folle. Et maman aussi. Kirsty n'a toujours pas imprimé. Mais j'ai entendu Dieu, j'ai entendu sa voix. »

Rosie remplit le verre d'Anouk.

— Je ne sais pas réellement pourquoi elle s'est convertie. Demande-le-lui toi-même, un jour. Pourquoi devient-on croyant ?

— Par ignorance, parce qu'on a peur de la mort ou qu'on manque d'imagination. Choisis.

« Tu es dure, trop dure, Anouk. »

Quelqu'un klaxonna dans la rue, et les deux femmes se retournèrent. C'était Aisha qui, dans sa voiture, leur fit comprendre qu'elle cherchait à se garer. Anouk tendit le bras vers l'esplanade. D'autres véhicules commençant eux aussi à klaxonner, Aisha hocha la tête et s'éloigna. Croisant le regard du serveur, Rosie demanda un troisième verre.

Aisha paraissait énervée en arrivant.

— J'ai rencontré le diable en personne : une zonarde de Preston, une droguée de merde d'à peine dix-sept ans.

— Le diable a rajeuni ! s'esclaffa Anouk.

Aisha s'assit en riant.

— J'ai besoin de ça, dit-elle en levant son verre.

— Qu'est-ce qui s'est passé ?

La mine renfrognée, Aish dévisagea ses amies.

— Vous êtes super chic, toutes les deux. J'ai l'impression d'être informe, dans mon costume de mémère.

— Tais-toi, tu es superbe, rétorqua Anouk.

— Je n'ai pas eu le temps de passer me changer. Je dois puer la pisse de chien et le sang de chat.

Anouk rit de nouveau.

— Comme d'hab'. Donc c'est pas grave.

Rosie sourit à la vétérinaire. Aisha portait un haut vert olive sur un simple pantalon marine, mais, de toute façon, un rien l'habillait. À quarante ans passés, elle avait un corps svelte, un long cou racé et le visage mince, félin, d'un mannequin de mode. Sans compter cette incroyable peau de porcelaine. Rosie ne connaissait pas de plus belle femme qu'elle.

— Tu es impeccable. Maintenant raconte-nous.

— C'était ma dernière consultation, cette nana avec son chaton. Il fallait le vacciner, rien de bien compliqué. Un de nos vieux clients arrive subitement avec son chien dans les bras. L'animal, blessé, s'est fait renverser par une voiture, il nous fout du sang partout dans la salle d'attente. Tracey court me prévenir, et je demande à la zonarde de m'excuser, puisque nous avons une urgence.

Se détendant un peu, Aisha poursuivit plus lentement :

— Pendant que je tente de réanimer ce pauvre chien, on entend des cris à la réception. La petite conne est en train de gueuler qu'elle avait rendez-vous, qu'on doit s'occuper d'elle d'abord, des autres ensuite. Tracey la rejoint, essaie de la calmer, mais la fille pousse des hurlements. Je fais ce que je peux pour sauver le chien, son maître pleure à côté de moi, et on a cette pimbêche qui hurle dans la clinique. Bon, l'animal meurt sur la table d'opération. J'en suis malade, je repars m'occuper du chat, et l'emmerdeuse m'annonce qu'elle va porter plainte contre nous. Ensuite, elle a le culot d'engueuler Tracey, parce qu'on ne fait pas de réduction pour les chômeurs.

D'un air incrédule, Aisha observa Rosie, puis Anouk.

— J'avais envie de la tuer. Mais qu'est-ce que c'est que ces gens ? Où ils se croient, pour se comporter comme ça ?

Les bras croisés, Anouk s'adossa à son siège.

— Ah, si tu me lances là-dessus, j'en ai pour deux jours. Ces mômes sont incroyables. Comme si on leur devait tout. Les parents, les profs, les médias leur bassinent qu'ils ont tous les droits ou presque, alors évidemment ils n'ont pas de limites. Mais ne leur parlez pas de responsabilités, de politesse ou de valeurs morales. Ils ne pensent qu'à eux, ces petits cons. Je ne peux pas les blairer.

Anouk était si véhémente que c'en était comique.

— Tu sais quoi ? demanda-t-elle à Aish. Tu aurais dû lui dire que, quand on n'a pas les moyens d'aller chez le véto, on n'a pas les moyens d'avoir un chat ! Avec leur mentalité d'assistés, ces mômes seront des ratés jusqu'à la fin de leur vie !

— Je suis bien d'accord.

Rosie restait coite. Bien sûr, cette affaire était épouvantable – la fille aurait dû comprendre que la vie d'un autre animal était en jeu. Mais elle trouvait blessante, cruelle, la réaction de ses amies. Une réduction est parfois bienvenue quand on manque d'argent, et on est si gêné d'avoir à la demander qu'on peut paraître désagréable ou agressif. Certes, cette nana était égoïste. Mais tous les gens fauchés ne le sont pas.

— Ça ne me donne pas l'impression de quelqu'un de très normal, conclut-elle.

Aisha répondit aussitôt.

— Ah, ça, c'est sûr ! Elle était en manque de quelque chose, c'est l'évidence. Pas un rond, au chômage, droguée… La victime parfaite, le tableau idéal. Par-dessus le marché, elle veut nous dénoncer à l'ordre des vétérinaires. Évidemment, puisqu'elle a des *droits*.

Ce dernier mot avait la force d'un coup de poing.

Rosie se tordait les doigts. « Non, je me tais. C'est préférable. »

D'un geste, Anouk commanda au serveur une autre bouteille de champ'.

— C'est le monde d'aujourd'hui, dit-elle platement. Vous imaginez ce que ça sera quand les *djeunes* tiendront les rênes du pays ? Il faut leur mettre la cuillère à la bouche, ils ne lèvent jamais le petit doigt.

« Je demande à voir qu'une zonarde tienne un jour les rênes de quoi que ce soit », pensa Rosie.

Penaude, Aisha regarda le garçon poser leur deuxième bouteille sur la table.

— Il vaudrait mieux manger quelque chose, sinon je ne pourrai pas conduire.

Elle serra les bras sur sa poitrine. La nuit succédait au soir.

— On peut s'asseoir à l'intérieur ? dit-elle en tirant la langue à Anouk. Il fait trop froid pour satisfaire les fumeurs.

— Ne me demande pas de clope après le dîner, toi.

Anouk baissa la voix.

— Je ne sais pas ce que vaut la bouffe, ici.

Quand elle proposa le restaurant italien au coin de la rue, Rosie se raidit. Aisha en avait parlé un jour – c'était censé être cher, beaucoup trop cher.

— Bonne idée, dit Aisha, enthousiaste.

Rosie sentit son amie lui serrer la main sous la table.

— On t'invite, ajouta aussitôt Aish, levant les yeux vers Anouk, qui acquiesça.

— Merci, fit Rosie d'une petite voix.

Le dîner était fabuleux – un mot qu'elle n'emploierait pas devant Gary, puisqu'il ne manquerait pas de le tourner en dérision. Rosie n'avait pas aussi bien mangé depuis des années ; l'osso buco se détachait tout seul de l'os, la fougasse aux herbes sortait du four, Hugo aurait adoré le tiramisu.

Elles raccompagnèrent Anouk chez elle, qui leur proposa de monter boire un café. Rosie fut soulagée qu'Aisha décline. Hugo se demandait sûrement où elle était passée, et il ne s'endormirait pas sans elle. Après le pont de Punt Road, qui enjambait la Yarra, Aisha évoqua enfin l'audience au tribunal.

— Tu sais que je veux y aller.

— C'est comme si tu y étais.

— J'espère qu'ils vont lui tomber dessus, à cet enfoiré.

« Rosie, tu as la meilleure amie du monde, pensa-t-elle. La meilleure amie qu'on puisse imaginer. »

Se réveillant le jeudi matin avant l'aube, Rosie était malade – prise d'une nausée épouvantable qui semblait naître au bas de son abdomen. « Des crampes », pensa-t-elle en se rappelant qu'elle avait eu ses règles la semaine précédente. Hugo et Gary dormant à poings fermés, elle sortit discrètement du lit et courut aux toilettes, où elle essaya en vain de vomir. S'asseyant sur le siège, elle psalmodia un mantra yoga. « C'est les nerfs, voilà, se convainquit-elle. À la fin de la journée, tout sera terminé. »

Elle alla se faire un thé à la menthe, puis sortit dans le jardin, emmitouflée dans sa robe de chambre. Pas de vent, mais un vrai froid de canard – un matin de Melbourne à la fin de l'hiver, quand la nuit refuse à la terre toute allusion au printemps à venir. En attendant que le soleil se lève, Rosie se força à rester sur la vieille chaise de cuisine rouillée. Insupportable, mais la seule chose à faire, elle le savait : ne pas bouger, se calmer, repousser cette nausée qui ne trahissait rien d'autre que de la peur et de la lâcheté.

Sa tasse était vide quand elle entendit Gary traîner des pieds dans la cuisine. Rosie le rejoignit et ils s'assirent tranquillement pour boire un café. Elle lui demanda une cigarette, qu'il lui roula sans commentaire. Elle alla réveiller Hugo, qui eut la bonne idée de se mettre à pleurer parce qu'ils ne voulaient pas l'emmener. « Mais, mon chéri, Connie vient passer la journée avec toi. » Cette jeune fille était une bénédiction ; elle serait absente aux cours alors que, à quelques semaines des examens, elle avait tant besoin d'y assister. Connie avait insisté : « Je veux faire cela pour toi et Hugo. » Cette fois, Rosie laissa son mari gérer les caprices du petit, et elle se prépara. Pas le temps de lui donner le sein ce matin. Et il faudrait prendre réellement la décision de le sevrer.

Elle avait choisi sa tenue des mois plus tôt : le même tailleur fauve qu'elle avait porté pour les entretiens d'embauche au retour de Londres. Gary avait à peu près calmé Hugo lorsqu'elle acheva son maquillage. Rosie fit griller des toasts pour le petit pendant que son mari se douchait et s'habillait. Quand ce dernier lui demanda de l'aider à nouer sa cravate, elle remarqua que ses mains tremblaient. Les serrant entre les siennes, elle lui embrassa les doigts – ils sentaient le tabac et le savon. Gary l'embrassa en retour, sur la bouche, avec une force presque érotique.

— Tout se passera bien, murmura-t-il.

Shamira arriva juste après huit heures, avec Connie qu'elle avait prise en chemin. Rosie faillit pleurer en voyant son amie, vêtue d'un chandail léger de laine noire et d'une jupe longue assortie. Sham avait dénoué ses cheveux, sous un simple châle de soie, bleu cobalt, dont les bords ondulaient mollement au bas de ses épaules. Une vague de blondeur déferlait dans son dos. *Elle avait dénoué ses cheveux.* À Rosie qui la serrait fort, elle expliqua :

— Au cas où le juge aurait une dent contre les mus'.

Gary, qui semblait avoir perdu la parole, prit Shamira dans ses bras.

— Voyez, rit-elle en essuyant une larme au coin de son œil, je vous avais dit que, derrière la façade, je ne suis qu'une petite traînée des quartiers blancs.

Elle les conduisit à Heidelberg. Il n'était pas encore neuf heures quand ils se garèrent, et il y avait déjà foule sur les marches. Tout le monde semblait tirer sur une cigarette qui n'avait pas de fin. Deux policiers maussades échangeaient des propos rapides devant les portes vitrées du tribunal. Tandis qu'elle approchait du bâtiment, Rosie crut reconnaître des échantillons de chaque continent : Blancs, Aborigènes, Asiatiques, Méditerranéens, Samoans, Fidjiens, Slaves, Africains, Arabes. Tous étaient nerveux, inquiets, dans leurs costumes et leurs robes polyester. Avec leurs deux-pièces bien taillés, leurs belles étoffes, les professionnels se distinguaient aisément.

— Putain, où est notre avocate ? demanda Gary avec une grimace.

— Elle va arriver.

— Quand ?

Il se roula une cigarette et un jeune homme, accoutré d'une chemise bleue trop courte, se détacha de la foule pour le rejoindre.

— J'peux m'en rouler une, mec ?

Gary lui tendit sa blague sans rien dire. Le jeune homme se servit et la lui rendit avec un sourire insolent.

— Vous êtes là pour quoi ?

— Voies de fait.

— Me-er-de, scanda le garçon, en allongeant les syllabes. Moi aussi.

Il sourit de nouveau.

— 'videmment, nous sommes innocents, conclut-il avant de retrouver une vieille femme, qui semblait épuisée.

Regardant celle-ci avec tendresse, Rosie reçut en retour une grimace triste, fatiguée, inquiète.

Tristes, fatigués, inquiets. Voilà qui décrivait ces visages autour d'elle. Rosie étudia rapidement son mari. Il n'avait pas sa tête habituelle ; il aurait pu être un de ces hommes dans la foule, tendus, arrogants, irrités, comme au seuil d'un défi à relever. De la même façon que Gary, ils vous regardaient de travers si vous vous attardiez sur eux. Quelques-uns seulement avaient renoncé aux costumes, cravates et chemises de supermarché, préférant conserver joggings, sweats à capuche, blousons de cuir. Lisant dans ses pensées, Rosie vit que son mari était de leur côté, prêt à dénoncer la comédie qu'on leur demandait de jouer. Elle se mordit la lèvre. Ce n'était pas elle ou lui qui étaient en jeu, mais Hugo.

On ouvrit les portes et l'attroupement se mit en branle. Gary eut le temps de fumer une deuxième cigarette avant l'arrivée de Margaret. Celle-ci se présenta finalement, essoufflée, s'excusant, invoquant la circulation… Braquant un œil mauvais sur elle, Gary l'arrêta avant la fin de sa phrase. L'avocate se tourna vers Rosie, qui lui présenta Shamira.

— Est-ce qu'on rentre ?

— Ouais, fit Gary, maussade. On est là pour ça, non ?

Le tribunal d'instance était une construction récente, un monument d'acier à la gloire de l'envol économique du siècle naissant. Il avait pourtant cette touche de vétusté chagrine propre aux bâtiments officiels. L'intérieur sentait la Javel et les espoirs déçus, pensa Rosie. Il n'y avait pour couleurs que celles des minables paysages et natures mortes qui ornaient les murs – encore celles-ci se dépêchaient-elles de faner, pour se conformer plus vite à un avenir monochrome. Margaret mena ses clients le long d'un couloir aboutissant à une immense salle des pas perdus. Un petit poste de télévision dominait tout le monde : le son était coupé, et le chef cuisinier paraissait ridicule avec sa recette en images du curry thaïlandais. Pendant que Margaret consultait l'horaire affiché sur la porte de la chambre, Gary et Rosie s'assirent.

— C'est une journée chargée, annonça l'avocate qui, sans les regarder, scrutait la foule. Avec un peu de chance, on passera avant midi.

Gary leva un œil vers elle.

— Qui est le juge ?

— Mme Emmett. Elle n'est pas mal.

L'avocate ne les regardait toujours pas.

— Ça veut dire quoi, « pas mal » ?

Prudente, Rosie posa une main sur le genou de son mari. « Margaret est de notre côté. Ne la braque pas. »

— Qu'elle est compétente.

L'avocate allait ajouter quelque chose, mais s'arrêta brusquement. Tous trois se retournèrent en même temps.

Rosie ne l'avait pas revu depuis qu'il était venu s'excuser avec Hector. Non qu'il fût sincère, certainement pas. Elle n'avait pas oublié l'air méprisant qu'Harry affichait constamment. Aucunement navré, il n'avait cherché qu'à les rabaisser. Il lui restait quelque chose de ce dédain tandis qu'il étudiait l'assistance. Harry n'avait pas remarqué Rosie et Gary ; en revanche, la salle entière observait les nouveaux arrivants. Rosie fut soudainement désemparée. Harry et Sandi se détachaient du lot, et cela n'était pas affaire d'élégance, de raffinement ou de style. Qu'importent le costume neuf, la robe neuve, les chaussures neuves, le sac à main neuf, les coupes de cheveux de la veille. Tout simplement, ils puaient le fric par tous les pores. Leur sale fric de merde suffisait à les hisser au-dessus des autres. Elle étudia leur avocat, un type d'une taille surhumaine, sorte d'insecte mutant engoncé dans son costard, qui les conduisit vers un banc. Elle croisa le regard d'Harry. Quel monstre d'arrogance ! Il semblait ricaner encore, c'était imprimé sur ses lèvres. Mais si elle se raidit, le souffle coupé par un double électrochoc, ce ne fut pas à cause de lui. Quelqu'un marchait derrière, qui les accompagnait : Manolis, le père d'Hector.

Rosie fondit sur eux. Gary s'interposa, mais elle le repoussa. Harry, le salopard, tenta de lui parler : elle l'ignora, comme si lui et son bibelot de femme n'existaient pas. D'une voix assurée, toute de fureur contenue, elle s'adressa directement à Manolis.

— Vous ne devriez pas être ici. N'avez-vous pas honte ? Ce n'est pas votre place.

Une pluie de postillons atterrit sur la chemise du Grec, et Rosie n'en avait rien à foutre. L'avocat allait intervenir, mais elle avait déjà tourné les talons. Elle tremblait en se rasseyant, cependant elle avait obtenu ce qu'elle désirait. Le vieil homme avait eu honte, Rosie l'avait lu dans ses yeux. Elle l'avait humilié. Parfait. Manolis ne méritait pas autre chose. C'est Aisha qui aurait dû être là, près d'elle ; mais Aisha avait eu la décence de respecter sa belle-famille. Certains liens ne se limitent pas au sang. Rosie et elle étaient presque sœurs, Manolis le savait. Les parents d'Hector étaient venus à la cérémonie du nom[1], pour Hugo, et combien de Noëls et de Pâques avaient-ils fêté avec eux, combien de fois Rosie avait-elle accueilli ces métèques chez elle ? Elle se félicita de ne pas avoir eu envie de pleurer. Manolis était en tort. Jamais elle ne lui pardonnerait ça.

Lorsqu'ils entrèrent enfin dans la salle d'audience, Rosie dut masquer sa déception : la pièce était absolument quelconque. Les armoiries de l'Australie trônaient au-dessus du juge, et déjà une tache d'humidité jaunâtre se devinait dans un angle. Rosie prit place avec Gary et Margaret dans l'une des premières rangées, et tous trois attendirent que l'on traite leur affaire.

La petitesse de tant de vies, la triste banalité de ce qu'on commet, quelquefois par amour, quelquefois par ennui, mais surtout, désespérément, pour l'argent, voilà le souvenir qu'elle devait conserver de cette journée. De jeunes hommes – des gosses, bien que dotés d'un lourd casier judiciaire, égrené d'une voix monocorde par des flics à peine plus âgés qu'eux – se succédaient sur le banc des accusés pour avoir volé des jouets, des radios, des iPod, des télés, des sacs à main, des outils, de la nourriture, de l'alcool. Des mères escroquaient l'assurance chômage, des gamines chipaient des breloques, du mascara, des DVD, des CD, des poupées Barbie pour leurs mômes. Des types penauds comparaissaient pour conduite en état d'ivresse ; pour voies de fait sur l'inconnu qui les avait regardés de travers à la sortie du pub. Les policiers lisaient les chefs d'accusation, puis les avocats – juvéniles, las, anxieux,

1. *Naming ceremony* : équivalent non religieux du baptême chrétien.

probablement les volontaires de l'aide juridique – tentaient un genre de plaidoirie, après quoi Mme Emmett, laconique, rendait son jugement. Accablée, semblait-il, par son travail, elle infligeait des amendes, des condamnations avec sursis, ou une courte peine de prison pour un jeune gars qui en était déjà à son quatrième cambriolage.

Rosie cessa d'écouter au bout d'un moment. Il faisait bien trop chaud dans cette pièce nue, bondée, sans fenêtre ; l'atmosphère était oppressante. De temps en temps, Gary sortait fumer une énième cigarette. Sans le regarder, Rosie devinait ce qu'il pensait car elle avait la même chose en tête. « Qu'est-ce qu'on fait ici ? » Mais il ne fallait pas se dire ça ; leurs motifs n'étaient pas mesquins. Rosie savait que le tribunal symbolisait un monde qu'il s'efforçait de fuir car il le connaissait depuis toujours. Elle pensa subitement que perdre de l'argent était une chose – ne jamais en avoir eu, une autre. Voilà pourquoi son mari avait tant redouté l'audience, pourquoi, furieux, il avait résisté de toutes ses forces. Il ne voulait pas la confronter à ça.

Rosie serra la main de Shamira. Ce serait bientôt terminé. Le monstre et sa femme étaient assis à l'autre bout de la salle – Manolis derrière eux –, mais pas une fois elle ne jeta un coup d'œil dans leur direction, préférant se concentrer sur le visage tendu de Mme Emmett. À l'évidence, celle-ci s'efforçait d'être clémente, ne tenait pas vraiment à envoyer tant de jeunes en prison. Il était d'ailleurs clair qu'elle avait depuis longtemps perdu tout intérêt, toute passion, pour la procédure. Elle employait le même ton fatigué, détaché, pour livrer résumés, déclarations, explications…

« Mon Dieu, pria Rosie, accordez-moi la victoire, je vous en prie, accordez-moi la victoire. »

Ils comprirent après coup qu'ils n'avaient eu aucune chance. Le policier qui se leva pour lire le procès-verbal de la plainte était celui qui était venu chez eux, l'été précédent, le soir après le barbecue. Très adulte, direct, il les avait encouragés, semblant partager leur indignation. À la barre, il était maintenant empourpré, morose, hésitant. Peu habitué à la langue juridique, il trébuchait sur les mots. Le chef d'accusation était « coups donnés dans l'intention de blesser un enfant ». Le jeune homme livra son compte rendu, puis Margaret le remplaça, répéta le motif de la plainte, soulignant froidement la bassesse, l'ignominie d'un homme capable de frapper un enfant de trois ans.

— À notre époque, conclut-elle, rien ne peut excuser un tel comportement.

Puis l'immense avocat lui succéda et donna l'estocade.

Bien qu'à l'extérieur de la chambre il parût grotesque, caricatural, il était maintenant très bon, carrément excellent. Ce qu'il fit – contrairement à Margaret – consistait à raconter une histoire. Avec un tel talent que l'ardeur de la jeune femme semblait dérisoire. Lorsqu'il relata les événements de la journée, son récit convainquit tout le monde. Rosie, bien sûr, avait été présente, elle avait vu un monstre gifler son enfant mais, pour la première fois, elle dut considérer le point de vue d'Harry. Oui, Hugo avait brandi la batte de cricket. Oui, il aurait pu blesser l'enfant de l'accusé. Oui, tout s'était enchaîné très vite, un court instant, guère plus de deux secondes. L'affaire, regrettable, n'était que trop humaine, trop compréhensible. Mais un père protège son enfant, c'est une réaction instinctive. Vrai, cependant Rosie eut envie de se lever, de se révolter et de crier à l'assistance : « Non, ce n'est pas ce qui s'est passé ! Cet homme, cet homme qui joue les innocents, cet homme a frappé un enfant, et j'ai bien noté à son expression qu'il voulait lui faire mal. Il y prenait plaisir. J'ai vu son visage, moi. Il ne cherchait pas à protéger son fils, il voulait blesser le mien. » C'était la vérité, elle le savait, jamais elle n'oublierait son sourire méprisant. Le grand escogriffe d'avocat représentait tout ce qu'elle avait imaginé. Il était *New York, police judiciaire* et *Boston Justice* ; il était Susan Dey dans *La Loi de Los Angeles* ; Paul Newman dans *Le Verdict*. Ce qu'on pouvait se payer avec de l'argent. Mais c'était un menteur. Elle avait bien vu Harry triompher, jubiler, en donnant cette gifle. Rosie se sentit écrasée, impuissante. L'œil rivé sur la juge, tout d'impatience contenue, l'avocat termina. Rosie entendit Gary pousser un long soupir. Elle n'eut pas besoin de se tourner vers lui. Ils savaient que c'était fini. Pourtant, pourtant, elle se pencha en avant, espérant un miracle.

Précis, intelligent, compatissant, le verdict fut aussi accablant. Pour la première fois depuis le début de la matinée, la magistrate parut sincèrement intéressée par l'affaire – peut-être convaincue que le tribunal d'instance, bondé, surchauffé, n'était pas l'endroit idéal pour en juger. Elle critiqua d'abord la police.

— N'auriez-vous pas exagéré un peu, dit-elle, acerbe et dédaigneuse, en classant ça dans les coups et blessures ?

Le jeune flic regardait droit devant lui, face à une assemblée qui le détestait. Comment l'aurait-il ignoré ? Mme Emmett étudia ensuite l'homme debout devant elle. Rosie se pencha pour mieux voir son visage. Toute arrogance, tout mépris avaient disparu ; Harry semblait honteux, soucieux. Il simulait, c'était sûr. Ce salaud jouait la comédie.

— On ne résout aucun problème par la violence, le réprimanda la juge. Encore moins lorsqu'il s'agit d'un enfant.

Le monstre hochait la tête avec respect.

« Sale con de menteur, sale con de métèque. »

Cependant la magistrate admit que les circonstances avaient un caractère exceptionnel, et, faute de preuves supplémentaires, accorda à l'accusé le bénéfice du doute. Chef d'entreprise, bon citoyen, mari et père, il travaillait beaucoup. Il n'avait eu affaire à la justice qu'une fois, adolescent, pour une peccadille ; elle ne voyait pas l'intérêt d'une condamnation ; elle s'excusa même de lui avoir fait perdre son temps. Alors, froidement, Mme Emmett baissa les yeux vers la salle.

— Affaire classée.

Si Shamira pleurait, Rosie n'avait pas de larmes. Elle se tourna vers son mari, qui continua de regarder devant lui. Le tribunal allant bientôt traiter une autre affaire, Gary bondit soudain et sortit à grands pas. Rosie et Shamira se lancèrent à sa suite.

Il leur fallut presque courir pour le rejoindre devant le parking. Entendant Margaret qui les appelait, il s'arrêta enfin et fit volte-face.

Elle les rejoignit à pas lents.

— Je suis tellement navrée.

Gary rit méchamment.

— Vous êtes une conne.

Le mot, la haine – Margaret donnait l'impression d'avoir reçu une gifle.

— Et vous savez pourquoi ? demanda-t-il. Il ne s'agit pas de ce qui s'est passé ici. Ces gars-là ont grassement payé leur avocat et il vaut chaque dollar de ses honoraires. Je ne vous reproche pas de ne rien coûter, ni d'avoir mal fait votre boulot. Vous êtes une conne parce que vous n'avez pas arrêté Rosie, parce que vous l'avez laissée poursuivre ses conneries.

Partagé entre le dépit, le dédain et la moquerie, il regarda enfin son épouse.

Rosie était choquée. « Il croit encore que tout est ma faute. »

Margaret croisa les bras, un petit sourire aux lèvres.

— Je suis désolée que vous ayez échoué, lança-t-elle, glaciale, à Gary. Mais je ne pouvais pas changer le libellé de la plainte. Et c'est vous qui êtes allé trouver la police.

Gary parut brusquement s'affaisser. Rosie avait envie de le prendre dans ses bras, mais trop peur de sa réaction.

Honteux, il hochait lentement la tête.

— Vous avez raison. Je vous prie de m'excuser et je retire ce que j'ai dit.

Se retournant, il marcha vers la voiture de Shamira.

— C'est moi, le con.

Gary ne dit pas un mot sur le chemin du retour. Rosie ne desserra guère les mâchoires, approuvant parfois d'un murmure les commentaires rageurs de Sham, qui pestait contre Mme Emmett. Elle n'écoutait qu'à moitié, ne pensait qu'à Hugo. Qu'allait-elle bien pouvoir lui dire ? Que le jugement était correct ? Qu'on a le droit de vous frapper, de vous faire mal, quand vous êtes faible et sans défense ? Il n'y avait qu'une victime dans ce gâchis, et cette victime était son fils. Il ne fallait pas qu'il conclue que tout cela était sa faute.

Shamira n'avait pas fini de se garer que Rosie bondit au-dehors et courut à la porte. Gary s'élança après elle, mais elle tourna la clé dans la serrure, ouvrit d'un même geste et se précipita dans le couloir. Rosie voulait voir Hugo la première. À la cuisine, Connie et Richie avaient étalé sur la table une grande feuille de papier boucherie, avec des crayons et des feutres. La jeune fille étudia Rosie d'un œil brillant.

Gary arrivait à toute vitesse dans le couloir. Rosie prit Hugo dans ses bras et l'embrassa.

— C'est fini, mon chéri, lui dit-elle à l'oreille, l'embrassant à nouveau. Le sale type qui t'a frappé est puni. Il a de sérieux problèmes, maintenant. Plus jamais il ne recommencera. On va le mettre en prison.

Elle se retourna. Derrière elle, son mari la fixait, bouche bée.

— Pas vrai, papa ? poursuivit-elle. N'est-ce pas que le méchant a été puni ?

« Oh, il faut qu'il comprenne. Je fais cela pour mon fils, il va comprendre, quand même. »

Gary fit un pas en avant et, craignant qu'il la frappe, Rosie recula. Mais non, il se laissa tomber sur une chaise et approuva.

— C'est vrai, Hug', dit-il lentement. Le méchant a été puni.

Sa voix était lourde, pleine de renoncement.

Rosie ne voulait rien expliquer à Connie, ne voulait plus du réconfort de Shamira – et surtout que Gary ne l'accuse pas, ne revienne pas sur cette défaite ! Non, elle voulait rester seule avec Hugo, qu'elle emmena dans le jardin où elle s'étendit sur la pelouse, pour dérouler l'histoire qu'elle attendait depuis si longtemps de lui raconter. Elle lui parla du policier qui était venu à la maison le soir du barbecue – se souvenait-il de lui ? de sa gentillesse ? – eh bien, le monsieur a expliqué au tribunal ce qui s'est passé.

— Tu aurais dû entendre ça.

Il y avait beaucoup de monde dans la salle où, choqué, horrifié, on n'arrivait pas à le croire. Rosie expliqua que la juge – « C'était une dame, Hugo » – s'est levée en montrant l'affreux bonhomme du doigt.

— Tu as une idée de ce qu'elle lui a dit ?

Hugo hocha la tête en souriant.

— Personne n'a le droit de toucher à un enfant ?

— C'est ça, mon bébé, exactement ça.

— Et il va aller en prison ?

— Oui, on va le mettre en prison.

Hugo refermait ses petits poings sur des touffes d'herbe qu'il arrachait à un sol dur et sec.

De nouveau, il regarda sa mère.

— Adam sera fâché contre moi, parce qu'on va enfermer son oncle ?

— Non, mon chéri, dit Rosie, il ne sera pas fâché. Personne n'est fâché contre toi.

Hugo toucha ses seins.

— Je peux avoir du néné ?

Elle hésita.

— Hugo, dit-elle gravement, l'année prochaine, tu seras en maternelle. Tu sais que tu n'auras plus de néné, à la maternelle ?

Le petit réfléchit, puis son visage s'éclaira et il reposa la main sur le sein de sa mère.

— Mais maintenant, je peux en avoir ?

— Oui, dit Rosie en riant.

Elle l'embrassa encore – elle ne pouvait plus s'arrêter.

Hugo s'allongea sur elle, les jambes sur le ventre, la bouche sur la poitrine. Rosie entendit grincer la moustiquaire de la cuisine, et Gary se dressa bientôt devant eux.

— Shamira a raccompagné Connie.

Elle fit signe qu'elle avait compris. Aucune envie de parler.

— Je vais au pub.

« Évidemment. »

Fermant les yeux au soleil, elle se laissa aller au plaisir enivrant de la succion. Quand la porte d'entrée claqua, elle poussa un soupir de soulagement.

Gary n'était pas rentré à l'heure du dîner. Elle avait décroché le téléphone, coupé la sonnerie du portable. Passer l'après-midi à répondre aurait été insupportable. Shamira avait laissé un message, puis Aisha, puis Anouk, puis encore Shamira. Connie aussi avait appelé. On avait frappé à la porte pendant qu'elle regardait et regardait encore la vidéo des Wiggles[1] avec Hugo. Rosie avait mis un doigt sur sa bouche.

— Chut, on fait comme si on n'était pas là.

Hugo l'avait imitée :

— Chut !

Il s'était brusquement redressé sur le canapé.

— Et si c'est Richie ?

— Il est au lycée, ce n'est pas lui.

— On peut l'appeler ? Pour lui dire que le méchant est en prison ?

— Demain.

Un frère ou une sœur, il faudrait revenir là-dessus. Cela faisait trop longtemps que les deux parents remettaient ça à plus tard. Non, Rosie était injuste envers elle-même. Ces derniers mois, elle n'avait eu en tête que cette fichue plainte, ce fichu

1. Groupe australien de musique pour enfants.

tribunal. Eh bien, c'était fini, elle pouvait maintenant aller de l'avant, et surtout ne pas sombrer dans la déprime. L'année prochaine, elle aurait quarante ans, et il serait trop tard. Rosie était prête, ce serait si bon d'être à nouveau enceinte. Elle n'en parlerait pas ce soir, car Gary serait trop soûl. Mais ce week-end, oui, et ils penseraient aussi à une école pour Hugo. Peut-être suggérerait-elle à nouveau d'acheter une maison ? Et merde, s'il disait non, elle ferait un petit trou dans la capote. Il n'en saurait jamais rien. Enfin, il ne voyait pas qu'Hugo avait tant envie d'un petit frère, d'une petite sœur, qu'il avait besoin de jouer avec d'autres enfants ?

À dix heures, Gary n'était toujours pas rentré. Avec son troisième verre de vin blanc, Rosie avala la moitié d'un Valium, trouvé dans l'armoire à pharmacie. Le sommeil ne venait pas. Gary ne sortait jamais aussi tard pendant la semaine. Comme il avait laissé son portable à la maison, il n'y avait pas moyen de le joindre. Rosie tenta de s'endormir près d'Hugo, mais impossible. La pensée que Gary puisse commettre quelque chose de grave – et se faire très mal – la torturait. L'œil rivé sur la pendule, elle tournait maintenant en rond à la cuisine. À dix heures et demie, elle prit une décision. D'une main tremblante, elle composa le numéro. Shamira répondit à la troisième sonnerie.

— Rosie, qu'est-ce qu'il y a ?

Elle bredouilla des paroles inintelligibles, entrecoupées de lourds sanglots. Elle avait d'abord voulu appeler Aisha, mais l'idée de tomber sur Hector l'avait anéantie. Rosie se rendit compte que Sham, affolée, l'assaillait de questions – en arrière-fond, Bilal s'inquiétait.

Respirant plusieurs fois, profondément, elle retrouva ses mots.

— Je ne sais pas où a disparu Gary. J'ai peur.

— Tu veux venir ?

Elle entendit Bilal objecter, puis Shamira lui ordonner de se taire.

— Viens, viens tout de suite, dit Sham.

Hugo gémit lorsqu'elle le transporta à la voiture, mais se rendormit à peine attaché à son siège. Soûle, à moitié dans les vapes, aveuglée par un rideau de larmes, Rosie se demanda en sonnant comment elle était arrivée jusque-là.

Shamira prit Hugo et le coucha dans le lit d'Ibby.

En jogging et sweat-shirt, Bilal buvait un thé lorsqu'elle entra.

— J'ai terriblement peur qu'il lui arrive quelque chose, lui dit-elle.

— Sais-tu où il est ?

Rosie fit signe que non.

— Il a dit qu'il allait au pub.

— Quel pub ?

Bilal était sec, cassant. Incapable de lui répondre, elle regardait ses pieds. Elle avait besoin de nouvelles chaussures. Les coutures foutaient le camp, ces pompes allaient lâcher. Pour ce qui était du pub, elle n'avait aucune idée. C'était la vie de Gary, distincte de la sienne, de celle d'Hugo. Rosie ne voulait pas connaître les gens et les endroits qu'il fréquentait, les choses qu'il faisait en s'enivrant.

— Je ne sais pas.

Bilal finit sa tasse.

— Je vais le chercher.

Elle remarqua le regard qu'échangèrent mari et femme. Dans les yeux de Shamira se lisait une profonde gratitude.

Rosie se releva en titubant.

— Je viens avec toi.
— Non.
Repoussant Shamira, elle le suivit dans le couloir.
— Bilal le trouvera !
— Non, je l'accompagne.
« C'est mon mari. Il le faut. »
Ils allèrent d'abord au Clifton, proche de chez elle, qui était déjà fermé. Ils essayèrent ensuite le Terminus, puis le pub irlandais de Queens Parade, et ils partirent à Collingwood. Gary s'était réfugié dans un établissement de Johnston Street, où ils l'aperçurent attablé au fond, avec trois hommes. Ils virent en le rejoignant que deux d'entre eux étaient aborigènes. Rosie se réjouit que Bilal fût là. Il saurait quoi dire, quoi faire, quelle attitude avoir. La protéger.
Gary était tellement bourré que, les paupières plissées, il dut loucher pour les reconnaître. Riant et grognant à la fois, il se tourna vers l'un de ses compagnons, un sacré malabar : bras musclés, gros bide flasque, bourrelets partout, tête ronde et crâne rasé, noir comme une pinte de stout, la peau tannée comme du vieux cuir. Il avait un œil à moitié fermé, et un méchant coquard autour. Gary indiquait Bilal.
— C'est lui, dit-il d'une voix soûle. *Çui d'ta bande que j'te causais.*
Il paraissait fier de lui, comme s'il n'avait eu qu'à claquer des doigts pour le faire venir.
Le gros homme tendit sa main. Rosie remarqua son nez, cassé plusieurs fois, ses biceps parcourus de tatouages compliqués, estompés par les ans.
— Comment va, cousin ?
Bilal serra la main des deux Aborigènes. Le troisième type, un jeune Blanc maigrichon, tapotait sans arrêt sur la table. Il portait une casquette de base-

ball, sale, aux couleurs des Magpies[1], et la visière dans le dos. Bilal l'ignora.

— Prends une bière, cousin, insista le tatoué.

— Je ne bois pas.

Le gros se marra – la graisse oscillant en cadence jusqu'au bas de son corps.

— Allez, un verre, c'est tout.

Le refus, presque imperceptible, était cependant net. Bilal avait à peine relevé le menton. Il montra Gary.

— Je suis venu chercher cet homme et le ramener chez lui. Il a un gosse, des responsabilités.

— Pas de problème. On boit un coup et ensuite tu le ramènes, dit le gros avec un clin d'œil à Rosie. Tu prendras bien quelque chose, chérie ?

Sans la laisser répondre, Bilal tapa sur l'épaule de Gary, qui recula sur son siège.

— Casse-toi. Je veux un verre. Paie-moi un verre ou casse-toi.

Les autres s'esclaffèrent. Apparemment surpris, puis satisfait, Gary leur sourit.

Le tatoué leva la main pour mettre Bilal en garde.

— On dirait que ton pote préfère rester là, cousin. T'inquiète, on va s'occuper de lui.

Il parlait en fait à Rosie, consciente que tout le monde les regardait, y compris le patron, penché sur son comptoir.

— Je t'en prie, Gary, rentre, le supplia-t-elle.

Violent, déterminé, il fit signe que non – comme un gamin qui ressemblait à Hugo.

— Je veux pas. J'en ai plus rien à foutre, de cette baraque.

L'attrapant brusquement par le col de la chemise, Bilal le souleva. Rosie entendit le tissu se déchirer

1. Le Collingwood Football Club.

et, terrifiée, poussa un cri. Bilal redevenait Terry, le jeune homme qui aimait boire, qui aimait la bagarre, celui dont elle avait peur. Elle craignit qu'il frappe son mari. Le patron arriva en courant.

Quand le gros Aborigène tenta de s'interposer, le propriétaire lui posa une main menaçante sur l'épaule.

— J'en fais mon affaire, dit-il.

Bilal tenait toujours Gary par le col de la chemise – le petit garçon Gary, interloqué, effrayé.

Le patron n'était pas bien grand, mais baraqué et certainement sportif. Il braquait deux yeux mauvais sur Bilal.

— Tu t'en vas tout de suite ou j'appelle les flics.

Rosie crut un moment que Bilal allait le frapper. Mais il lâcha la chemise de son mari, tourna simplement les talons et quitta l'établissement. Le Blanc maigrichon éclata de rire.

— Eh, c'est pas Anthony Mundine[1], celui-là !

Impassibles, les deux Aborigènes ne dirent rien.

— Gary, s'il te plaît, viens !

— Casse-toi.

Rosie ne savait vraiment plus quoi faire.

Il soupira et la prit en pitié.

— Rosie, rentre chez toi. Je ne ferai pas de connerie. J'ai juste envie d'être soûl, tu comprends ?

Il l'implorait du regard.

— Soûl au point d'oublier que vous existez, Hugo et toi.

Bilal attendait dans la voiture et démarra dès qu'il la vit. Rosie monta et attacha sa ceinture.

— Je suis désolée.

1. Rugbyman et footballeur australien.

Il montra un homme, sorti du pub après elle, qui venait d'allumer une cigarette et les observait.

— Tu sais ce qu'il est en train de faire ?

Elle se retourna et, se demandant qui c'était, admit que non.

— Le comité de bienveillance, expliqua Bilal. Il s'assure que je ne te ferai pas de mal. Me fait comprendre qu'il a noté le numéro de ma plaque. Il ne comprend pas ce qu'une jolie fille comme toi fiche avec un négro.

C'était tellement drôle qu'il se mit à rire, un rire sauvage qui le secoua des pieds à la tête.

S'opposant à ce qu'elle conduise – « Tu es ivre » –, il les raccompagna, Hugo et elle, à la maison. Rosie coucha l'enfant et rejoignit Bilal à la cuisine, où il fumait une cigarette. Il lui fit l'effet d'un électrochoc. Bilal sentait la nuit, l'adrénaline, la sueur – une odeur forte, âpre, enivrante. Son visage, sa peau granuleuse, ses yeux noirs et luisants semblaient occuper tout l'espace. Il était beau et très laid en même temps. « Et si je te sautais dessus ? pensa subitement Rosie. Si je te suçais la queue ? Tu me détesterais moins si je te taillais une pipe ? » Elle se souvint des vidéos de cul de Gary : « Elle te plaît, ma queue de nègre ? Tu veux pas la sucer, ma grosse queue noire ? »

Bilal lui montra la chaise en face de lui et elle s'assit. Il tendit le doigt vers son paquet de cigarettes et elle en prit une, en tremblant, qu'il alluma.

— Je vais te dire une chose et j'aimerais que tu me laisses finir sans m'interrompre. Tu comprends ?

Gagnée par une timidité ridicule, Rosie hocha la tête.

— C'est la première fois depuis des années que j'entre dans un pub, commença-t-il. Oui, ça fait un sacré bout de temps.

Il avait une drôle de voix, comme si ses propres mots l'étonnaient.

— Je ne vois pas quel intérêt je trouvais à ces endroits. Je les trouve épouvantables.

Il plissa les yeux.

« Ne pas se détourner, ne pas avoir peur de lui. »

— Je ne veux ni de toi, ni de ton mari, ni de ton fils dans ma vie. Vous me rappelez une existence que je ne veux plus jamais connaître. Je ne veux plus que tu parles à ma femme, je ne veux pas que tu sois son amie. Je tiens à être un homme décent, qui protège sa famille. Et je suis navré, mais je ne pense pas que tu sois quelqu'un de décent, Rosie. C'est ta race, ton sang, c'est comme ça. Sammi et moi avons échappé à ce destin. Tu piges ? Est-ce que tu me promets de ne plus appeler, de ne plus la voir ? J'ai besoin que tu me le promettes, que tu nous laisses tranquilles.

Rosie ne ressentait rien. Non, ce n'était pas entièrement vrai. Elle ressentait du soulagement : il s'était toujours méfié d'elle, il savait ce qu'elle était, tout ce qu'elle avait été.

— Oui, répondit-elle. Je promets.

— Bien. Je ramènerai ta voiture demain matin, je laisserai les clés dans la boîte aux lettres.

Bilal éteignit sa cigarette, ramassa ses propres clés et s'en alla sans un mot de plus. Rosie resta un long moment immobile. Puis elle se leva, sortit la bouteille du frigo et se servit un dernier verre.

Une salope. Voilà ce qu'elle était devenue quand son père était parti, qu'ils avaient perdu leur maison. Rosie avait seize ans. Ses amies du lycée avaient cessé de lui parler – pas d'un seul coup, sans même le faire exprès, mais elles ne l'avaient plus invitée. Personne n'était venu lui rendre visite dans son nouvel appartement. Comme quoi il était bien trop loin, à des années-lumière de leur plage favorite. C'est alors qu'elle avait compris la valeur de l'argent, l'argent qui était tout.

Elle s'était vengée en couchant avec leurs petits copains et avec leurs frères. Avec les pères, même. Elle avait continué au lycée, le lycée d'État, plein de mecs à baiser. Et de coucher, et de recoucher ; un soir elle s'en était même tapé sept, chacun son tour. Le vagin meurtri, elle avait saigné. Personne ne pouvait plus l'ignorer, au bahut : la nouvelle était une salope.

Il n'y avait eu qu'Aisha pour la protéger. Rosie regrettait tant qu'elle n'ait pas épousé Eddie – mais évidemment, elle était trop bien pour lui. La prenant sous sa coupe, Aisha lui avait présenté Anouk. Rosie les admirait – les deux filles, plus âgées, avaient ouvert d'autres horizons, laissant entrevoir une vie au-delà de Perth, au-delà du désert, de l'océan, l'avaient encouragée à fuir. Leur cachant sa vraie personnalité, Rosie ne s'était jamais entièrement ouverte. Puis Aish et Anouk étaient parties pour Melbourne, et elle s'était retrouvée seule. Elle avait alors rencontré Xi. Il n'avait que trente-cinq ans, ce qui faisait déjà de lui un vieux. Il avait été son seigneur, son amant, son bel homme d'affaires de Hong Kong. Xi veillait sur elle, ce fut le premier à lui faire des cadeaux. Rosie ne couchait plus avec les autres, ne faisait la salope que pour lui. Mais il avait filé sans un mot. Elle n'avait ni son adresse ni son numéro de téléphone, elle ignorait jusqu'à son nom de famille. Il avait eu son compte, il avait disparu. Xi la connaissait bien, l'avait vue venir de loin. Ceux qu'elle aimait, eux, n'avaient aucune idée de qui elle était, de ce qu'elle avait fait. Aisha ne savait pas, Gary ne savait pas, Anouk ne savait pas, et Hugo ne le découvrirait jamais. C'est à cela que Bilal avait fait allusion. Il avait percé le voile, comme Catherine. « Tu es en dessous de tout, Rosalind. Une garce, une traînée. Ma fille est une truie. »

Non, une mère. Il fallut à Rosie une éternité pour quitter cette chaise. Mais elle se décida. Titubant dans le couloir, elle ouvrit la porte de sa chambre et s'effondra près d'Hugo, qui se réveillait en larmes. Elle le serra contre elle, si fort qu'ils ne faisaient plus qu'un.

— Tout va bien, le méchant est parti, il ne nous fera plus de mal.

Ce qu'elle répéta cent fois, mille fois, et ils s'endormirent.

Le lendemain matin, elle trouva son mari dans le salon, où il était tombé, ivre mort. Gary puait si fort qu'elle eut la nausée : il avait chié dans son froc. Rosie l'aida à se lever, le conduisit comme elle put à la salle de bains, où elle le déshabilla et le lava. Puis elle le coucha, donna à manger à Hugo, téléphona au patron de Gary, expliquant qu'il était vraiment trop malade pour travailler. Elle emmena Hugo au square, où ils jouèrent sur les balançoires. À son retour, la voiture était garée devant la maison, et les clés dans la boîte. L'après-midi, Rosie appela Aisha sur son portable et fondit en larmes quand celle-ci tenta de la consoler.

— Il s'en est sorti, ce salaud. Il s'en est bien sorti.

Coupable et repentant, Gary ne but pas une goutte d'alcool jusqu'au vendredi soir. Le samedi, Rosie mit un vivaneau au four, et prépara des frites pour

Hugo. Ils étaient en train de regarder *Charlie et la chocolaterie* quand Aisha téléphona pour dire que Shamira et Bilal avaient obtenu la maison de Thomastown. Leur offre avait été retenue.

— Quel bonheur ! s'écria Rosie, et, bien qu'Aisha ne pût la voir, elle fit en sorte d'afficher un sourire radieux. Je suis si contente pour eux. Vraiment contente.

MANOLIS

« C'est terrible, vraiment terrible de mourir si jeune », se dit-il en regardant le portrait en noir et blanc. Plissant les paupières, il ajusta ses lunettes et regarda à nouveau : le gars n'avait que trente-deux ans. L'avis de décès n'était pas long : « Pantelis et Evangeliki Chaklis ont la douleur d'annoncer la disparition de leur bien-aimé fils Stephanos... » Les obsèques auraient lieu à Balwy, dans l'église Our Lady of the Way. Pas de femme, pas d'enfants, aucune indication sur la cause de la mort. Manolis étudia encore la photo. Le jeune homme souriait d'un air indolent ; il avait les cheveux courts, la coupe militaire. On avait dû le surprendre lors d'un mariage ou d'un baptême. Il ne semblait pas à son aise dans cette chemise à col dur, avec une cravate qui le serrait. Il avait belle allure, pourtant, mais voilà : parti avant de pouvoir faire un petit. « Terrible de mourir si jeune. »

Par-dessus ses lunettes, Manolis étudia le firmament, où le bon Dieu et ses saints, paraît-il, résidaient. « Si tu existes, Dieu, tu es un crétin. Il n'y a ni logique ni justice dans le monde que tu as créé ; et on serait l'être suprême ? » S'il demanda à la

Vierge Marie d'excuser ses pensées impies, il n'éprouvait en fait aucune honte, aucun besoin de les retirer. À soixante-neuf ans et, grâce au ciel, en bonne santé hormis quelques douleurs rhumatismales, il se sentait plus dégagé, plus indifférent à l'égard de l'Église et de la religion qu'à aucun autre moment de sa vie. Jeune homme, il n'avait pas osé risquer le châtiment divin en doutant des voies du Seigneur. Aujourd'hui il s'en foutait. Rien à branler. Il n'y avait ni paradis ni enfer et, s'il y avait un Dieu, il n'était pas seulement impénétrable. C'était bien pire que ça. Qu'il s'agisse d'un cancer, d'un accident de voiture, d'un suicide ou allez savoir quoi, le décès d'un garçon de trente-deux ans était une réalité froide, cruelle, choquante. Manolis frissonna – un fantôme lui escaladait les vertèbres –, puis il détacha la page du journal pour lire les autres nécros. La photo le hantait. Il aurait aimé oublier ce visage.

Anna Paximidis, soixante-dix-huit ans. Déjà plus normal. Anastasios Christoforous, soixante-trois. Pas bien vieux, mais il avait l'air gras, négligé. « Trop d'excès, Anastasios », lui reprocha Manolis. Dimitrios Kafentsis, soixante-douze. Bon, d'accord, un âge décent, on avait apprécié quelque chose de la vieillesse, sans pour autant assister au naufrage de son corps. Ce que Manolis craignait le plus.

— Manoli ! beugla sa femme et il lâcha le journal.

Elle avait crié assez fort pour effrayer les âmes perdues dans l'encre d'imprimerie.

— Tu veux un café ?

— Oui, marmonna-t-il.

Un autre cri strident :

— Hein ?

— Oui, dit-il à voix haute, avant de reprendre sa lecture.

Thimios Karamantzis. Pas de photo, seulement l'âge du décès : soixante et onze ans. On l'enterrait à Doncaster. Laissait derrière lui une femme, Paraskevi ; deux enfants, Stella et John ; trois petits-enfants, Athena, Samuel et Timothy. Manolis reposa son journal et procéda à un calcul rapide. Ça collait : Thimios devait avoir seulement un ou deux ans de plus que lui. Pour ce qui était de Doncaster, allez savoir où les gens finissaient par atterrir ? Ils s'étaient tous éparpillés aux quatre coins de cette ville trop grande. Bien sûr que c'était Thimios. Le même nom de famille, et Paraskevi son épouse. Évidemment que c'était lui. Depuis quand ne l'avait-il pas revu ? Manolis se maudit d'être aussi lent. « Mais réfléchis, quoi ! » Au baptême d'Elisavet ? Mon Dieu, mon Dieu, cela faisait plus de quarante ans.

Koula lui porta sa tasse, puis s'assit sur la vieille chaise de cuisine, reléguée dans la véranda à l'époque où les enfants vivaient encore à la maison. Le coussin et le dossier de vinyle noir avaient été déchiquetés par des générations de chats ; la rouille donnait aux pieds un air de plaqué or. Les deux Grecs l'avaient conservée depuis leur premier logement des quartiers nord de Melbourne. Koula ramassa *Neos Kosmos* et étudia la une en soufflant doucement sur son café – qu'elle détestait brûlant.

— Que dit-on dans le journal, mon mari ?

Grognement.

— Je regardais les avis de décès.

— Eh bien, lis-moi ça.

Ce qu'il fit, lentement, en surveillant Koula du coin de l'œil.

Elle claqua tristement la langue en apprenant la mort du gamin de trente-deux ans. Sans maudire le Seigneur comme Manolis, elle déplora ce destin injuste. Lorsqu'il prononça le nom de Thimios, elle sembla ne rien remarquer. Il passa à l'avis suivant, et entendit soudain :

— Oh !

Il s'arrêta pour observer sa femme par-dessus ses lunettes.

— *Manoli mou*, crois-tu que cela pourrait être notre Thimios d'Épire ?

— Oui, je crois.

— Le pauvre gars.

Chacun, silencieusement, fouilla dans sa mémoire. Manolis et Thimios avaient travaillé ensemble à l'usine Ford, sacrifié leur jeunesse pour elle. Thimios abattait de la besogne, mais surtout c'était un bon ami. Les plus belles fêtes, les plus belles soirées avaient toujours lieu chez lui, car, d'un tempérament expansif, il aimait recevoir. Paraskevi, son épouse, une ravissante brune au type slave, était elle aussi généreuse, pleine de vie. Il y avait toujours de la musique, Thimios jouait de la guitare et incitait Koula à chanter avec lui. Manolis n'aimait guère les ritournelles de paysans qu'ils affectionnaient, ces jérémiades sur les aigles, les bergers et autres coins de terre paumés, cependant Koula avait une voix envoûtante. C'est chez Thimios qu'il l'avait rencontrée – sans tout d'abord la remarquer. Bien qu'assez petite, elle était relativement jolie, semblable à tant de jeunes villageoises qui, navire après navire, débarquaient à l'époque en Australie. Manolis ne lui avait guère prêté attention, puis il l'avait entendue chanter. Perdue dans ses couplets, elle souriait comme le bonheur. Sa voix était claire, électrisante, tel le ruisseau qui danse à flanc de montagne, tels les premiers rayons du soleil d'été.

Le lundi à la chaîne de montage, il avait demandé à Thimios de lui parler d'elle.

— C'est une bonne fille. Et jolie avec ça.

Obligés de crier pour couvrir le barouf assommant des machines.

— Un peu petite, quand même.

— Eh putain, tu veux quoi, Manolis, une Allemande ? Koula est une belle femme et une excellente ménagère. Paraskevi connaissait sa famille en Grèce, c'est des gens comme il faut.

Le week-end suivant, Paraskevi et Thimios avaient de nouveau invité leurs amis. Manolis adressa à peine quelques mots à Koula, mais il l'observa. Sans être Sophia Loren, elle avait belle allure, et ce sourire ravissant. Également de l'entrain, du courage, manifestes dans sa façon de chanter ; et elle osait discuter avec les hommes, même les contredire. De retour à l'atelier, Manolis s'était enquis de sa famille.

— Que veux-tu que je te dise ? Pour autant que je sache, il n'y a pas de problème. Ils habitent un village près d'Ioannina, comme Paraskevi. Ils n'ont pas le rond, mais nous non plus, hein ? Elle n'a personne ici, à part un cousin germain, un type bien, assez à droite, quoique pas autant que les autres fachos. Au moins, on peut discuter avec lui. Koula habite chez lui et sa femme à Richmond.

Thimios avait fait un sourire narquois.

— Alors, tu la veux ou pas ?

Manolis avait-il répondu sur-le-champ, devant la chaîne de montage ? Quelle horreur de vieillir ! Certains événements d'un lointain passé étaient beaucoup plus clairs dans son esprit que d'autres, survenus la semaine précédente. Il revoyait nettement Koula chanter, Thimios et sa guitare, les hauts plafonds victoriens de la maison, mais il ne se rappelait plus ce qu'il avait dit ce jour-là. Désirait-il déjà épouser Koula ? Avait-il pris sa décision plus tard –

des jours, des semaines, des mois après cette conversation ? Rien à faire, sa mémoire refusait de l'emmener. Peu importe ; le jour vint où Thimios l'avait accompagné chez le cousin, et Manolis avait demandé la main de Koula.

… elle aussi perdue dans ses souvenirs.

— Nous nous sommes rencontrés chez lui, non ?

Il hocha la tête en la dévisageant. Elle avait baissé les yeux, des larmes coulaient lentement sur ses joues rondes, tombaient sur le journal. Se penchant vers elle, Manolis lui prit la main.

— Je radote, fit-elle en souriant, et elle ne le lâcha pas.

Oui, vieillir était une plaie, une souffrance, un supplice, mais il y avait des compensations. Manolis doutait d'avoir vécu une seule journée entre l'âge de quarante et soixante ans sans regretter d'être marié, sans maudire ce terrible fardeau que représente une famille. Cependant l'âge réduisait les rêves au silence ; atténuait le désir, les plus fortes poussées de sève, les plus violents fantasmes. Il pouvait aujourd'hui l'affirmer avec certitude : Koula était une bonne épouse. Elle avait de la constance. Combien d'hommes sauraient en dire autant de leur femme ?

— Il faut aller à l'enterrement.

Elle l'approuva sans réserve. But une gorgée de son café, qui avait tiédi.

— Tu t'amusais toujours beaucoup avec lui, hein ?

Manolis sourit.

— C'était un sacré farceur.

— Je serais ravie de revoir Paraskevi.

— Vous étiez comme deux sœurs.

Koula fit une moue de dédain, s'esclaffa presque.

— J'étais plus proche d'elle que de mes sœurs ! Elles m'ont oubliée, elles.

Il ne releva pas, n'avait pas envie d'écouter ses sornettes. Bien sûr qu'elles ne l'avaient pas oubliée. Cependant là-bas, si loin, elles avaient eu le temps de vivre mille vies, de se marier, de travailler, d'avoir des enfants, des petits-enfants, de connaître la mort, le deuil, sans rien en partager avec Koula. Des océans entiers, la moitié de la Terre les séparaient. C'était le destin, la vie. On ne pouvait pas leur en vouloir.

— Elles ne décrochent jamais leur téléphone.

— Maria a appelé pour souhaiter une bonne fête à Adam, quand même.

Koula refit la moue.

— Ne me parle pas de Maria. Elle tenait surtout à me raconter ses vacances en Turquie et en Bulgarie. Il faut qu'elle se rende intéressante, puisqu'elle est si cultivée, si européenne, maintenant.

Koula finit sa tasse, la reposa bruyamment dans sa soucoupe.

— Qu'elles aillent au diable, toutes.

— Ça serait peut-être le moment de refaire une petite visite ? suggéra Manolis.

— Encore ? Mon mari, tu es fou. Elles n'ont qu'à venir, pour une fois. Depuis plus de quarante ans que je vis dans ce fichu pays, ces garces n'ont jamais pris l'avion pour venir me voir. Elles ne se sont même pas déplacées pour enterrer leur frère. Alors, pourquoi on irait, nous ? Quel intérêt ?

Elle hocha énergiquement la tête.

— Non, Manoli, je ne bouge plus. Qui s'occupera d'Adam et de Melissa ?

Sentant l'énervement le gagner, Manolis jeta un coup d'œil vers le potager. Il était temps de planter les fèves. La terre, la nature avaient sur lui un effet apaisant.

Blessée dans son orgueil, ivre de son bon droit, Koula n'allait pas changer de sujet aussi facilement.

— Oui, qui s'en occupera ?

— Leurs parents, répondit-il, renfrogné.

Il se réjouit que le téléphone sonne, car il n'était pas d'humeur à se disputer. Koula courut répondre, et il en profiterait pour travailler au jardin. Il grogna en se levant.

— Maudites jambes, jura-t-il, vous me laissez tomber.

Se penchant douloureusement, il prépara la terre pour ses semis.

La silhouette de Koula réapparut dans l'encadrement de la porte.

— C'est trop tôt pour les planter.

Il continua de creuser, d'enfoncer des poignées de fèves sèches dans le sol.

— C'était Ecttora. Je lui ai parlé de Thimios. Il prétend qu'il ne s'en souvient pas.

— Évidemment.

Serrant les dents, Manolis se redressa lentement, frappa ses mains terreuses l'une contre l'autre.

— Il n'avait que cinq ou six ans quand on a quitté la banlieue nord, remarqua-t-il.

— Tu dois avoir raison. Mais tu ne te rappelles pas quand il jouait avec lui, qu'il le hissait à bout de bras pour qu'il puisse taper sur le plafond ? Hector adorait ça.

— Qu'est-ce qu'il voulait ?

— Il nous amène les enfants à manger. L'Indienne travaille tard à nouveau.

Depuis bientôt quinze ans que leur fils avait épousé Aisha, Koula répugnait encore à l'appeler par son prénom.

— Cette fille s'intéresse davantage aux animaux qu'à sa famille.

« Et toi, tu es une vieille truie jalouse. »

— Que veux-tu qu'elle fasse ? Elle bosse, elle a des responsabilités, elle doit s'en occuper, de sa clinique.

— C'est aussi celle d'Hector.

Quand Manolis se détourna, une vive douleur jaillit dans sa jambe gauche. Il grimaça en jurant :

— Ce n'est pas la clinique d'Hector, c'est la sienne. Notre fils est fonctionnaire, sa femme est vétérinaire. Ils ont tous les deux un bon emploi, et ils ont bien de la chance. Arrête de râler.

Koula pinça les lèvres. Manolis la trouva sur son chemin en revenant à la véranda, où il fit claquer ses chaussures de jardin sur le sol en béton. Petits cailloux et terre séchée s'en détachèrent.

— Harry les a invités pour son anniversaire, et elle refuse d'y aller.

Manolis s'assit pour se masser le pied, et il étudia le ciel. D'épais nuages noirs arrivaient du nord. Si seulement il pouvait pleuvoir, cela ne s'était pas produit depuis des semaines.

— C'est une imbécile, déclara Koula. Une imbécile et une ingrate. Pourquoi nous humilier comme ça, pourquoi humilier le pauvre Hector ?

Manolis ne répondit pas. C'est le chat qu'il cherchait. Il avait gardé pour lui les têtes des poissons mangés la veille.

— Penelope, Penelope ! appela-t-il. *Psch-psch !*

Koula donna de la voix.

— Enfin, il n'aurait pas pu épouser une Grecque ?

Ce n'était pas une question, mais une lamentation qu'il allait entendre – il le savait – jusqu'à la fin de ses jours. « Ne pas réagir, éviter les conflits. » Manolis releva les yeux et l'air exaspéré de Koula le dégoûta. Oui, parfois, la bêtise des femmes était insupportable.

— Notre fille a épousé un Grec, et on sait où ça l'a menée, n'est-ce pas ? Il a fichu sa vie en l'air, à la petite.

— Va te faire voir.

Koula brandit un poing rageur et se dirigea, vexée, vers la cuisine.

— Il faut toujours que tu la défendes, l'Indienne, lâcha-t-elle en claquant la porte.

Enfin la paix. Les colombes roucoulaient, Manolis entendit un froissement vers la clôture du fond. Bondissant dans le jardin, Penelope se rua vers lui.

— Comment va ma petite pépée ? murmura-t-il. N'écoute pas cette abrutie à l'intérieur. Elle est devenue cinglée.

La chatte ronronnait sous ses caresses. Ignorant sa douleur au genou, Manolis se leva et rejoignit sa femme dans la cuisine. Koula préparait le déjeuner, et les assiettes claquaient.

— Où as-tu mis les têtes de poissons ?

Pas de réponse.

— Koula, où as-tu mis les restes du poisson ?

— Je les ai jetés.

— Enfin, je t'ai bien dit que je les gardais pour le chat !

— J'en ai assez, de cette bestiole. Je veux m'en débarrasser. Adam et Lissa sont toujours dessus, ils vont finir par attraper des maladies.

— Penelope est plus propre que toi.

— Tu n'as pas honte ? Tu te soucies plus de cette chatte que de tes petits-enfants.

Indignée, elle trancha son concombre avec acharnement.

— Tu n'es pas un homme, Manolis. Je le répéterai jusqu'au jour de ma mort. Tu n'es pas un homme.

« Et toi, tu ne mourras jamais. Tu es une sorcière et tu vivras éternellement. »

Il ouvrit le réfrigérateur et trouva ses têtes de poissons enveloppées dans du papier alu. Manolis respira profondément, puis referma la porte du frigo d'un coup de pied.

— Koula, dit-il calmement. Tu sais que je n'approuve pas son attitude dans cette affaire idiote avec Harry et Sandi. J'aimerais autant qu'Aisha accepte leur invitation.

— Alors parle-lui, puisqu'elle t'écoute. Dieu sait pourquoi, d'ailleurs.

Elle n'était pas prête à faire la paix.

« Que le diable t'emporte. »

— Fais-moi un café.

— Je m'occupe du déjeuner.

— Je veux un autre café.

— Tu vas lui parler ?

Il examina leur cuisine. Koula avait garni les murs de photos des petits. Adam à la naissance ; Melissa au zoo ; Sava et Angeliki au village en Grèce ; des photos d'école, de vacances ; les enfants en brochette sur les genoux du père Noël. Pourquoi fallait-il qu'ils grandissent ? C'est après qu'ils devenaient égoïstes, tous, sans exception. Manolis se sentit las ; les hommes vivaient trop vieux et s'accrochaient bêtement, désespérément, à l'existence. S'il était un chien, quelqu'un lui aurait déjà mis une balle dans la tête.

— Tu vas lui parler ?

Encore. Cela finirait par un conflit ouvert.

— Mais enfin, fais-moi un café ! dit-il en se frottant le mollet.

— Tu as mal ?

— Un peu.

— Quand vas-tu lui parler ?

L'odeur forte et déplaisante du poisson. C'est Thimios qui avait appris à pêcher à Manolis. Ils se levaient à l'aube le dimanche matin, fourraient le matériel dans le coffre du break et filaient droit à Port Melbourne. Comme le pays, ils étaient jeunes, et les lois n'étaient pas les mêmes. On roulait avec une bouteille de bière calée entre les jambes, on fumait où on voulait, il n'y avait pas de ceintures de sécurité. Ils étaient libres, chantaient, discutaient, se racontaient des histoires sales.

— J'irai à l'enterrement, annonça-t-il en retournant à la véranda. Mon ami est mort. Hector, Aisha, Harry, Sandi, toute la bande – eh bien, ils peuvent attendre. Je vais d'abord enterrer mon ami, ensuite je parlerai à ma belle-fille. Fais-moi un café, bon sang !

Penelope griffait la jambe de son pantalon. Il lui sourit, disposa les têtes sur le sol, puis la regarda manger, assis sur la vieille chaise.

Ils crurent au départ avoir commis une erreur en y allant. Manolis ne connaissait pas cette église, ils s'étaient perdus plusieurs fois dans les petites rues de Doncaster. Koula étudiait le plan des rues pendant qu'il conduisait et, fatiguée par ses reproches, avait sèchement refermé le Melways[1] pour se murer dans le silence. C'était un matin frais d'hiver, les pelouses étaient recouvertes de givre, mais le soleil apparaissait de temps en temps dans une mer de nuages noirs. Manolis avait chaud. Il n'avait plus mis son costume depuis des années, il avait dû rentrer son ventre pour enfiler le pantalon, ce qui l'avait fait sourire. « Voilà de la graisse que tu ne perdras pas, mon garçon », avait-il murmuré devant

1. Répertoire des rues de Melbourne et de ses environs.

la glace de la salle de bains. Et voilà, il suait en montant les marches.

Le service avait commencé. Ils se signèrent en entrant, baisèrent les icônes et s'installèrent dans le fond. L'église était pleine, surtout de vieux comme eux. Engoncée dans d'informes vêtements noirs, une femme sanglotait sans bruit sur la première rangée, soutenue par une autre, jeune et raide, elle aussi en noir. Cela devait être Paraskevi et sa fille. Manolis se pencha pour essayer de mieux les voir, mais n'y arriva pas, tant les rangs étaient serrés. Il regarda ensuite autour de lui, au cas où il reconnaîtrait quelqu'un. Vainement. Un vieil homme voûté, aux cheveux très blancs, avait un visage familier ; mais Manolis doutait. Se rendant compte que Koula, très droite, pleurait silencieusement, il se rappela qu'il était venu enterrer un ami – un bon ami, un type bien – et il baissa la tête. Fermant les yeux, il fouilla dans sa mémoire jusqu'à retrouver le visage souriant de Thimios, les rires qu'ils avaient partagés. Lorsqu'il les rouvrit, les larmes coulèrent naturellement.

Il frissonnait quand le service toucha à sa fin. Devant l'autel siégeait le lourd cercueil en bois qui contenait le corps. Il était ouvert, on verrait donc Thimios. L'assemblée commença lentement à se déplacer. Craignant de s'évanouir, Manolis retira son veston, le plia sur son bras, étudia les portraits austères des saints aux murs. « Bande de cons, pensa-t-il, sales menteurs ! Le paradis n'existe pas, il n'y a que cette terre, cette terre injuste. » Une femme devant lui souleva un jeune garçon au-dessus de la bière. Le gosse était manifestement effrayé. « Quelle folie, quelle bêtise, ces rituels ! » La famille venait de se disposer en rang pour recevoir les condoléances. À nouveau, Manolis tenta d'apercevoir Paraskevi, mais son voile noir lui couvrait tout le visage. Elle paraissait maigre, minuscule. La dame au petit garçon recula. Il inspira profondément et se pencha devant le cercueil.

Il ne reconnut pas ce visage impassible, ne ressentit rien en observant cet étranger. Thimios était devenu chauve, gras – un vieil homme dans un costume gris de polyester. Sobrement, Manolis manifesta sa douleur, versa une larme, puis s'approcha des parents, alignés devant l'autel. Il avait peur de parler, d'être obligé de se présenter. Allaient-ils se demander qui il était, ce qu'il faisait ici ? Il attendit que Koula le rejoigne, et alors il releva la tête. La veuve se tourna vers eux et les regarda.

Se redressant péniblement, Paraskevi leur tomba brusquement dans les bras. Manolis vérifia que, derrière le fin voile de dentelle noire, les yeux étaient bien ceux dont il se souvenait. Elle avait vieilli, perdu des cheveux, elle tenait à peine sur ses jambes, ses joues étaient creusées de profonds sillons, mais les yeux n'avaient pas changé. Elle serra son bras et, si les mots lui manquèrent, le violent désespoir qui émanait de ce geste était assez éloquent.

— Ma sœur, ma sœur ! réussit-elle à murmurer à l'oreille de Koula.

Puis elle poussa de longs gémissements.

Manolis dévisagea les membres de la famille qui les observaient sans comprendre pourquoi deux inconnus impressionnaient leur mère ou grand-mère. Pleurant maintenant comme un enfant, il marmonna d'une voix étranglée :

— Je suis tellement navré.

— Je vous en prie, venez à la maison, dit Paraskevi en le lâchant.

Hochant la tête, il s'avança vers les autres parents, et les jeunes lui serrèrent fermement la main. Sans le connaître, ils savaient d'instinct que sa présence était lourde de sens. Les doutes de Manolis se dissipèrent. Il était content d'être venu.

Le soleil brillait lorsqu'il quitta l'église par la petite entrée, au fond, en direction du parking où un homme en veston, sans cravate, fumait une cigarette. Ridé comme une vieille pomme, il avait le cou rose, à vif, presque rouge. Un cou d'ouvrier sur une tête d'ouvrier, des cheveux gris très courts qu'il avait la chance de ne pas perdre. Le coiffeur avait dû lui faire la boule à zéro, pensa Manolis. L'homme l'étudia en affichant un sourire triste, puis le rejoignit d'un air soudain radieux.

— *Re*, Manoli ?

— Oui.

— Espèce de salopard ! s'exclama l'homme, souriant maintenant jusqu'aux oreilles. Tu ne te souviens pas de moi ?

Manolis fouilla à nouveau sa mémoire. Des noms, des visages défilèrent dans son esprit comme un vent de panique – cependant rien de concret, rien à quoi s'accrocher. Sa femme, qui venait de le rejoindre, essuyait ses yeux.

— Et cela doit être ma Koula.

Brièvement, froidement, elle salua l'inconnu puis s'écria en lâchant son mouchoir :

— Arthur !

Qui l'embrassa et fit un clin d'œil à Manolis pardessus son épaule.

— Koula, toi qui es si jolie, si belle, pourquoi as-tu épousé ce minable, et pas moi ?

Manolis se pencha lentement pour ramasser le mouchoir en coton. Le souvenir jaillit lorsqu'il le toucha, et le reste suivit aussitôt, nettement : les nuits passées en transe dans les boîtes de Swan Street ; les chemises de Thanassis – Arthur – trempées à la fin de la soirée. Manolis tenta de se rappeler s'il était un parent de Thimios. Des cousins éloignés, peut-être ? Peu importe. Ils avaient été amis et cela seul comptait.

Il prit sa main et ne la lâcha plus. C'est Thanassis qui retira la sienne.

— Tu vas finir par me l'arracher, mon gars !

Koula sourit, observant la petite foule qui envahissait le parking.

— Où est Eleni ? demanda-t-elle, étonnée.

Cela fit rire Thanassis.

— Qui sait ? On a divorcé il y a longtemps. Je pense qu'elle est repartie en Grèce.

Manolis ne trouva rien à dire. Koula se racla la gorge. Tout le monde était sorti de l'église, les porteurs allaient déplacer la bière. Thanassis écrasa son mégot de cigarette.

— Vous allez à l'inhumation ?

Manolis haussa les épaules en regardant son épouse. Ils n'avaient pas décidé de ce qu'ils feraient après la cérémonie – seulement qu'ils rejoindraient Paraskevi chez elle. Ils avaient promis.

Koula répondit pour eux deux.

— Non. Qu'ils l'enterrent en paix. Mais nous leur rendons visite, ensuite.

Thanassis hocha tristement la tête.

— Bien. Moi aussi, dit-il avant de les prendre chacun par un bras. Venez, je vous offre un café.

Il les emmena dans un petit bar de banlieue, perdu dans une forêt de pavillons en brique. Les propriétaires étaient iraniens ; entre les épais tapis de laine, tendus aux murs, étaient épinglées des photos de Téhéran et de Qom, datant des années 50. Traversant la salle sombre, puis la cuisine, Thanassis conduisit Koula et Manolis dans une étroite cour, où trois tables rondes en aluminium, vieilles et usées, étaient presque collées l'une contre l'autre. On s'asseyait sur des bancs instables, branlants, dont la peinture écaillée révélait le bois sombre. Situé en haut d'une colline, le café dominait la ville qui s'étendait au-delà d'une courte palissade, derrière un océan de toits rouges, piqueté d'îlots de verdure : le feuillage efflanqué des ormes et des eucalyptus.

Le café, amer et fort, était excellent. Thanassis parla de sa vie en enchaînant les cigarettes. Manolis se rappela qu'il avait toujours été vantard. Un de ses fils, prétendait-il, était avocat. L'autre – Manolis ne se rappelait pas si c'était l'aîné – tenait un restaurant à Brighton. Quant à sa femme, elle avait fait une dépression. Ses nerfs l'avaient tant affectée qu'elle ne voulait plus sortir de chez elle, n'aspirant qu'à rester couchée dans sa chambre. Koula manifesta son étonnement, sa tristesse, mais Thanassis repoussa ses remarques d'un geste.

— Inutile de t'apitoyer ! dit-il en frappant sur la table, si fort qu'il renversa la tasse de Koula.

S'excusant, il appela la serveuse :

— Zaita, apporte-nous un linge !

Il poursuivit son histoire.

— J'ai consulté les médecins les plus chers, je l'ai envoyée au meilleur hôpital de Melbourne. Ah, l'argent que j'ai dépensé pour cette garce ! Mais c'était incurable. Elle est revenue dans le même état, tout le temps enfermée à ne rien faire. Moi, je rentrais de l'usine, j'avais trimé toute la journée comme un esclave, et elle n'avait pas levé le petit doigt. La maison était sale, le lit jamais fait. Ça puait – oui, ça sentait mauvais. Comment peut-on vivre ainsi ?

Thanassis étudia Koula et Manolis, les défiant de le contredire.

— Que voulez-vous faire, avec une femme pareille ?

Ils se turent à l'arrivée de la serveuse, une petite brune qui, sans rien dire, essuya la table. « Mon Dieu, mon Dieu, elle est à croquer, pensa Manolis. Si seulement j'étais encore jeune… »

Koula ne prêta aucune attention à la jeune femme.

— Une épouse qui n'entretient pas sa propre maison n'est bonne à rien, admit-elle, compatissante, avec une tape sur la main de Thanassis. On a eu la vie belle, nous autres, on ne connaît pas notre chance.

Manolis se retint de rire : ils se faisaient du charme. Thanassis avait toujours été un *manga*, le pire coureur de jupons qu'il ait jamais connu. Avec sa belle carrure, son air narquois, malicieux, et son regard coquin, il plaisait autrefois aux femmes. Comme à retardement, Manolis ressentit une pointe de jalousie, qui s'évanouit aussitôt. La serveuse apporta un autre café à Koula, et il la remercia. La fille avait un sourire doux, plein d'indulgence. « Je pourrais être votre grand-père, n'est-ce pas ? Rien qu'un vieux *papouli.* » Ah, l'âge, l'âge, tyran amer et invincible.

— Alors je l'ai envoyée paître.

À l'évidence, Koula était choquée par le ton dédaigneux, la vulgarité de l'expression – qui, de même, irritèrent Manolis. Eleni était une fille convenable, sage, un peu timorée, qu'on n'aurait jamais dû mettre dans les mains d'un type comme lui. Leur mariage était une erreur. Certes, elle n'était pas parfaite, elle avait parfois une langue de vipère, une tendance à cancaner qui s'était confirmée avec l'âge. Mais enfin, elle avait traversé une sale passe, elle souffrait. Manolis ne croyait pas à cette affaire de médecins et d'hôpital. Ce salopard de Thanassis avait toujours été radin.

— Et les enfants ?

Thanassis étudia Manolis en fronçant les sourcils.

— Les enfants ? Je les ai gardés avec moi.

Koula étouffa une réponse et se détourna. Thanassis alluma une nouvelle cigarette en riant.

— Évidemment que je les ai gardés ! Elle était folle, malade, je vous dis ! Je l'ai fichue dehors ! Je n'allais pas laisser cette empoisonneuse les monter contre moi !

Le front plissé de Koula était une condamnation sans appel. Manolis évitait le regard de l'autre homme.

— Écoutez, dit celui-ci pour sa défense. Je lui permets de les voir, bien sûr, je ne suis pas un monstre. Ils la voient tout le temps, c'est sans cesse des allers et retours en Grèce. Mais je n'ai pas voulu les lui laisser, ce n'était pas pensable. J'ai fait la seule chose acceptable dans ces conditions, à savoir les élever moi-même.

Il avait l'œil noir et le visage dur.

— Vous auriez préféré jouer les martyrs, renoncer au bonheur, tout ça pour une peau de vache ? demanda-t-il, sarcastique. Et puis quoi encore ? Jésus, il n'y en a eu qu'un et il a souffert pour nous tous. J'aime la vie, moi, et, contrairement à lui, je n'en ai qu'une. L'enfer, le paradis, c'est des histoires, on n'a que celle-là. À l'heure qu'il est, Thimios est déjà bouffé par les vers, et ça nous arrivera bientôt. Je n'ai pas à m'excuser de mes actes.

« Oui, pensa Manolis en le regardant, tu as franchi le pas, tu as bravé la honte et le scandale. »

Ils affichaient tous deux un sourire ironique, et Koula se rendit compte, en quelque sorte, qu'ils l'excluaient. Elle reprit la parole d'une voix froide et distante.

— Bien sûr, tu as fait ce qu'il fallait. Mais les enfants souffrent toujours d'un divorce, tu ne diras pas le contraire.

Les lèvres pincées et le dos droit, elle était la correction, la piété, la moralité mêmes. Manolis se demanda une fois de plus s'il briserait jamais une seule de ses convictions. Avait-elle oublié les années laborieuses d'une bonne moitié de leur vie, pleines de disputes, de dépit, de désillusions, de désespoir ?

Thanassis répondit pour lui.

— Ça arrive, les emmerdements.

L'expression consacrée[1], culottée – qui revenait souvent dans la bouche de leurs enfants –, les fit rire tous trois. Koula se mordit la lèvre et rougit. Non, elle n'avait pas oublié.

Elle posa une main sur celle de Thanassis.

— Tu fumes trop, Arthur.

Qui sourit d'un air espiègle, puis fit un clin d'œil à Manolis.

— Encore une chose qu'on apprécie dans le célibat, l'ami. Il n'y a plus de sacrée bonne femme pour te dire ce que tu as à faire.

Contrariée, Koula leva les bras.

— Allons, tu sais que j'ai raison. Arrête de fumer. Profite du temps qui te reste, et de tes petits-enfants.

— J'aurais dû t'épouser, Koula, répondit-il tendrement. Tu aurais fait de moi un homme heureux. Quel dommage que ce mange-merde t'ait rencontrée le premier.

Il se frappa violemment la poitrine.

— Quand la Faucheuse m'emportera, c'est par là qu'elle viendra. De toute façon, elle nous rattrapera tous, dit-il en recrachant de longues et joyeuses volutes de fumée.

1. *Shit happens.*

La maison était noire de monde lorsqu'ils arrivèrent finalement. Une jeune fille leur ouvrit la porte et les fit entrer. C'était une construction en brique, confortable, aux murs blancs récemment repeints, garnis de photos de petits-enfants, mariages, baptêmes. Il y avait aussi quelques souvenirs de Grèce : un bas-relief en bronze du Parthénon ; une carte postale représentant un chat noir et blanc, allongé sur un cube de blancheur au soleil de l'Égée, bleu saphir, étincelante ; un komboloï extravagant, aux perles roses grosses comme des abricots mûrs. L'intérieur ressemblait à des dizaines de maisons grecques qu'avait visitées Manolis, mais rien ne lui rappelait Thimios, son ami d'antan. Les meubles étaient trop grands, trop chers, surchargés ; les cadres des photos trop lourds, trop voyants, trop dorés. Thimios avait toujours aimé la simplicité, la sobriété. « Tu t'attendais à quoi ? se reprocha-t-il. À une garçonnière ? Un lit, une table, une chaise ? C'est le domicile d'un grand-père, ici. »

La famille gardait le silence au salon. Paraskevi était assise entre ses sœurs, sur un canapé rococo à haut dossier. Elle se leva en apercevant Koula et Manolis.

— Viens là, dit-elle à la première. Viens près de moi.

Obligeante, une des sœurs se poussa pour faire de la place. Gênés, Manolis et Thanassis restèrent debout devant la télé.

— Athena ! ordonna Paraskevi. Apporte des chaises pour tes oncles.

Manolis s'apprêta à l'aider, mais la jeune fille l'arrêta d'un geste de la main.

— Ça ira, merci.

« Un *papouli*, pensa-t-il. Je ne suis qu'un vieillard. »

Elle revint de la cuisine, une chaise sous chaque bras. Manolis et Thanassis s'assirent en lui souriant. Athena s'installa par terre.

— Ma petite-fille, dit Paraskevi.

Il revoyait Thimios. Athena avait le front haut de son grand-père, ses pommettes saillantes, sa petite bouche ronde.

Koula étudiait également la jeune fille.

— Es-tu la fille de John ou de Stella ?

— De Stella.

Athena rougit. Elle ne parlait pas bien le grec.

— Nous étions de grands amis, expliqua sa grand-mère, serrant fort dans la sienne la main de Koula. Les meilleurs amis du monde.

Elle se tourna vers Manolis.

— Comment avons-nous pu nous perdre de vue ?

Une question qu'on reposa sans cesse cet après-midi-là. D'autres parents, d'autres relations se présentèrent et Manolis eut bientôt l'impression d'atteindre les enfers, de déambuler parmi les fantômes. Sauf qu'il était l'un d'eux. « Qu'est-il arrivé ? Où étiez-vous partis ? Où habitez-vous ? Vos enfants sont-ils mariés ? Combien de petits-enfants ? » Il y avait Yanni Korkoulos, qui tenait autrefois le milk-bar d'Errol Street ; mais aussi Irini et Sotiris Volougos ; Koula avait travaillé avec elle à l'usine textile de Collingwood, Manolis avec lui chez Ford. Avec Thimios, ils s'étaient soûlés tous les trois le soir de la chute des colonels, puis ils étaient allés dans un bordel de Victoria Street. Assis en face de Manolis, Emmanuel Tsikidis lui apprit que Penelope, sa femme, était morte deux ans auparavant. Elle avait eu le « mal du diable » – le cancer. D'abord l'estomac, puis les poumons. Ils l'avaient tellement charcutée qu'elle n'était plus qu'un squelette, à la fin. Dans un fauteuil à côté d'Emmanuel, Stavros Mavriogiannis avait encore de l'allure, mais qu'est-ce qu'il était gras ! Et cette épaisse tignasse, noire de jais. Il devait se teindre. Son épouse Sandra, australienne, ne prenait pas cette peine. Contrairement aux autres femmes dans la pièce, elle avait les cheveux entièrement gris. Les Australiennes leur avaient fait une sacrée impression lorsque, jeunes hommes, ils les avaient découvertes : grandes, minces, blondes, des déesses, des Amazones. Que s'était-il passé ? Elles ressemblaient aujourd'hui à de grosses vaches. Pas Sandra, qui était encore droite, gracieuse, belle. Elle les avait tous épatés dans les années 70, lorsqu'elle avait appris le grec, qu'elle maîtrisait parfaitement.

La conversation fut d'abord guindée – on pensait à Paraskevi, à son chagrin. On s'enquit des enfants, des petits-enfants, et puis on ne savait plus très bien de quoi parler. Le passé semblait énorme, insurmontable. Les enfants de Paraskevi, ses neveux et nièces venaient au salon accueillir chaque nouvel arrivant. Ils étaient polis, tristes bien sûr, puis repartaient à la cuisine reprendre leurs conversations autour de la table d'acacia verni. C'était de jeunes hommes, de jeunes femmes, bien loin de la mort et, à cet âge, on ne pouvait s'empêcher de rire, de plaisanter. Les plus petits, dehors, jouaient à cache-cache ou au foot. Athena et Stella apparaissaient de temps en temps avec du café frais, du thé, des boissons, des pistaches, des noix de cajou. Manolis avait envie d'une bière mais, à l'évidence, il serait indécent d'en demander une. Pas de bière aux enterrements. Alors il se servit un whisky, puisqu'il y avait une bouteille sur le plateau. Il entendit dans l'autre pièce les enfants parler de voyages – en anglais. L'un des neveux de Paraskevi venait de rentrer du Vietnam, où il s'était rendu en famille.

Katerina, la sœur aînée, faisait la moue.

— Je leur ai dit qu'ils étaient fous, dit-elle à voix basse. Ce n'était pas raisonnable d'emmener tout le monde là-bas.

Elle tapota légèrement sur sa poitrine, puis se signa.

— La pauvreté, les maladies… Ils n'avaient pas le droit d'y aller avec mes petits-enfants.

Thanassis émit un bruit obscène.

— Foutaises ! C'est un pays magnifique. Je l'ai visité l'année dernière.

Sotiris Volougos s'adossa à son siège d'un air soupçonneux.

— Tu te moques de nous.

— Non, j'y suis allé. La bouffe est bonne, les gens adorables.

Katerina s'esclaffa.

— Tu as mangé du chien ?

Thanassis hocha la tête et éclata de rire.

— J'en ai mangé à Athènes pendant l'Occupation. Il y a pire.

Les femmes poussèrent des cris d'horreur.

— Tu as vraiment mangé du chien pendant la guerre ?

— Pas que du chien, répondit-il en fixant Athena.

Thanassis mima un haut-le-cœur qui dégoûta tout le monde.

— Je me réveille encore le matin, parfois, avec un goût infect de serpent dans la bouche.

Puis s'adressant aux sœurs et à Koula :

— Le Vietnam est un pays superbe. Merveilleux. J'ai vécu dix jours comme un roi. Tout est bon marché. Bien sûr qu'il y a des pauvres, bien sûr. Mais c'est une race fière. J'ai vu les trous où ils se cachaient pour échapper aux Ricains. Terrés comme des rats. On trouve encore des traces de bombardements… tous ces villages et ces villes bousillés. Ils les ont vraiment enculés.

— Je me demande qui les Américains n'ont pas bousillé, grogna Paraskevi. Regardez ce qu'ils font au Moyen-Orient. C'est bien pareil !

— Oui, oui, admit Thanassis. Seulement, les Vietnamiens ont gagné la guerre parce qu'ils sont restés unis. Contrairement à ces crétins d'Arabes. Les Anglais les ont montés les uns contre les autres il y a plus d'un siècle, et ils sont trop ignorants pour s'en rendre compte. Ensemble, ils pourraient conquérir le monde.

— Conneries, jeta Sotiris en anglais, avant de poursuivre en grec. L'Amérique ne laissera personne diriger la planète. Ils foutront tout en l'air plutôt que se laisser prendre la première place.

— Tout ça, c'est la faute à ce gros con de Gorbatchev, confia Thanassis qui, réjoui, sortit une cigarette de sa poche de chemise.

Paraskevi leva la main.

— Dehors.

— Oui, une minute.

Il roula sa cigarette entre ses doigts.

— Cet animal n'aurait pas flingué l'Union soviétique, il y aurait encore quelqu'un pour tenir tête aux Ricains.

Emmanuel rigola.

— Tu déconnes, Thanassis. C'est de l'histoire ancienne, tout ça, comme Homère et Troie. Admets-le, les Américains contrôlent tout.

Paraskevi détacha l'épingle de son voile et balança la tête pour libérer ses cheveux.

— Ils *détruisent* tout, corrigea-t-elle. Personne n'ose rien leur faire.

Emmanuel n'était pas de cet avis.

— Pas vrai. Le type, là, cet Arabe, il a réussi à attaquer New York.

— Bien joué !

Katerina se renfrogna.

— Paraskevi, tu viens de perdre un mari. Pensez à toutes les veuves qui ont perdu le leur, ce jour-là.

Paraskevi émit à son tour un bruit obscène.

— Tu parles sérieusement ? Avec tant de malheurs qui frappent le monde, tu voudrais que je me soucie de ces foutus Américains ?

La remarque provoqua l'hilarité générale.

À mesure que l'après-midi passait, la raideur, la courtoisie forcée disparurent peu à peu. Les conflits émergèrent. Athena apporta d'autres boissons, Manolis continua à boire du whisky. Claquant bruyamment la langue, Koula tenta d'attirer son attention, mais il s'en fichait. Ils quittèrent le sujet de la politique pour aborder celui de leurs propres vies, avec une franchise absente jusque-là. Le vin et les alcools déliaient les langues, mais il n'y avait pas que ça : avec le passé, ils se rappelaient une camaraderie si douce, si agréable. Il leur fallait être rassemblés par le décès d'un ami cher pour reconnaître à quel point ces liens leur avaient manqué – au plus profond d'eux-mêmes. On en revint aux nouvelles générations. Comme toujours entre vieux, pensa Manolis, cependant les hommes admettaient à présent leurs déconvenues, leurs échecs. On parla finalement de divorce, on regretta la paresse, l'égoïsme ou la stupidité d'un petit. On regretta ses propres choix en matière d'associés, d'emploi, de vie. L'irrespect était un thème récurrent, comme les drogues et l'alcool. Le visage fermé, soucieux, les femmes se turent en écoutant, refusant au début de confesser des doutes vis-à-vis de leurs enfants, et mettant parfois leurs maris en garde. « Tais-toi, Sotiri, ce n'est pas sa faute si Panyioti a épousé une garce. » « Mais non, Sammy va très bien, il n'a pas trouvé chaussure à son pied, c'est tout. » « Ah, je t'en prie, Manoli, Elisavet ne l'a pas cherché, non ! » Faisant exception à la règle, Sandra – évidemment, il fallait que ce soit l'Australienne – se plaça près de Thanassis et engagea la conversation avec les messieurs. Le mot « déception » ne faisait pas partie de son vocabulaire – elle expliqua simplement que ce n'était pas toujours facile avec Alexandra, non, pas facile d'élever une petite schizophrène.

Jamais une Grecque n'avouerait cela, se dit Manolis, qui la dévisageait avec tendresse. « Des lionnes quand leurs enfants s'en sortent, mais elles ne supportent pas l'échec. » Le silence se fit dans la pièce. Stavros étudiait le tapis. Était-il humilié ? À la grande surprise de tout le monde, Sandra lâcha un rire tonitruant.

— Ne vous apitoyez pas. Elle va bien et je suis fière de mon Alexandra. Oui, j'en ai vu, pendant des années, avec tous ces séjours à l'hôpital. Mais elle prend régulièrement ses médicaments, aujourd'hui. On lui a acheté un petit appart à Elwood, et elle se débrouille. Elle fait de la peinture.

— C'est vrai.

Stavros regardait affectueusement sa femme. Un grand sourire éclairait son visage, il hochait la tête avec assurance.

— Vous devriez voir les icônes qu'elle peint. C'est magnifique.

Tasia Maroudis, qui n'avait pas encore ouvert la bouche, poussa un long soupir.

— Nous avons tous un fardeau à porter.

Douce, presque inaudible, sa voix n'avait pas changé avec les années. Le cri d'un petit oiseau effrayé.

Les lèvres serrées, Sandra se redressa comme une statue de fer.

— Mais non, ça n'est pas un fardeau.

— Ça ressemble à quoi, ce qu'elle fait ?

Tous les visages se tournèrent vers Athena, qui s'empourpra.

Sandra répondit en anglais.

— Elle aime les grands formats. Alexandra peint des femmes, toutes sortes de femmes – vieilles, jeunes, grosses, maigres –, mais dans le style des icônes orthodoxes. Dans des teintes vives, puissantes, vraiment fantastiques.

Elle sourit à la jeune fille.

— Tu aimes la peinture ?

— Je voudrais devenir peintre.

Paraskevi massa l'épaule de sa petite-fille.

— Ne le dis pas trop fort à ton père.

Elle poursuivit à l'intention des autres :

— Il répète que ça ne rapporte rien.

— Vrai, reconnut Sandra, qui haussa les épaules. Cela n'empêche pas ma fille de peindre, ce n'est pas l'argent qui compte.

— Athena, va chercher le portrait que tu as fait de ton grand-père, celui qui est accroché dans ta chambre. Montre-le-nous, s'il te plaît.

La petite se leva maladroitement, traversa promptement le salon, revint avec une petite toile. Elle hésita, puis la tendit à Manolis avec un sourire gêné.

Ce visage brun et ridé, ces cheveux blancs et touffus ne lui rappelaient pas son ami. Manolis n'y connaissait rien en peinture et ne pouvait juger. Mais il ne ressentait rien. Il confia le portrait à Thanassis.

— C'est très bon, dit celui-ci à la petite.

Elle rougit de nouveau.
— Non, pas tant que ça.
La peinture passa dans les mains des plus âgés qui, chacun à son tour, émirent des commentaires admiratifs, appropriés. Elle atterrit enfin dans les mains de Paraskevi, qui essuyait ses larmes.
— Thimio était si fier d'Athena.
— Mais bien sûr, approuva Koula en étudiant celle-ci avec douceur. Il avait bien raison, c'est une délicieuse jeune fille.
Sans un mot, la petite reprit sa toile des mains de sa grand-mère et quitta la pièce.
Tasia se pencha.
— Vous connaissez l'aîné de Vicky Annastiadis ?
« C'est parti pour les cancans », pensa Manolis, frémissant au son de cette voix essoufflée. Il s'en souvint alors : timide mais garce, Tasia faisait son miel du malheur des autres. Il se tourna vers Thanassis pour changer de sujet, mais son ami répondit :
— Oui, et alors ?
— Il est en prison, fit Tasia, l'œil brillant.
— Pourquoi ?
Elle haussa les épaules.
— C'est un voleur. Je ne sais pas précisément ce qu'il a fait, mais il n'a jamais filé droit.
— Tu dis des bêtises, lâcha Thanassis, énervé. Kosta était un bon petit gars. On pouvait compter sur lui.
Tasia plissa les lèvres.
— Peut-être, Arthur, mais un voleur quand même.
Koula tapa doucement sur la table.
— Je touche du bois pour que les nôtres restent honnêtes.
— Pour autant que tu saches.
Koula répliqua violemment :
— Qu'est-ce que ça veut dire, Thanassi ?

Le vieil homme rit.

— Rien, poupée, rien du tout. Que savons-nous de leur vie, hormis ce qu'ils nous racontent ? Et ils racontent bien ce qu'ils veulent, hein ?

Tasia commença une phrase et referma la bouche sans la terminer. Elle avait à peine marmonné, Manolis n'était pas sûr d'avoir bien entendu, mais le mal était fait. Les mots restaient suspendus dans le salon. « Si ta femme est partie, c'est bien parce que… » Devinant la suite, il comprit brusquement que Thanassis n'avait pas quitté son épouse. C'est au contraire Eleni qui, courageuse, avait fichu le camp. Lui avait-elle réellement laissé les enfants ? L'avait-il menacée au cas où elle ne le ferait pas ? On ne saurait probablement jamais le fin mot de l'histoire ; partagé entre la honte et l'orgueil, Thanassis se débrouillerait pour sauvegarder son honneur – quoique non, pas exactement. Manolis étudia son vieil ami : il avait un peu de ventre, des taches de vieillesse sur la peau, les doigts noircis par le tabac, des bourrelets de graisse au bas de la nuque ; ses mains parcheminées tremblaient. Un vieillard qui se prenait toujours pour un taureau. Pourtant, ces choses-là étaient bien terminées. Perdu dans ses pensées, Manolis n'écouta pas la réponse, mais vit la réaction d'Athena – choquée – et le fin sourire qu'affichait Koula. Celle-ci n'aimait guère Tasia.

— Tu blasphèmes, Thanassi !

Les bras croisés, Tasia se drapait dans sa dignité. Thanassis éclata de rire.

— Tasia, tu es exactement comme ma femme. Tu crois marcher main dans la main avec ton Dieu. Ce qui me renseigne suffisamment sur la religion.

— Impie ! fit-elle, méprisante.

Il frappa dans ses mains, assez fort pour faire taire les enfants dans la cuisine.

— Bravo, Tasia, bravo ! Je suis athée et drôlement fier de l'être. Nous n'avons qu'une vie, ma petite commère, une vie et une seule. Après quoi on retourne en poussière, et les asticots se repaissent de notre chair.

Thanassis recula soudain, troublé, comme affolé, le visage décomposé. Puis il sortit une cigarette de sa poche et, sans regarder Paraskevi, balbutia des excuses à son intention.

La vieille femme aux yeux humides se marrait.

— Mon mari disait la même chose. Tes mots ne me blessent pas, Thanassi. Je ne sais pas ce qui nous attend après la mort, mais je suis sûre que je ne reverrai jamais mon Thimio.

Thanassis se leva en calant sa cigarette au coin de sa bouche.

— Je vais fumer dehors.

Manoli lui emboîta le pas, ainsi que Sotiris qui, d'un air coupable, regarda sa femme au passage.

Aussi grande que le salon, la terrasse était bornée par un treillage épais, presque à hauteur d'homme. Le soleil s'était couché depuis longtemps. Après avoir joué dehors tout l'après-midi, les plus petits des enfants s'étaient rassemblés dans une chambre devant un DVD.

Thanassis alluma sa cigarette. Sotiris lui en demanda une.

— Tu fumes toujours ?

— Une ou deux fois par an. Irini va me casser les pieds toute la soirée.

— Tu as la chance d'avoir quelqu'un qui veille sur toi.

Thanassis tira une longue bouffée en étudiant le jardin dans le noir. Manolis suivit son regard. Au milieu du potager se dressait un beau citronnier, pour l'instant dégarni, mais qui fournirait des quantités de fruits au printemps. L'arbre avait l'air sain, robuste – Thimios avait toujours eu la main verte. Lorsqu'ils vivaient tous ensemble, il entretenait des plants de tomates, et la récolte était chaque année abondante, savoureuse.

Manolis observa les deux vieillards qui fumaient silencieusement dans la véranda. Était-il possible qu'ils se soient vus la dernière fois dans ce bordel minable de Victoria Street ? Manolis était tellement soûl qu'il n'était pas arrivé à bander. Il avait fini par se branler en léchant les seins de la pute – éjaculant quelques pitoyables gouttes de sperme. Ils s'étaient certainement retrouvés par la suite, lors d'un bal, d'un mariage, d'un baptême, pourtant c'est ce souvenir-là qui avait priorité. Il sourit tout seul. C'était alors de jeunes hommes, forts, virils et sûrs d'eux. Des mecs, des *palikaria*. Maintenant ils allaient crever. Ils n'étaient pas malades – pour l'instant –, cependant la mort les rejoignait, commençait lentement à resserrer son étreinte.

— Alors, comment c'est, le célibat, Arthur ?

Thanassis gardant les yeux rivés sur le potager, ils crurent d'abord qu'il ne répondrait pas. Mais il se retourna, s'adossa à la clôture et sourit tristement à Sotiris.

— C'est solitaire, dit-il avant de tirer une nouvelle bouffée. Mais je me suis trouvé une gentille fille. Elle s'appelle Antoinetta, elle est philippine.

Manolis était abasourdi. « Mon Dieu, que vous êtes cruel ! J'étais destiné à envier cet homme. »

— Quel âge ? demanda Sotiris, qui semblait douter.

— Quarante-huit.

Le voyant surpris, mal à l'aise, Thanassis rit joyeusement.

— Évidemment, je ne vis pas avec elle, les enfants me mettraient chez les fous.

Il prit un ton acerbe.

— Non qu'ils se préoccupent de ma santé mentale… mais ils ne tiennent pas à ce qu'elle hérite.

Il écrasa sa cigarette contre le bois, et la lança ensuite, visant un point très haut dans le ciel. Le mégot atterrit chez le voisin.

— Ils n'ont pas à s'inquiéter, poursuivit-il. Elle ne figure pas dans mon testament.

— Tu la connais depuis longtemps ? murmura Manolis malgré lui.

— Dix ans. Une fille comme il faut, je vous assure, avec deux enfants. Le gars est déjà un homme, la fille aura dix-huit ans cette année. Des gens normaux, très bien, pas des médecins ou des avocats à la con, comme nos propres enfants gâtés-pourris. Non, non, ils vivent simplement, et ils travaillent dur. Pour vous parler franchement, c'est à eux que je devrais laisser tout ce que j'ai.

L'air grave, Sotiris posa une main sur l'épaule de son ami.

— Arthur, écoute-moi, il ne faut pas déshériter ses enfants. Ce sont les liens du sang, quand même.

Thanassis repoussa cette main.

— Tiens, comme si je ne le savais pas !

Cherchant à l'aveuglette une autre cigarette dans sa poche, il l'alluma et tira une bouffée avant de continuer.

— J'ai ouvert un compte pour Antoinetta, j'y mets des sous de temps en temps. Mes gosses ne sont pas au courant, et ne le seront pas quand je ne serai plus là. De toute façon, ils auront mes économies et ma maison. Ça ira. Comme nos enfants à tous, ils ne manqueront de rien. Ils n'ont pas fait la moitié de nos efforts, alors ça va.

« Que puis-je dire ? pensa Manolis. Il a raison, non ? » Le tabac avait une odeur âcre et il tordit le nez. « Que répondre ? »

Accoudé à la clôture, Sotiris avait fini sa cigarette. Il se retourna et les regarda tous deux.

— Arthur, tu es sans doute le seul de nous trois qui a encore la chance de baiser. À ta place, je ne me plaindrais pas.

Ils éclatèrent de rire.

Thanassis s'assombrit.

— Il y a combien de temps qu'on ne s'était pas revus, bande d'enfoirés, salopards que vous êtes ? Hein ? Combien de temps ? Et pourquoi ? Pourquoi on a laissé faire ça ?

— C'est la vie.

— Et pourquoi c'est la vie, Sotiris ?

— Parce que.

— Il n'y a pas de raison.

— On s'est encroûtés, on est devenus flemmards. Voilà ce qui s'est passé.

Sotiris se marrait.

— De nous trois, Manoli a toujours été le philosophe, pas vrai, Thanassi ? Manoli a toujours une explication pour tout.

Thanassis souriait.

— Tu as raison, Manoli. On s'encroûte, on grossit.

Il passa un bras sur l'épaule de son vieux copain, qui en sentit tout le poids, toute la vigueur. Thanassis n'avait pas perdu ses forces. Bientôt, mais pas encore.

— C'était toi, le philosophe. Toi et Dimitri Portokaliou. Quand vous étiez partis, on ne vous arrêtait plus.

Le bras de Thanassis était encombrant, et Manolis le repoussa d'un coup d'épaule. Il avait du plomb dans la tête ; comment avait-il pu oublier Dimitri ? Il y avait eu Thanassis, Sotiris, Thimios, mais aussi Dimitri. Au café, aux bals, aux mariages, aux baptêmes. Et au bordel. Ils étaient en fait cinq, ce soir-là. Bien sûr qu'ils étaient cinq. Venant du bout du monde, Dimitri et Manolis avaient traversé les mers sur le même bateau. Ils avaient pris une chambre ensemble à leur arrivée à Melbourne, en 1961, dans Scotchmer Street. La propriétaire était polonaise, veuve, moche, avec les dents en avant, mais elle avait un corps splendide, et elle était blonde, une vraie blonde. Ils l'avaient baisée tous les deux. Dimitri était petit, rigolo, avec ses deux ans de lycée et ses rudiments de français. Taillait sa minuscule moustache tous les matins et tous les soirs. Avait fini mécano ; pas assez costaud pour travailler à l'usine. Une machine n'avait-elle pas manqué de le broyer chez GMH ? Ils avaient tous eu la pétoche. Alors, où était-il ce soir, merde ? Frissonnant, Manolis s'agrippa à la balustrade. La Faucheuse venait de l'effleurer.

— Où est Dimitri ? Et Georgia ? Où sont-ils ?

Sotiris et Thanassis se regardèrent.

La mort resserrait son étreinte sur les trois hommes – des lapins s'efforçant d'échapper au fusil. L'être humain n'avait pas droit à la dignité. Du moins pas à la fin.

Mais Dimitri et Georgia Portokaliou n'étaient pas morts.

— Personne ne les voit plus. Tu ne sais pas ce qui est arrivé à Yianni ? demanda Thanassis.

Manolis tenta de se rappeler. Leur fils, leur fils unique. On avait craint que Georgia ne survive pas à l'accouchement. Elle avait perdu tellement de sang. C'était ça ? Koula se souviendrait. « Donc Georgia ne pouvait plus avoir d'enfants ? »

— Non, qu'est-ce qui s'est passé ?

— Il a été assassiné il y a dix ans, en plein jour, devant sa maison de Box Hill. Une balle dans la tête, et au revoir. En pleine jeunesse.

Épouvanté, Manolis se signa trois fois de suite. Il ne pouvait plus s'arrêter.

— Pourquoi ?

Thanassis ne dit rien.

— La drogue, répondit Sotiris.

— Pas sûr.

— Alors quoi d'autre, Thanassis ?

— Le fric. Le cul. N'importe quoi.

Sotiris hocha la tête.

— Non, c'était la mafia, les gangsters. Le crime organisé.

Il regarda Manolis.

— Tu n'étais pas au courant ? Tu n'as pas lu les journaux ?

— Je n'étais peut-être pas là. Je devais être en Grèce.

— Et merde !

Visant à nouveau le ciel, Thanassis jeta un second mégot par-dessus la clôture.

— Quelles qu'en soient les raisons, dit-il, c'est une tragédie et personne ne mérite ça.

Perdus dans leurs pensées, les hommes retournèrent à l'intérieur. Mais oui, Yianni, le fils de Dimitri, Manolis s'en souvenait. Tout le monde l'appelait le petit Jimmy. Celui qui avait toujours de la terre sur les mains et les joues. C'était un sacré grimpeur – agile, rapide, intrépide, il adorait ça. Ecttora avait un jour shooté si fort dans son ballon qu'il avait atterri sur le toit de Mme Uccello. Et le petit Jimmy d'escalader la façade, d'enjamber la gouttière, de serpenter sur les tuiles inclinées, pour récupérer la balle qui, miraculeusement, avait atteint la seule partie horizontale de la toiture. L'Italienne était sortie de chez elle en poussant des cris d'orfraie, puis elle eut peur qu'il se brise les os. D'autres mères étaient accourues pour voir ce qui se passait, et ç'avait été un concert d'exclamations. Bouche bée, Hector avait le souffle coupé, et Manolis lui-même n'osait plus bouger. Ils regardaient Yianni qui, rayonnant, triomphant, leur montrait le ballon. « Je l'ai ! » Ecctora et son père avaient lâché un long soupir. La *signora* Uccello s'était mise à jurer – en italien – quand le jeune garçon avait commencé à redescendre. Georgia, qui l'attendait en bas, avait pris son fils dans ses bras, puis lui avait collé une sacrée torgnole. Le gamin, éberlué, avait la bouche en sang. Hector était venu se réfugier auprès de son père. « N'aie pas peur, mon garçon, avait dit Manolis. Tu n'as rien à te reprocher. » Ç'avait été une sensation extraordinaire, le petit s'accrochait aux jambes de son pantalon, s'immergeait dans sa force, sa solidité, un refuge contre la colère de ces femmes hystériques. Il y avait si longtemps – Manolis le dominait de toute sa hauteur. Oui, si longtemps que le petit Jimmy, plein de terre sur les mains et les joues, affichait ce sourire triomphant. Aujourd'hui bouffé par les limaces et les vers, alors que Manolis était toujours vivant. Preuve de la cruauté monstrueuse, incompréhensible, du Seigneur…

— *Theo ?*

Depuis combien de temps avait-il les yeux rivés sur Athena, à contempler le passé sans même la regarder ? Depuis combien de temps attendait-elle qu'il parle ? Revenant sur terre, il se rendit compte que tout le monde l'observait sans rien dire. Comme auparavant, il était assis à côté de Thanassis.

— Bon Dieu, mais réponds-lui ! s'énerva Koula. Où étais-tu ?

— Pardonne-moi, fit Manolis, d'une voix douce, à la jeune fille.

Il tira sur son col, desserra sa cravate d'un geste impatient, inspira profondément. Troublé, inquiet, il dévisagea Athena.

— Que m'as-tu demandé ?

— Veux-tu boire quelque chose, *theo* ?

— Oui, un autre whisky.

— Manoli !

C'était un avertissement, qu'il ignora. En fait, il aurait donné sa chemise pour une bière. « Quelle bêtise que ces convenances, au seul bénéfice d'un Dieu malveillant ! »

Thanassis lui posa un bras sur l'épaule.

— On vieillit tous, mon pote, mais ne t'avise pas de me materner, hein ?

Manolis était soûl quand Koula se leva, son sac bien en main, de l'air de celles qui n'ont pas envie de discuter.

— Paraskevi, nous devons rentrer.

La vieille femme s'y opposa.

— Non, vous ne pouvez pas partir.

Elle jeta un coup d'œil à Manolis, plongé dans d'autres souvenirs avec ses amis, riant à une vieille blague de Stellio.

— Mano, dis à Koula que vous restez, le pria-t-elle.

Il n'eut qu'à regarder sa femme pour comprendre. Rien n'y ferait. Elle n'aimait pas conduire, et encore moins la nuit. Koula ne lui pardonnerait pas de s'être enivré s'il l'obligeait à prolonger la soirée.

Alors il se redressa.

— Si, il faut qu'on y aille.

Les adieux furent un brouillard d'étreintes, de mains serrées, de promesses de s'appeler, de se revoir. Athena raccompagna le couple à la porte. Lorsqu'il embrassa la jeune fille – ah, le parfum revigorant de cette belle enfant, l'ivresse, le paradis, le seul dieu qui valait la peine d'être connu –, Manolis se rappela la raison de sa présence. Thimios était mort. Il exprima de nouveau sa tristesse, quoique de façon peu intelligible, l'alcool s'ajoutant à ses émotions. Athena leur fit un dernier au revoir, tandis que sa grand-mère les conduisait dans l'allée, tenant Koula par la main.

— On ne va pas se perdre une nouvelle fois.

— Je te promets que non.

Paraskevi ne voulait pas la lâcher.

— Koula, il était tout pour moi, le soleil de mes jours, la lune de mes nuits. Je crains de devenir folle sans lui. J'ai besoin de toi, tellement besoin de toi.

Sa supplique se noya dans un torrent de larmes. Manolis observa les deux femmes, pleurant ensemble, accrochées l'une à l'autre. Lentement, à contrecœur, Paraskevi se détacha de Koula. Elle embrassa Manolis, qui recueillit ses sanglots sur sa joue.

— Thimio t'aimait, lui dit-elle.

« Je sais. Moi aussi. Il le savait. »

— Il faut revenir.

— On reviendra.

Il s'installa prudemment sur le siège passager, mais sa douleur au genou se réveilla quand même. Koula ajusta les rétroviseurs, fit une prière, mit le contact. La voiture quitta l'allée en marche arrière, puis s'engagea normalement dans la rue. Tournant la tête à grand-peine, Manolis vit s'éloigner derrière eux la silhouette de Paraskevi, la main toujours levée, vieille et usée dans la nuit froide, noire comme le deuil.

Il se réveilla le lendemain sur l'image d'un rêve d'une immense quiétude. Ouvrant les yeux au monde physique, un sourire d'enfant aux lèvres, Manolis sentit ses membres et ses muscles frais et reposés. Il tenta de revivre son rêve, de l'imprimer dans son champ de conscience, mais il lui échappait peu à peu. Thimios était venu le voir dans son sommeil ; le rire mélodieux de son ami avait résonné toute la nuit. La jeune bande était presque réunie : Thimios et Paraskevi, Koula et Manolis, qui revoyait le velouté de sa peau, son corps et ses seins fermes, comme lorsqu'il l'avait rencontrée – ses yeux, son cœur, ses reins avaient frémi. Manolis dégagea le drap ; il portait un pyjama en flanelle, et il avait sué.

— Bordel de Dieu ! s'exclama-t-il, stupéfait : son sexe en érection se dressait dans la braguette du pantalon. Thimio, vieux salaud, es-tu revenu me rappeler ma jeunesse ?

Tandis que Koula prenait sa douche, il longea le couloir à pas lents jusqu'à la cuisine. Certes, ses vieux os s'étaient reposés, mais il ne fallait pas attendre de miracle.

Manolis grimaça en se penchant pour attraper le *briki* ; serrant les dents, il plia lentement les genoux, saisit l'objet et se redressa vite au prix d'un grand effort. Reprenant son souffle, il prépara le café, regarda la poudre brune former d'épais grumeaux avant de se transformer en liquide sirupeux. La douce quiétude de son rêve le berçait encore. Il n'oubliait pas qu'il avait enterré un ami la veille, la douleur était toujours là. Mais après avoir réveillé tant de souvenirs communs, s'être confronté à la finitude, la mort, il trouvait un plaisir renouvelé dans la réalité rugueuse de l'existence. Peut-être était-ce la raison pour laquelle son sexe réclamait une dernière fois son dû. Vulgaire, charnel, sanguin, oui, mais vivant. Thimios avait disparu. Ce serait bientôt – si Dieu voulait – le tour de Manolis, de Koula, de Paraskevi, de la bande. Tout compte fait, les souffrances, les querelles et les erreurs du passé n'importaient pas. N'était-ce pas ce que le rêve venait de démontrer ? Manolis n'avait ni haine, ni rancœur, ni brouille à emporter dans la tombe, et il s'en félicitait. C'était probablement aussi le cas de Thimios, qui n'était pas ce genre d'homme. Des regrets, bien sûr, il y en aurait, seuls les imbéciles ne connaissent pas le regret. Oui, sans doute un mélange de honte et de culpabilité. Cependant ils avaient fait de leur mieux, ils avaient correctement élevé leurs enfants, leur assurant le gîte, le couvert, des études. Les petits étaient à l'abri du besoin, et c'était tous des gens bien. Sans être la bienvenue, la mort viendrait de toute façon. Il était seulement lamentable et cruel qu'elle prenne parfois les jeunes, qui n'y étaient pas préparés et ne la méritaient pas. Voyant l'écume s'élever dans le *briki*, Manolis éteignit le feu.

Koula arriva tandis qu'il versait le café dans les petites tasses. Surprise, mais ravie, elle ajusta sa robe de chambre et s'assit.

— Pas trop mal à la tête ? demanda-t-elle avec un sourire.

— Du tout, répondit-il, souriant lui aussi. N'aie crainte, je tiens encore le coup. Ça n'est pas un whisky ou deux qui vont me foutre par terre.

Ils ne tardèrent pas à se chamailler. Manolis avait peine à croire que leurs impressions de la veille fussent aussi différentes. Rentrés bien trop épuisés pour parler, ils avaient mangé une petite salade, de la feta et du pain, puis s'étaient endormis aussitôt couchés.

— Ne sommes-nous pas heureux, mon mari ? demanda Koula. Nos enfants se débrouillent si bien. Vraiment, nous pourrions être fiers.

Cette lueur dans ses yeux – oui, c'était de la suffisance ? De la méchanceté, aussi ? Manolis sentit son euphorie le quitter. Ne s'apercevant de rien, Koula continuait à pérorer.

— Évidemment, on ne peut pas reprocher à Sandra et Stavros d'avoir eu une malade mentale.

Elle ourla les lèvres, tapa sur le bois de la table, retrouva son allégresse.

— Mais leur fils n'a vraiment pas l'air de savoir ce qu'il veut faire. C'est désespérant. Je m'arracherais les cheveux si j'étais elle. Ou peut-être qu'elle s'en fiche, après tout, c'est une Australienne…

— Sandra est une fille en or, grogna Manolis. Depuis toujours.

— Pour ce qui est de Thanassis, ce n'est pas le mauvais cheval, mais quel dégénéré !

Il ferma les yeux. Redécouvrant la veille son passé avec bonheur, il avait pensé que les mesquineries, les jalousies, les errements de l'âge adulte n'étaient que des broutilles. Il avait cru apercevoir une vérité, une possibilité, qui s'appelaient tolérance, sérénité, avec un sentiment de bien-être : en vieillissant, les hommes devenaient égaux. Ils ne l'étaient pas dans leur travail, dans la vie politique, ni devant Dieu – seulement à la fin de leur vie. Encore une illusion. Manolis s'efforça d'ignorer les propos de son épouse. Quelques minutes encore, il voulait habiter un monde où la hiérarchie, l'élitisme et la vindicte n'avaient pas prise.

— Je plains Emmanuel. Ses deux fils sont toujours célibataires. Ce qu'il doit avoir honte !

— Pourquoi diable aurait-il honte ?

Mine exaspérée de Koula.

— Le soleil n'est pas levé que tu veux déjà te mettre en colère ?

Elle avait raison, il ferait mieux de se taire. Savourant son café, il la laissa parler.

— Et cette Tasia…

— Qu'est-ce qu'elle a, Tasia ?

Manolis ne lui avait jamais prêté attention, ce n'est pas aujourd'hui qu'il allait commencer.

— L'aîné est encore au chômage. Pas très reluisant.

« Ça lui fera les pieds, à cette vieille commère. » Voilà qui l'amusait plutôt, et il s'en voulut. « Ah, mais ne pas suivre Koula dans ce jeu-là. » Il ne connaissait pas ce type, et le pauvre avait déjà une croix à porter, puisqu'il avait Tasia pour mère.

— Il reste des *loukoumia* ? demanda-t-il.

Koula fit les gros yeux.

— Le sucre, ça n'est pas bon pour toi.

— Rien qu'un.

Sans quitter son siège, elle ouvrit le placard derrière elle et sortit la boîte de loukoums.

— La plus jeune, Christina, est divorcée.

— Elisavet aussi.

— Rien à voir, fit Koula, outrée. Christina est une petite dévergondée, alors que notre fille s'est battue pour préserver son mariage. Pas sa faute si elle a épousé un animal.

Ils se regardèrent un instant en chiens de faïence, et Manolis baissa les yeux.

Ce n'était pas la première fois que le conformisme instinctif des femmes l'assommait. Comme si le fait d'être mère, les douleurs de l'accouchement les enracinaient dans le réel, les rendaient complices des maladresses, des erreurs, de la bêtise des hommes. L'amitié ne comptait pas pour elles, elles ne connaissaient que leurs enfants. Certes, Manolis s'était lui aussi sacrifié pour les siens, ils avaient toujours eu priorité sur le reste. Il vivait dans cette maison, il menait cette existence-là précisément pour cette raison. Sans se laisser aveugler pour autant : il les prenait pour ce qu'ils étaient. Bien sûr, certains hommes ressemblaient aux femmes – leur progéniture les rendant insensibles à la valeur d'autrui. Par faiblesse, ceux-là cédaient leur place dans le monde. Évidemment aussi, quelques fortes femmes au courage flamboyant menaient les révolutions, se dévouaient jusqu'au martyre. Mais il y en avait peu. Égoïstes et indifférentes, elles étaient avant tout des mères.

Koula continuait de jacasser. Faisant barrage à l'avalanche de sons, laissant ses lèvres s'agiter, Manolis s'attarda sur le reste du visage. Tout y était : la certitude d'avoir raison, les touches de moquerie, la jouissance du malheur des autres. Avait-elle oublié ce jour où il l'avait surprise en train de taper du poing par terre, comme une vraie folle ? Le lino de la cuisine était taché de gouttes de sang. En apprenant que sa fille divorçait, Koula n'avait pu contenir son chagrin, sa rage. Et quand Hector leur avait dit qu'il refusait de se marier à l'église, Koula n'avait-elle pas renoncé à se rendre à l'usine, à faire les courses, même à quitter la maison ? Avait-elle arraché tout souvenir de son cerveau pour tant se réjouir aujourd'hui qu'une autre joue de malchance ? Donnant naissance aux hommes, les femmes engendraient la cupidité.

Manolis finit son café, reposa sa main sur son genou et rougit : il bandait encore. En regardant Koula, il tenta vainement de ressusciter la fille de son rêve. Tous deux ne faisaient plus l'amour depuis des lustres. Il avait oublié la chair depuis ce bordel à Collingwood, où une jeunette amère, défoncée, avait sans enthousiasme tenté de l'exciter. Il avait simplement voulu l'asseoir sur ses genoux, caresser ses longs cheveux et lui parler. Risible Manolis. Son corps lui faisait défaut lorsqu'il en avait besoin, et voilà que soudain il se foutait de sa gueule. Que dirait Koula s'il se levait et lui demandait d'aller faire l'amour dans leur chambre ? Quels mots leur restaient-ils pour décrire son désir ?

« Je veux te baiser, femme. »

Elle rigolerait. Méchamment, comme sa propre mère, bien des années auparavant dans un village de l'autre monde. Soulevant un matin l'édredon, elle avait découvert sa bite émergeant d'un trou de son pantalon, et tendu le doigt en gloussant. « Mais qu'est-ce que tu vas faire de ce petit machin ? » Son rire avait réveillé les frères de Manolis qui, à leur tour, s'étaient moqués de lui, l'avaient déshabillé. Fou de douleur, en larmes, il était sorti dans la neige pour chercher refuge à la grange, où il s'était réchauffé contre les chèvres. Il avait eu envie de mourir et souhaité qu'ils crèvent tous. Elle surtout : sa bien-aimée mère, pauvre et affamée.

Tout cela n'était plus là, ni elle, ni ce monde, ni cette existence. Manolis ordonna à sa queue de battre en retraite. « Tu ne me sers plus à rien, idiote. » Koula et lui ne seraient plus mari et femme, du moins plus jamais de cette façon.

L'âge était un ennemi invincible et cruel. Comme les femmes. Comme les mères.

Elisavet arriva à huit heures du matin avec ses enfants. Saluant à peine ses grands-parents, Sava fila au salon, alluma la télévision, inséra un DVD dans le lecteur. Manolis et Koula avaient acheté l'appareil pour eux, ne l'utilisaient jamais. Angeliki, fâchée, s'assit sur les genoux de sa grand-mère et fondit en larmes.

— Qu'y a-t-il, ma petite chérie ?

— Sava m'a battue.

D'un air las, Elisavet se pencha pour embrasser son père, qui s'y prêta sans effusion. Depuis l'adolescence de sa fille, il conservait une certaine distance avec elle. La défensive était chez eux une habitude ; il ne fallait surtout pas se lancer dans une dispute car, lorsqu'ils commençaient, cela finissait toujours mal.

— Sava ne t'a pas battue. Je t'avais dit de ne pas tripoter son DVD.

Furieuse, Angeliki avait le visage distordu d'un démon.

— Si, il m'a donné une gifle !

Puisant leur force dans d'insoupçonnables profondeurs, ses colères ressemblaient à celles d'Elisavet, pleines d'amertume et de rancœur. La petite tenait de sa mère, ce qui n'était pas pour rassurer Manolis. Mal à l'aise, le père et la fille jouaient constamment l'esquive – et pourtant il l'aimait, certain qu'elle l'aimait en retour.

Pour la faire rire, il fit une grimace monstrueuse à Angeliki, qui ne put se retenir.

— Alors, mon ange ? Tu es contente de passer ta journée avec *Giagia* et *Pappou* ?

Angeliki se renfrogna. Elle n'allait pas lâcher prise aussi vite que ça. Elisavet haussa les épaules et s'assit près de son père. Ses cheveux étaient longs, gras, grisonnants. Manolis savait que sa femme se retenait de lui en parler ; il faudrait pourtant qu'Elisavet se pomponne un peu, qu'elle s'efforce de paraître plus jeune. Elle avait l'air d'une vieille fille – comment retrouver un mari, avec cette tête ? Certes, elle était encore jolie, mais divorcée avec deux enfants. Quand on ne peut pas faire la fine bouche, on ne se laisse pas aller. Par crainte de représailles, Koula se taisait elle aussi.

— Où vas-tu aujourd'hui ?

— Je te le répète, répondit sèchement Elisavet, en anglais. À une conférence.

Ces « conférences ». Hector et elle semblaient y passer leur temps. Manolis ignorait ce que cela désignait exactement. Des réunions ? Alors pourquoi pas au travail ?

— C'est pour les enseignants, papa, dit-elle d'une voix plus douce. J'ai participé à l'organisation. Nous essayons de lutter contre l'illettrisme.

Il ne voyait pas non plus ce que c'était.

Elisavet s'efforça de lui expliquer.

— Il s'agit d'aider les enfants qui ont du mal à lire et à écrire.

— S'ils travaillaient, ils apprendraient.

— Cela n'est pas aussi simple, maman. Parfois, ils n'ont tout bonnement pas cette chance. Tu sais que j'ai beaucoup d'élèves qui viennent de familles pauvres, dont les parents sont souvent absents.

— Mais alors où sont-ils ?

Manolis vit sa fille réprimer un soupir.

— En prison, à l'hôpital. Quand ils ne sont pas morts.

Koula hocha la tête : la folie, l'égoïsme du monde moderne…

— Et on te paie pour ça ?

— On me donne des heures de congé.

— Tss. On devrait te payer.

— Oui, je sais, dit Elisavet en riant.

Elle préleva un loukoum dans la boîte, qu'elle fourra dans sa bouche.

— Tu as le temps de boire un café ?

— S'il te plaît, maman, oui.

Koula posa Angeliki sur les genoux de son grand-père. Par-dessus l'épaule de Manolis, la petite fille jeta un coup d'œil vers le salon où Sava, vautré par terre, regardait son film.

— Pourquoi tu ne rejoins pas ton frère ?

Elle se remit à pleurnicher.

— Il veut pas.

Elisavet avala son loukoum, et une pluie de sucre glace s'échappa de ses doigts.

— Pour l'amour du ciel, Kiki ! J'en ai assez de vos histoires. Va au salon !

La petite fille sanglota de plus belle.

Manolis lui caressa la joue.

— Si on allait courir après le chat du voisin ?

— J'ai pas envie.

— Elle peut venir ! cria Sava, devant la télé.

Ses larmes aussitôt oubliées, Angeliki se précipita.

Elisavet se tourna vers son père.

— Merci de les garder aujourd'hui.

— Ne dis pas de bêtises. Nous sommes leurs grands-parents, tu n'as pas besoin de nous remercier.

— Je viendrai les chercher vers huit heures, ça va ?

Manolis acquiesça. Il allait falloir les divertir, Koula les ferait manger, les gronderait de temps à autre. Puis il les emmènerait se promener dans l'après-midi. Épuisé à la fin de la journée, il serait trop heureux d'aller se coucher.

— Tu veux nous les laisser ce soir ?

— Non, maman. Leur père vient les prendre demain matin.

Koula se rembrunit.

— Qu'est-ce qu'il devient, cet *ilithio*, cet immonde individu ? Toujours en train de courir les filles ?

— Maman ! dit Elisavet en montrant le salon. Ils vont t'entendre.

— Et alors ? Autant qu'ils sachent que c'est une bête sauvage.

— Tais-toi, Koula, ordonna Manolis.

Elisavet le remercia du regard. Le café étant prêt, sa mère l'apporta à table.

— Tu les as le week-end prochain, non ?

— Oui.

— Tant mieux. C'est l'anniversaire de ton cousin. Sandi m'a dit au téléphone que Rocco est ravi de revoir Sava.

Lequel cria pour couvrir le bruit de la télévision.

— Adam viendra aussi ?

— Bien sûr, mon petit bonhomme.

— Et Melissa sera là ? demanda Angeliki.

— Évidemment qu'elle sera là ! jeta Sava, méprisant. Comme si Adam allait venir sans elle !

Koula baissa la voix :

— As-tu parlé à ton frère ?

Elisavet fronça les sourcils.

— La semaine dernière.

— Qu'a-t-il dit pour l'anniversaire d'Harry ?

— Qu'il viendra, répondit Eli, qui ne tenait pas à aborder le sujet.

— Et son Indienne ?

— Maman, elle a un nom, quand même !

— Elle vient ?

— Non.

Koula frappa sur la table.

— Cette fille n'a d'autre but dans la vie que m'empoisonner. Je demande chaque jour à la Sainte Vierge pourquoi Hector s'est laissé ensorceler. Hein, pourquoi ?

Contrarié, Manolis hocha la tête. Aisha était une épouse formidable, intelligente, compétente, séduisante. Hector et elle avaient bien de la chance d'être ensemble. Enfin, ce n'était pas évident ?

— Elle ne viendra pas, maman.

— À cause de cette idiote d'*Australeza* ? Un chameau, celle-là aussi !

— Harry n'aurait pas dû frapper le petit.

Sava donna de la voix dans le salon :

— Que si.

Koula rayonnait.

— Tu vois ? Ton fils est plus intelligent que toi. Harry aurait dû lui coller une raclée, à ce gosse. J'ai rarement vu un enfant aussi mal élevé. Une horreur.

— Ça n'est pas la question.

Consternée, Koula leva les mains.

— Alors, c'est quoi, la question ?

— On ne touche pas aux enfants.

— Il aurait pu blesser Rocco avec cette batte de cricket.

— Il ne l'a pas fait.

— Grâce à Harry, qui est intervenu au bon moment.

— Bon, enfin, Hector m'a dit qu'elle ne viendrait pas.

D'un geste, Koula consulta son mari, qui haussa les épaules. Lui non plus ne comprenait pas la réaction mesquine d'Aisha. Harry avait commis une erreur en giflant le gamin, mais le petit morveux le méritait, et cela n'était qu'une claque, après tout. Tout ce fric gaspillé en procédures, en avocats, c'était absurde. Ils devenaient fous, en vieillissant ? Riches au point de jeter l'argent par les fenêtres ? Était-ce la faute de leurs parents, qui les avaient trop gâtés ?

Koula le rejoignait sur ce point.

— Ne serait-ce qu'avoir porté plainte, c'est avilissant, fit-elle avec une moue dégoûtée.

— Et pourquoi ? Depuis quand s'en prend-on aux gosses ?

Préférant se taire, Manolis pinça les lèvres. Mais qu'est-ce que c'était que ces histoires ? Aller chercher les flics, *ces ordures*, pour une baffe !

Koula pianota sur la table, puis croisa les bras.

— Ça m'est arrivé, moi, de corriger Sava. Tu vas me dénoncer ? défia-t-elle sa fille.

— Tu n'aurais pas dû.

— Ah bon ? Même s'il me parle mal ou qu'il maltraite sa sœur ?

— Ce n'est pas pareil.

— Tu l'as fait, toi aussi.

Elisavet regarda son père.

— Je ne vais pas m'appesantir là-dessus. Aish a raison. Personne n'a le droit de frapper un enfant. Personne.

— Et s'ils dépassent les bornes ?

Elisavet hésita.

— C'est pareil.

Indignée, Koula quitta bruyamment son siège et se tourna vers l'évier.

— Dire que tu paies un type des milliers de dollars pour savoir ce qui empêche les mômes d'écrire et de lire correctement. Tu ferais mieux de me le donner, cet argent. Je t'expliquerais, moi, ce qu'il faut faire.

Elisavet jura à voix basse.

— Donc c'est très bien de cogner sur eux, lâcha-t-elle en anglais. Super, hein ?

Manolis en avait assez.

— Bon Dieu, personne n'a cogné sur personne ! Il lui a filé une baffe, et puis voilà ! Maintenant, Aisha refuse de parler à Harry, et cette pétasse d'Australienne a appelé les flics. Ça l'avance à quoi ? Son fils continue de foutre la merde partout où il passe, je suis sûr. C'est ridicule.

— Tu prendrais ça comment si un inconnu giflait Sava devant toi ?

Elisavet haussait le ton elle aussi.

— Je serais furieux. Mais s'il était sur le point de blesser un autre gosse, je comprendrais. Le type s'excuserait et on en resterait là. Peut-être que je lui balancerais mon poing dans la gueule, mais on réglerait ça entre hommes, pas comme des porcs, pas comme ces dégénérés d'Australiens.

Manolis trembla en se rappelant toute cette comédie, la salle d'audience bondée, Sandi terrorisée, Harry honteux.

— Ça suffit, maintenant, lança-t-il. Je vais parler à Aisha, et elle viendra à son anniversaire.

Elisavet leva les yeux au ciel.

— Bonne chance.

Koula était sidérée.

— Tu devrais être du côté de ton frère, l'aider à arranger les choses. Mais tu préfères l'Indienne. C'est humiliant.

— Aisha a raison, dit Elisavet.

Koula lui montra la porte.

— Va-t'en. Je ne veux plus rien entendre.

Empoignant son sac, Elisavet alla dire au revoir aux enfants, puis revint à la cuisine embrasser son père sur le front.

— Elle m'écoutera, tu verras. Et elle viendra.

— Non, papa.

Inutile de répondre. Manolis avait de bonnes raisons ; il se montrerait calme et réfléchi. Aisha le respectait, l'aimait, elle l'écouterait.

Elisavet se pencha pour faire la bise à sa mère, qui lui tendit dédaigneusement une joue.

— Merci de t'occuper des enfants, maman.

Silence.

Koula avait réussi à contrarier sa fille, qui partit triste et résignée.

Le père et la mère se turent, la portière de la voiture claqua, le moteur démarra.

Koula joignit les mains sur sa tête.

— Ils sont fous, mon mari, tous fous.

Il se redressa en frottant son genou. Attentive, Koula le regarda décrocher le téléphone.

— Tu vas lui parler ?

Il confirma, elle courut au salon.

— Sava, Kiki, mettez moins fort. Votre *pappou* donne un coup de fil.

— Il faut vraiment ? grogna Sava.

Koula agita un doigt menaçant.

— Tout de suite ou je te flanque une fessée !

Le garçon empoigna la télécommande et se dépêcha de baisser le volume.

Aisha était en retard ; Manolis n'en prit pas ombrage. Beaucoup de monde dans High Street : les gens faisaient leurs courses du vendredi soir, profitaient des journées plus longues, de la douce soirée de printemps. Il ne connaissait pas ce café qu'elle avait choisi, et tout avait commencé par un incident fâcheux, terriblement inconvenant. Un jeune couple allait sortir au moment où Manolis saisit la poignée de la porte. Il n'avait pas douté une seconde qu'ils le laisseraient passer. L'homme, arrivant le premier, n'en fit rien et ils se jetèrent l'un contre l'autre. Plus de peur que de mal ; tous deux interloqués, ils s'étaient observés un instant. Mais en reculant, le type avait heurté son amie, qui avait regardé Manolis de travers. Il avait rougi. Ébranlé, il attendait des excuses, et n'en reçut pas. Immobile, déconcerté, le jeune homme n'avait même pas ouvert la bouche.

— Pardon, avait jeté finalement sa compagne, d'un ton sec.

C'était un ordre, non une excuse, Manolis s'était effacé devant eux.

Sur le trottoir, plus dérouté encore, le type s'était retourné une dernière fois.

Assis au fond du café bondé, Manolis commanda un cappuccino – trop laiteux pour lui, mais le seul café non grec qu'il buvait avec plaisir. Le garçon le lui apporta vite. Manolis repensa à l'incident. Il était presque sûr que le jeune homme allait s'excuser, mais la fille, l'écartant brutalement, l'en avait empêché. Aurait-elle été là, Koula n'aurait pas cessé de se plaindre de leur grossièreté, de leur indifférence. Manolis pensait depuis longtemps que l'absence de respect pour les seniors était la marque d'une société matérialiste, dépourvue de valeurs morales. Il n'en était plus si certain. Le jeune homme avait-il un père ? se demanda-t-il. Et la fille ? Ce sont les pères qui inculquent le respect. Éberlué parfois, dans le train ou le tram, par l'impolitesse des ados, il avait fini par comprendre qu'eux-mêmes ne voyaient pas ce que leur attitude avait de minable et de déshonorant. Quant aux filles, elles semblaient se méfier des adultes, quel que soit leur âge. Tout cela l'irritait, il avait envie de leur tordre les oreilles, de les punir, les uns comme les autres. Plus maintenant : en fait, ces gosses étaient à plaindre. Il leur avait manqué un père qui leur enseigne la dignité, l'humilité. Les mères sont tout, évidemment : elles donnent la vie et la protègent. Mais elles sont trop intéressées pour éveiller le respect. Alors il était navré pour le jeune couple, qui lui inspirait de la compassion.

« Ça ne va pas du tout, ça, remarqua-t-il. Quand les vieux plaignent les jeunes, c'est que le monde tourne à l'envers. »

— Tu as l'air bien absorbé.

Manolis embrassa sa belle-fille sur les deux joues. Elle sentait le propre, l'odeur reconnaissable du savon antiseptique. Habillée simplement, avec élégance, comme toujours splendide. Il était fier d'elle. Enfant, Manolis ignorait tout des manières et du raffinement associés à l'argent. Lors d'une permission, il avait vu à Patras son premier film, une comédie française vaguement rétro. Un moustachu faisait le baisemain à une femme, et Manolis avait éclaté de rire. « Mais qu'est-ce qu'il croit, cet imbécile, avait-il dit au camarade de régiment assis à côté de lui, il la prend pour un pope ? » Cependant, quand Ecttora lui avait présenté Aisha, il s'était rappelé le film et il avait eu envie de lui faire le baisemain.

— Comment va le travail ?

— Le vendredi, on a toujours beaucoup de monde.

Elle posa sa veste sur une chaise, s'assit, chercha le garçon du regard, lui demanda un café.

— Hector m'a appris que tu es allé à un enterrement, hier. Je suis navrée. Quelqu'un que tu connais bien ?

Il trouvait parfois les yeux de sa belle-fille trop grands pour son visage.

— Un vieil ami. Que veux-tu que je te dise ? On meurt tous un jour.

— Cancer ?

Il hocha la tête.

— Hector se souvient à peine de lui, poursuivit Aish. Mais il se rappelle qu'à sa naissance vous habitiez tous ensemble, Koula, toi et lui, c'est vrai ?

— Oui.

— Je suis vraiment désolée.

Le garçon revint avec sa commande et ils burent leurs tasses en silence. Aisha et Manolis ne s'étaient encore jamais retrouvés seul à seul et, peu à son aise, il éprouvait des difficultés à parler. Il se rendit compte qu'il n'avait pas préparé cette conversation. Quand Hector avait présenté Aisha à ses parents, la jeune femme avait facilement noué des liens avec son futur beau-père, sans qu'ils aient spécialement besoin de s'épancher. Elle ne connaissait pas le grec, il parlait encore un anglais approximatif, mais cela n'importait guère. Ils avaient aussitôt eu confiance l'un en l'autre, ce qui les arrangeait : ils avaient gagné un refuge contre les emportements de Koula et l'entêtement d'Hector. Aujourd'hui, Manolis souhaitait simplement demander à sa belle-fille de se rendre à l'anniversaire d'Harry. Il ne doutait pas de son affection pour lui, et elle serait d'accord. Remarquant son air perplexe, ses sourcils froncés, il se demanda soudain quelle influence il exerçait sur elle. Du coup, il ne savait plus quoi dire.

— Pourquoi voulais-tu me voir ?

Les yeux d'Aisha ne trahissaient rien, mais elle semblait lire dans ses pensées. Bien sûr, elle avait deviné.

— J'aimerais que tu acceptes l'invitation de Sandi et Harry.

Elle reposa sa tasse et il ajouta :

— S'il te plaît.

— Je m'y attendais un peu, fit-elle en hochant la tête. Et non, je n'irai pas.

Il tenta en vain d'interpréter son regard – un regard de chat, noir et séduisant. Avait-elle pitié de lui ? Était-elle en colère ?

— C'est très mal, ce qu'il a fait, un geste déplacé, une erreur vraiment. Mais il est désolé. Je t'en prie, Aisha, ce n'est pas bon pour Adam et Melissa. Ils ont envie de voir Rocco, c'est leur cousin…

— Je ne les en empêche pas, coupa-t-elle en croisant les bras. Ils peuvent le voir quand ils veulent.

— Et c'est embêtant pour Hector.

— Hector a compris mes raisons.

Manolis perdait pied. Quelles raisons ? Pourquoi Aisha était-elle aussi furieuse ? « C'est moi que ça embête, voulait-il lui dire. Pourquoi me causes-tu des problèmes, comme ça ? »

— Hector et lui sont proches, très proches. Presque des frères.

Oui, l'esprit de famille, mais elle y était insensible. Il discerna cette fois une lueur d'irritation dans ses yeux de jais.

— Tout va bien pour Hector, dit-elle, ne t'inquiète pas pour lui. Cela ne serait pas Koula qui aurait un problème, plutôt ?

Le terrain devenait dangereux ; ce foutu genou recommençait à faire mal ; Manolis passa une main sous la table pour le masser. Aisha l'énervait. C'était encore une brouille entre deux femmes, une autre de ces guerres mesquines. Pas question de discuter de Koula.

— Harry est désolé.

— Il s'en fiche complètement.

Elle ne changerait pas d'avis. D'ailleurs, Harry n'en avait rien à foutre, elle avait tout à fait raison. Ce crétin borné méritait même une bonne correction. Comme son satané père – Dieu le garde –, il était incapable de se contrôler.

— Il répète qu'il est vraiment navré que tu sois fâchée contre lui.

— Rosie m'a rapporté que tu l'as accompagné au tribunal. Ça l'a profondément blessée.

Le vieil homme était pris au dépourvu. Bien sûr qu'il était allé à l'audience avec Harry. Elles s'imaginaient quoi, ces Australiennes ? Harry n'ayant plus ses parents, il revenait à Manolis de soutenir le neveu de sa femme. Jamais Koula ne lui aurait pardonné de faillir à son devoir. Aisha le comprenait, quand même ? Ce n'était pas une sauvage ! Devait-il expliquer ce que sont l'honneur, la loyauté ?

— J'étais moi-même déçue, Manoli. Tu n'aurais pas dû y aller.

Trop de monde dans ce café surchauffé, et impossible de se concentrer. Il se rendit compte que, comme une gourde, il restait bouche bée devant sa belle-fille. « Sinistre vieillard. » Il serra les mâchoires. Avait-il bien saisi ce qu'elle venait de lui dire ? Le sens de ce curieux mot anglais, *déçue*, lui échappait un peu. Aisha était-elle « déçue » parce que lui, Manolis, l'avait mise dans une position délicate vis-à-vis de Rosie, cette tarée d'*Australeza* ? Tout cela était ridicule, du passé, alors finissons-en. On avait gaspillé trop de temps, versé trop de larmes sur ces sottises.

— Aisha, nous sommes ta famille.

Les yeux rivés sur lui, noirs comme une nuit d'hiver, elle émit un rire méprisant.

— Je connais Rosie depuis plus longtemps que vous.

Oubliant sa douleur, il se redressa subitement. Il devait avoir l'air méchant, car Aisha comprit aussitôt son erreur et recula. Il avait envie de l'attraper par les cheveux, de lui coller la figure sur la table, de la gifler comme une gamine.

— Il ne s'agit pas de famille, dit-elle en hâte, mais de mon amitié avec Rosie. Harry m'a humiliée dans ma propre maison. Ce qu'il a fait à Hugo, sans égard pour sa mère, est impardonnable.

Cette *poutana*, et ce *moulkio* de gamin. Manolis se rappela les paroles de l'Australienne dans la salle des pas perdus. « N'avez-vous pas honte ? Ce n'est pas votre place. » Impitoyable, engoncée dans ses certitudes, sa grande moralité, elle lui avait cloué le bec. Encore humilié aujourd'hui, il savait maintenant ce qu'il aurait dû rétorquer : « Tout ça est votre faute. C'est vous qui nous traînez ici. Vous êtes une mère lamentable ! » Et une bonne paire de claques.

Voyant la serveuse approcher, il tapota sur la table.

— Un autre café ? demanda-t-il à sa belle-fille.

— Non, ça va.

— Harry est en tort, il a fait une bêtise, il est désolé, dit-il en levant la main pour qu'elle ne l'interrompe pas. Mais ton amie elle aussi fait de grosses bêtises. Pourquoi est-ce qu'elle n'élève pas ce petit comme il faut ?

— Rosie adore Hugo.

— Pourquoi ne l'arrête-t-elle pas quand il embête tout le monde ?

— Ce n'est qu'un enfant, il ne sait pas faire la différence.

Exactement. Le problème était bien là. « S'il ne sait pas faire la différence, c'est qu'on ne lui a pas appris. »

— C'est une mère épouvantable, complètement à côté de la plaque.

Il se fichait maintenant de mettre les formes, de cajoler Aisha. Cet aveuglement était terrifiant, elle défendait l'indéfendable. Cette cinglée de Rosie aurait dû corriger son gamin – ou l'autre alcoolique, là, cet abruti de Gary. Harry n'était pas un saint, loin de là, tout le monde s'accordait là-dessus. Mais, pour la première fois depuis l'incident, Manolis sentait, croyait, comprenait que son neveu était innocent.

Aisha ne le regardait plus.

— Tu vas à son anniversaire, la semaine prochaine !

Elle leva deux yeux incrédules vers lui, et il perçut dans son sourire quelque chose d'étonné, de respectueux.

— Non.

— Si, tu iras.

— Non.

Manolis se retint d'insister jusqu'à ce qu'elle accepte. Jamais encore dans sa vie il n'avait eu autant raison. Il vit cette fois le feu dans les pupilles d'Aisha.

— Tu n'es pas mon père, dit-elle.

Il l'aurait giflée. Alors donc, toutes ces années pendant lesquelles il l'avait défendue, entourée de son affection, plaisantant avec elle, prenant soin de ses enfants, donnant de son temps et de son argent pour les aider, elle et Hector – cela ne voulait rien dire ? L'amour, la famille, c'était bon pour les orties ? À l'instant, Aisha ne se souciait que de son orgueil. Croyait-elle faire preuve de courage en lui désobéissant ? Aisha, Hector et leur bande ne savaient rien du courage. On leur avait tout donné, et ils trouvaient ça naturel. Sans doute mettait-elle un point d'honneur à défendre son amie. Un revers du destin, un obus, une guerre, et elle s'effondrerait, la petite Indienne. Il ne trouvait pas grâce à ses yeux ? Eh bien, elle était comme les autres : d'un égoïsme forcené, totalement ignorante des choses de ce monde, braquée sur ce petit drame ridicule. Ces fous d'extrémistes musulmans n'avaient en somme pas tort. Balancez une bombe dans ce café branché et, d'un seul coup d'un seul, supprimez tous ces arrogants. Oui, elle était jolie, élégante, instruite, mais cela ne comptait pas, car elle n'était ni humble ni généreuse. « Des monstres, nous avons engendré des monstres ! »

Manolis jeta sur la table un billet de dix dollars, termina bruyamment sa tasse et se leva.

— Allons-y.

Aisha se dressa subitement.

— Où ?

— Koula est chez toi.

Ignorant sa mauvaise jambe, il s'en alla d'un pas vif sans attendre sa belle-fille, qu'il entendit se presser derrière lui. Il se retourna quand elle l'appela : ses clés en main, Aisha se tenait devant sa voiture.

— Dis à Koula que je suis parti faire des courses.

Il en avait assez, des bonnes femmes. Et supporter le mépris de Koula, lorsqu'elle comprendrait son échec, serait au-dessus de ses forces. « Vieil idiot, vieux débris, toi qui pensais qu'on se souciait de toi, qu'on te respectait, qu'on t'écouterait… »

— Tu ferais mieux de venir avec moi.

« Va te faire foutre. »

— Je fais les courses.

Aisha actionna l'ouverture des portes.

— Manoli, je suis désolée.

Il fit volte-face et s'éloigna. Facile à dire, « désolée », mais cela ne signifiait rien. Les Australiens n'avaient que ça à la bouche. Dé-so-lé-dé-so-lé. Non, elle ne l'était pas. Contrairement à ce que, des années durant, il avait espéré, elle ne l'aimait pas, ne le respectait pas. Il avait envie de se flageller, de punir sa vanité, sa sottise. Jamais il ne lui avait rien demandé, et il lui ferait savoir que jamais plus il ne lui demanderait rien. *Désolée*. Il recracha le mot comme une capsule de poison.

Il avait cru qu'elle l'aimait. Vieux crétin qu'il était.

« Tu as de la chance, murmura-t-il au vent à l'ombre de Thimio. Combien de temps vais-je encore l'attendre, moi, la mort ? »

Manolis évita le centre commercial et les boutiques. Pas le moment de lécher les vitrines – toutes ces tentations inutiles lui tournaient l'estomac. Il ne tenait pas non plus à rencontrer ses voisins, Grecs vieux et vieilles, rassemblés par groupes dans la galerie marchande comme les gosses autrefois sur la place du village. Ce foutu village grec qu'il avait cru laisser là-bas, mais qui l'avait suivi aux antipodes. Quittant High Street, il zigzagua dans les ruelles en direction de la gare de Merri. Une jeune musulmane voilée se dressait sur le quai devant la salle d'attente. C'était encore une enfant, une lycéenne qui, visiblement inquiète, étudiait furtivement les alentours. « Il ne faut pas rester seule sur le quai, comme ça ; il n'y a plus d'hommes de bonne volonté. » Manolis lui sourit et elle baissa la tête. Elle aussi avait apporté son village avec elle – allez savoir où il se trouvait. La dépassant, il jeta un coup d'œil dans la salle d'attente. Une autre fille voilée, plus âgée, était en train d'embrasser un gamin émacié, aux cheveux teints, orange, criards. Elle se détacha de lui en croisant son regard. Inquiet, puis menaçant, l'adolescent l'interpella.

— Eh, le vieux, qu'est-ce que t'as ?

La fille ricana en se réfugiant dans les bras du gosse. Avec sa peau blanche et ses taches de rousseur, il semblait tout juste sortir de l'enfance.

Manolis s'éloigna avec une moue de dépit. Ils parlaient la langue des enfers, mais ce n'était pas leur faute. Il n'y avait plus d'hommes de bonne volonté.

En s'éloignant, il entendit souffler la jeune fille sur le quai :

— Ça ne sert à rien de l'insulter comme ça. Ça compte pas, c'est un vieux !

Elle avait raison. Il était vieux, donc il n'existait pas. Il n'était rien, ni le parent qu'on évite, ni l'oncle redouté, ni le grand frère qu'on fuit. Manolis sourit : le prenant pour le père de sa copine, le gamin avait presque mouillé son froc. Il s'assit sur un banc désert au bout du quai. Une odeur de tabac flotta jusqu'à lui – les jeunes fumaient dans la salle. Lui-même n'avait pas allumé une cigarette depuis plus de trente ans ; c'était un de ces moments où il le regrettait. Attendre le train donnait toujours envie d'en griller une.

Il descendit à North Richmond, sans idée préconçue. Tout simplement, il ne voulait pas rentrer. Pratiquement tous les restaurants de Victoria Street avaient des enseignes orientales – le quartier était tombé dans les mains des Chinois, qui avaient remplacé les Grecs. Longeant la rue étroite, Manolis ne vit ni les jeunes Vietnamiens, ni leurs mamans de retour des courses avec leurs caddies pleins. Il marchait dans un autre temps, passait devant la boucherie du gars de Samos ; le *fish and chips* du couple d'Agrinion ; le café qu'il avait écumé, jadis, avec Thimios et Thanassis. Il soupira avec tendresse ; se rappela le soir où il avait perdu sa paie au jeu. Koula l'avait chassé de la maison en le traitant de dégénéré, d'âne, de bête sauvage, de misérable ver de terre. En les entendant, les voisins s'étaient précipités devant leur portail pour les applaudir, les hommes prenant son parti, les femmes encourageant Koula.

Manolis s'arrêta au carrefour, où une jeune Australienne, la narine affublée d'un piercing, arrivait en poussant un landau. Elle le regarda d'un air bizarre ; il la salua d'un signe de tête ; elle lui fit un sourire hésitant. Il s'engagea dans la ruelle où se trouvait l'usine qui l'avait naguère employé, aujourd'hui transformée en immeuble d'habitation. Il vit la vieille bâtisse dans laquelle Ecttora et Elisavet avaient suivi des cours de grec, remarqua l'autocollant « Votez Vert » sur la fenêtre. Puis il tourna dans Kent Street.

Autour de la maison de Georgia et Dimitri, les façades ravalées semblaient masquer des intérieurs vides, tels les décors de cinéma. Dans le jardin poussaient de jeunes fèves, et l'on reconnaissait les premières feuilles, épaisses, des épinards et des blettes, annonciatrices du printemps. Deux sacs en plastique déchirés étaient attachés sur un piquet pour repousser les oiseaux. Le figuier bordait le toit. Manolis hésita. Ses sens lui jouaient-ils des tours ? Cette maison, ce jardin, n'existaient plus ! Ce portail était-il réel ? N'allait-il pas disparaître s'il tentait de l'ouvrir ? La porte s'évanouir s'il se décidait à frapper ? Impossible qu'ils habitent encore là. Eux aussi avaient dû quitter le centre, émigrer avec tant d'autres dans ces lointaines avenues qu'on croirait sans limites. Le cadre de fer rouillé racla le béton, le grincement était bien réel. Manolis frappa.

— Qui est-ce ?

La voix d'une vieille femme, avec un accent.

Il cria presque son nom. La porte s'ouvrit brusquement, et Georgia se dressa devant lui en clignant des paupières. Elle portait le noir du deuil sous des cheveux courts et argentés. Manolis vit la surprise gagner son regard ; elle le reconnaissait, et il était sûr qu'elle pensait la même chose : « Oh, ce qu'on a vieilli. »

Georgia l'embrassa avec réserve, mais gentiment.

— Entre, mon Manoli, entre.

De fait, il était remonté dans le temps. L'intérieur sentait la cuisine, la terre ferme, la chair, les corps. Sombre et étroite, la première pièce était encombrée par plusieurs commodes et petits bureaux. Manolis dut se serrer contre le mur pour la traverser. Un vieux téléphone rouge, à cadran, trônait sur une des tables.

Une voix rude résonna dans la chambre – « Qui est-ce ? » –, suivie par une quinte de toux déchirante.

— Dimitri, c'est Manoli qui vient nous rendre visite.

Georgia ouvrit grand la porte.

Non, il ne remontait pas le temps ; toujours cruel, celui-ci se moquait de lui. Sa chemise de nuit déboutonnée jusqu'au nombril, Dimitri était allongé au lit. Un squelette : ses côtes saillaient obstinément entre les plis lâches de sa peau.

— Tu n'as pas oublié Manoli, hein, mon Dimitri ?

Le vieillard parut affolé par cette intrusion. Suspendu au-dessus de la colonne de lit, un masque à oxygène était relié à une mince bouteille, posée à terre. L'homme se remit à tousser, et son corps semblait trop frêle pour supporter ces convulsions. Bousculant Manolis, Georgia se dépêcha d'appliquer le masque sur la bouche et le nez de son mari.

Contournant le lit, Manolis saisit la main molle et froide de Dimitri.

— Mitsio… lâcha-t-il – enroué, incapable d'endiguer un flot de larmes, de prononcer autre chose que le vieux surnom de son ami.

Georgia souleva le masque. Rassuré, Mitsio émit un semblant de rire.

— J'espère que tu es venu m'achever, murmura-t-il.

Georgia lui donna une tape sur le bras.

— Arrête-moi ces bêtises !

— Pourquoi ? À quoi bon vivre encore ? Personne n'a plus besoin de moi, dit le vieil homme.

Sa respiration était laborieuse, saccadée, ses phrases ponctuées de hoquets.

Manolis étudia Georgia, son calme, sa détermination.

— Il a le mal du diable, dit-elle doucement. Les poumons sont atteints.

Se penchant lentement, Georgia dégagea le fauteuil roulant qui se trouvait sous le lit, puis le déplia d'un geste sûr et entraîné. Avec une infinie douceur, elle souleva les jambes de son mari, Manolis ses bras, et ils l'aidèrent à prendre place. Georgia accrocha le masque au cou de Dimitri, montra à Manolis la bouteille à oxygène. À son grand étonnement, elle était très légère. Il suivit la vieille femme, qui poussa le fauteuil à travers le salon et la cuisine, pour atteindre une petite véranda encombrée donnant sur un jardin intérieur. Éclairée par une simple mèche, brûlant dans une soucoupe d'huile, une icône de la Vierge à l'Enfant ornait un angle de la pièce. La minuscule lampe de fortune répandait une clarté jaune et chaleureuse. Georgia cala le fauteuil, invita Manolis à s'asseoir sur le canapé.

— Je vais faire du café.

Tiraillé par la peur de commettre un impair, Manolis regardait ses chaussures sans rien dire. Arrivé les mains vides, sans cadeau, sans fleurs, il donnait l'impression d'un rustre. Le rire rauque et haletant de Dimitri le surprit.

— Allons, dit celui-ci, l'œil brillant. Ne fais pas cette tête de trois mètres de long. Je ne suis pas encore mort.

— Non, Dimitri, bien sûr.

— Alors, qu'est-ce qui t'amène ?

La question ne suggérait ni menace ni rancœur, cependant Manolis était confus.

— Je suis allé à l'enterrement de Thimio Karamantzis, hier.

Dimitri se tourna vers la fenêtre, le jardin gris et froid.

— Je voulais y aller aussi. Mais comment veux-tu que je me déplace ?

— Eh oui, oui… dit Manolis, trouvant ses mots à grand-peine. J'ai revu tant de gens d'autrefois, et j'ai eu honte, honte de m'avouer que nous ne nous voyions plus depuis si longtemps. Pardonne-moi, Dimitri, pardonne-moi.

« Doux Jésus, Sainte Vierge, Seigneur bien-aimé, Mère éternelle, empêchez-moi de pleurer. »

Mitsio le regarda en souriant et lui posa une main sur le genou.

— Tu parles comme une gonzesse. Qu'est-ce que tu vas en foutre, de mon pardon ?

Le souffle court, il articulait en grimaçant.

— C'est moi qui devrais te demander pardon, dit-il. Nous ne vous avons jamais rendu visite, à Koula et à toi. Alors voilà, on est quittes.

Non sans effort, il réprima une nouvelle quinte de toux, frappa sa mince poitrine d'un poing rebelle, exaspéré.

— La vie passe trop vite, et mourir prend trop de temps, admit-il en souriant de nouveau. Mais tu me parais bien, en bonne santé. Tu as toujours été fort comme un bœuf.

— Je suis navré pour Yianni. Je n'ai su qu'hier à l'enterrement.

Deux phrases presque inintelligibles qui se ruèrent hors de sa bouche. Manolis avait besoin de les évacuer, de s'en libérer.

Soudain figé, décomposé, Dimitri s'affaissa. Manolis se demanda s'il avait jamais vu un homme aussi épuisé.

— Dieu est un sale con.

— Qu'est-ce que tu dis ?

Georgia les rejoignait, son plateau à la main. Manolis se précipita pour l'aider, mais elle lui fit signe de se rasseoir.

— Tu as entendu.

Sans insister, elle lui offrit une tasse et plaça l'autre dans les mains tremblantes de son mari. Qu'elle prit dans les siennes.

— Dieu n'a pas tué notre fils, ce sont les gangsters.

— Dieu est peut-être un gangster aussi, dit Manolis.

Il était mortifié : rien, aucun mot, ne saurait soulager le chagrin de ses amis. Il but son café en silence et, conscient que Georgia le regardait, releva les yeux. Elle hocha la tête avec indulgence.

— Nous comprenons, Manoli, qu'y a-t-il à ajouter ? Le sort a décidé de nous frapper, de prendre ce que nous avions de plus cher.

Elle observa son mari.

— C'est aussi le destin s'il est malade.

Curieusement, ses paroles ne trahissaient aucune émotion, comme si Georgia récitait une histoire apprise par cœur, qu'elle en avait assez de répéter. Elle fit le récit de la dégringolade de son fils. Expliqua qu'il s'était trouvé mêlé à des voyous, des trafiquants de drogue, qui lui avaient inspiré ce mode de vie ; ils lui avaient tiré une balle dans la tête devant chez lui ; ses propres enfants avaient découvert son corps. Elle parla de narcotiques, de gangsters, utilisant le terme anglais de *dealers* – un vocabulaire déplacé dans la bouche d'une vieille femme.

— Il s'est trop éclaté, il n'a rien vu venir, conclut-elle, employant d'évidence l'expression de quelqu'un d'autre. Ces horribles types l'ont détruit.

Dimitri grogna ; il bavait et Georgia voulut lui essuyer le menton. La repoussant d'une main, il s'en chargea lui-même.

— Il n'a pas réfléchi. Il voulait une villa avec piscine, la dernière Mercedes, les plus beaux meubles, les grosses télévisions. Mettre ses enfants dans le privé, couvrir sa femme de bijoux. Il voulait tout ça, il l'a eu, et ça l'a tué.

Elle se mit à pleurer.

« Bien sûr, bien sûr, la douleur ne s'éteint jamais. »

— Arrête, Georgia.

Se frottant les paupières, la vieille femme s'efforça de sourire.

— Comment va Koula ? Et Ecttora, Elisavet ?

Manolis retrouva la parole. Ces mots-là ne demandaient qu'à sortir. Soulagé, il évoqua ses enfants, ses petits-enfants, leurs succès et – mais si – leurs échecs. Georgia prit sa main et la serra quand il évoqua le divorce d'Elisavet ; ses yeux brillèrent lorsqu'il décrivit Adam, Melissa, Sava et Angeliki.

— Tu devrais voir ceux de Yianni, ils sont adorables.

Georgia se leva et rapporta du fond de la pièce plusieurs photos encadrées.

— C'est Kostantino, il étudie à l'université, dit-elle, intimidée.

Manoli étudia la photo. Il avait l'air d'un gars bien, dix-huit ans environ, en chemise et cravate, très gentleman, un sourire insolent aux lèvres.

— Joli garçon, ce Tino.

— Un bon garçon.

Empoignant les bras de son fauteuil, Dimitri inspira profondément et se racla la gorge avant de poursuivre :

— Plus malin que son père, en tout cas. Je suis très fier de lui.

Manolis rendit la photo à Georgia.

— On ne s'en est pas si mal sortis, toussa Dimitri, agrippant de nouveau son fauteuil.

L'irritation se calma.

— Hein ? Ça n'est pas si mal, après tout ?

Manolis regarda son ami mourant. Était-ce une question qu'il lisait dans ses yeux ? Non, une affirmation.

— Oui. On a tenu le coup.

— Un cognac ?

Manolis étudia le jardin, bientôt invisible dans l'obscurité.

— Pourquoi pas ?

Il but son verre, aida Georgia à coucher son mari. Il se pencha pour l'embrasser – deux fois, comme les Méditerranéens – et sentit son haleine fétide. Dimitri était rongé de l'intérieur.

À la porte, Manolis déclara :

— Il devrait être à l'hôpital. Il a besoin de médecins, d'infirmières.

— On en a une, qui vient deux fois par semaine. Je suis capable de le soigner.

Georgia haussa les épaules.

— C'est le destin, Manoli, dit-elle, je ne peux pas aller contre. Mais je n'ai aucune envie de laisser une inconnue s'occuper de sa toilette. Non, je suis sa femme, c'est mon devoir de le faire.

— Je vais revenir. Bientôt. Avec Koula.

— Je t'en prie. Je préparerai à dîner. Ça lui fera du bien. Ses amis lui manquent.

« Sommes-nous restés amis ? »

— Inutile de faire à dîner. Un café, quelque chose à boire, on n'en demande pas plus.

— Bien sûr que je ferai la cuisine. Qu'est-ce que tu crois, que je vais vous recevoir sans rien vous donner à manger ?

Manolis commençait à avoir mal à la tête. Piégés par ces foutues convenances, ils s'égaraient de nouveau. « Parlons simplement, passons du temps ensemble, rattrapons celui perdu en distractions futiles, oublions cet orgueil stérile qui a meublé nos vies pendant des décennies. » Mais les Grecs avaient leurs rituels, qu'il détestait parfois. Il lui arrivait de regretter de ne pas être australien.

— Tu as de quoi écrire ?

Se faufilant dans le couloir, Georgia revint avec un stylo. Manolis sortit sa carte de transport de sa poche de chemise.

— Ton numéro ?

— Neuf, quatre, deux, huit…

Hésitante, elle s'interrompit.

— Ce que je dois avoir l'air bête ! J'ai si rarement besoin de le donner.

Elle débita les quatre derniers chiffres, qu'il griffonna sur son ticket.

Le ciel était dégagé, mais la nuit avait apporté un voile de fraîcheur. Ignorant les objections de son genou, Manolis rentra à pied depuis la gare.

Les mains sur les hanches, Koula le dévisagea dans l'entrée.

— Enfin, où étais-tu passé ?

La poussant gentiment, il se dirigea vers le bar et se servit un cognac.

— Tu es soûl ?

— Non.

— Ecttora a téléphoné. Il est furieux contre toi. L'Indienne est dans tous ses états. Qu'est-ce que tu lui as dit ?

— Qu'elle devait aller à l'anniversaire d'Harry.

— Bien. Et alors ?

— Alors elle n'y va pas.

Il avala son verre d'un trait. L'alcool eut d'abord un goût affreux, puis sucré, et Manolis retrouva la sensation de ses membres. Il retira sa veste.

Koula se frappa plusieurs fois le front avec la paume de la main.

— Pourquoi tient-elle tant à nous humilier ?

— C'est une gamine.

Stupéfaite, elle regarda son mari.

— Tu la défends, maintenant ?

— Non.

Inquiète, Koula vit Manolis se servir un deuxième verre.

— Elisavet a appelé ensuite, et elle aussi est fâchée contre toi.

— Pourquoi ?

— Parce que tu as fait pleurer l'Indienne.

Il ferma les yeux.

« Un petit gars bien, au sourire insolent, en chemise et cravate. » La malchance avait tout de même ses limites, le sort s'était bien assez acharné sur Dimitri et Georgia, on épargnerait la génération suivante. Dieu aurait un reste de bonté.

Aisha avait pleuré ? Pleuré ?

— Je m'en occuperai demain. Je rappellerai Hector.

Il s'excuserait, se dirait « désolé » – sans le penser, mais Aisha s'en ferait une joie, et elle lui pardonnerait. Qu'est-ce que ça pouvait faire ? Ça n'était rien qu'un mot idiot.

— Appelle-les tout de suite. Il n'était vraiment pas content.

— Merde, Koula. Je leur téléphonerai à tous, mais demain. Ils n'ont qu'à rester en colère ce soir. S'ils pensent que l'heure est grave, alors ils ne connaissent pas leur chance. Qu'ils aillent se faire foutre. On a pris soin d'eux, on les a élevés, on a tout fait.

Je suis content de leur avoir assuré une vie facile. Mais, rien que ce soir, j'ai envie de faire comme si je n'avais pas d'enfants. De les oublier, pour une fois.

Elle se signa, l'étudia d'un air méprisant.

— Qu'est-ce que tu racontes ? Tu devrais avoir honte, dit-elle en frappant le cadre de la porte. Je touche du bois, et que Dieu te pardonne.

— J'ai rendu visite à Dimitri et Georgia.

La pitié succéda au dédain.

— Comment vont-ils, les pauvres ?

— Dimitri a le mal du diable. Il va mourir.

Koula s'affaissa lourdement sur le canapé – tellement grand qu'elle ressemblait à une poupée. Tout était disproportionné dans cette maison.

— Enfin, on n'a pas besoin d'un canapé immense, comme ça ?

Repoussant la remarque d'un geste, elle fit un signe vers le bar. Manolis lui versa un cognac, lui donna et s'assit en face d'elle.

Elle étudia son verre.

— Il n'y a pas de justice dans ce monde, hein, Manoli ?

Il fit tourbillonner le liquide ambré dans son verre, huma l'arôme âpre et puissant.

— Non.

Ils sursautèrent quand le téléphone sonna, coupant court à leur rêverie.

— C'est sûrement l'un d'eux.

— Sans doute.

— Ils veulent savoir si tu es rentré. Ils voudront te parler.

— Probablement.

Koula sourit et but une gorgée.

— Si on ne répondait pas ? fit-elle avec un sourire espiègle, redevenant la jeune femme de jadis.

— Oui, tiens, sourit-il lui aussi. Pourquoi pas ?

Le téléphone continua plusieurs minutes, comme s'il n'allait jamais s'arrêter. Quand la sonnerie cessa enfin, Manolis se rendit compte qu'il retenait son souffle.

Il soupira.

Koula se leva.

— Il faut réchauffer le dîner.

Il hocha la tête ; entendit l'allumage piézoélectrique de la cuisinière, le cliquetis des couteaux et fourchettes. Koula se mit à chanter, et il se pencha pour mieux l'entendre. C'était une vieille chanson populaire, très connue ; il l'avait apprise pendant son service militaire à Athènes, un jour où il se soûlait avec de l'ouzo bon marché, en compagnie des ouvriers et des soldats sur la place de Kaiseriani.

Nous apprendrons à dire que ce qui est fait est fait,

Et peut-être l'avenir nous réservera-t-il de splendides journées.

Fredonnant les paroles, Manolis serra son genou en grimaçant, quitta son siège, finit son cognac et reposa le verre sur la table basse. Il rejoignit sa femme à la cuisine, puis l'aida à mettre le couvert.

AISHA

Consultant de nouveau sa montre, elle inspira profondément et procéda à un calcul. L'avion d'Hector devait avoir quitté Melbourne une heure plus tôt. Quant au sien, il pouvait encore être retardé de deux. Dans ce cas, Hector serait obligé de l'attendre au moins trois heures à l'aéroport de Denpasar, et il serait de mauvais poil. Que faire – lui laisser un message à l'aéroport, envoyer un texto, suggérer qu'il la rejoigne à l'hôtel d'Ubud ? Rester calme ; il n'y avait pour l'instant pas de raison de paniquer. On finirait bien par leur annoncer du nouveau. Autour d'elle, les touristes mécontents s'ennuyaient ferme, pour la plupart de jeunes hommes et femmes en débardeur et short sale qui, prêts à se mettre en mouvement, braquaient un œil indocile sur le comptoir informations. Aisha prit son sac en bandoulière et se leva, histoire d'oublier un instant les râleurs, leurs relents de bière et de sueur. Tournant le dos à la porte d'embarquement, elle se dirigea vers l'autre bout du couloir, où la foule grouillait sous un débordement de néons. L'aéroport de Bangkok ne fermait jamais. Autant faire un peu de shopping.

Non qu'elle eût besoin de quoi que ce soit. Cependant les duty-free n'étaient pas là pour ça, pensa-t-elle. « Le besoin n'a pas sa place dans les aérogares, celle-ci encore moins. On est là pour célébrer l'inutile, la futilité du désir. » Elle entra dans une boutique de mode, où une jeune Thaïlandaise se rua vers elle. Aisha la salua d'un signe de tête et, d'une main ferme, refusa son aide. La jeune femme repartit aussitôt derrière le comptoir, où elle se mit à chuchoter en ricanant avec sa collègue. Après une semaine en Thaïlande, Aisha ne pouvait ignorer que les femmes de ce pays passaient leur temps à ça, que cela n'était ni irrévérencieux ni grossier – mais sacrément casse-pied. Comme si on se payait constamment votre tête.

Elle retira une jupe du présentoir pour l'examiner. Le tissu était doux, joli, agréable au toucher, avec pour motif un tourbillon de couleurs crues, qui juraient entre elles. Donc moche et tape-à-l'œil. Aux sourires obséquieux des Thaïlandais, Aisha préférait l'Inde, l'insistance joyeuse et parfois contrariante de ses colporteurs. Voyant que l'autre vendeuse s'approchait à son tour, elle se retourna et quitta la boutique. En outre, les tissus indiens étaient de bien meilleure qualité.

Le flot monotone de la musique orientale diffusée par les haut-parleurs fut interrompu par un grésillement sonore, puis une tirade en thaï. Un homme à la voix féminine, revêche, traduisit ensuite en anglais, priant les passagers du prochain vol United Airlines à destination de San Francisco de se présenter immédiatement au deuxième contrôle de sécurité. Un ricanement poli concluait le tout. Aisha sourit. Le type était-il tout simplement thaïlandais, ou se moquait-il du monde ? Autour d'elle, des groupes d'Américains, renfrognés, résignés, saisirent leurs bagages à main et se dirigèrent vers le portique en question.

— Ça limite un peu le plaisir de voyager en avion.
Ce qu'Art lui avait dit lors de leur premier dîner à Bangkok. Un des vétos italiens se plaignait des dispositifs de sécurité, envahissants et humiliants. L'une des Américaines avait rétorqué que, si cela permettait d'arrêter ne serait-ce qu'un terroriste, elle se réjouissait de faire la queue pendant des heures et qu'on fouille ses valises. L'Italien avait marmonné dans sa langue que les Ricains s'immisçaient trop souvent dans les affaires des autres – finissant par une exclamation napolitaine grossière, équivalent d'un « bien mérité ! ». Malheureusement, un vétérinaire danois, qui comprenait parfaitement l'italien, dénonça « ces inepties ». Ce qui exaspéra le Napolitain ; il étudia les autres convives et demanda dans un anglais limpide et sans accent :

— Qui s'étonnera que, chaque été, les Danoises débarquent par milliers sur les côtes méditerranéennes à la recherche d'un vrai mec ?

S'ensuivit un tollé que le rire tonitruant d'un délégué chinois, à qui l'on venait de traduire le tout, réussit à peine à calmer.

Art était assis à côté d'Aisha, et c'est alors que, se penchant vers elle, il avait chuchoté ces mots. Jetant un coup d'œil aux vétérinaires ennemis, il avait demandé avec une petite voix essoufflée :

— Eh ben alors, comment ils font, aux Nations unies, pour se mettre d'accord ?

Aisha avait éclaté de rire – un rire sincère, lucide, qui avait mis fin aux hostilités. Un instant seulement.

— Eh oui, avait-elle répondu à voix basse. Nous ne sommes que l'AMV[1] et on n'arrive pas à s'entendre. Je crois que le monde ne s'en relèvera pas.

S'esclaffant lui aussi, il avait posé le bras sur le dossier de sa chaise. Un geste inconscient, parfaitement innocent. Mais qui impliquait quelque chose d'intime, d'osé et d'excitant.

Aisha avait aussitôt remarqué cet homme – comme toutes les femmes de la conférence, pensa-t-elle, car il était incroyablement beau. Eurasien, avec un nez fin et court, une allure sportive et la peau la plus blanche qu'elle ait jamais vue. Elle l'avait d'abord cru espagnol, mais le patronyme inscrit sur son badge ne pouvait être que chinois : Tsing. *Art Tsing* faisait penser aux noms de ces groupes de rock qu'Hector avait affectionnés pendant un temps.

Dès ce premier dîner, et leurs premiers rires, elle lui avait demandé d'où il venait.

— Je suis canadien.

— J'aurais pu m'en douter, dit-elle, levant les yeux au ciel, puis indiquant la feuille d'érable rouge au bas de son badge : Je voulais parler de vos origines.

— Je croyais que c'était très canadien, comme question. Mais je découvre que les Australiens sont exactement comme nous.

L'œil brillant, il la taquinait gentiment. Plutôt encline à contempler son assiette vide, Aisha dut prendre sur elle pour soutenir son regard. C'était idiot, mais elle craquait. « Enfin, ressaisis-toi, ma fille, tu n'es pas une nunuche au concert des Beatles, tu as quarante ans passés et deux enfants. »

— Mon père est chinois de la troisième génération, né à Toronto. Et ma mère est tchèque.

1. Association mondiale vétérinaire.

— Eh ben !

L'interjection avait quelque chose d'inepte, toutefois la réponse d'Art était invraisemblable, pensa-t-elle.

— Oui, sourit-il. Ils se sont rencontrés à Prague, à l'époque où il travaillait pour l'ambassade. Comme vous pouvez l'imaginer, c'était un cauchemar bureaucratique de demander le mariage, mais l'amour l'a emporté. Je veux dire que papa a embarqué discrètement ma mère lors d'un voyage officiel pour Paris, ce qui lui a valu d'être mis à la porte… Et par la suite de faire une brillante carrière dans les affaires, en respectant la tradition chinoise de l'aîné triomphant.

— C'était avant le printemps de Prague, alors ?

Une question cousue de fil blanc, mais Aisha paniquait soudain à l'idée qu'il fût beaucoup plus jeune qu'elle. « Pourquoi ai-je peur ? » se demanda-t-elle, furieuse.

Il s'esclaffa.

— Oui, bien avant. Mais je vous remercie. J'ai quarante-deux ans.

Art l'étudia ostensiblement.

— Et vous ?

— Comment ? dit-elle, interloquée.

Croyait-il vraiment qu'elle révélerait son âge devant tout le monde ?

— Vos origines ? demanda-t-il, charmeur, en détachant bien les syllabes.

— Mon père est né à Lahore. Ses parents s'étaient réfugiés à Bangalore après la partition. Et ma mère est anglo-indienne.

— Vous êtes hindoue ?

— Au départ, oui. Mais aujourd'hui athée, déclara-t-elle avant d'ajouter, enjouée : Si on a encore le droit de le dire.

— Chut, fit-il tout bas. Cachez ça à nos cousins américains.

Après ce premier dîner, ils s'assirent ensemble chaque jour de la conférence. Elle se surprit à l'attendre le matin au petit-déjeuner, dans la salle à manger, immense et prétentieuse, du Hilton. Cela devint une sorte de rituel tacite. Bien sûr, ils n'étaient jamais seuls. À leur table se trouvait Yvonne, une vétérinaire française de bientôt cinquante ans, rationnelle et un rien pète-sec, avec qui Aisha noua rapidement des liens. Mais aussi deux Allemands, Oskar et Sophie, vétos expérimentés, plus jeunes qu'elle, qui travaillaient maintenant pour un grand labo pharmaceutique. Art était courtois, charmant avec tout le monde, cependant Aisha savait bien que son regard revenait toujours vers elle. Elle l'évitait sciemment, mais le sentait tout de même – elle l'évitait car, à l'évidence, c'était le début d'un rapport de séduction, certes agréable, mais dangereux, intense, troublant. Les sourires entendus, les yeux alertes, les attentions d'Art lui faisaient tourner la tête comme une jeune fille, suscitant un émoi qu'elle n'aurait plus cru être capable d'éprouver. Rien à faire, elle n'arrêtait pas de penser à lui.

C'est le premier matin, au petit-déjeuner, qu'elle remarqua ses mains, ses longs doigts, ses paumes larges et lisses. Il portait une alliance, un simple anneau d'or pur. Pratiquement la même que la sienne.

S'arrêtant en chemin pour acheter les éditions internationales de *Vanity Fair*, de *Marie Claire*, ainsi qu'un polar d'un auteur anglais qu'elle aimait bien, Aisha repartit vers la porte d'embarquement. Les sièges étaient encore occupés par des passagers qui, jusque-là impatients, paraissaient maintenant résignés, fatigués, abattus. Lorsqu'elle s'approcha d'elle, l'hôtesse thaïlandaise au comptoir lui lança, rayonnante :

— L'avion décolle dans une heure et trente minutes, merci beaucoup.

Perplexe, Aisha la dévisagea. Pourquoi souriait-elle, cette petite idiote ? Elle résista à l'impulsion de faire un esclandre, mais cela ne servirait qu'à effaroucher la jeune femme et – Aisha sourit elle aussi – confirmer ses préjugés envers les Indiens. Sans répondre, elle se retourna et s'éloigna.

Elle avait aperçu plus tôt un café équipé de l'Internet et entra sans hésitation. Aisha demanda un verre de vin blanc – au prix exorbitant –, s'installa devant l'un des terminaux et se connecta à son serveur. Hector avait écrit un court e-mail pour confirmer l'heure de son arrivée à Bali. Adam et Melissa avaient également envoyé des messages, simples, pleins d'entrain et de détails sur leurs activités à l'école. Ils lui manquaient. Cette conférence en Thaïlande était bien tombée, Aisha avait eu envie d'oublier ses obligations, son ménage, son travail et, oui, de se dégager un moment de ses enfants. Pendant une semaine, elle avait mis de côté son rôle de mère, ç'avait été un réel plaisir de se sentir à nouveau jeune et désirable. Elle repensa à Art. Mais en relisant les phrases maladroites, tronquées, d'Adam et Melissa, elle ressentit un désir irrépressible de retrouver la réalité de son foyer, regretta presque d'avoir accepté de partir une semaine de plus à Bali. Elle ne souhaitait qu'une chose : faire la cuisine chez elle, s'asseoir à la table du dîner avec son mari et ses enfants, dormir dans son propre lit. Cependant elle avait dit oui à Hector, c'était une bonne idée, elle le savait. Tous deux n'avaient pas pris de vacances ensemble depuis des années – depuis la naissance de Melissa.

Elle rouvrit l'e-mail de son mari, qui l'embrassait à la fin. L'aimait-il toujours ? Et elle, l'aimait-elle ? Oui, ce séjour serait bienvenu, nécessaire même, mais elle redoutait à présent l'intimité qu'il impliquait. Il y avait si longtemps qu'ils ne s'étaient pas consacrés à eux seulement et elle éprouva une sorte de timidité enfantine à l'idée d'être seule avec lui. Aisha espéra qu'il ne comptait pas trop analyser leur vie, leur couple, leurs relations avec leurs enfants. Dans ce cas, elle ne saurait pas très bien quoi dire. Ils étaient mariés depuis ce qui semblait une éternité, elle ne pouvait imaginer une autre existence.

La conférence avait comblé ses attentes, puisqu'elle s'était révélée moyennement intéressante. Deux sessions seulement – à l'ouverture et à la clôture – lui avaient donné le sentiment d'apprendre quelque chose. Entre-temps, les porte-parole des laboratoires pharmaceutiques avaient promu et vendu leurs produits. Ce qu'Aisha ne pouvait leur reprocher, puisque ces mêmes laboratoires lui offraient ses repas et sa belle chambre d'hôtel. L'intervenante qui l'avait impressionnée le premier jour, une chercheuse suisse, avait présenté un rapport bien structuré sur la vaccination du chat domestique, suggérant un lien démontrable entre divers cas d'insuffisance rénale et ce qu'elle appelait la « surimmunisation ». Aisha l'avait écoutée avec attention, son discours semblant confirmer les observations qu'elle s'était faites après des années de pratique. L'immunologiste avait conclu qu'une vaccination annuelle du chat adulte n'était sans doute pas nécessaire, une piqûre de rappel tous les deux ou trois ans suffisant probablement. Bien sûr, les labos avaient vigoureusement contesté ses conclusions, recommandant d'autres recherches sur les effets à long terme des vaccins. Comme la plupart des vétos présents, Aisha savait que l'industrie menait des études longitudinales de ce type. Il était clair que si l'on avait permis à la Suissesse d'avancer de telles conclusions, malgré les plaintes répétées de plusieurs délégués, c'est bien que son travail était sérieux. Aisha griffonna quelques mots sur son bloc-notes, se promettant à son retour d'aborder le sujet avec Brendan, pour modifier leurs habitudes.

Le dernier après-midi, juste avant la séance plénière, un vétérinaire thaïlandais, également universitaire, communiqua les résultats d'une étude clinique de l'épidémie de grippe aviaire dans son pays. Claires et directes, les données exposées en matière de contagion et de propagation faisaient froid dans le dos. Peu férue de médecine aviaire, Aisha était à la fois édifiée et effrayée. Compte tenu des méthodes de production et de distribution employées par l'industrie agroalimentaire, il paraissait inévitable que, même relativement isolée, l'Australie soit un jour ou l'autre touchée par l'épidémie. Quand le véto termina son discours, se penchant respectueusement devant l'assistance, celle-ci lui décerna de longs applaudissements, sincères et chaleureux. Art chuchota à l'oreille d'Aisha :

— On est baisés.

Elle avait aimé son haleine chaude dans son cou, et le terme choisi, délicieusement obscène.

Dans la salle de bains, elle se préparait pour le dîner de clôture quand le téléphone sonna. C'était lui.

— Puis-je venir dans votre chambre ?

Troublée, elle aurait dû dire non, s'offusquer, trouver la proposition déplacée.

Il rit de son silence.

— Je suis là dans une demi-heure.

Aisha revint en vitesse à la salle de bains. La veille au soir, elle avait quitté une session en douce pour prendre le métro aérien jusqu'à Gaysorn Plaza. Yvonne lui avait assuré qu'elle ne trouverait pas en ville meilleur endroit pour acheter de la lingerie. Dès son retour, elle s'était rendue chez l'esthéticienne de l'hôtel, avec qui elle avait pris rendez-vous, pour se faire épiler les jambes et le maillot. Tout cela en prévision de son séjour à Bali, se disait-elle. Devant le miroir, elle ajusta le soutien-gorge et la culotte en soie blanche, qui offraient un contraste saisissant avec ses longs membres bruns. Tirant ses cheveux en arrière, elle releva le menton. Flatteur et taquin à la fois, Hector aimait lui répéter que son long cou gracile faisait d'elle la reine des cygnes. Elle contempla son image dans la glace en refusant de se mentir : elle se faisait belle pour Art. Pourtant, même si tout semblait y mener – leurs attentions mutuelles, le petit jeu qu'ils se jouaient –, Aisha doutait, le moment venu, de passer à l'acte. Ils se comportaient comme des gamins, mais ils n'en étaient plus. Bon Dieu, elle avait quarante et un ans, elle était mariée, avait des enfants, et lui aussi. Relâchant ses cheveux, elle commença à appliquer le mascara. « C'est si agréable de séduire. »

Elle était tout de même choquée qu'il l'appelle dans sa chambre. Quel culot !

Pour la première fois depuis le début de la semaine, Aish envisageait sérieusement de coucher avec un autre homme que son mari. Il y aurait une décision à prendre.

Elle n'avait pas encore ouvert le minuscule frigidaire. Elle se servit un gin tonic après s'être habillée.

Sursautant en entendant frapper, elle se pencha en arrière et chercha son image dans le miroir. Elle avait revêtu sa robe préférée, jaune clair en soie imprimée de pétales de roses rouges – à manches courtes, l'ourlet juste au-dessus du genou. Le tissu était léger, agréable à porter, la couleur mettait sa peau en valeur, et le motif floral, féminin, ajoutait une touche de pudeur bienvenue. Aisha était belle. Elle se redressa. On frappa à nouveau.

Art portait un costume en coton gris fumée, souple, qui lui allait parfaitement. Il était rasé de frais, et elle discerna une nuance poivrée dans son parfum. Art recula pour l'étudier de pied en cap.

— Madame, vous êtes sensationnelle.

Aisha l'embrassa sur la joue.

— Ne dites pas de bêtises.

Elle s'effaça pour le laisser entrer.

— Je ne dis pas de bêtises, c'est un fait. Vous êtes la plus jolie femme de la conférence.

Elle fit mine de ne pas entendre.

— Je vous offre un verre ?

Il aperçut la mignonnette de gin et le tonic sur la table basse.

— Ça y est, vous tapez dans le minibar ?

Son accent la gêna. Les inflexions traînantes des Nord-Américains paraissaient soudain familières, vulgaires ; le fantasme reculait devant le réel. Aisha regretta que les parents d'Art aient quitté l'Europe de l'Est. Il aurait parlé comme les criminels suaves et élégants des films de James Bond. Il demanda une bière, qu'elle lui servit. Il étudia la pièce, s'attarda sur le lit.

« Ah non, il ne s'assoit pas là ! »

Il choisit le canapé.

— Santé !

— Santé ! Un bonheur, cette conférence !

Elle prit place en face de lui sur la chaise du petit bureau.

— Oui, ce n'était pas si mal, finalement. Bien mieux que je ne l'aurais imaginé.

« Bravo, se dit-elle en tripotant son verre, dans le genre insipide, tu te poses là ! »

Il lui souriait effrontément.

— Je retire ce que j'ai dit tout à l'heure. Vous êtes la plus jolie femme de tout Bangkok.

Elle rit.

— Je crois que ce n'est pas le fruit d'un travail statistique…

Cliché, bébête, comme compliment, mais Aisha était aux anges. Elle consulta sa montre en rougissant.

— À quelle heure est le dîner ?

« Cette espèce de sourire en coin. » Se moquait-il d'elle ? Elle le méritait : le dîner était servi à huit heures, ce qu'on leur avait répété cent fois aujourd'hui.

— Relax, rien ne presse. On a vingt minutes devant nous.

Il finit sa bière en la dévorant des yeux. Aisha alla se servir un autre verre au minibar. Oui, il se marrait, pas de doute. « Quel arrogant, quel salaud, il fait certainement ça tout le temps. Comme les marins dans les ports : une femme à chaque conférence. » Elle referma sèchement la porte du petit frigidaire.

Surpris, Art releva les yeux.

— Ça va ?

— La semaine a été longue. Je suis fatiguée, répondit-elle avec un sourire indifférent. Je me coucherai sans doute tôt ce soir.

Il s'esclaffa, hocha la tête, sortit de sa poche une petite boîte qu'il jeta sur la table basse.

— Qu'est-ce que c'est ?

— Des pilules minceur. Autrement dit, du speed. Pour danser, tout à l'heure.

— Ah, parce qu'on va danser ?

— Bien sûr. Il n'est pas question de couvre-feu.

Aisha saisit la boîte et lut les indications, imprimées en thaï et en anglais approximatif. Elle rit et la reposa sur la table.

— Je crains que non. Il y a longtemps que je n'ai pas pris d'amphés, et je n'ai aucune envie de recommencer.

Art apparut faussement indigné.

— Ça ne vient pas du dealer au coin de la rue, ma chère. Ces pilules sont tout ce qu'il y a de plus légal, et en vente libre.

Il poursuivit en plissant les paupières.

— Alors, comme ça, on a déjà touché au speed ? Ça ne m'étonne pas. Je me doutais que vous aviez essayé des tas de choses.

— C'est vrai, mais ce temps-là est révolu, et les drogues avec.

— Je ne suis pas de votre avis. Et vous me décevez. Il n'y a aucune raison de s'inquiéter et, comme je vous l'ai dit, c'est une drogue parfaitement légale. J'ai acheté ce flacon cet après-midi chez le pharmacien. Vous ne trouvez pas que ce pays est génial ? demanda-t-il avec un clin d'œil.

— Je ne sais pas quoi en penser. En dehors des hôtels, des salles de conférences, des galeries commerçantes et de Khaosan Road, je n'ai pas vu grand-chose.

— Justement. Voilà pourquoi il faut aller danser. C'est un must.

Il la dévisageait avec enthousiasme.

— On verra.

Bien sûr qu'ils allèrent danser. Aisha s'autorisa deux verres de champagne au dîner, de quoi se sentir légèrement ivre tout en restant maîtresse d'elle-même. Art et elle dégustèrent des mangues flambées, puis il lui confia en douce deux comprimés par-dessous la table. Les tâtant du bout des doigts, elle les glissa dans sa bouche et les avala avec une gorgée de champ'. Puis elle étudia leurs compagnons d'un air inquiet.

Personne ne la regardait : ils étaient trop soûls pour remarquer quoi que ce soit.

Art avait posé son bras sur le dossier de sa chaise, et elle n'hésita pas à se coller à lui.

Le dîner fini, on se regroupa au bar de l'hôtel pour un digestif. Aisha se trouva coincée entre un Américain et un vétérinaire hollandais auquel elle avait à peine dit deux mots depuis le début de la conférence. Blond, très grand, âgé de presque cinquante ans. Il émanait de lui une sorte d'innocence angélique qui le faisait paraître beaucoup plus jeune. Il était disert, spirituel, et Aisha lui plaisait visiblement. Soudain provocante, séduisante, elle s'aperçut qu'elle jouait un rôle et se demanda si c'était déjà l'effet du speed. Elle savait qu'Art épiait le moindre de ses mouvements.

Se faufilant par les portes à tambour, le groupe plongea dans la moiteur d'un minuit tropical. Plusieurs taxis klaxonnèrent bruyamment, et Art en héla deux. Le Hollandais s'engouffra à l'arrière du premier et Aisha se prépara à le suivre. Calmement et fermement, Art la retint par le bras, et ils montèrent dans le second avec Yvonne et Oskar.

Les taxis prirent de la vitesse sur l'autoroute qui, dessinant un immense arc en hauteur, surplombait la ville tentaculaire. Aisha se sentit portée par une vague d'euphorie alors que la voiture glissait sur les mille scintillements de Bangkok. La sueur était brusquement une réalité : Aisha sentait la sienne, celle d'Art, d'Oskar, du conducteur. L'air chaud, humide, semblait avoir un poids, couler du ciel, s'enfoncer dans la terre, cet épais bourbier d'où la ville avait émergé, la jungle dans laquelle, inévitablement, elle reviendrait un jour se fondre. Une fatalité à laquelle la ronde frénétique des néons s'opposait de toutes ses forces, telle une pétition de lumières. Quand le taxi quitta l'autoroute, Aisha eut l'impression de basculer dans un brasier.

Des âmes par millions dans les rues. Des groupes de jeunes en train de fumer à la porte des night-clubs ; des femmes aux bébés endormis sur les genoux, discutant le long des trottoirs ; des stands à chaque carrefour, diffusant des odeurs de viande, de poisson, de gingembre, de citronnelle. Aisha n'était pas revenue en Asie depuis son enfance, mais se rappelait le vif sentiment de liberté que procure ce chaos bruyant, bouillant, poussiéreux. Aux premiers jours de son retour, l'Australie lui paraîtrait stérile, aseptisée. Assis à l'avant avec le chauffeur, Art se retourna pour la regarder. Elle lui rendit un sourire enchanté.

La voiture s'engagea dans une ruelle terreuse où se profilait toute une rangée de bars et de cafés. Autour de quelques tables, touristes blancs défoncés et serveurs thaïlandais tuaient l'ennui en regardant la multitude d'écrans installés en terrasse. Un, notamment, attira le regard d'Aisha : c'était le dernier film de Brad Pitt, aux dialogues noyés dans les pulsations mécaniques, féroces, de la musique des boîtes. Elle qui ne supportait pas la techno se prit curieusement à se balancer, taper du pied, savourer cet hommage musical, frénétique et exclusif, au mouvement et à la danse. Art les mena en haut d'un étroit escalier, et elle se dirigea droit sur la piste, incapable de résister au martèlement du tempo. Aisha n'avait autour d'elle que de jeunes routards européens, enivrés, mais elle s'en fichait. Fermant les paupières, elle se créa un espace dans la mobilité des corps. Aiguë, perçante, une voix de femme traversait la salle comble, aux cris de : *My love, my love, my love.*

Art se glissa près d'elle ; elle sentit sa présence avant de rouvrir les yeux. Tous étaient là – Yvonne, Oskar, le Hollandais – et elle au centre. Aisha referma les yeux. *My love, my love, my love.* Le speed ne lui faisait perdre aucun de ses moyens ; plus que toute autre chose, il semblait renforcer sa lucidité. Les sens en émoi, elle était pleinement réceptive aux lumières, aux sons. Aisha évitait les boîtes depuis des années, mais elle s'aperçut qu'elle suivait naturellement la cadence, sans lourdeur, sans entrave, avec grâce. Elle découvrit avec plaisir qu'Art était également bon danseur. Il faudrait emmener Hector en boîte à Bali ; elle s'était toujours enorgueillie de son aisance sur la piste. Il aimait profondément la musique et sa gestuelle était une façon de le proclamer. Art était bon, mais pas aussi bon que lui. Elle referma de nouveau les yeux. *My love, my love, my love.*

Le DJ enchaîna maladroitement avec le morceau suivant – les rythmes s'entrechoquèrent, le résultat était discordant. Mais la foule s'amusait et ne lui en tint pas rigueur. Aisha lâcha un cri de joie en reconnaissant la cadence hypnotique du *Crazy in Love* de Beyoncé. Toute petite, Melissa avait adoré cette chanson. Aisha et Hector éclataient de rire en regardant leur gamine nue tortiller des fesses, fascinée par le clip vidéo de la chanteuse dont elle imitait les mouvements.

La piste surchargée était une immersion dans la joie et la chair. Tout le monde chantait. Aisha éprouva une sensation de plénitude ; son corps et son esprit ne faisaient qu'un dans la danse, cela seul comptait. Le plaisir retomba quand les battements sourds et mornes d'un morceau inconnu succédèrent à Beyoncé. Aisha quitta la piste.

Les toilettes bondées dégageaient une puanteur oppressante, et le sol était inondé. En prenant soin de ne pas en avaler, Aisha s'aspergea la figure d'eau fraîche, puis se glissa parmi les filles qui attendaient dans le couloir. La cravate desserrée, Art bavardait avec une jeune drag-queen thaïlandaise. Dégingandée, maquillée à outrance, elle arborait une robe en lamé or. Rejoignant son ami, Aisha lui passa un bras autour du cou.

— Ta copine ? demanda le travelo à Art.

Pris au dépourvu, il interrogea Aisha du regard. Elle lui fit un clin d'œil et confirma d'un signe de tête. Art se tourna vers elle et l'embrassa en pleine bouche.

— Elle en a, de la chance, celle-là ! couina le Thaïlandais.

Art avait un goût de sel, de piment, de citronnelle. Avec douceur, il se détacha d'elle et l'observa.

— C'est moi qui ai de la chance.

Depuis dix-neuf ans qu'ils étaient ensemble, Aish n'avait jamais trompé Hector. Elle avait connu d'autres hommes avant lui, mais quelques-uns seulement. Elle les compta dans l'ascenseur qui l'emmenait dans la chambre d'Art. D'abord Eddie, grand et gentil, que les filles appelaient une « bombe ». Ils s'étaient fait la cour sur les plages de Scarborough, et elle était flattée qu'un garçon plus âgé, séduisant et courtisé, tente de la conquérir. Se lassant vite de lui, elle le quitta au début de sa première année à la fac de médecine vétérinaire. Le point positif de leurs relations étant qu'Aisha devait rester l'amie de sa sœur Rosie. Elle avait ensuite rencontré Michael lors d'une fête à Northbridge. Guitariste, avec une ascendance croate, il commençait à flirter avec l'héroïne. S'il était grand comme Eddie, la ressemblance s'arrêtait là et Aisha n'eut guère le temps de s'ennuyer. Négligé, jamais rasé, sujet aux sautes d'humeur, il n'était pas du genre à s'engager, mais il aurait eu le cœur brisé qu'elle le laisse tomber. Ce qu'elle ne fit pas ouvertement. L'héroïne n'était pas seule en cause ; Aisha supportait mal qu'il ne lui retourne jamais ses coups de fil, qu'il oublie leurs rendez-vous. Ses faux-fuyants masculins n'avaient rien d'attachant et elle ne versait pas dans le romantisme sadomaso. Il attendit une fois une semaine pour la rappeler, et elle demanda à sa mère de répondre qu'elle lui téléphonerait un de ces quatre. C'est-à-dire jamais. Puis il y eut M. Sam de Costa, son directeur d'études et professeur d'anatomie – âgé de trente ans, grand, marié, habillé avec goût, passionné par le cinéma européen et les débuts du rock'n'roll. Leur liaison dura toute la deuxième année de fac. Aisha était réellement amoureuse et c'est lui qui la plaqua. Peu après ce moment douloureux, elle s'envoya en l'air, soûle, avec un étudiant en sciences, aussi jeune que sans expérience. Il l'emmena dans sa chambre, au dortoir, et perdit connaissance avant même de jouir. Titubante, Aisha redescendit l'escalier, retrouva les fêtards au rez-de-chaussée, choisit un autre scientifique boutonneux qu'elle suivit lui aussi dans sa chambre. Elle les avait sautés tous deux dans le seul but de se sentir à nouveau désirée. La rupture avec Sam l'avait tant abattue qu'elle craignait de ne pas pouvoir s'en relever. Il l'avait brisée, quasi anéantie, cependant elle ne plia pas. Aux pires heures de son désarroi, elle frotta la lame d'un couteau sur ses poignets et, se conduisant comme une salope, se diminua volontairement avec les deux étudiants. Après quoi elle décida de poursuivre ses études à Melbourne, où elle ne tarda pas à rencontrer Peter, un menuisier, frère d'un condisciple de la fac. Il avait seulement quelques années de plus qu'elle, et ils se fréquentèrent pendant six mois. Aisha n'était pas spécialement éprise, mais il était séduisant, viril, plein d'assurance ; ils avaient belle allure ensemble et elle comprit qu'elle y était sensible. Jamais personne ne lui avait fait l'amour aussi bien. Peter, lui, était amoureux et, pour s'en séparer, elle coucha avec son meilleur ami, Ryan, afin qu'il la déteste. Alors elle rencontra Hector.

Eddie, Michael, Sam, les deux gamins de la fac, Peter, Ryan et Hector. Huit hommes qui n'avaient en commun que d'être grands et beaux, comme Art. Pas ce qu'on appelle un schéma répétitif.

Aisha avait la bouche sèche et la tête qui tourne. Affalée sur le lit, elle entendit Art pisser à la salle de bains. Sa chambre était identique à la sienne : mêmes aquarelles de temples bouddhistes aux murs, mêmes chaise et bureau nu, même fauteuil aux épais coussins, mêmes immenses baies vitrées, communes à quantité d'hôtels – sauf que celles-ci dominaient Bangkok et ses lumières. Le bruit de l'urine sur la faïence répugnait un peu à Aisha. Huit amants, et Art serait le neuvième. « Je ne suis pas une salope. » Le bruit de la chasse d'eau. « Je suis mariée, j'ai des enfants, je vais coucher avec un autre homme, un parfait inconnu. Si, je suis une salope. » Mais cela serait tout, une affaire sans lendemain, vite classée, à ranger quelque part, loin de la vie de tous les jours, de la famille, des enfants. Qu'importe. Cela resterait dehors.

Se dressant au pied du lit, Art déboutonnait sa chemise après avoir ôté sa cravate. Décidé, sûr de lui, il était volontairement lent, sans rien d'efféminé. Elle observa son torse lisse, imberbe excepté quelques poils noirs, longs et fins, autour de ses seins. Une bosse grossière bombait sous la ceinture de son pantalon.

— Comment elle est, ta femme ?

Il se figea. Aisha comprit qu'elle hésitait, qu'elle n'était pas tout à fait prête à poursuivre. Elle avait cru prendre sa décision – dans le taxi, dans la boîte de nuit, dans l'ascenseur –, mais elle pouvait encore tout arrêter, et il ne se passerait rien. Art s'étendit près d'elle sur le lit. L'intensité de son odeur, de la sueur masculine, était étourdissante. Hector suait aussi, mais cela n'était pas Hector. Glissant une main le long de la cuisse d'Aisha, Art remonta sa robe et elle frémit.

— Ma femme est belle et intelligente. Elle travaille pour une chaîne publique. Sa famille est francophone et, en sus d'un anglais parfait, elle parle l'espagnol, le catalan, le russe et un peu d'arabe.

— Elle fait quoi, à la télévision ?

— Elle produit des documentaires.

— Ça a l'air super.

Art retira sa main et s'allongea sur le dos.

— Aisha, j'ai envie de te faire l'amour. Pour l'instant, je ne veux pas penser à ma femme ou à ma vie à Montréal. Et je n'ai pas envie que tu penses à ton mari ou à ta vie en Australie. Tu es certainement la fille la plus désirable que j'aie jamais rencontrée. Je ne dis pas cela pour te séduire, c'est simplement la vérité.

Prenant appui sur un coude, il la regarda avant de continuer :

— Je me fous de savoir si ce que nous faisons est bien ou mal, moral ou immoral. J'ai envie de te sauter, c'est tout ce qui compte en ce moment, tout ce qui m'intéresse. Mais si tu ne veux pas, si tu as trop peur, je ne le ferai pas. Cela dit, je le regretterai jusqu'au jour de ma mort.

Il sourit et soudain sa bouche effleura doucement celle d'Aisha.

— Tu ne veux pas me baiser ? dit-il.

Son appétit, sa détermination, son assurance la convainquirent. Elle avait une fois ressenti cela pour Hector – le désir viscéral, passionnel, qu'un homme peut susciter chez une femme. Elle saisit la main d'Art, la guida sous sa culotte de soie neuve, puis s'approcha de lui, étira le cou et l'embrassa.

Les haut-parleurs de l'aéroport diffusaient un message pour les passagers du prochain vol Garuda à destination de Denpasar et Djakarta, les invitant à se présenter à leur porte d'embarquement. L'annonce fit l'effet d'un baume aux voyageurs épuisés, qui s'animèrent et reprirent leurs conversations. Un jeune couple d'Américains probablement étudiants était assis devant Aisha. La fille semblait agitée, comme si la confirmation du départ la perturbait. Aisha étudia la situation avec l'œil exercé d'un médecin. L'Américaine pouvait être sous l'influence d'une drogue ; elle avait les pupilles dilatées, la peau beaucoup trop rouge, et elle suait abondamment, bien que la climatisation fût particulièrement efficace. Bref, elle faisait de l'hyperthermie, un état dans lequel on évite les aéroports. Aisha espéra que cette idiote ne transportait pas de stupéfiants. La fille se mit à pleurer.

Soupirant, Aisha roula son magazine, qu'elle tassa brutalement dans son sac à main.

— Puis-je faire quelque chose pour vous soulager ? demanda-t-elle.

Le gars faisait grise mine. Il avait sans doute lui aussi ingéré un produit, que son organisme métabolisait peut-être plus vite.

— Ça va, merci. Elle a un peu peur de l'avion.

Ce que sa compagne réfuta.

— J'en ai rien à foutre, de l'avion, c'est des bombes que j'ai peur, moi ! J'ai la trouille d'exploser en plein ciel, voilà !

Le ton n'était pas hystérique, mais presque.

Aisha se tourna un instant vers le comptoir où, sans se départir de son sourire, l'hôtesse les observait.

La jeune Américaine paraissait faire une crise de parano, ce qui n'était pas rare sous l'empire d'une drogue.

— Nous sommes ici en sécurité, affirma Aisha. La Thaïlande est un pays sûr.

— Non, il y a eu des attentats !

Si elle ne pleurait plus, la fille était maintenant irascible – comme Adam et Melissa après un caprice. Elle défiait Aisha d'argumenter contre elle.

« Oui, il y en a eu, c'est vrai. » Aisha avait frémi lorsque, en arrivant à l'aéroport, elle s'était présentée au premier contrôle de sécurité ; elle avait reprimé un accès de panique injustifié en remarquant deux Saoudiens dans la file d'attente. « Ne faites pas l'enfant. Vous voulez voyager, alors prenez le monde comme il est. »

Elle serra la main de la jeune femme.

— J'ai une formation médicale. Votre problème est peut-être dû au fait que vous avez besoin de manger et de boire. Il reste pas mal de temps avant le décollage. Si j'étais vous, j'avalerais quelque chose, suggéra-t-elle.

L'Américain donnait l'impression de lui être reconnaissant.

La fille se renfrogna.

— Je n'ai pas faim.

Aisha se releva ; elle ne pouvait faire plus ; reprenant place sur son siège, elle rouvrit son magazine.

Maquillée à outrance, une femme âgée serrait à côté d'elle un petit sac de voyage bourré à craquer.

— Fort aimable de votre part, dit-elle à voix basse.

Elle était également américaine.

Les deux femmes regardèrent le jeune homme diriger sa compagne dans le couloir.

— Mon mari était comme elle, déclara la vieille dame. L'avion le terrifiait.

Aisha hocha la tête en continuant de feuilleter les pages de son magazine. Une publicité pour un parfum attira son attention : l'image représentait deux corps nus, l'un noir, l'autre blanc, enlacés de façon à camoufler leur sexe.

— D'où êtes-vous ?

— D'Australie, répondit Aisha, affichant un sourire faussement gracieux.

— C'est là que je vais, c'est là que je vais ! s'exclama l'Américaine avec un empressement absurde. Votre pays a l'air si beau, je suis certaine que vous êtes des gens merveilleux ! affirma-t-elle, radieuse. Exactement comme nous.

Aisha se retint de rire. Art avait dit cela aussi. Les Nord-Américains avaient-ils tant besoin d'être rassurés ?

— Tout le monde aime les Australiens, poursuivit la vieille dame, soudain moins enthousiaste. On vous adore, vraiment.

Aisha se replongea dans son magazine et tourna la page. Cependant la pub s'était imprimée dans son esprit. Deux corps enlacés, l'un noir et l'autre blanc, impossible de savoir où étaient la tête de l'un, les pieds de l'autre.

La pâleur d'Art l'avait surprise. Il avait le visage, le cou et les bras bronzés au soleil brûlant de l'Asie, mais le reste aussi blanc que le marbre d'Arcadie. À côté de la sienne, la peau d'Aisha semblait d'un noir presque indécent. Se soumettant à la précision de son désir, elle lui avait laissé l'initiative. Elle avait craint au début que les amphétamines l'empêchent de vivre l'instant, la détachent de ses sens ; son propre plaisir restait bridé, elle ne parvenait pas à s'abandonner. Le corps d'Art paraissait étrange, un territoire inconnu ; impossible de ne pas le comparer à Hector. Qui d'ailleurs embrassait mieux. Art, souple et gracieux dans ses costumes, ses chemises soigneusement choisies, était maintenant ténu, presque insignifiant. Elle ne savait pas comment le tenir, ni où placer ses mains. Le soyeux de sa chair, si différente de celle d'Hector, rêche et velue, la dérangeait. Fermant les yeux, Aisha renonça, posa les bras sur le drap, permettant à Art de la découvrir peu à peu. Puis, tandis qu'il glissait sa main entre ses jambes, elle se cabra et se pressa contre lui. Elle s'était éloignée et elle revenait brusquement, stimulée par la nouveauté de ce rapport, l'étrangeté de cet amant, son odeur, son sexe, son haleine. Lorsqu'elle rouvrit les yeux et le repoussa, il sembla déconcerté. Alors elle l'enfourcha, embrassant sa poitrine, ses seins, son cou, son torse encore, jouant de sa langue vers le nombril et l'entrecuisse. Elle saisit son pénis entre ses lèvres et entendit Art gémir. Là était la lisière du danger, du vice. Aisha avait son goût de sel dans la bouche, sur ses joues, et elle s'enveloppa de cette sensation.

Elle releva la tête.

— Tu as un préservatif ?

— Dans ma poche, murmura-t-il.

En continuant de le titiller avec sa langue, elle tâta son pantalon, descendu jusqu'aux chevilles, trouva le petit sachet et déshabilla Art entièrement. Sans le quitter des yeux, elle ouvrit l'emballage et déroula le latex sur son membre dressé.

Art l'attira vers lui, lui retira sa robe par les épaules, dégrafa adroitement son soutien-gorge.

— Je voudrais te regarder.

Elle joignit les deux mains sous la nuque en s'allongeant. Il effleura son visage, ses lèvres, ses tétons, son sexe.

— *Magnifique*[1] !

Ce qu'il répéta plusieurs fois en la parcourant du regard, ébloui, la voix brisée par le désir.

Il baisait mieux qu'Hector. Aisha eut une drôle d'impression quand Art la pénétra. Son mari était mieux pourvu ; il lui faisait parfois mal lorsqu'elle n'était pas prête, pas vraiment excitée. Après les préliminaires, il ne contrôlait plus ses élans. Ses coups de reins devenaient violents, et elle se réfugiait parfois dans des fantasmes de viol pour supporter ses ardeurs. Au départ, la douceur d'Art avait quelque chose de timide, de déconcertant, mais très vite elle épousa le rythme qu'il suggérait, allant et venant avec lui, jusqu'à ce qu'il ne reste plus que son regard amoureux, la sensation de sa bouche contre la sienne, son sexe dans le sien. Il parut brusquement se cabrer, résister à l'urgence du plaisir. Le sentant

1. En français dans le texte.

hésitant, crispé, Aish lui empoigna les cuisses en murmurant :

— Jouis.

La serrant plus fort, travaillant des hanches, il s'enfouit en elle, gémit, éjacula, cria, se blottit contre son cou. Puis, aussi vite, redoubla ses baisers.

— Écarte les jambes, ordonna-t-il, et elle obéit.

Sans cesser de l'embrasser, il poursuivit avec les doigts, la fouilla avec acharnement. Leurs bouches ne se quittaient pas. Une vague de délices immergea Aisha. Lentement, très lentement, elle revint au monde.

Comme toujours, le trajet se révéla d'une brièveté étonnante. Il fallait au moins six heures pour survoler toute l'Australie, et la moitié suffit pour que l'avion entame sa descente vers Denpasar. Après celui de Bangkok, urbain, tentaculaire, l'aéroport international de Bali paraissait rassurant, provincial, miniature. Aisha s'acquitta de la taxe de séjour et suivit sans problème les panneaux bilingues jusqu'au tapis à bagages. Les douaniers ne perdaient pas de temps inutile, et le personnel de sécurité, des Javanais pour l'ensemble, travaillait sans cérémonie, sans ronds de jambe. Aisha sourit. Enfin l'on pouvait être direct, méthodique, efficace, oublier la politesse oppressante des Thaïlandais. À ce qu'on lui avait dit, cependant, les Balinais n'avaient pas grand-chose à leur envier. Mais au moins, pendant les formalités, rien ne l'empêchait d'être elle-même.

Les bras étendus de chaque côté de lui, Hector l'attendait sur un banc. Aisha remarqua sa chemisette neuve, très chic, la coupe élégante de son pantalon large, en coton. Il faisait tout de même meilleure impression que les routards pas rasés, aux cheveux longs, qui déambulaient autour d'elle.

Comme elle l'avait prévu, Hector venait de se faire couper les siens. Un grand sourire éclaira son visage lorsqu'il l'aperçut, et il l'étreignit chaleureusement. Il lui apportait l'odeur de chez elle, de ses enfants, et elle se glissa, heureuse et soulagée, dans ses bras forts. Art était bien trop maigre et, du coup, sa décision fut prise : il disparaîtrait de sa vie.

Elle embrassa son mari, lui demanda des nouvelles des petits.

— Ils vont bien. Tu leur manques, mais *Giagia* et *Pappou* se feront un devoir de les gâter. Ils le savent, d'ailleurs. Ils en ont parlé toute la semaine.

— Tu m'attends depuis une éternité ? fit-elle, navrée.

Il haussa les épaules.

— Que veux-tu qu'on y fasse ? répondit-il gentiment. Je me suis familiarisé avec les lieux…

Hector ne sentait pas le tabac. Il prétendait ne plus fumer depuis trois ou quatre mois. Sans doute piquait-il une cigarette ou deux, à l'occasion, en sortant avec Dedj ou avec son cousin. Aisha espéra qu'il fumerait pendant leurs vacances, il risquait autrement d'être d'humeur exécrable. Mais il paraissait détendu, serein, alors que, bloqué dans un espace clos pendant des heures, il aurait pu être énervé et grognon. Un groupe de jeunes Australiennes défila près d'eux, poussant des bagages disproportionnés, emballés sous un film plastique. Deux d'entre elles se retournèrent sur Hector, ce qu'Aisha ne manqua pas de remarquer. Souriante, elle donna le bras à son homme.

— Tu ne t'es pas trop familiarisé avec les filles du coin ?

Il lui fit un clin d'œil.

— Avec mon cul tout blanc, je n'intéresse personne ici. Et nos touristes ont l'air de prolos de luxe, avec un goût de chiottes et des poches aussi pleines qu'elles ont la tête vide. Prête à affronter les taxis du coin ? dit-il en montrant la sortie.

La fraîcheur plaisante et stérile des aéroports et des avions, tous climatisés, disparut à peine ils franchirent les portes, cédant à l'air moite et collant de l'Indonésie. Aisha laissa son mari la guider à travers la foule des voyageurs, timides et malhabiles, qui tentaient de marchander avec les chauffeurs balinais. Réunis autour d'eux, ceux-ci gesticulaient en criant. Hector fendit l'attroupement sans y prêter attention et mena Aisha vers un banc, où ils s'assirent près de deux vieux messieurs qui fumaient une cigarette. L'un d'eux ouvrit la bouche mais, d'un geste peu amène, Hector le réduisit au silence. Il posa un bras sur l'épaule de sa femme et, bien que la chaleur fût presque insupportable – intense, comme le bruit, les odeurs, la luminosité –, Aisha apprécia le contact de sa peau humide, de son poids.

— Qu'est-ce qu'on attend ?

— Qu'ils arrêtent de s'entretuer, dit-il en lui massant le cou. C'est un vieux truc de fumeur. On s'en va dans un coin, on grille une clope tranquille, pendant que les non-fumeurs se débrouillent avec les casse-pieds. Sauf que je ne fume plus, conclut-il, tout content.

La tactique semblait efficace. Chaque fois qu'on essayait de les aborder, Hector chuchotait quelques mots à l'oreille d'Aisha, et les démarcheurs s'en repartaient bredouilles. Puis un vieil homme aux cheveux blancs coupés ras, au visage buriné et creusé de profonds sillons, prit place à leur côté, digne et le dos bien droit. Souriant, il les salua d'un signe de tête et sortit une cigarette de la poche de sa chemise.

— Vous aller Kuta ?

— Non, répondit Hector. Ubud.

L'homme se frappa la poitrine.

— Moi aller Ubud. Moi vous prendre. Pas cher, dit-il avec un sourire édenté.

Aisha laissa Hector négocier le prix. Elle aurait été moins généreuse que lui, mais peu lui importait. Si, pendant une semaine, elle avait joui de son indépendance, elle préférait la sécurité du couple, l'assurance que quelqu'un était là, constamment, pour prendre sa part de responsabilités. Bangkok, son infidélité, Art – tout s'évapora.

Aisha n'avait rien vu de la campagne thaïlandaise. Tandis que, s'éloignant de la ville encombrée, la voiture prenait la direction du nord et des montagnes, elle se laissa enivrer par l'abondance des couleurs et odeurs de la jungle. Non qu'il y eût la moindre parcelle de terre dépeuplée. De chaque côté de la route, des étals offraient un éventail impressionnant de bijoux, de céramiques, d'idoles hindoues et bouddhistes, de bibelots et de vêtements. Toutes les cinq minutes, chiens, poules et coqs traversaient la chaussée, et le chauffeur klaxonnait furieusement pour qu'ils s'écartent. Malgré la clim réglée au maximum, Aisha avait baissé sa vitre pour respirer l'air chargé, fécond, de cet autre univers. Sans prêter attention aux propos qu'échangeaient Hector et le conducteur, elle comprit que ce dernier s'était lancé dans une diatribe contre les musulmans. Elle croisa son regard dans le rétroviseur.

— Vous chrétienne ?

Hector prit la parole sans lui laisser le temps de préparer une réponse.

— Moi oui. Mon épouse est hindoue.

Aisha s'assombrit et se détacha de son mari. Elle savait que l'hindouisme était prépondérant dans l'île – la multitude de temples de toutes tailles qui bordaient le chemin en attestait. Mais elle n'appartenait plus à ce monde. Elle aurait volontiers tenté de clarifier les choses, d'affirmer son athéisme, mais cela aurait été impoli. Le chauffeur l'observait de nouveau, comme prêt à l'interroger, et se retint. Sans se douter qu'il venait de la contrarier, Hector saisit la main de son épouse, qui résista à l'impulsion de le repousser.

Le conducteur changea de sujet.

— Vous aller plage ?

Hector hocha la tête.

— Non, Kuta ne nous intéresse pas.

— Pourquoi ?

— Trop d'Australiens.

L'homme éclata de rire, se tourna vers son passager et lui tapota le bras.

— Australiens très bien. Balinais aimer beaucoup Australiens. Mais musulmans gros porcs, eux pas aimer Australiens.

Aisha se demanda s'il allait prononcer un autre réquisitoire.

— Vous aller nager nord. Aller Amed. Très beau, tranquille. Mais pas bon depuis bombe, dit-il en soupirant. Dur pour habitants Amed.

Il se retourna encore, le visage rayonnant.

« Mais regardez donc la route ! » se retint de crier Aisha.

— Cette semaine pleine lune, annonça-t-il, réjoui. Pleine lune spécial Amed. Très beau. Très beaux plages. Bon pêche aussi.

— C'est votre village ? demanda-t-elle.

— Non, ma femme Amed.

Aisha se pencha vers le siège avant.

— Elle est très belle aussi ?

Le vieil homme s'esclaffa.

— Elle très vieille. Elle grand-mère.

Pendant le reste du trajet, il parla avec Hector d'enfants, de famille, tandis qu'Aisha, enfoncée dans son siège, regardant par la fenêtre, s'imprégnait des mille souffles de l'Asie.

On leur avait à peine montré leur chambre qu'elle demanda à Hector de la baiser. Répondant avec la même urgence, il l'embrassa, durement, lui mordant la lèvre, exactement comme elle le désirait. Ahanant, Aisha se retourna devant le lit et s'allongea sur le ventre. Hector lui retira sa culotte, lui écarta sèchement les jambes ; elle l'entendit ouvrir sa braguette, déchirer l'emballage du préservatif, puis il la pénétra. Les dents serrées, elle étouffa un cri tandis qu'il la déchirait – comme elle le voulait, l'exigeait, le méritait. Une grimace et, happant une, deux, quatre minces bouffées d'air, elle domina la douleur. Tel un marteau-piqueur, il la gorgeait, l'étrillait. La tête enfouie dans le couvre-lit, bras étendus, les mains agrippées aux draps, elle avait besoin qu'il l'envahisse. Il la brisait, la détruisait et la reconstituait en même temps. Aisha pleura – de douleur comme de soulagement. Elle était loin d'être satisfaite qu'il jouit déjà – en rugissant, sans la toucher –, mais elle émit un cri de plaisir reconnaissant, puis savoura l'épaisseur de ce corps qui s'affaissa sur elle. Hector se l'était réappropriée.

S'allongeant près d'elle, il retira sa capote et la jeta par terre. Son caleçon se balançait sous son pied gauche, sa chemise était déboutonnée jusqu'au nombril, il n'avait pas retiré ses sandales. Tandis qu'il grattait les poils mouillés de sa poitrine, Aisha se dressa sur un coude et recueillit son sexe encore dressé dans sa paume. Des gouttelettes fluides de semence s'échappèrent du prépuce.

Hector repoussa sa main en frissonnant.

— C'est trop sensible !

Elle s'essuya sur le drap et il l'embrassa doucement sur les lèvres.

— Tu veux jouir ?

L'embrassant elle aussi, elle répondit :

— Non. Pas besoin. Je suis bien comme ça.

Quelques jours suffirent à ce qu'elle tombe amoureuse d'Ubud, qui était un ensemble de villages. Hector et Aisha prirent l'habitude de se faire servir un petit-déjeuner tropical sur le balcon de leur chambre, puis de partir en promenade dans les forêts ou en ville, avant de revenir à midi nager dans la piscine Art déco de l'hôtel. Elle était fraîche, propre, et Aisha adorait se dresser sous l'énorme bouddha en pierre, rieur, martelé par le temps, qui déversait de l'eau dans le bassin. Ils buvaient ensuite un verre, lisaient, et allaient déjeuner dans le centre. Cela fait, ils exploraient les alentours, le marché bondé où les commerçants vendaient de la viande très fraîche, des fruits et des légumes charnus – au-dessus de leurs têtes, les touristes parcouraient les passerelles, chipotant sur le prix des fausses montres de marque, des rouleaux d'étoffe de second choix, des idoles en imitation bronze ou argent. En fin d'après-midi, Aisha et Hector retrouvaient leur hôtel, se rafraîchissaient de nouveau dans la piscine, puis cherchaient un endroit où manger dans la grand-rue. Leur moment préféré de la journée était cependant la promenade de début de soirée. Zigzaguant dans de minuscules allées, ils longeaient les cours intérieures où de jeunes femmes allumaient de l'encens et posaient des offrandes sur les tombeaux de leurs ancêtres. Ces rues-là étaient à l'abri des rabatteurs, des chauffeurs de taxi en quête de clients trop rares. Personne ne faisait attention à eux ; en revanche, ils étaient sensibles au sourire timide d'une jeune fille, au salut poli d'un ouvrier, aux éclats de rire des vieilles et des enfants.

— Hello, hello ! scandaient ceux-ci dans leur anglais chantant. Vous quel pays ?

Lorsque Hector et Aisha répondaient « Australie », les gamins riaient de plus belle et invariablement un garçon leur lançait un *good day* parfaitement imité, pendant qu'un autre bondissait comme un kangourou.

Dès leur première soirée, ils avaient compris que l'île, dans un état de pauvreté scandaleux, était dépendante d'un tourisme déclinant. Dès lors, Hector refusa de palabrer, payant le prix demandé par les colporteurs et les marchands. Aisha s'écartait quand son mari achetait une chemise, des cadeaux pour les petits ou le reste de la famille, gênée qu'on le prenne pour un extravagant ou un nigaud. « Tu aurais pu l'avoir pour moitié moins cher », pensait-elle. Mais elle savait qu'il répondrait : « Je ne vais pas chicaner pour un truc qui coûte moins qu'un café chez nous. » Comme son père avant elle, Aisha était convaincue que négocier et transiger étaient deux aspects fondamentaux du commerce. Mais ici, contrairement à ses habitudes, elle se plaçait du côté du vendeur, et n'était pas avare de pourboires.

Tous deux appréciaient grandement l'apparente tranquillité du village, cependant elle était bien consciente qu'hommes, femmes et enfants travaillaient dur. Il suffisait de voir les corps voûtés des vieilles dans les rizières, les mains calleuses et tannées des ouvriers en train de reconstruire le pont de la rivière, ou la peau gonflée des jeunes maçons croisés au retour de Monkey Forest. Les aïeux qu'on honorait matin et soir, dans le calme et la dévotion, les sourires aimables, les fortes senteurs organiques de la vie tropicale, l'humilité devant le travail et la famille, la lumière vive, le rayonnement constant du soleil asiatique : Aisha était totalement sous le charme. Sans compter la gaieté des enfants intrépides qui, librement, parcouraient les rues – un luxe dénié aux siens.

Une violente dispute, le troisième soir, et c'en était fini de la paix. La journée avait mal commencé. Hector avait réveillé Aisha avec un sourire lubrique et imbécile, sa queue en érection contre sa cuisse. Elle s'était soumise à son désir, puisqu'il châtiait son adultère – une pensée honteuse qui, malicieusement, lui traversa l'esprit lorsqu'il la prit. Mais elle n'acceptait pas sa rudesse. Hector était perplexe : rassasié le premier jour, lorsqu'elle avait manifesté une faim bestiale, il la croyait prête à satisfaire ses pulsions les plus viles – la domination, l'agression, le pouvoir. Cela frisait l'imprudence et elle refusa de jouer le jeu. Aisha se fit l'impression d'une pute ; contrairement à Art, Hector la baisait comme une salope. Avec son consentement, ses encouragements même. Tandis qu'il lui léchait le dos, ou plutôt qu'il bavait, elle se réveilla vraiment et n'éprouva que du dégoût pour ses conneries libidineuses. Ils n'étaient ni des jeunes mariés, ni des ados au seuil d'une nouvelle aventure, mais des parents. Se dégageant de lui à peine il avait joui, Aisha le laissa nu au lit, gêné et mécontent, pendant qu'elle se rendait à la salle de bains – à ciel ouvert – pour s'asperger la figure et se regarder dans la glace. Elle se trouvait nulle. Et elle aurait bientôt ses règles.

Hector avait été désagréable au petit-déjeuner, puis silencieux pendant la promenade. Éprise de cette vie lente qui se déployait autour d'eux, Aisha se réjouissait de rester toute une semaine à la montagne. Elle savait en revanche qu'il souhaitait passer quelques jours à la plage, qu'il ne se croirait pas vraiment en vacances sans s'allonger sur le sable au bord de l'eau. Aisha qui, jeune fille, s'était enrichie dans la solitude près de l'océan Indien, s'en fichait. Les plus belles plages du monde se trouvaient sans doute sur la côte ouest de l'Australie. Elle avait visité la Méditerranée, certes d'un bleu époustouflant, elle avait aimé l'enivrante joie de vivre des îles grecques, mais elle détestait partager le rivage avec des centaines de personnes. Elle avait vu tellement mieux qu'elle ne ressentait pas le besoin de visiter le littoral balinais.

Ils revinrent à l'hôtel fatigués, en sueur. Sans un mot, Hector se dirigea vers la piscine, lâcha son sac sur une chaise pliante et, ne gardant que son caleçon, plongea dans le bassin.

Il sourit en réapparaissant à la surface.

— Viens, elle est super bonne ! Ça fait tellement de bien.

— Je vais me changer.

— Mais non. Tu gardes ta culotte, et voilà.

Il avait gagné le rebord, et elle s'aperçut qu'il se tripotait sous l'eau.

— On est tout seuls.

— Mais le personnel ?

— Ils s'en fichent, dit-il en riant. Nous sommes de sales Occidentaux dégénérés. Ils doivent même s'y attendre.

Aisha hocha la tête.

— N'étant pas une Occidentale dégénérée, je vais enfiler mon maillot de bain.

— Oh merde, comme tu voudras.

Mécontent, il se remit à nager. Aisha le maudit sur le chemin de la chambre. Hector, un vrai gamin, se conduisait ainsi chaque fois qu'on lui refusait ce qu'il voulait. Il avait certainement besoin d'une cigarette ; il fallait qu'elle ait envie d'une plage ; que tout s'enchaîne selon les désirs de monsieur. Elle ne le regarda pas en plongeant à son tour. Oui, cette piscine était un vrai bonheur, un havre de fraîcheur, un refuge idéal contre les murs de chaleur. Au bout de plusieurs longueurs, Aisha fit la planche, suivant des yeux quelques mèches de nuages, si blancs dans ce ciel stupéfiant.

L'humeur d'Hector s'assombrit encore dans le courant de l'après-midi et, à l'heure du dîner, il cherchait franchement la bagarre. Aisha lui avait proposé de dîner à La Luna. C'était cher, du moins pour Bali, mais la cuisine était excellente, et elle adorait le balcon au-dessus de la rivière, qu'une végétation luxuriante recouvrait comme un dais.

— Encore ? grogna-t-il. On y a déjà déjeuné et dîné. On pourrait peut-être changer ?

— OK.

Devant la coiffeuse, Aisha ajusta les boucles d'oreilles achetées en ville le jour même. Elle secoua légèrement la tête pour les faire balancer : elles étaient jolies.

— Il y a des tonnes d'endroits. On en trouvera un autre, dit-elle.

— Je m'ennuie.

Il s'assit sur le lit en faisant la tronche et elle l'observa dans le miroir. Comme il venait de se doucher, il avait les cheveux collés sur le crâne, sa serviette négligemment pliée sur les genoux. En à peine deux jours, il avait noirci au soleil. Aisha se détourna pour se concentrer sur ses boucles. Une fois de plus, elle s'était surprise en remarquant à quel point son mari était bien bâti. Même avec quelques cheveux gris et une barbe naissante, il faisait beaucoup plus jeune que son âge. Tout de même un comble qu'elle, si fière de son flegme, de son esprit rationnel, s'entête dans un amour qui n'était après tout que le fruit du désir. Elle doutait même d'apprécier réellement cet homme – ce qu'il pouvait être mufle, parfois ! Aisha sentit sans le voir qu'il lui faisait toujours la gueule, comme Adam en colère, à attendre qu'elle arrange les choses. Seulement, Adam était un enfant, et Hector un adulte. Peut-être ses manières lui déplaisaient-elles, mais il restait pour elle le plus beau gars du monde. Ils avaient belle allure ensemble, ils faisaient envie. Elle sursauta lorsqu'il répéta en criant :

— Je m'ennuie !

Bouffon, il s'effondra à la renverse sur le lit, les jambes en l'air, laissant sa serviette mouillée tomber par terre.

— J'en ai plein le cul, de cet Ubud de merde, dit-il, basculant dans l'autre sens. Partons demain. Jeudi, c'est la pleine lune. Allons voir la pleine lune à Amed.

« Mais quel gosse ! »

— À mon avis, tous les taxis de cette île prétendent que la lune est plus belle, vue depuis leur village. J'aime bien Ubud. Je ne vois pas de raison de s'en aller.

— J'ai envie de nager.

— C'est pour ça qu'on a pris un hôtel avec piscine.

— J'ai envie de nager dans la mer.

Adam était exactement comme son père. Que dirait Aisha à son fils ? Eh bien :

— Si tu veux aller à Amed, tu organises tout : le voyage, l'hôtel, le retour à l'aéroport. Dans ce cas, j'irai où tu voudras.

Hector l'étudia d'un air méfiant.

— Tu es sûre ?

— Certaine.

— Nan, grogna-t-il, dédaigneux. Tu m'en voudras, après.

Aisha pivota sur son siège.

— Pas du tout.

— Tu trouveras un truc qui cloche, la chambre ne te plaira pas, et ça sera ma faute.

Elle se retourna vers le miroir.

— Va te faire foutre, je ne suis pas ta mère.

Hector se tut. Le coup avait porté, elle avait bien visé. Son maquillage terminé, Aish chercha ses chaussures.

— Sandi est enceinte.

Consciente qu'ils abordaient un terrain dangereux, elle ne répondit pas.

— Ça fait déjà plus de trois mois, dit-il, marquant un temps avant de poursuivre. Harry me l'a appris juste avant que je parte.

À l'évidence, il avait fait exprès de séparer les deux phrases. Cet enfoiré se jouait d'elle.

— C'est super pour Sandi.

Elle réussit à sourire sur le chemin de la salle de bains. Et ajouta avant d'y entrer :

— Je suis heureuse pour elle.

Aisha entendit Hector marmonner – entre ses dents, mais c'était suffisamment clair : « Tu l'es moins pour Harry, n'est-ce pas ? »

Pourquoi ces mots-là faisaient-ils aussi mal ? Pourquoi se sentait-elle jalouse et ridicule ? Car elle *était* jalouse ; il fallait qu'Hector choisisse entre elle et son cousin. Cela paraissait si simple, elle voulait qu'il s'aligne sur elle. Et qu'importe Art ; Aisha méritait la fidélité, le dévouement, l'accord de son mari. Harry était un homme violent, cruel.

Plantée sur la lunette des W.-C., elle regarda le ciel. Elle ne savait soudain plus ce qu'elle faisait là.

Les nuages avaient disparu, les constellations émergeaient peu à peu dans le ciel noir. Il flottait dans l'air l'odeur acide des fruits secs et des épices de la cuisine balinaise.

Hector frappa à la porte.

— J'ai besoin de m'habiller.

Il était toujours de mauvais poil. Aisha se leva, tira la chasse et lui passa devant sans rien dire.

Elle aurait souhaité revenir au début de la journée, tout reprendre à zéro, se réveiller avant lui, suggérer de rester au bord de la piscine à ne rien faire, au lieu de cette longue promenade dans la moiteur. Mais les choses avaient choisi un tel cours, et rien ne semblait pouvoir les arrêter. Lorsqu'ils s'assirent pour dîner, Hector et Aisha étaient incapables de terminer une phrase sans avoir envie de s'entretuer. Il avait suggéré de prendre l'apéritif et de manger dans un restaurant huppé, situé dans le parc d'un temple hindou. La terrasse était cernée par des douves nappées d'immenses nénuphars. L'endroit séduisait Aisha, qui en voulait encore à son mari d'avoir refusé de retourner à La Luna. « Non, pas là, c'est trop cher », avait-elle répliqué. Sans répondre, Hector s'était mis à marcher devant elle, si vite qu'elle avait dû courir pour le rattraper. Lorsqu'un jeune homme anxieux leur avait proposé ses services de chauffeur, il lui avait jeté « Ta gueule ! » en pleine figure. Le type avait reculé précipitamment, comme devant une vipère, ou le diable incarné. Aisha était sûre que ces accès de colère étaient la conséquence du sevrage tabagique. Elle allait acheter un paquet de cigarettes à Hector, qu'elle lui ferait bouffer l'une après l'autre. « Qu'il meure prématurément, qu'il foute le camp ! » Et de trotter derrière lui sur le sentier inégal, en manquant de se fouler une cheville. Indifférent, Hector ne s'arrêta même pas. Tabac ou pas, les vacances semblaient exacerber chez son mari tout ce qui irritait

Aisha. Ils étaient livrés à eux-mêmes depuis trois jours, ce qui ne leur était plus arrivé depuis des années. Une fois encore, elle se demanda : « Mais est-ce qu'au moins j'aime *bien* cet homme ? »

Il s'engagea sans prévenir dans une sorte de paillote à touristes, bardée de néons. Quatre hommes à la mine sinistre manipulaient un gamelan, enchaînant des airs traditionnels comme on jouerait de la musique de supermarché. C'était un minable boui-boui, Hector le voyait certainement – la raison pour laquelle il y entraînait sa femme.

— Ça ira ?

Aisha eut envie de le frapper.

Mais elle acquiesça.

Se ruant pratiquement sur eux, la serveuse balinaise les installa à une table et, visiblement mal à l'aise, leur présenta les menus. Hector commanda deux bières. Quand, dans son anglais hésitant, la jeune fille leur demanda ce qu'ils souhaitaient manger, il fit claquer son menu sur la table.

— Donnez-nous une seconde, quoi !

Choquée, gênée, elle l'observa un instant, baissa la tête et s'inclina. Aisha n'osait plus la regarder.

— Tu es affreusement grossier, lui reprocha-t-elle, une fois la serveuse repartie.

Hector ne dit rien, mais il s'empourprait. Tant mieux, il avait honte. Il s'excusa quand la fille revint avec leurs boissons – ce qui parut l'intimider encore plus. Il dut répéter *terima kasih*, *terima kasih*, jusqu'à ce qu'elle sourie et qu'il puisse l'imiter. Aisha se retenait de rire. Certes, il faisait le clown, redevenait aimable, mais il pourrait interpréter son rire de mille façons, et elle risquait la catastrophe. L'estomac serré, des pulsations dans les tempes, elle doutait d'être capable de manger, et elle ne prendrait pas la parole avant lui. Au moins, la bière était rafraîchissante et Aisha attaqua goulûment son verre.

— Je pense que tu devrais appeler Sandi pour la féliciter.

— Je lui enverrai une carte.

— *Je lui enverrai une carte*, railla-t-il, d'une voix geignarde, affreuse, avant de se détourner en hochant la tête. Tu es vraiment incroyable !

— Quoi ?

Mais oui, quoi ? Qu'avait-elle fait ? Que demandait-il de plus ?

— Je ne veux pas que tu lui écrives, mais que tu lui téléphones. Et ensuite que tu ailles la voir.

— Je n'ai aucun problème avec Sandi, tu le sais très bien.

— Oui, c'est avec Harry, d'accord.

« *Mon* cousin, *mon* pote, *mon* Harry. »

— En effet, j'ai un problème avec lui.

— Tu ne pourrais pas lui pardonner, tout simplement ?

— D'avoir agressé le fils de ma meilleure amie ? D'avoir fait ça chez moi ? Non, je ne le lui pardonnerai pas.

— Le gamin le méritait.

— Hugo est un enfant. Ton cousin est censé se comporter comme un adulte.

— *Ton cousin est censé se comporter comme un adulte*.

Le sarcasme à nouveau. Aisha remarqua deux couples qui montaient les marches d'un pas hésitant et entrèrent dans la salle. L'une des femmes avait un bébé dans les bras ; un homme tenait son bambin par la main. Une deuxième serveuse émergea de l'ombre au fond du restaurant. Aisha se rappela soudain que la vie continuait à quelques mètres ; des corps se déplaçaient dans la cuisine, où elle aperçut le scintillement d'un écran de télé. Hector gardait les yeux rivés sur elle et elle l'ignorait délibérément. Lorsqu'elle croisa son regard en reprenant son verre, il relança les hostilités.

— Ce môme est effroyable.

— Il a seulement quatre ans. Comment peut-on être effroyable à cet âge ?

— Parce qu'on ne lui a pas appris à se contrôler, ni à respecter les autres. Il est effroyable aujourd'hui et ce sera un vrai con quand il sera grand.

Elle n'allait pas mordre à l'hameçon. Hector employait volontairement le mot *con* pour l'insulter, la rabaisser. Les deux couples étaient français et elle se rendit compte que la serveuse leur répondait sans difficulté dans leur langue.

— Au moins, Harry a eu la décence d'aller s'excuser, continua Hector, entre l'incrédulité et la colère. C'est Rosie qui aurait dû le faire, et même ramper devant lui, dit-il, se penchant soudain vers sa femme.

Aisha sentait ses réserves de patience s'amenuiser. On aurait cru entendre Koula : les mêmes mots, la même hargne.

— Je ne vois pas ce qu'elle a fait, à part protéger son fils.

— Non, Rosie se sert de lui comme d'un paravent. Tout ça parce qu'elle refuse de voir que son mariage est un échec. C'est bien pareil avec Gary : elle se voile la face plutôt que de reconnaître qu'il est alcoolo, qu'il n'a pas une miette de talent, qu'il se prend pour un génie et que, d'ailleurs, il n'a jamais voulu de gosses.

Hector s'interrompit, reprit son souffle, poursuivit d'un ton plus mesuré :

— Je ne doute pas qu'elle l'aime, son gamin. Gary aussi, incontestablement. Mais ils sont totalement irresponsables, comme parents. On n'élève pas un enfant comme ça, c'est un monstre, tout le monde le déteste. Adam et Lissie ne peuvent pas le supporter. Ça ne veut rien dire, ça ?

Aisha se tut. Elle ressentait une immense pitié, une immense tristesse pour Hugo. Un gamin blessé, désemparé face au monde extérieur ; stupéfait de ne plus être le centre du monde dès que sa mère s'éloignait. Mais il apprendrait. Bien sûr qu'il apprendrait. La vie et les autres enfants se chargeraient de l'éclairer.

— Il changera dès qu'il entrera à l'école.

— Ouais ! s'esclaffa Hector. Bien sûr qu'il changera, et tu sais pourquoi ? Parce que les autres mômes vont lui tomber sur le dos. Et pas qu'un peu. Tu as demandé à Adam et Lissie ce qu'ils pensent de l'histoire avec Harry ?

Non, incroyable, Hector ne pouvait tout de même pas en avoir discuté avec les enfants ? Aisha se pencha vers lui à son tour.

— Que leur as-tu dit, à ce sujet ?

Sentant l'orage poindre, Hector recula sa chaise.

— Rien.

— Alors, comment le sais-tu ?

Il ne répondait pas, et elle répéta :

— Comment le sais-tu ?

Sur ses gardes, il croisa les bras.

Devinant soudain, Aisha émit un rire nerveux.

— Ta chère mère, évidemment !

— Cherche plutôt du côté d'Harry, Aish. Rocco est leur cousin. Ils sont au courant de tout.

— Tu veux dire qu'on *les* met au courant.

— Ils étaient là, ce jour-là, rappela calmement Hector. Ils sont capables de réfléchir tout seuls.

Aisha se sentit gagnée par la panique. Comme au bord du gouffre. Ses enfants entretenaient avec leur père un rapport différent du sien. Plusieurs générations les liaient, ce qui n'était pas son cas. Et la situation serait restée la même si sa propre mère avait habité près d'eux. Hirini n'était pas du genre à organiser sa vie en fonction de sa famille. Elle avait son cabinet médical, ses amis, et ne manquait pas d'activités : les enfants y avaient leur place, mais ce n'était qu'une facette parmi d'autres. Aisha y voyait une leçon de sagesse ; c'était pour elle dans l'ordre des choses. Elle était capable de vivre sur un autre continent que ses parents, pas Hector, et elle l'avait su dès le départ. En l'épousant, elle épousait les siens, ce qui ne cessait de la contrarier, et ni Adam ni Melissa ne comprendraient jamais pourquoi. Dommage que Raf ne se soit pas installé à Melbourne ; ils aimaient son frère autant qu'elle. En revanche, Aisha ne partageait pas leur amour pour leur *giagia* et leur *pappou.* Bien sûr, elle avait de l'affection pour Manolis, et elle était devenue très proche de sa belle-sœur Elizabeth. Mais sa vraie famille, dans cette ville, se résumait à Rosie et Anouk – qu'Adam et Melissa n'appréciaient guère.

Elle posa sur son mari un regard presque haineux. « Tu m'as attachée à ta vie, pensa-t-elle amèrement. Comment ai-je pu le permettre ? »

Une des femmes appela le petit garçon qui s'approchait de l'estrade. Elle était prête à venir le chercher quand un membre de l'orchestre leva le bras pour l'arrêter.

— *Pas de problème !* dit-il en français, avant de hisser le gamin sur ses genoux.

Ravi, le bambin commença timidement à tapoter sur le xylophone, déclenchant l'hilarité des autres musiciens.

Attirant l'attention d'Hector, Aisha hocha la tête vers eux.

— C'est pas génial ?

Il étudia un instant le garçon qui, toujours devant le xylophone, s'en donnait à cœur joie.

— Il n'a jamais été aussi heureux.

— Et sa mère est aux anges.

Une bière à la main, la Française riait avec ses amis. D'un seul coup d'un seul, la gaieté volubile de cette femme et de son fils réduisait en poussière toute l'aigreur, toutes les rancœurs de la journée.

Aisha posa la main sur celle de son mari, qui la serra dans la sienne.

— J'adorais les enfants de Bangkok, dit-elle avec une pointe de regret. Je les voyais tous les matins quand je sortais, impeccables dans leurs uniformes, les filles comme les garçons, à balancer gaiement leurs cartables sur le chemin de l'école. On avait l'impression que la rue leur appartenait. Ils n'avaient rien de menaçant, pas comme les hordes de gamins chez nous, mais joyeux, en sécurité dans leur élément.

Elle jeta un coup d'œil au petit Français, qui suçait avidement la tranche de mangue que le chef d'orchestre venait de lui offrir.

Aisha se retourna vers Hector.

— C'était pareil en Grèce et en Sicile, tu te rappelles ? demanda-t-elle, enthousiaste. Les enfants étaient les rois, dehors.

En sirotant sa bière, elle remonta le fil de leurs vacances en Méditerranée. Il y avait si longtemps – leur premier voyage à l'étranger – et ils étaient si jeunes. Leur dispute à Santorin avait été d'une violence terrible, destructrice. De retour à Athènes, le cousin d'Hector, Pericles, leur avait expliqué que c'était fréquent dans l'île. Les *brakolaka* – les esprits des vampires – poussaient les amoureux à se quereller, car ils ne supportaient pas de les savoir heureux.

— La Grèce a dû beaucoup changer. Il faudrait vraiment y emmener les enfants.

Soudain Hector se mit à pleurer. Non pas discrètement : une brusque explosion de sanglots. Secoué de tremblements, il se balançait d'avant en arrière, tandis qu'un flot de larmes lui couvrait les joues et mouillait sa chemise. Interdite, Aisha le regarda : Hector, pleurer ? Il lui serra la main, plus fort, si fort qu'elle craignit qu'il la broie. La serveuse, qui se dirigeait vers leur table, se figea, bouche bée, en l'observant. À côté, les deux couples se turent : les femmes examinaient leurs menus, les hommes allumèrent des cigarettes et, penchés au-dessus de la balustrade, scrutèrent la rue.

Si elle était embarrassée, Aisha ne tarda pas à réagir, en commençant par dégager sa main.

— Hector, qu'est-ce qui t'arrive ? Qu'est-ce qui ne va pas ?

Parler lui était impossible. Ses sanglots se transformèrent en cris déchirants, il avait le souffle coupé, les yeux rouges, le visage convulsé de douleur. Aisha lui essuya le nez et la bouche avec un mouchoir. Mais elle restait de glace. Pour la première fois de sa vie, elle saisissait tout le sens de l'expression ; ce n'était plus une abstraction, mais une réalité. Aisha ne ressentait qu'un profond détachement. Jamais elle n'aurait imaginé qu'Hector perde toute dignité en public, jamais elle ne l'avait vu en proie à un tel chagrin, jamais d'ailleurs elle n'avait vu d'homme pleurer – ou peut-être que si, bien longtemps auparavant : le souvenir distinct et fuyant à la fois de son père, en slip et maillot de corps, beuglant comme un animal affolé sur le lit des parents. Hirini, sa mère, avait claqué la porte au nez des deux enfants, terrifiés l'un et l'autre. Hector ne pleurait pas comme un enfant, mais comme un homme, lui aussi brisé, vulnérable, désespéré. Aisha avait vu bien des femmes perdre le contrôle d'elles-mêmes sous le coup d'une douleur intense ; ça lui était également arrivé. Chaque fois, elle les avait encouragées – comme elle-même – à laisser faire, laisser leurs émotions jouer leur partition jusqu'au bout, car c'était nécessaire. En revanche, chaque nouveau sanglot la détachait davantage de son mari. Elle voulait qu'il s'arrête. Son corps, son cœur, son esprit, son âme, ses mains, ses lèvres, tout en elle devenait cassant ; de l'eau glacée lui coulait dans les veines. Aisha comprit pourquoi elle se rappelait l'inexplicable crise d'angoisse de son père, un épisode auquel ses parents ne devaient jamais faire allusion. Elle avait eu peur comme à présent, si peur qu'elle était incapable d'une pensée rationnelle. Elle n'éprouvait que de la crainte, celle que, désormais, plus rien ne soit comme avant. Car rien ne le serait.

Tandis qu'elle raccompagnait Hector à l'hôtel, le temps perdit son apparence commune : à la fois contracté et infini, impossible à suivre, impossible à saisir. Aisha avait dû payer l'addition, convaincre son mari de se lever, le soutenir tout le long de Monkey Forest Road – ou lui avait-elle tenu la main, comme un enfant ? Plus tard, bien plus tard, elle aurait de nombreux cauchemars, dont elle savait qu'ils faisaient référence à cette soirée. Sans autre certitude que la rue, leur cheminement laborieux, le visage consterné des colporteurs, des chauffeurs de taxi et des touristes, ils avaient réintégré leur chambre. Hector assis sur le lit, elle agenouillée devant lui, égaré, pleurnichant, la serrant plus fort que jamais, son haleine brûlante, sa salive, les larmes qui lui inondaient le cou et les épaules. Lentement, très lentement, le temps avait repris une forme reconnaissable. Hector ne hurlait plus, ne sanglotait que par intermittence, frissonnait, soupirait longuement. Aisha eut bientôt une crampe au mollet droit ; elle percevait le tic-tac de sa montre ; un morceau de pop occidentale à l'arrière de l'hôtel. Elle s'accroupit par terre et se massa la jambe. Hector se moucha, jeta son kleenex trempé, se frotta les yeux. Puis sa voix ferme et assurée la surprit.

— Ça va mieux, dit-il.

Il essuya sa bouche avec sa main avant de poursuivre.

— Mercredi dernier, je devais chercher Melissa à l'école. Papa ne pouvait pas, l'hôpital venait d'appeler pour sa goutte, on lui donnait enfin rendez-vous avec un spécialiste. Maman pouvait l'accompagner, ce qui m'arrangeait. J'avais un jour de congé à prendre et je l'ai pris. J'ai bricolé à la maison, préparé quelques affaires pour Bali, et à trois heures et demie j'étais dans la voiture.

Perplexe, Aisha le laissa parler. Pourquoi lui disait-il cela maintenant ? Elle se rappela qu'au restaurant, avant qu'il s'effondre, la discussion portait justement sur les enfants, ceux de Bangkok qu'elle avait trouvés si mignons.

— Il y avait des voitures d'un bout à l'autre de Clarendon Street, ça n'en finissait pas, tous ces gens qui arrivaient aux portes de l'école pour chercher leurs gosses. C'était comme un embouteillage, personne n'avançait. J'étais coincé derrière un gros 4 × 4 noir flambant neuf, et j'ai eu une crise de panique. Je n'arrivais plus à respirer, j'ai vraiment cru que j'allais crever derrière ce putain de 4 × 4, que la dernière chose qu'il me restait à voir, c'était l'autocollant « Bébé à bord » sur la lunette arrière.

Sa voix chevrotait à nouveau. Craignant qu'il recommence à pleurer, Aisha s'assit près de lui sur le lit et s'efforça de répondre sur un ton rassurant.

— Ça arrive, parfois. Tous les parents se pointent exactement à la même heure, et c'est vraiment pénible. Combien de temps as-tu attendu ?

Il se tut une seconde. Elle lui caressa les cheveux.

— Je n'ai pas attendu. J'ai klaxonné jusqu'à ce que cette conne devant moi me laisse la place de faire demi-tour, puis j'ai foutu le camp.

— Et Melissa ? dit sèchement Aisha, soudain inquiète.

Hector s'esclaffa. Elle eut envie de le frapper. Elle répéta, et c'était presque un cri :

— Melissa ?

Il poursuivit son histoire, entrecoupée d'éclats de rire hystériques.

— J'ai garé la voiture à la maison…

Ricanement.

— … je suis revenu à pinces…

Gloussement.

— … le 4 × 4 était encore à cent mètres de l'école…

Hurlement.

— … j'ai trouvé Melissa et on est rentrés à pied tous les deux.

Mort de rire, Hector s'allongea sur le lit.

« Patientons. » Aisha aperçut son image dans le miroir de la coiffeuse. Elle était intelligente, séduisante, bien sous tous rapports. Elle ne méritait pas ça, mais alors pas du tout. Le corps près d'elle ne bougeait plus.

— Je suis navré, déclara Hector à voix basse.

Sous le charme de la jolie femme pleine d'assurance qu'elle voyait dans la glace, Aisha ne se tourna pas vers lui. Il ajouta :

— Navré, mais je ne peux pas continuer à vivre comme ça.

Cette fois, le ton était ferme, insistant.

Elle se figea. Il allait la quitter. Elle jeta un nouveau coup d'œil à son image. Oui, elle était belle ; intelligente, oui ; et actionnaire de sa clinique. À quarante et un ans, elle ne tenait pas à vivre seule. Lorsqu'elle prit la parole, sa voix semblait provenir d'ailleurs – du miroir de la coiffeuse.

— Tu veux divorcer ?

Lourd, comme question : d'un poids abrutissant. Cependant la poser avait quelque chose d'aérien.

— Non.

La réponse était nette, résolue ; le doute n'y entrait pas. Aisha poussa un soupir de soulagement. Trop vite pour s'en apercevoir vraiment, elle ressentit aussi une pointe de regret.

« Comme au lendemain d'un avortement. » Les termes qu'elle devait utiliser plus tard pour décrire la chose à Anouk. « Ce qu'on ne conçoit pas, dont on ne veut à aucun prix, mais dont on imagine toujours que c'était possible. »

Hector la regarda droit dans les yeux.

— La seule chose dont je sois sûr pour l'instant, c'est que je t'aime, que je veux vivre avec toi, tu es la seule certitude de ma vie. J'ai été tellement con. Je ne sais pas ce qui m'arrive, mais je sais que je n'ai pas envie de te perdre.

Ses pleurs – un vrai supplice – l'avaient épuisé. Les joues rouges, le visage gonflé, il paraissait son âge.

Aisha baisa son front mouillé.

— Je descends une seconde nous chercher quelque chose à manger. Prends une douche, on discutera à mon retour, OK ? De tout ce que tu voudras, de tout ce dont tu as besoin.

Il hocha la tête.

— Serre-moi fort avant de partir.

S'accrochant désespérément, il ne la lâchait plus. Aisha se libéra doucement de son étreinte.

— Je ne serai pas longue.

C'était un soulagement de retrouver les rues chaudes et humides d'Ubud, d'oublier un instant Hector et ses suppliques. Aisha commanda un nasi goreng dans un café bondé et, assise dehors sur une caisse, observa les rizières en contrebas de la chaussée. La lune serait pleine dans deux jours, et chaque brin d'herbe, arbre, feuille, branche, maison, temple était bordé d'un éclat argenté. Une voix à l'accent américain s'écria brusquement à l'intérieur, et Aisha s'imagina subitement avec Art à Montréal. Elle lui tombait dans les bras. Il divorcerait, et elle aussi. Elle apprendrait le français, ils ouvriraient un cabinet en ville, travailleraient à mi-temps, partiraient le week-end à New York, y resteraient jusqu'au lundi. Puis elle pensa à ses enfants et repoussa ce doux fantasme. Sa commande prête, elle retourna à l'hôtel.

Allongés l'un près de l'autre sur le lit, ils parlèrent pendant des heures. Après avoir dévoré sa part de nasi goreng, Hector s'était mis à parler. D'Hugo, pour commencer.

— On ne peut pas détester un enfant.

Aisha était du même avis. Il mentionna Rosie et Gary, qui le mettaient en colère. Ils se flattaient d'être des parents éclairés, mais il doutait de leurs capacités, comme de ces théories bidon, dédiées au développement de l'enfant, dont Rosie se réclamait.

— Le problème d'Hugo, c'est qu'il est bien trop seul. Il a surtout besoin d'un frère, d'une sœur, de cousins, d'autres gamins qui lui ouvriront les yeux.

Il est constamment entouré par des grands, et ça ne va pas du tout. Seulement, Gary est trop égoïste pour faire un deuxième gosse.

Aisha en convint et le laissa poursuivre en se demandant où il voulait en venir. Cette affaire autour d'Hugo l'avait apparemment beaucoup perturbé. Si Hector acceptait avec joie ses responsabilités de père, il rejetait avec force certaines inquiétudes liées à l'éducation, au statut social, des thèmes qui devenaient récurrents dans leur environnement immédiat – la famille et les amis.

— J'ai envie que mes enfants puissent rentrer de l'école à pied, qu'ils puissent jouer dans la rue, je ne veux pas les enfermer dans un cocon et qu'ils finissent par avoir peur de tout.

— Le monde a changé, il est devenu dangereux.

— Non, c'est toujours le même, c'est nous qui avons changé.

Il affirma clairement qu'il refusait d'inscrire les petits dans le privé. C'était un sujet de dispute depuis des années, et Aisha redoutait de remettre ça sur le tapis, chacun posant ses arguments sans aboutir à aucune décision. Ce soir, en revanche, Hector se montrait résolu et convaincant. L'enseignement privé était selon lui élitiste, cela n'avait rien à voir avec l'amour qu'il portait à ses enfants, la question était plutôt de savoir ce qu'ils deviendraient, comment on les formaterait dans ces établissements. L'argent n'était pas en cause – il était prêt à dépenser le double des frais de scolarité pour emmener Adam et Melissa visiter l'Inde, la Grèce et le reste de la planète. Mais il n'aimait pas le monde d'aujourd'hui, sa froideur, son individualisme. Qu'importe s'il était en décalage avec lui, il tenait à conserver une certaine moralité, à rester fidèle à ses conceptions, qu'elles soient empreintes ou non de nostalgie. Faute de quoi il serait submergé.

— C'est ton droit, fit remarquer Aisha, mais il ne faut pas que tes enfants pâtissent de tes choix.

Hector grogna.

— Ils ne souffrent pas. Ils ont même beaucoup de chance, dit-il en prenant la main de sa femme. Adam et Melissa s'en sortiront très bien. Tu connaissais mes positions quand tu m'as épousé, et je ne changerai pas. Un type comme moi ne peut pas envoyer ses gosses dans le privé, ou alors ça n'est plus moi.

Un tel point de vue était difficilement compréhensible pour elle, issue d'une famille où la richesse était une vertu, où l'on gardait pour soi ses opinions politiques. Voyant son mari inébranlable, Aisha comprit qu'il faudrait se ranger de son côté. Alors elle négocia.

— Si Adam ou Melissa ont de mauvais résultats au lycée, lâcha-t-elle, tu accepterais de vivre dans un autre quartier, où le public a fait ses preuves ? Plus à l'est, loin de tes parents ?

— Oui.

Un arrangement entre mari et femme, un compromis qui mit fin à leur différend.

Hector avoua ensuite l'avoir trompée avec une gamine de dix-neuf ans, une étudiante en sciences sociales qui suivait un stage dans ses bureaux. Il s'était cru amoureux ; emporté par la passion, il avait imaginé partir avec la jeune fille, quitter sa famille, ses enfants, son travail, sa vie. Puis il s'était rendu compte qu'elle n'était que cela : une jeune fille. Il venait d'échapper à la catastrophe. Abandonner Aisha aurait été un suicide. Gentille, intelligente, son étudiante deviendrait quelqu'un de bien, de très bien même, mais elle avait fait office de message codé, de devinette : c'était en définitive sa jeunesse qu'il désirait, pour lui-même se croire encore jeune. Elle lui avait révélé qu'il vieillissait, qu'il mourrait un jour ; elle ne signifiait rien pour lui ; il se dégoûtait d'avoir agi ainsi, d'avoir encouru un tel risque.

— Je te promets, dit-il, je te promets qu'on est sortis seulement deux fois ensemble, et nous ne sommes jamais passés à l'acte.

Il avait tellement honte. Depuis la rupture, il se réveillait tous les matins à trois heures quatorze. Il ouvrait un œil vif, et les chiffres rouges du réveil électrique indiquaient invariablement 3:14. Pour ne pas déranger Aisha, il se levait et sortait nu dans le jardin, où il pleurait en tremblant. Hector était convaincu qu'il allait mourir – les battements de son cœur paraissaient faibles, irréguliers, il avait le souffle court et saccadé. C'était bientôt la fin et qu'avait-il fait de sa vie ? La question posée, il se remit à sangloter.

— J'ai la trouille, Aisha, je suis mort de trouille.

Elle écouta son monologue sans ressentir ni colère ni mépris. Le voyant pleurer à nouveau, elle tendit le bras et lui caressa l'épaule, mais elle n'éprouvait rien. Comme si elle le contemplait de loin en tentant d'analyser sa propre réaction. *Dix-neuf ans ?* L'âge lui parut choquant, mais finalement n'inspirait qu'une chose : le ridicule. Aisha n'était même pas jalouse. Les hommes sont grotesques. Ces aveux ne lui apportaient aucun soulagement, n'annulaient pas, ne diminuaient pas sa propre trahison. Depuis des années, elle soupçonnait Hector de couchailler. La vulgarité du terme résumait bien son opinion en la matière. Lascif, il avait un gros appétit sexuel qui l'avait dès le départ inquiétée. Elle savait qu'en n'abordant jamais le sujet de l'infidélité elle acceptait tacitement d'éventuelles passades, le recours aux prostituées, et Dieu seul connaissait le reste. Tandis qu'il se confessait, elle s'était interrogée : « Pourquoi est-ce qu'il me raconte ça ? » Dans d'autres circonstances, son discours aurait éveillé ses soupçons ; elle aurait supposé que la jeune femme signifiait quelque chose pour lui. Mais Aisha était convaincue que non. Hector, terrifié, était un petit garçon confronté à l'immensité et à l'indifférence de l'univers. « Tu as eu une longue adolescence », pensa-t-elle en lui caressant le dos. Il pleurait toujours. « Trop longue. Il serait temps de grandir. » Mais elle ne le condamnait pas, ne lui en voulait pas, ne ressentait rien. C'était comme ça, un fait.

Aisha prit sa main, lui embrassa les doigts, lui parla d'Art. Sans dire toute la vérité, seulement ce qui comptait à ses yeux. Passant leurs étreintes sous silence, elle décrivit l'ivresse, l'assurance qui renaissent au contact d'un autre homme. Peut-être espérait-elle – une réflexion qui lui vint à l'esprit plus tard, en Australie – blesser son mari en insistant sur la beauté, le charme, l'érudition d'Art. Hector écouta attentivement chaque mot sans jamais l'interrompre, se levant de temps en temps pour leur servir un nouveau verre de Johnny Walker Black « duty-free ». Pratiquement sans à-coups, sans hésitation, Aisha libéra un flot incessant de paroles, aussi lucides que sa voix était ferme. Le whisky étayait ses propos ; elle buvait constamment, sans pourtant être soûle. Art lui avait permis d'entrevoir diverses possibilités ; elle avait abordé la chose avec une curiosité mêlée de crainte. Nonchalamment, presque en aparté, elle ajouta que les femmes redoutent la mort des autres – enfants, parents, amants –, pas leur propre dissolution. Le visage d'Anouk lui vint brusquement à l'esprit et, comme lisant dans ses pensées, Hector demanda :

— Et Anouk ?

— C'est sans doute différent pour celles qui n'ont pas d'enfants. Mais souvent, elles fonderont une association, elles embrasseront une cause, partiront en Afrique sauver les jeunes âmes. Peut-être le monde est-il divisé en trois groupes : les hommes, les femmes, et puis celles qui ne veulent absolument pas de progéniture.

— Et les hommes sans enfants ? la coupa-t-il. Ils ne sont pas différents des pères, eux aussi ?

— Non. Les hommes sont tous pareils.

Aisha lui apprit qu'elle avait envisagé le divorce, qu'elle y avait même pensé bien avant Art. Le mot lâché, elle le regarda, allongé à ses pieds, dressé sur un coude, tandis qu'à l'autre bout du lit elle avait la tête sur un oreiller. À l'évidence, le terme représentait pour l'un et l'autre une forme de libération. Hector fit un sourire timide que, hésitante, elle lui rendit. Leur chambre d'hôtel avait soudain l'apparence d'une zone crépusculaire, détachée du monde réel dont elle s'éloignait de plus en plus. Aisha avait un bourdonnement dans l'oreille, le bruit de l'univers en constante expansion, prêt à les envoyer en orbite. Ils avaient le choix de se soumettre et de graviter ensemble ou d'être à jamais propulsés chacun de son côté. Tous deux évoquèrent leur soif de liberté, leur désir d'une vie sans conjoint, sans la dictature des caprices, des joies, des colères mesquines et des obsessions de l'autre. En riant, Hector admit que, certains soirs, il avait envie de rentrer, d'ôter chemise et pantalon, de fumer un joint devant un film de cul, de s'endormir sur le canapé. Aisha se révéla plus simple : rien que pour une nuit, elle aurait souhaité avoir leur lit pour elle seule.

— Je me demande comment c'est d'être célibataire, dit-il. Cela fait si longtemps. Je ne pourrais pas me remarier si on divorçait. C'est seulement avec toi que ça veut dire quelque chose.

Aisha pensait à Art.

— Je n'aurai pas d'autres enfants, poursuivit-il. Pour moi, il y a toi, Adam, Melissa et c'est tout.

Il se redressa et affirma en la dévisageant :

— Je ne laisse pas tomber, je ne veux pas divorcer.

Dès qu'il mentionna les enfants, Aisha renonça à toute velléité de liberté – qui n'était qu'un fantasme d'adolescent. Comme il attendait une réponse, elle la lui donna.

— Je ne veux pas divorcer non plus.

Il se hissa vers elle et l'embrassa.

Les premières lueurs de l'aube flottaient à travers les lamelles du store en bambou ; telle une tour de Babel, des chants d'oiseaux retentirent, pour l'ensemble inconnus, excepté celui, exultant et rêche, du coq. Hector et Aisha étaient trop épuisés, trop dépouillés pour faire l'amour. Ils avertirent la réception qu'ils se passeraient de petit-déjeuner, avalèrent chacun un comprimé de Temazepam avec une dernière goutte de whisky et, allongés côte à côte, se touchant à peine, ils s'endormirent. Aisha se réveilla en plein midi, avec la bouche sèche et un goût de pourri dans la gorge. Hector était en train de la regarder.

— Je veux aller à Amed, annonça-t-elle.

Ils atteignirent la côte est de l'île au bout de trois heures de route. Par internet, ils avaient réservé un studio qui, sur les photos, paraissait raisonnable, doté de toutes les commodités, et ils se réjouirent de constater qu'il était en effet propre, luxueux pour le prix, et à proximité immédiate de la plage. Il y avait fort peu de touristes à Amed, aucun distributeur de billets de banque et, chaque fois qu'ils flânaient dans la rue principale ou s'approchaient de la mer, de jeunes hommes souriants les accostaient pour demander s'ils avaient faim, s'ils voulaient faire de la plongée ou une excursion en bateau. Malgré le troc et les marchandages incessants, les constructions inachevées, la quasi-absence de moyens technologiques, Amed plut à Aisha. Elle aimait la mer calme et chaude, les odeurs de poisson grillé à la tombée de la nuit, les vieilles femmes emmitouflées qui menaient chèvres et cochons le long de collines qui paraissaient s'enfoncer dans l'eau. Le premier soir, Aisha et Hector ne firent guère plus qu'avaler un morceau en vitesse, dans un petit restaurant sur le rivage. Sans être totalement pleine, la lune avait la magnificence d'un astre sacré, dominant une mer nocturne soudain plus agitée.

Le lendemain matin, Aisha découvrit que ses sensations se réveillaient avec elle. Ses yeux s'ouvrirent, alertes, juste avant l'aube, tandis qu'Hector ronflait encore doucement. Folle de rage, elle était soudain la proie d'une jalousie implacable. Quittant discrètement le lit, elle enfila un T-shirt et s'assit sur le balcon en attendant l'aurore, sans cesser d'imaginer son mari dans les bras d'une autre. Par bonheur, le soleil entama lentement son ascension, fendant la mer d'un million d'éclats bleu-argent. En pointillé, des dizaines de barques et de kayaks se dessinaient sur l'horizon, où les pêcheurs en train de relever leurs filets ressemblaient à de minuscules insectes. Hector se réveilla finalement, d'humeur enjouée, grivoise. Soulevant le drap une seconde, il révéla une érection.

— Ne fais pas l'enfant ! jeta sèchement Aisha, révoltée.

Quelques minutes plus tard, ils se chamaillaient. Ils prirent un petit-déjeuner rapide, feuilletant de vieux numéros de l'*Indonesian Times*, se lançant de temps à autre des regards haineux par-dessus leurs journaux. Un vieux couple néo-zélandais leur adressa gentiment la parole. De mauvaise humeur, Aisha ne répondit que par monosyllabes, tandis que son mari se montrait exagérément sympathique, poli, galant. Faux cul à en être écœurant. Sans un mot, ni pour lui ni pour eux, elle se leva, prit son sac en bandoulière et, d'un pas assuré, se dirigea vers la plage, sachant qu'Hector la suivrait. Ce qu'il fit, empourpré, furieux. Elle étala sa serviette sur le sable, chaussa ses lunettes de soleil et ouvrit son livre pendant qu'Hector courait dans l'eau.

Aisha ne parvint pas à lire un seul mot ; la colère n'était pas retombée. « Non, enfin, merde ! Une gamine de dix-neuf ans ! » Incroyable. Ce salaud n'avait pas idée de ce que ça lui faisait. Étudiant son corps gracile, ses longs membres, Aisha remarqua qu'elle était toujours désirable, mais la question n'était pas là. Sa peau était douce, la cellulite invisible, ses seins ne tombaient pas. Non, aucune importance. Hector n'aurait pas dû lui dire l'âge de cette fille. S'allongeant sur le ventre, elle examina la plage. Deux jeunes Balinais fumaient près d'un chapelet de barques amarrées sur le sable ; ils l'observaient. Le plus âgé avait des traits fins, orientaux, les cheveux noirs et gras, une barbichette bien taillée, un long pantalon crème noué autour de la taille. Bronzé, large et de type sémite, l'autre portait un débardeur blanc et sale, serré sur un torse musclé. Ses jambes l'étaient aussi, mises en valeur par un short en jean. Lorsqu'il fit un clin d'œil à Aisha, sa vulgarité, son assurance lui rappelèrent Harry. Ignorant leurs rires, leur gaieté, elle se tourna de l'autre côté. Ce gamin avait probablement dix-neuf ans. Elle ramassa une poignée de sable, la serra dans son poing, le regarda s'écouler entre ses doigts. Un ado, encore un ado de merde.

Une pluie de gouttelettes froides ruissela sur son dos. Debout devant elle, Hector rigolait en se séchant.

— Tu devrais y aller, elle est trop bonne.

Prête à l'insulter, Aisha se redressa. La silhouette d'Hector se détachait sur le ciel clair et dégagé. Elle dut mettre une main sur son front pour le dévisager. Il souriait, ses poils mouillés collés sur sa poitrine. Mis à part ses poignées d'amour naissantes, ses cuisses potelées, son corps masculin, rassurant, était dépourvu de graisse. Ravalant ses injures, Aisha se rappela une photo de lui, à Perth, lorsqu'elle l'y avait emmené la première fois. Qui l'avait prise ? Rosie ? Ravi ? Ils étaient tous partis camper près du delta, au bord de la Margaret River – cinq jours à bouquiner, fumer des joints, se balader dans le bush. Et, bien sûr, ils avaient nagé, beaucoup nagé. Lorsqu'il avait aperçu des dauphins, Hector s'était émerveillé comme un vrai gosse, et ils étaient tous hilares devant lui. Quelqu'un l'avait photographié en contre-plongée – un jeune homme d'une vingtaine d'années sous le ciel d'été, voûté au-dessus de lui. Le plus bel homme qu'elle eût jamais vu, et cela n'avait pas changé. Bien sûr qu'une fille de dix-neuf ans se pâmerait devant lui, s'empresserait de le sauter. Les années avaient passé et Aisha l'avait toujours dans la peau.

— Ne t'avise pas de coucher avec une autre nana ! cria-t-elle en pleurant subitement. Jamais ! Je t'interdis !

Il était ébahi. Deux touristes qui passaient par là se figèrent en l'entendant. Elle se détourna. Se forçant à sourire, Hector leur dit doucement :

— Tout va bien.

Vêtus en tout et pour tout d'un maillot de bain noir, identique, étroit et ridicule, les deux types avaient une cinquantaine d'années. L'un petit, gras et brun, l'autre grand, maigre, intégralement rasé. Ils hochèrent la tête comme à contrecœur, poursuivirent leur chemin en direction des deux jeunes Balinais. Aisha les vit s'arrêter, discuter entre eux, puis le plus gros alla s'accroupir devant les ados. Ils palabrèrent un instant, s'éloignèrent ensemble.

— Pauvres mômes, lâcha Hector d'un air dégoûté.

Aisha se frotta les yeux, barbouillant son visage de larmes salées.

— Ils ont sûrement dix-neuf ans.

Penaud, il la regarda, s'assit près d'elle. Elle tressaillit lorsqu'il posa une main sur son épaule.

— Ce culot, que tu as.

— Cela ne signifiait rien pour moi.

— Tu ne recommenceras pas ?

— Je ne la vois plus.

— Que ça soit elle ou une autre, je veux dire.

Il ne répondit pas tout de suite. Un jeune homme arrivait vers eux, brandissant un nécessaire de plongée à louer. Aish le renvoya aussitôt.

— J'ignore ce que je ferai demain, après-demain, et au-delà. Je sais que je ne veux pas te quitter, que je t'aime pour la vie. Mais je ne peux pas te promettre de ne jamais coucher avec une autre femme. Je ne veux plus te mentir, point, barre.

Il se croyait courageux, ce con. « Justement, t'as qu'à mentir, crétin ! Il y a des années qu'on se ment », faillit-elle lui envoyer. Hector venait d'envisager une chose à laquelle elle pensait depuis leur rencontre – elle en avait même plaisanté avec Anouk et Rosie. Maintenant que c'était dit, que ces mots flottaient entre eux, elle se demanderait toujours en se couchant près de lui : « Tu m'as trompée, aujourd'hui ? » Elle s'entraînerait à reconnaître l'odeur, le parfum d'une autre. « Va te faire foutre avec ta franchise. » Mais, amoureuse de sa beauté, elle était incapable de le quitter – elle adorait sortir avec lui, ils formaient le plus beau couple, où qu'ils soient, et elle avait besoin de cela. Ensemble, ils étaient plus que la somme des parties. « Fous-la-toi dans le cul, ta putain de franchise ! »

Rejoignant d'un bond le rivage gris-vert, Aisha s'immergea dans les courtes vagues chaudes et nagea aussi loin qu'elle put. Elle perçut une effervescence, l'eau qui jaillissait derrière elle – Hector la suivait. Prenant un bon bol d'air, elle aligna la tête dans le prolongement de son corps et s'appliqua de toutes ses forces à le distancer, mais il était plus puissant, plus rapide. Hector la rattrapa, plongea sous elle, la souleva et la propulsa d'un geste au-dessus de la surface – elle crut s'élever jusqu'au soleil. Sentant les muscles fermes de sa poitrine, l'épaisseur noueuse de ses bras, elle déposa les armes. Il la serra contre lui, elle était transportée, béate, entre le ciel et l'océan. Elle ferma les yeux ; elle lui appartenait.

Ce soir-là, ils virent la lune pleine briller au-dessus d'Amed. Sans lui pardonner encore, Aisha était tout de même de meilleure humeur, l'après-midi, lorsqu'ils se séparèrent. Hector revint lire et nager à la plage, tandis qu'elle partit faire une longue promenade le long de la côte, traversant quatre ou cinq hameaux, où l'on préparait les festivités du soir. À l'abri du soleil écrasant dans la halle d'un village, filles et femmes mitonnaient un éventail de pâtisseries sucrées et épicées à offrir aux dieux et aux ancêtres ; assis en cercle dans les temples, les hommes et les garçons priaient, arborant des tuniques de couleurs vives et des coiffes triangulaires. Seuls quelques très jeunes enfants s'intéressèrent à Aisha, pratiquant avec elle un curieux anglais, amalgame d'expressions australiennes et d'argot hip-hop américain. Terrassée par la chaleur, elle finit par s'asseoir près d'un puits, où elle écouta le babil des petits et les conversations des femmes affairées. Il émanait de leurs activités un sentiment de paix. L'hindouisme était pour Aisha à la fois familier, rassurant et curieusement exotique. Ses deux parents étant de fervents démocrates, laïcs, presque gênés par la multitude de rites couramment observés, elle n'avait pas eu d'éducation religieuse. Cependant la grand-mère paternelle, très pieuse, confectionnait chaque jour des douceurs, des desserts au lait pour les dieux et, petite fille, Aisha aimait la regarder faire. Puis sa *Nani* était morte, et la religion, comme les contes de fées et les poupées, avait disparu dans les poubelles de l'enfance. Le spectacle des Balinais et de leurs dévotions n'inspirait à Aisha ni tristesse ni nostalgie. En Inde, les temples hindous la laissaient froide, mais elle aimait la sérénité des rituels familiaux. Le soleil déclinant bientôt, elle remit son sac sur son épaule et repartit d'un bon pas vers Ubud. Quand, le visage ruisselant de sueur, elle ouvrit la porte de l'hôtel, elle faillit heurter la jeune serveuse qui descendait l'escalier, munie de fruits et de gâteaux à l'intention de ses aïeux. Aisha murmura *kasim* en s'inclinant, puis la regarda placer ses offrandes dans une feuille de banane sur la première marche. La jeune fille craqua une allumette et alluma l'encens.

Lové nu sur le lit, Hector ronflait exactement comme son fils. S'agenouillant près de lui, Aisha lui embrassa l'épaule. Se réveillant, il posa sur elle un œil vif, brillant, soucieux.

— Tu me pardonnes ?

— Oui.

Non que cela fût tout à fait vrai, tout à fait sincère, mais cela viendrait, elle le savait. Hector sentait la moiteur, l'acidité. Elle l'embrassa de nouveau, puis se déshabilla pour se laver. Le jet intense et délicieux de l'eau fraîche l'apaisa tandis que, le cou tendu, elle observait l'infini du ciel. Aisha sursauta en refermant le robinet : Hector était-il en train de pleurer ? Enveloppée de sa serviette, elle revint dans la chambre. Il avait enfilé un short et l'attendait sur le balcon. Il sourit en la regardant, et elle remarqua ses yeux rouges.

— On retourne nager avant de dîner ?

Elle venait de se doucher, ce n'était plus le moment. Mais elle craignait sa compagnie si elle restait à lire au lit comme elle le désirait. Aisha n'avait plus envie de parler, elle avait eu son lot de révélations, de confessions et d'excuses. Qu'importe s'il avait pleuré.

Ils revinrent au même restaurant qu'à leur arrivée. Wayan, le patron, un type charmant et communicatif, les avait séduits par son humour. Le premier jour, Aisha et Hector l'avaient pris pour un adolescent, qui, à la fin du repas, leur avait présenté ses deux fils… Les plats étaient réellement excellents, savamment épicés, préparés par l'épouse, invisible dans sa cuisine. Les reconnaissant, Wayan les accueillit d'un rire réjoui, puis les conduisit à une table, côté plage, tout au bord de l'eau. En l'honneur de la pleine lune, il avait troqué son short en jean et son faux T-shirt Mossimo contre le traditionnel costume de cérémonie. Deux Italiens dînaient à la table voisine sous le palmier. Jeunes, très bronzés, ils semblaient avoir passé des mois sous le soleil asiatique. Aisha et Hector commandèrent des bières et, adossés à leurs chaises, admirèrent les derniers instants du couchant.

C'était comme un premier rendez-vous. Les événements, les émotions de la semaine forçaient Aisha à voir la vie sous un jour nouveau. Sa fureur avait disparu, le sentiment de trahison était enfoui quelque part, prêt à refaire surface, mais ce n'était pas le moment de lui donner voix. Pour la première fois depuis bien longtemps, Hector paraissait mystérieux, un quasi-inconnu. Aisha voulait retrouver un mari, non pas l'être vulnérable et désespéré qu'il avait révélé. Empruntant son éclat au soleil, la lune argentée creusait un lent sillon sur le vernis opaque, puis sombre, de l'océan. Aisha tenait à engloutir sa colère ; conclure une trêve avec Hector pour le hisser sur la terre ferme. Il avait dérivé trop loin – s'il s'effondrait, son existence à elle volerait en éclats. Il faudrait faire preuve de patience, une patience que ses enfants lui avaient apprise. Savoir se sacrifier, aussi. Rayonnante, elle regarda son homme, montrant d'un signe de tête les calmes vaguelettes.

— Je suis contente qu'on soit venus ici.

Il se mit à pleurer. Se mordant la lèvre, elle faillit lui ordonner de cesser. « Tu n'es plus un enfant. » Par bonheur, les larmes s'évanouirent vite. Distants et dédaigneux, les deux Italiens ne remarquèrent rien. Sans prêter attention à Hector, Aisha s'aperçut qu'elle préférait les Nord-Américains aux Européens, qui, comme leurs voisins, étaient souvent snobs, mesquins, arrogants. Hector s'essuya les yeux en reniflant, et ouvrit son menu. Elle l'observa d'un œil interrogateur, sévère.

— Ça va mieux.

Puis :

— Je ne te mérite pas.

« Ah non, il ne va pas recommencer à chialer. »

— J'ai tellement honte, Aisha.

Faute de savoir quoi lui répondre, elle étudia elle aussi son menu. Elle se sentait vide, à bout de pitié, de compassion, et en même temps responsable de lui. Ce fossé entre son désir et ses intentions était ce qui l'épuisait le plus. Elle aurait enragé s'il n'avait pas eu honte, mais elle n'avait plus envie de le consoler, de lui redonner confiance et optimisme. Une pensée lui traversa l'esprit avec une pointe de culpabilité : « Sois un homme. Démerde-toi avec ta crise de la quarantaine. C'est d'un chiant ! » Elle étudia la composition des plats ; elle prendrait le poisson entier aux épices nyonya, fumé dans une feuille de banane ; elle referma son menu.

— J'appellerai Sandi en rentrant, et je la féliciterai.

Hector s'égaya en écarquillant les yeux. Regrettant aussitôt son impulsion, Aisha se promit de refuser toute autre concession. Une nouvelle vague de lassitude s'abattit sur elle – un poids qui lui engourdissait le cou, les épaules, les os. Voilà ce qu'étaient finalement l'amour, son allure, son essence, une fois disparus la luxure, l'extase, le danger, l'aventure. Il reposait avant tout sur la négociation, sur deux individus qui acceptent les réalités sales, banales et domestiques d'une vie partagée. Cet amour-là assurait une forme de bonheur familier. Toute alternative était probablement impossible, inaccessible, et il valait mieux renoncer à l'inconnu. Aisha n'en prendrait pas le risque ; trop fatiguée pour ça. « De plus, se reprocha-t-elle, une immense lune dorée se lève à peine et darde ses rayons sur Amed. Je suis en compagnie de mon mari, qui est si beau, qui m'aime, me soutient et m'offre la sécurité. Je suis à l'abri de tout danger, le monde entier n'aspire qu'à cela. Il n'y a que les jeunes et les nigauds pour en demander plus, croire que l'amour leur apporterait autre chose. »

— C'est merveilleux qu'elle soit enceinte. Je mesure les efforts qu'elle a faits.

— Oui, c'est vraiment génial, renchérit Hector, emballé. Harry m'a dit à son anniversaire que, s'ils n'y arrivaient pas à la fin de l'été, ils feraient un bébé-éprouvette. Ce qu'ils auraient très mal vécu.

— Ce qu'*elle* aurait très mal vécu, tu veux dire.

Harry. Il serait le prix de sa concession ; Aisha et lui danseraient à jamais la valse des faux-fuyants.

— Il n'aurait pas souffert, affirma-t-elle en haussant le ton. Rien ne l'atteint, de toute façon.

La remarque était empreinte de dédain et Hector n'en perdit rien. Son sourire disparut en même temps que sa joie. Aish ne pouvait s'empêcher, parfois, d'être méprisante, et cela ne la gênait pas, pensa-t-elle en regardant la mer. Ils firent signe à Wayan de venir prendre leur commande.

— Les gens changent, Aish.

Elle ne sut pas interpréter tout de suite le sens de cette phrase. Comprenant finalement, elle émit un petit rire cynique.

— Harry ne changera jamais.

— Il s'est excusé d'avoir frappé Hugo, grogna Hector. Ils l'ont traîné au tribunal, ils lui ont bien niqué la gueule. Tu ne trouves pas que c'est assez ?

— Je ne parle pas de ça. Tu sais à quoi je fais allusion.

— Putain, mais il y a dix ans, maintenant, et…

Elle le coupa.

— Il l'avait passée à tabac, ce salaud, dit-elle comme un serpent prêt à bondir et à mordre.

Hector ne répondit pas. Il n'avait pas oublié, et elle le savait. Un soir qu'Aisha était enceinte d'Adam, ils avaient entendu des freins crisser dans l'allée. Sandi était descendue de voiture avec d'épaisses taches de sang noir sur son corsage et son pantalon. Ils l'avaient crue soûle, pour découvrir ensuite qu'elle avait le nez cassé, les lèvres fendues, la mâchoire disloquée au point de ne plus pouvoir parler. Deux dents avaient ricoché par terre quand Hector avait recueilli Sandi dans ses bras. « Ne le touche pas », lui avait presque ordonné sa femme, mais Sandi s'accrochait à lui. En route pour l'hôpital de Bell Street, où il l'avait emmenée, elle avait prétendu être tombée dans l'escalier de la gare de Fairfield. Hector et Aisha n'avaient plus jamais évoqué l'incident.

— Il ne l'a pas touchée, depuis.

— À ce qu'il dit.

Relevant la tête, Aish regarda son mari bien en face.

— J'irai la voir, et en amie, poursuivit-elle. Mais je ne pardonnerai jamais à ton cousin, tu comprends ? Je le déteste. Il n'a pas sa place dans ma vie.

Hector baissa les yeux et se détourna.

— Je comprends, marmonna-t-il.

Elle le crut et poussa un soupir de soulagement.

La colère s'enfonçait bien en dessous des vagues, vers les profondeurs.

— Quelle soirée merveilleuse, fit Aisha avec un sourire serein.

Elle ne réussit à se sentir normale qu'en retrouvant ses enfants à l'aéroport de Melbourne. Aisha savoura leur odeur en les soulevant tous deux – tonique, terrestre pour Adam ; fraîche et féminine pour Lissa ; celle du savon au miel et aux amandes de Koula ; puis l'ail, le citron qui imprégnaient la maison de leur grand-mère. Elle voulut tout de suite les emmener, reconstituer sa famille. La vie était cela, c'est cela qui comptait, qui donnait un sens aux défaites, aux compromis, aux concessions. Aisha ne les lâcha plus, serrant la main de Lissa tout le long du trajet, ébouriffant Adam. Ils bavardaient sans cesse, l'interrompaient, discutaillaient, s'apostrophaient, lui racontant l'école, le foot, *Giagia*, *Pappou*, le chat, les leçons de danse, American Idol[1], leurs copains, la soirée au cinéma, et elle embrassait tout cela, prête à les réécouter depuis le début. Elle venait de perdre deux semaines de leurs jeunes existences. La lune au-dessus d'Amed, les odeurs envoûtantes, l'excellente cuisine, les heures passées à traîner à la plage, cela n'était rien, comparé à ces deux semaines de leur vie. Aisha ne pouvait s'empêcher de les toucher, de leur pincer les genoux, de les embrasser. Une Melbourne grise et ennuyeuse se déroulait sous leurs yeux tandis que l'autoroute les rapprochait de chez eux. La ville ressemblait à une carcasse blanchie au soleil – dépouillée, décharnée, privée d'odeurs et de texture. Mais, quand Manolis les déposa devant la maison, Aisha réprima des larmes de soulagement.

Quelques jours suffirent à ce qu'elle se sente bien dans son nid douillet de banlieue – les rues propres et l'air frais d'un pays industrialisé. Bali, Bangkok, l'Asie et leurs péripéties sombrèrent lentement dans l'oubli. Pour la première fois depuis des années, Aisha s'intéressa à son travail. Les questions, les hésitations inhérentes à tout diagnostic n'avaient pas disparu, mais n'étaient plus chargées d'appréhension. Elle n'était plus une jeune femme pour ressentir ces inquiétudes. Tracey avait préparé un gâteau pour son retour, et Connie était venue à vélo depuis le lycée déjeuner avec tout le monde. Aisha leur distribua les cadeaux et souvenirs rapportés des étals et

1. Sorte de Star Academy à l'australienne.

marchés de Bangkok et d'Ubud. Plus tard dans la journée, lors d'un bref moment de répit – l'après-midi était déjà surchargé, les clients habituels s'étant accaparé toute la semaine –, Brandon revint du labo avec les résultats de différentes analyses. Les parcourant, Aisha s'attarda sur un cas. Il s'agissait d'un berger allemand aux yeux tristes, un peu bête, dénommé Zeus. Le doute n'était plus permis. Brendan lui avait retiré deux petites bosses de la patte antérieure droite, qui étaient bel et bien des tumeurs. Le bilan sanguin révélait d'autres anomalies. Aish penchait pour un cancer du pancréas. Brendan soignait l'animal, cependant tous deux avaient traité ses douleurs abdominales et vomissements chroniques, pour lesquels il était arrivé initialement. Les propriétaires, un couple de retraités grecs, aimaient bien leur chien, sans qu'il soit vraiment un ami – comme dans les pays méditerranéens, Zeus était surtout censé les protéger, eux et leur maison.

— Je prends rendez-vous pour une ablation. Faut-il appeler Jack pour les ultrasons ?

Le chien était sympathique, quoique relativement âgé. Si l'on faisait jouer la corde sensible, ses maîtres seraient sans doute prêts à lui faire subir de nouveaux examens, mais le pronostic n'était pas favorable.

Aisha rendit la feuille à Brendan en hochant la tête.

— Ils n'ont pas beaucoup de sous, et la facture peut devenir drôlement salée. Je crois qu'il vaudrait mieux le piquer.

— Tu m'as manqué.

Étonnée, elle rougit. S'ils formaient une bonne équipe, ni l'un ni l'autre n'était enclin aux démonstrations d'affection sur leur lieu de travail.

— Toi aussi, répondit-elle. D'ailleurs, tout : la clinique, ma maison…

Vrai. Tout lui avait manqué, mais personne en particulier – excepté Adam et Lissa, ou plutôt *ses enfants*, considérés comme une entité. Se réapproprier les structures, les rythmes, les sensations familières de son existence était un plaisir : la famille, le travail, les amis. Intelligent, capable, Brendan était un merveilleux collègue ; elle pouvait le laisser en toute confiance s'occuper de la clinique pendant quinze jours. Outre son emploi, Aisha aimait faire quatre-vingts longueurs trois fois par semaine à la piscine du quartier ; elle aimait l'amitié vache et sincère qui la liait à Anouk ; elle aimait être l'épouse d'un homme sur qui les femmes se retournaient encore ; elle aimait – la plupart du temps – les bêtises et les disputes des petits. En un mot, sa vie.

Il y avait cependant un changement. Elle sentit la cassure le premier vendredi, lorsqu'elle rentra chez elle vidée, avec une légère douleur aux tempes. Du matin au soir, des clients irritables, exigeants ; cela arrivait certains jours, tout le monde était insupportable. Hector avait laissé un message – il buvait un verre au pub avec ses collègues et lui demandait d'aller chercher Adam et Lissa chez ses parents. Il l'embrassait, suivi d'un : « Je t'aime. Je serai à l'heure pour le dîner », énoncé rapidement, d'une voix coupable. Évidemment, Aisha était censée le préparer, ce dîner. Elle fit claquer son portable en jurant. « Salaud, va ! »

Un changement né en voyage, qu'elle avait rapporté chez elle. Assurément, pensa-t-elle, il concernait davantage Hector qu'elle-même. Elle prenait en définitive le mariage pour un terrain neutre, dans lequel tout était en ordre : les défis relevés, les négociations menées jusqu'au bout, jusqu'au compromis.

On ne pouvait bien sûr pas écarter les accidents, la maladie, la tragédie. Cependant elle n'aurait pas imaginé de mutations si profondes. Aisha voulait conserver ce qu'elle avait : un mari jeune et séduisant, heureux d'être avec elle et leurs enfants, heureux dans son travail. Troublée, elle comprit que les longues soirées à Ubud et Amed, les confessions et les larmes, n'avaient pas atteint de conclusion.

Quelques jours plus tôt, Hector l'avait inquiétée en manifestant le désir de reprendre des études, d'acquérir de nouvelles compétences, de chercher une autre place. Elle l'y avait encouragé sans oser poser certaines questions : « Et notre emprunt immobilier ? Tu ne voudrais pas acheter une maison plus grande ? Tu as un job en or, la sécurité de l'emploi, un très bon salaire – il faudra que, toute seule, je fasse bouillir la marmite ? »

Anxieux, Hector dormait mal, plaisantait rarement, ne la faisait plus rire. Épuisé en rentrant le soir, il n'avait plus comme avant le sommeil lourd. L'avait-elle remarqué avant leur semaine à Bali ? Il ne parlait plus guère à son fils – leurs échanges se limitaient à des grognements boudeurs, méfiants. Aisha avait peur. Adam, bientôt adolescent, n'en voudrait-il pas à son père ?

Plus troublant encore, Hector n'écoutait plus de musique. Il y en avait toujours dans une pièce, auparavant. Leur bureau et deux murs du salon étaient recouverts de casiers à CD, pleins du sol au plafond. Aisha s'était plainte, autrefois, de l'argent qu'il y consacrait. Aujourd'hui, elle aurait aimé le voir rentrer avec un des sacs plastique jaune canari, caractéristiques, de JB Hi-Fi, ou le papier kraft de Basement Discs, même celui, criard, de chez Polyester. Il n'allumait presque plus la radio. Elle doutait qu'il fût vraiment malheureux, pensant plutôt à une sorte d'affectation passagère. En parcourant les critiques de *New Age* – ce qu'elle ne faisait jamais ! –, elle décida d'aller chez le petit disquaire du centre commercial, près de chez eux, pour lui acheter un CD de Yo La Tengo. Elle était sûre qu'Hector possédait déjà quelques albums de ce groupe. Selon le journal, ce serait un des meilleurs de l'année. Elle l'offrit à Hector, qui l'écouta aussitôt. Mais juste une fois. Le CD resta dans le lecteur, le boîtier vide, désolé, sur le couvercle transparent qui protégeait la chaîne. Hector paraissait incapable de garder le sourire. Voilà ce qui clochait, qui n'était plus là, qu'elle voulait retrouver. Un élément de sa vie qui lui manquait, qui paraissait si naturel, qu'Hector devait lui demander en retour. C'était cela, le mariage.

« Quel salaud ! » Les larmes aux yeux, Aisha se rendit chez ses beaux-parents, à quelques minutes de la clinique. Mais pas question que Koula s'aperçoive qu'elle venait de pleurer. Devant le rétroviseur, elle s'arrangea un peu, inspira profondément, se prépara à la confrontation. « Voilà, ça va. »

Elle embrassa sa belle-mère sur les deux joues, puis sa fille l'entraîna à la cuisine, où elles s'assirent autour de la table. Melissa lui montra fièrement son devoir de maths. La tête inclinée, avec une touche de vanité, elle ressemblait tellement à son père. Aisha passa dans le salon, où Manolis dormait dans un fauteuil pendant qu'Adam regardait une émission idiote de téléréalité. S'agenouillant, elle posa les lèvres sur la tête de son fils. Il sentait l'huile d'olive et la cuisine de Koula, mais aussi un relent putride, animal, masculin, qui fit tordre le nez à sa mère. Sans vraiment l'accueillir, Adam ne se déroba pas. Cela n'était plus le petit garçon qu'Aisha connaissait, il devenait autre chose et le monde lui tomba soudain sur les épaules. Tout changeait. Se réveillant en sursaut, Manolis poussa un hoquet et elle se retourna vers lui. Il bâilla en étirant les bras. Aisha vint l'embrasser. Lui au moins avait son odeur habituelle : celle, rassurante, du jardin, et un mélange de citron, d'ail, d'origan – comme les enfants, le pays de sa grand-mère. Elle lui sourit, il la scruta froidement.

— Comment vas-tu, ma chérie ?

Une pointe de culpabilité : rentrée depuis quinze jours, Aish n'avait toujours pas téléphoné à Sandi comme elle l'avait promis.

— Ça va.

Elle hésita et mentit :

— J'ai perdu le numéro de Sandi. Il faut vraiment que je l'appelle... que je les appelle, elle et Harry.

Manolis la dévisagea sans manifester de sentiment.

— Je vais te le donner.

Elle l'aida à quitter son fauteuil.

D'une écriture trop grande, enfantine, inégale, il inscrivit le numéro au dos d'une enveloppe déchirée qu'il lui tendit.

— Merci.

Il sourit enfin, sincèrement. Aisha faillit encore fondre en larmes. « Que plus rien, rien ne change. »

Elle coupa en vitesse quelques légumes pour un curry tout simple. Quand Hector arriva, ivre, elle se retint de l'engueuler. Pendant qu'il se douchait, que les enfants se chamaillaient devant la télé, Aisha téléphona à Sandi – en s'efforçant de chasser Rosie de son esprit. Elle fit défiler les numéros sur son portable et trouva le bon. Dieu merci, Manolis ignorait tout du fonctionnement de ces appareils, sinon il aurait aussitôt compris qu'elle mentait. Aisha marqua un temps, pressa la touche « appeler », écouta la sonnerie. Oui, cela avait tout d'une trahison. La voix qui répondit la prit au dépourvu.

— Allô, allô… C'est toi, Aish ?

Identification de l'appelant, bien sûr. Aisha se ressaisit. Pas question de raccrocher. Elle avait librement choisi de téléphoner. Rien n'était plus pareil, rien ne le resterait.

— Oui.

S'embrouillant dans ses félicitations, elle s'excusa rapidement :

— Navrée qu'on se parle si peu, ces derniers temps. Cette période aura été éprouvante, lâcha-t-elle d'une traite.

Aisha avait répété cette phrase, qui lui était venue spontanément dans l'avion, au retour de Bali. La formulation permettait de n'accuser personne. Sandi s'esclaffa.

— T'as pas tort, ma jolie. Pour une année de merde, c'était une année de merde, mais tout ça est fini, et je me sens drôlement mieux !

« J'ai pris la bonne décision, pensa Aisha. Ce qu'il fallait faire. »

— Je m'en réjouis sincèrement. C'est tellement important pour toi.

— Pour nous deux.

Sandi remettait Harry sur le tapis ; Aisha frémit ; la conversation deviendrait ardue.

— Rocco lui aussi est content, continua Sandi d'une voix légère. Il a du mal à croire qu'on va lui donner un petit frère ou une petite sœur.

— Comment va-t-il ?

Aisha avait en tête quelques paroles d'un CD qu'Hector passait à longueur de temps au début des années 90 : *This is a new day, this is a beautiful day*[1].

1. « C'est un jour nouveau, c'est une belle journée. »

— Super bien. Viens nous voir avec les enfants.

Incapable de répondre, Aisha fit semblant d'appeler Lissa, comme si sa fille avait fait une bêtise. Elle aurait préféré voir Sandi seule à seule, dans un café, loin de leurs domiciles et de leurs maris, mais cela ne serait pas possible, elle le savait. Sandi semblait enjouée, chaleureuse, engageante, cependant rien ne serait pardonné tant qu'Aisha ne se rendrait pas chez eux, où il faudrait qu'elle serre la main d'Harry, même qu'elle l'embrasse. Pas rasé comme toujours, il piquerait, et il la toiserait de toute sa hauteur. Elle se rendit compte qu'il l'effrayait, et c'était détestable.

— Excuse-moi. Melissa jouait avec des ciseaux, inventa Aisha. Qu'est-ce qu'on disait ?

— Quand viens-tu, avec Hector et les enfants ?

— Bientôt, sûrement.

— Quand ?

This is a new day, this is a beautiful day.

— Il faut qu'on décide.

Sandi se remit à rire…

— Bien sûr qu'il sera d'accord.

… et s'arrêta aussi vite :

— Alors quand ?

Le ton avait la froideur de l'acier.

This is a new day, this is a beautiful day.

— Dimanche en huit, proposa doucement Aish. Ça ira ?

« Comment peux-tu dormir avec ce monstre, après ce qu'il t'a fait ? Je t'ai vue, *je t'ai vue* quand il t'a brisé la mâchoire. Et tu lui pardonnes ? »

— Parfait. Harry préparera le barbecue.

— Super, fit Aish de mauvaise foi. À dimanche.

Elle coupa.

— Je ne sais pas quoi dire à Rosie.

Assises au comptoir d'All Nations, les deux femmes attendaient qu'une table se libère dans la salle. Il y avait beaucoup d'hommes dans ce pub, et Anouk était le centre d'intérêt, avec sa coupe en brosse, ses cheveux teints en bleu-noir brillant, ses cuissardes en cuir noir, sa vieille veste à franges et son T-shirt de New Order – datant de la tournée du groupe en 1987, si Aisha se souvenait bien. Il lui allait encore parfaitement. Aisha s'était elle aussi sapée : tailleur deux-pièces en coton fin, bordeaux, acheté sur un coup de tête chez David Jones – il avait paru super dans la vitrine mais, devant Anouk, faisait maintenant terne, bourgeois, démodé. « Évidemment, cette vache n'a pas de gosses… », avait pensé Aish, mauvaise, lorsqu'en entrant elle l'avait vue fumer au bar. Cependant Anouk lui avait fait un grand sourire, réjoui et chaleureux, et Aish s'était reproché sa mesquinerie, son injustice. Même avec une demi-douzaine de gamins à élever, Anouk serait toujours sensationnelle.

Aisha observa le serveur qui leur versait à chacune un verre de leur bouteille de sauvignon. « C'est encore un enfant », se dit-elle. Mince, le teint pâle, il avait une bonne crinière grasse, emmêlée, et une barbe d'adolescent – drue sur le menton, clairsemée sur les joues. Très jeune, très séduisant… Anouk faisait semblant de l'ignorer, mais c'est elle qui l'intéressait.

— Tchin !

Elles trinquèrent. Anouk alluma une cigarette et, espiègle, souffla la fumée vers Aish.

— Tu n'es pas obligée de lui dire.

Aisha y avait pensé, et elle avait conclu à contrecœur que c'était impossible. Cela reviendrait à tromper sa plus vieille amie et craindre ensuite ses réactions. Rosie finirait par découvrir qu'Aisha avait enterré la hache de guerre, et elle se sentirait trahie. Aish se félicitait de conserver des liens depuis si longtemps avec les deux femmes. Elles étaient comme deux sœurs, comme une famille, à la différence près qu'on n'avait rien à leur cacher.

— Je ne veux pas mentir à Rosie.

Anouk l'étudia d'un œil ironique.

— Tu l'as déjà fait. Tu ne lui as jamais dit que le cousin d'Hector – ce cher homme – frappait sa femme.

— Cela n'est arrivé qu'une fois.

Aisha regretta ces mots à peine les avait-elle prononcés. Minable, comme défense, et lâche, pardessus le marché. Elle-même avait réfuté l'argument quand Hector l'avait avancé.

Anouk s'engouffra dans la brèche :

— Crois-tu ?

Déstabilisée, Aish se détourna. Anouk la força à la regarder en lui prenant le menton dans le creux de sa main.

— Comme tu voudras, ma chérie, poursuivit-elle. Tu sais que je les trouve absurdes, Gary, Rosie et leur justice à la con. Leur gamin n'a eu que ce qu'il méritait.

Aish allait protester, mais se ravisa : Anouk ne changerait pas d'avis.

— Je te faisais simplement remarquer, dit cette dernière, que tu lui as déjà menti. Alors un petit mensonge de plus, quelle importance ?

— Non, ce n'est pas vrai.

Aisha ne jouait pas avec les mots, et l'accusation, désinvolte, l'indigna presque.

— Sandi aurait tout nié en bloc et cela n'aurait servi à rien, affirma-t-elle. En tout cas pas au tribunal.

Son amie restant impassible, sceptique, elle haussa les épaules, contrariée.

— Et si je le lui avais dit, Hector ne me l'aurait jamais pardonné.

— Exactement.

Anouk tapota sa cigarette au-dessus du cendrier, mais la cendre tomba par terre. Aisha gigotait sur son siège. « Voilà pourquoi elle donne toujours rendez-vous dans un pub, plutôt qu'un café ou un restaurant. Pour pouvoir fumer. Eh bien, ma chère, on nous prépare de nouvelles lois, alors tes clopes, il faudra que tu les grilles dehors. Et si tu en profitais pour arrêter, tiens ? »

— Enfin, Aish, ne te mets pas dans un état pareil ! Rosie n'a pas besoin de savoir tout ce que tu fais. Qu'est-ce qui te pousse à la dorloter comme ça, elle joue un peu trop les victimes, non ?

Vrai. Aisha cédait facilement devant Rosie. Cependant Anouk manquait de tolérance.

— Elle s'en apercevra.

— Bon, ben alors dis-lui ! lâcha Anouk en écrasant sa cigarette d'un geste sec. Mais ne viens pas te plaindre si elle t'assaille de reproches pendant des mois.

« Oui, tu es intransigeante, ma vieille. »

— Elle est encore sous le coup. Jamais elle ne pardonnera à Harry.

— Et alors ? Qu'est-ce que ça peut te foutre ?

Anouk s'interrompit le temps que le garçon remplisse son verre. Ce fut Aisha qui le remercia.

— D'une part, Rosie et Harry n'ont rien à faire ensemble, poursuivit-elle en regardant le jeune homme s'éloigner.

Elle but une courte gorgée de vin, puis :

— Ensuite, elle n'a pas à se mêler de tes relations avec lui. Et toi, tu pardonneras ?

« Non. Jamais. » Aish finit son verre et le posa sur le comptoir. « Je me demande s'il va me resservir, moi aussi ? » Il ne tarda pas ; il avait des traits si fins, ce duvet soyeux sur les joues, tout le contraire d'une barbe d'homme – qu'il n'était pas encore. Il repartit s'occuper des deux costards-cravate à l'autre bout du comptoir.

Aisha se pencha vers son amie.

— Il pourrait être notre fils, murmura-t-elle en souriant. C'est affreux, non ?

— Pourquoi affreux ? dit Anouk avec un clin d'œil. Il doit avoir le même âge que Rhys.

— Comment va-t-il ?

Il était temps d'aborder d'autres sujets. « Oui, occupons-nous d'Anouk… » Cette fois, Aisha était sûre, elle parlerait à Rosie. En fait, sa décision était prise depuis un moment, elle avait simplement eu besoin d'exprimer ses pensées.

La réponse d'Anouk la stupéfia.

— Et merde, il faut que je rompe.

— Pourquoi, qu'est-ce qui s'est passé ?

Aisha aurait aimé lui caresser la joue, mais n'osa pas, sachant qu'Anouk détesterait ça, prendrait son geste pour de la pitié. Hector ne l'aurait pas tant préoccupée, Aish aurait compris plus tôt que son amie traversait une mauvaise passe.

— Il ne veut pas grandir : voilà le problème.

Un instant vulnérable, Anouk redevenait moqueuse, sardonique.

— Il croit qu'on peut tout avoir, expliqua-t-elle. L'indépendance, les enfants, les voyages et même la paix dans le monde.

— Rien ne t'empêche de faire un enfant.

— Qui a dit que j'en voulais un ?

Elles s'observèrent. « Est-ce là le gouffre qui nous sépare ? L'irréconciliable divergence ? » Ces tensions, ces culs-de-sac, ces réserves n'existaient pas entre Aisha et Rosie. Elles étaient mères, certaines questions ne se posaient pas.

— Je n'ai pas dit que tu en voulais un, seulement que c'est possible.

— Eh bien non, jeta Anouk en faisant signe au serveur. Elle se libère, cette table ?

S'excusant, le jeune homme leur apporta un bol de noix de cajou, et remplit de nouveau leurs verres. Portant le sien à ses lèvres, Aisha se rendit compte qu'elle serait bientôt soûle. Bonne idée d'être venue à pied. Elle se ressaisit et s'efforça de garder le dos droit. Anouk, en revanche, paraissait tout à fait sobre.

— Rhys a une bonne copine qui s'appelle Jessica, annonça-t-elle. Une petite nana très sympa…

Elle grignota une noix avant de continuer.

— … et lesbienne. Ils parlent de faire un bébé ensemble.

Aisha en eut le souffle coupé. Il y avait tellement de choix, des multitudes de choix, et elle enviait l'aisance avec laquelle les jeunes jonglaient avec ceux-ci.

— Ah, ben, c'est super, bafouilla-t-elle, éberluée, ajoutant à toute vitesse : Non, je le pense, c'est fantastique !

Elle s'interrompit – elle était ridicule : Anouk ne la jugerait pas.

— C'est génial pour eux, dit-elle encore. Mais toi, tu en penses quoi ?

— C'est leur affaire, leur décision.

Aisha allait la couper, mais Anouk continua sur sa lancée :

— Non, non, je n'ai rien à voir là-dedans. On n'est pas mariés, ce n'est pas comme toi et Hector. Vous, vous avez décidé ensemble…

Elle glissait un doigt sur le bord de son verre.

— … Je serai très heureuse qu'il fasse un môme avec Jess. Je veux bien jouer les tatas le week-end et les jours fériés. Seulement, quand j'ai envie de me barrer, je me barre. Quand j'ai envie de me concentrer un mois sur mon bouquin, je le fais, dit-elle en repoussant son vin blanc. Mais jouer les mamans, non.

Cela sonnait comme un arrêt, irrévocable, définitif, et Aisha en resta coite. Il y avait cependant quelque chose de désagréable dans l'allusion désinvolte au couple d'Aisha, comme si, dépourvu de tout risque, le mariage excluait l'aventure.

— Art m'a écrit.

— Le Canadien ?

Malgré son air coupable, Aisha afficha un sourire radieux. Elle s'était promis de ne pas parler des deux phrases simples, arrivées la veille : « Je n'ai pas réussi à t'oublier. Et toi ? » Art demandait une réponse. Laissant l'e-mail dans la boîte de réception, elle était revenue le relire plusieurs fois, la journée et le soir. C'était si explicite, si tentant, elle en était électrisée.

— Qu'est-ce qu'il veut ?

Aish débita le message qu'elle connaissait par cœur.

— Ne réponds pas.

Anouk semblait absolument sûre d'elle. Était-ce pure imagination ? Un accès de colère subit ? Aisha ne réagit pas.

— Tu es une femme mariée, il ne faut pas répondre.

Les termes choisis, vieux jeu, l'indignation forcée, tout cela laissait croire à une plaisanterie. Aisha s'esclaffa.

Elle se trompait.

— J'insiste. Tu es mariée !

« Mais, putain, je sais ! C'est un jeu, un fantasme, voilà. Art me fait rire. Tu ne vas pas jouer les mères-la-morale, maintenant ? »

— Je n'ai pas besoin de sermons.

Aisha brûlait d'envie de fumer, mais ne demanderait pas de cigarette. Comme lisant dans ses pensées, Anouk en alluma une et lui envoya de nouveau la fumée dans la figure.

— Cela n'est pas un sermon. Je ne suis pas curé, tu devrais le savoir. Au retour de Bali, tu te demandais si Hector n'avait pas sérieusement pété un câble. Tu n'arrêtes pas de me dire que tu te fais du souci.

Se détendant, elle s'accouda au comptoir.

— Je me fiche que tu aies couché avec quinze mecs à Bangkok. Tant mieux, d'ailleurs, si c'est le cas. Mais c'était une passade, un caprice, rien de sérieux. La réalité, c'est toi et Hector. Tu veux rester avec lui, ou pas ?

Aisha restait muette.

— Oui ou non ?

— Oui.

« Je crois. »

— Ça manque de conviction. Tu es sûre ?

— Sûre.

« Merde, j'en sais rien ! Il faut être mariée pour comprendre ça, et tu ne l'es pas. Comment veux-tu que je sois sûre ? »

— Alors ne réponds pas à ce mail.

— OK.

« Peut-être que si. »

Elles se turent. Aisha prit la cigarette d'Anouk, tira deux taffes et la lui rendit.

— Ce bouquin, ça avance ?

« Arrêtons avec les hommes – ou du moins avec Art. »

— J'entasse des mots, des millions de mots à la con, sans la moindre certitude qu'il y en ait un de bon.

Inimaginable pour Aisha. Anouk était douée, intelligente, drôle, piquante, inspirée, talentueuse. Évidemment qu'il serait bon, son livre. Mais Anouk lui couperait la tête si elle le lui disait.

— Je peux le lire ?

— Je n'ai pas fini.

— Donne-moi ce que tu as.

— C'est pas prêt.

Fallait-il s'obstiner ? Oui.

— Ça ne sera jamais prêt. Je veux le lire.

Le serveur essayait d'attirer leur attention. Anouk écrasa sa cigarette et les deux femmes quittèrent leurs tabourets.

— On prendra une deuxième bouteille, aboya-t-elle à l'intention du jeune homme.

— S'il te plaît, insista Aisha.

— *S'il te plaît*, l'imita Anouk, mielleuse.

Elle but ce qui restait dans son verre, le fit claquer sur le comptoir.

— OK, dit-elle, maussade, je te le ferai lire.

Hector et les enfants dormaient quand elle rentra. Un peu soûle, Aisha se brossa en vitesse les dents et les cheveux. Lorsqu'elle se glissa sous les couvertures, les bras d'Hector se refermèrent machinalement sur elle.

— Tu es toute froide.

— Réchauffe-moi ! répondit-elle en collant ses fesses contre lui.

Tâtonnant derrière elle, elle attrapa sa queue molle, joua avec la peau plissée du prépuce.

Hector écarta sa main en marmonnant.

— Je dors.

Allongée, Aisha écouta son mari respirer. Elle aurait voulu qu'il la baise afin de pouvoir fermer les yeux et imaginer Art à sa place. Immobile, elle espéra s'endormir vite. Dix minutes plus tard, elle repartait à la salle de bains prendre un Temazepam.

Le lendemain était un dimanche. Exceptionnellement, Hector s'était levé avant elle. Quittant le lit avec peine, Aisha téléphona en hâte à Rosie pour lui proposer de prendre un café à Queens Parade. Même après une douche, elle ressentait encore, groggy, l'effet du somnifère. Hector avait préparé le petit-déjeuner pour tout le monde et Aisha, affamée, se jeta sur un sandwich fromage-tomate, se délectant des toasts beurrés, du fromage épais et fondant. Il lui en fit un autre, elle partit en retard. Attablée au Q Café devant le journal du dimanche, Rosie bondit en l'apercevant et se rua vers elle.

— Je suis si heureuse de te voir, si heureuse de te voir, chantait-elle, prenant sciemment une voix aiguë de petite fille.

Rosie était ainsi, cela n'avait rien de nouveau, mais Aisha aurait préféré qu'elle arrête. Elle se détacha d'elle et s'assit.

Rosie, fatiguée, avait le teint plus pâle que jamais, les cernes grisâtres sous ses yeux ressemblaient à des cocards, elle ne s'était pas lavé la tête, et une longue mèche blonde, grasse, s'élevait sur son crâne comme un pont inachevé. Aish résista à la tentation puis, cédant, rabattit l'épi avec sa paume. Rosie lui saisit le poignet en riant.

— Ne fais pas attention à mes cheveux. J'ai arrêté de me doucher le week-end, pour qu'Hugo prenne conscience des restrictions d'eau, dit-elle en repoussant sa frange. Je veux tout savoir sur Bangkok et

Bali, il y a des années que je ne suis pas allée là-bas. C'est toujours aussi fantastique ?

Aisha ne parlerait pas d'Art. Elle se sentait malhonnête, mais ce n'était pas la chose à faire. De toute façon, Rosie serait bientôt furieuse et ne manquerait pas de ruer dans les brancards. Aish s'en tint donc à la conférence, aux temples en ville, décrivit Ubud, Amed, puis sortit deux cadeaux de son sac à main : un portefeuille pour Hugo, en forme d'éléphant, et un adorable petit bouddha pour sa mère. Elle mentionna aussi les états d'âme d'Hector, ces pleurs qui l'avaient retournée, terrifiée ; cette douleur profonde, quasi impénétrable.

Rosie prit la main de son amie.

— C'est à cause de quoi, à ton avis ?

— Je ne sais pas bien.

Le contact physique gênait Aisha. Elle ne méritait pas ces tendresses.

— Sandi est enceinte, lâcha-t-elle en retirant sa main.

Rosie n'opposa pas de résistance, et Aisha se dépêcha de poursuivre.

— Je vais chez eux dimanche prochain, avec toute la famille.

Rosie étudiait quelque chose derrière l'épaule de son amie, qui suivit son regard : elle s'observait dans la vitrine.

— Ce que je suis moche !

— Pas du tout.

Avec ses traits délicats, ses yeux envoûtants, sa peau diaphane, Rosie était depuis toujours une beauté. Un canon.

— Si, fit-elle, les lèvres frémissantes, avant de respirer un bon coup. Mais je ne vais pas pleurer. Putain, non, je ne pleurerai pas devant toi !

Elle se repliait sur elle-même, et c'était pire que de la voir s'effondrer, incrédule et blessée.

— Navrée, ma chérie, mais je dois le faire pour Hector.

Rosie braquait sur elle un regard sec, insolent, comminatoire.

— Ah oui ?

— Oui.

— Tu sais ce que j'ai dit à Hugo, le soir de l'audience ? demanda Rosie, les poings serrés. Que la juge avait mis le méchant en prison. Qu'elle avait traité de sales ordures les gens qui maltraitent les enfants.

Elle éleva la voix :

— Des ordures de merde !

La grosse femme de la table voisine, très directrice d'école avec son double menton et sa coupe au carré, hocha la tête d'un air dégoûté.

— Comment fais-tu pour parler à cette brute d'Harry ? s'écria Rosie.

Aisha regretta de ne pas avoir suivi le conseil d'Anouk. Elle avait déjà vu Rosie en colère – rapide et venimeuse comme un cobra. Mais elle ne l'avait pas vue en colère *contre* elle.

— C'est pour Hector que je le fais, c'est tout.

Aisha n'avait pas d'autre plaidoyer.

— Il a toujours été *con*, celui-là !

Brutal, vulgaire, le mot porta comme un coup de poing. Bouche bée, Aisha fut incapable de répondre.

— Encore pire qu'Harry. Et il se croit sorti de la cuisse de Jupiter, ce nul…

Rosie pleurait, mais s'en donnait certainement à cœur joie.

— … Il a monté Sham et Bilal contre nous. Il monte tout le monde contre nous, toi y compris !

Ses larmes ruisselaient sur ses joues et coulaient sur la table. Aisha voulut prendre la main de Rosie, qui recula, comme frappée par la foudre.

— Je suis désolée, Rosie.

Elle aurait voulu défendre son mari, répondre qu'il ne détestait ni Rosie, ni Gary, ni Hugo, ne leur souhaitait que bonheur, justice… Mais une boule de feu lui brûlait le ventre. Son amie aurait-elle raison ? Hector était arrogant, oui, et depuis longtemps jaloux de leur amitié. Aisha tenta encore de prendre la main de Rosie. Tous leurs souvenirs, leur histoire commune, allait-elle donc les perdre ? Qu'était-elle en train de faire, de détruire ?

— Je *suis* désolée. Crois-moi.

Cette fois, Rosie se laissa faire. Aish serra ses doigts glacés.

— N'y va pas, dit son amie d'une voix plus douce, le visage soudain lisse, sa haine évaporée. Si tu vas chez ce type, je ne te le pardonnerai pas.

Le monde semblait rapetisser, il n'y avait plus que Rosie, ses yeux, son insistance. Quelle idée d'avoir bouffé un somnifère, hier soir. Un brouillard suffocant recouvrait toute chose.

— J'ai promis à Hector.

Serrant le poing, Rosie éjecta la main d'Aisha.

— J'en ai rien à foutre ! cria-t-elle.

Tout le monde se tourna vers elles. Aisha baissa la tête sur sa tasse de café. Elle se sentait nue, exposée. L'humiliation se dissipant, elle releva les yeux. Rosie, exaspérée, braquait les siens sur elle et exigeait un choix. Aisha ne demandait qu'à la consoler, remettre les choses à leur place et que rien ne change. C'était possible. Elle n'avait qu'à revenir sur sa promesse. Elle avait compris à Bali qu'en restant avec Hector elle ouvrait la porte d'un futur incertain. Rosie, ses amitiés, tout cela faisait partie d'elle, c'était sa vie, sa jeunesse. Il n'y avait qu'à le trahir et passer à autre chose. Aisha surfait sur une vague soudaine d'excitation. Une nouvelle existence, avec Art, un monde nouveau, une ville nouvelle, une autre maison, un autre job. Elle vivrait dans un autre corps, une autre histoire, un autre avenir. Voilà, construire une nouvelle Aisha. Rosie venait de lui en fournir l'occasion. Il suffisait de dire quelques mots. Rien de plus simple.

Soudain résonna près d'elle une voix fluette, inquiète, qui rappelait celle de Melissa.

— Papa, pourquoi elle pleure, la dame ? demandait une petite fille à son père – un échalas, plutôt insignifiant avec son bouc poivre et sel et sa veste en jean, qui lisait le *Guardian Weekly.*

« C'est moi, la dame. »

Rosie attendait, mais certains mots sont impossibles à dire.

— Navrée, annonça platement Aish.

Puis, s'animant, suppliant Rosie du regard :

— Je vais dimanche chez Sandi, car je l'ai promis à mon mari. Voilà, oublie, c'est fini...

Rosie semblait hébétée, comme si on venait de la gifler. Clignant des yeux pour repousser ses larmes, elle se leva, fouilla dans son sac et jeta un billet de dix dollars sur la table. Aisha n'eut pas le temps de le lui remettre dans la main.

— Va te faire foutre ! hurla Rosie. Toi, ton connard de mari, tes gosses de merde, bande de petits-bourgeois à la con ! Je vous déteste, tous autant que vous êtes !

Elle partit comme une furie. Avec sa serviette en papier, Aisha essuya les postillons sur sa joue.

La directrice d'école se pencha vers elle.

— Ça va aller ?

Aisha fit signe que oui.

— Merci.

En réalité, elle était transportée. Le soleil avait un éclat surnaturel, Queens Parade était inondé d'une clarté écrasante. Bien que sonnée, bourrée de coups, épuisée, Aisha était heureuse et ivre de soulagement.

Elle ne rentra pas chez elle. Elle se gara devant la clinique, alluma la lumière dans son bureau, puis l'ordinateur. Pendant qu'il se mettait en marche, elle se rendit au chenil. Les cages, impeccables, étaient garnies de papier journal et de torchons propres. Le sol brillait. Connie ou Tracey avait dû le lessiver, samedi, à la fin de la journée. Assise sur un tabouret, Aisha regarda l'un des goutte-à-goutte. C'est un jeu auquel elle jouait souvent avec elle-même, pas seulement lorsqu'elle était triste ou perdue ; une façon de se calmer, de mettre de l'ordre dans ses idées. Elle imaginait comment mettre fin à ses jours si cela devenait nécessaire. Il suffisait d'aller dans la réserve, de remplir une seringue de soixante milligrammes de Lethobarb, un produit anesthésiant, verdâtre, de l'injecter dans un sac de solution saline, qu'elle accrocherait sur le pied à perfusion. Ensuite régler le débit au maximum, insérer un cathéter dans une veine, au bras gauche probablement, et le relier au goutte-à-goutte. Une mort d'émeraude. Dormir, mourir. Il n'y avait pas de manière plus humaine d'euthanasier un animal, pensait-elle, et qu'étaient les humains sinon des animaux ? La mort, elle la connaissait, son métier consistait à l'éviter, cela ne marchait pas toujours, et elle était devenue trop adulte pour en éprouver de la tristesse. Quittant le chenil plongé dans l'obscurité, elle revint dans son bureau. Savoir compter sur une porte de sortie permettait d'éprouver un sentiment de paix.

L'ordinateur projetait des reflets argentés dans la pièce sombre. Aisha retrouva l'e-mail d'Art, plein d'espérances et de promesses, dans sa boîte de réception. Elle le relut. « Je n'ai pas réussi à t'oublier. Et toi ? » Elle avait encore dans la tête cette chanson qu'elle avait fredonnée toute la semaine. *This is a new day, this is a beautiful day*. Quel était le titre ? Il faudrait demander à Hector.

Elle appuya sur la touche « supprimer ». Resté sans réponse, le message disparut. Puis Aisha l'effaça définitivement de la mémoire de l'ordinateur.

Après quoi elle éteignit tout, réactiva l'alarme, verrouilla la clinique et partit chez elle.

Dans le potager, son mari mélangeait le compost avec du paillis. Les enfants regardaient un DVD au salon. Aisha entra dans sa cuisine et referma la porte.

RICHIE

Outre que l'univers échappait à tout contrôle, projeté hors de son axe à une telle vitesse que l'espace manquerait pour contenir l'explosion, promettant une fin violente, cataclysmique et, pour l'espèce humaine au moins, sadique et méritée, Richie n'avait que trois convictions. Il venait de les compter depuis que son père avait quitté la table. Une : Tracey était la meilleure mère qui puisse exister. Deux : la série américaine *Six Feet Under* incarnait un monde parallèle, celui-là passionnant, dans lequel il aurait aimé avoir une place. Trois : il était amoureux de son pote Nick Cercic. Ses certitudes se résumaient à ça, tout le reste était des conneries, du bidon, de l'arnaque – sans intérêt. « Non, attends. » Il y en avait une quatrième. Pour un p'tit gars bohème comme lui, impossible d'espérer une copine plus chouette que Connie.

Panique. Quatre est un nombre pair. Richie se méfiait d'eux, les détestait. Il en fallait donc une cinquième. Considérant le pub archiplein, un concentré d'odeurs de bière, d'huile de cuisson et de tabac, il fit la grimace et tenta d'oublier le *cling cling* des machines à poker. Il manquait une certitude dans sa liste avant que le vieux revienne des chiottes.

M'man, *Six Feet Under*, Nick, Connie. Rien qu'une autre. Il avait un serrement à la poitrine, il lui faudrait un coup de Ventoline. « Arrête de flipper, gros con », se dit-il. Ne pas voir non plus l'escalope de poulet – une charpie dans sa graisse – qu'il n'avait pas finie. Mais comment se concentrer avec ce bruit de ferraille, et le clip de Delta Goodrem sur l'écran plasma au-dessus du comptoir ? Ce qu'elle pouvait le gaver, celle-là. « Pourquoi elle a pas gerbé, avec son cancer ? » Bon – M'man, *Six Feet Under*, Nick, Connie et… et… revoilà le daron. Il fallait décider et *maintenant*. Son père s'assit, l'observant avec ce sourire penaud, emmerdé, qui disait : « J'ai pas plus envie que toi d'être là. »

En plus il rota : bière, tabac, sauce tomate.

Cinq. S'il finissait comme son dab, Richie se foutait en l'air. Cinq. Il inspira lentement. Ce n'était pas une crise d'asthme, pas besoin de Ventoline. Les bras croisés, il s'affaissa sur sa chaise. M'man, *Six Feet Under*, Nick, Connie, et une balle dans la tête s'il ressemblait un jour à Craig Hillis, planté en face de lui. « La boucle est bouclée. »

— T'as pas faim ?

Richie hocha la tête et fit semblant de bâiller. « Ouais, ça le fera chier. »

— C'est pas bon ?

— Ça va.

— Je trouve que la bouffe est super ici, moi.

Se tassant sur son siège, Richie regarda le plafond de ce rade miteux chez les prolos, en plein milieu de nulle part. Les rues, les baraques, les gens étaient tous les mêmes. C'est là qu'on venait crever. Zombieland. Et le *clac clac clac* des machines.

— Ça te plaît pas ?

— Non, ça va, j'ai dit.

Le père montra leurs verres vides.

— Une autre bière ?

Richie accepta.

Le vieux faillit tomber en courant au comptoir. Tout prétexte était bon pour ne pas rester trop longtemps face à face. Richie le vit rigoler une minute avec la jeune fille aux gros seins qui faisait le service. Elle arborait un T-shirt sans manches, avec l'inscription I♥NY, quoique le ♥ fût composé de lettres rouges, collées les unes aux autres, et qui – il fallait s'approcher un peu – formaient le message : « J'y suis pas allé. » Craig avait trouvé ça très cool quand ils étaient arrivés. Rich avait eu envie de s'enfoncer un couteau dans la gorge. Pendant qu'elle remplissait leurs verres, le vieux se retourna pour faire un clin d'œil à Richie qui, ostensiblement, regarda ailleurs. Son père portait toujours des jeans trop grands d'une taille ou deux, ce qui n'était pas très malin. Comme disait Tracey : « Craig Hillis n'a pas de fesses. »

— Tiens, mon gars, dit ce dernier avant de trinquer avec un sourire forcé.

Richie engloutit bruyamment la moitié de sa bière. Et pourquoi pas ? L'année scolaire était terminée, on tournait la suite de *L'Armée des morts* ici, avec son zombie de père, et il aurait l'âge légal dans quelques semaines. Autant se bourrer la gueule aussi vite que possible.

Il n'avait pas vu le daron depuis au moins huit mois. Compte tenu de la fréquence de leurs relations, ils n'avaient jamais été aussi proches ! Rich avait connu son père à l'âge de sept ans. À l'époque, il ne demandait pas mieux qu'aimer un individu qu'il puisse appeler papa. Gardant le contact avec Tracey et Richie, mamie Hillis avait mis son propre fils devant ses responsabilités et arrangé la rencontre. Ce que Rich n'avait appris que bien plus tard.

Lorsqu'il était petit, sa mère lui avait caché ses bagarres au tribunal pour obtenir une pension alimentaire. Richie savait seulement que son vieux était routier et qu'il vivait quelque part, très loin. Puis, lorsqu'il eut sept ans, Craig l'avait emmené à un match de foot. Rich pressentait déjà que flanquer des coups de pied dans un ballon en cuir ne présageait rien de bon pour la race humaine. Non sans effort, il s'était initié aux rites et conventions des supporters du Collingwood Football Club, obligeant Tracey à lui acheter le débardeur noir et blanc de l'équipe, allant même jusqu'à faire la queue devant le Toys'R'Us de Northland, pour le faire signer par Nathan Buckley. Après quelques visites irrégulières, le week-end, Craig avait simplement cessé de lui rendre visite ; lui donnant cependant un coup de fil pour lui apprendre qu'il s'était marié, et installé à Cairns avec son épouse. Richie ne devait plus le revoir pendant six ans. Sa mamie lui apprit entre-temps qu'il avait un demi-frère, et il attendit qu'on l'invite à Cairns. En vain, mais on ne l'avait pas entièrement oublié. À Noël, il recevait régulièrement une carte ainsi qu'un bon d'achat pour un CD. Tous les deux ans environ, son père téléphonait pour lui souhaiter un bon anniversaire. « C'est un sale égoïste, commentait mamie Hillis. Tu tiens plutôt de ta mère, et c'est tant mieux. » Richie avait quatorze ans quand Craig revint à Melbourne. Divorcé, il reprenait son job de routier. À cet âge, Richie ne faisait plus semblant d'aimer le foot, la formule 1, ou les vieux navets de Schwarzenegger. Le père et le fils n'avaient donc littéralement rien à se dire.

— Une autre ?

Richie leva un sourcil. Craig en était à sa cinquième bière. Jamais il ne pourrait le raccompagner à Preston ce soir. Il faudrait lui demander de l'argent pour un taxi.

— Oh ouais.

Son portable se mettant à vibrer, Richie le sortit aussitôt de la poche de son short. Connie venait d'envoyer un texto. « *Onvien ala rescouss ?* » Il s'esclaffa en le lisant et répondit : « *Çava pr linstt. Lézombi mauronpas.* »

— À qui t'écris ?

— Une amie.

— Je m'en serais douté. C'est qui ?

Richie étudia son père, qui portait un jean usé, presque blanc à l'entrejambe. « Il ne pourrait pas serrer les cuisses, ce con ? » pensa son fils en s'efforçant de regarder ailleurs.

— Connie.

— Ta petite amie, c'est ça ?

Buvant une gorgée sans répondre, Richie espéra que sa mine dégoûtée suffirait.

— Vous êtes ensemble depuis longtemps ?

Faisant claquer son verre sur le bois, Rich manqua de répandre toute sa bière.

— C'est pas ma petite amie, merde ! Elle a un mec.

— Qui ça ?

— Ali.

— Un Arabe ?

C'était vraiment *L'Armée des morts*, pas moyen d'en sortir. « Bouffe-moi, pensa Richie, accablé. Arrache-moi les tripes, le cœur. Que je revienne parmi les vivants. »

— Qu'est-ce que ça peut foutre, qu'il soit arabe ?

Craig eut un mouvement de recul.

— Eh, relax !

En se tournant, il se cogna le genou contre le pied de la table, puis aligna ses jambes l'une contre l'autre.

« Pas trop tôt. »

— Non, ça m'est complètement égal, dit Craig. Elle a qu'à sauter les Arabes, si ça lui chante.

— Ali est australien. Il est né ici.

— Tu comprends ce que je veux dire.

— Ouais, je sais très bien ce que tu veux dire, fit Richie. À savoir que tu blaires ni les Arabes, ni les Jaunes, ni les Noirs, ni les pédés, ni personne, à part les bons Blancs bien proprets de ta banlieue de merde.

Du bout de l'index, il pointa plusieurs endroits au hasard dans le bar, et se balança sur sa chaise avant de continuer.

— Je parie que tu as voté John Edward.

— C'est la reprise, mec. L'argent recommence à circuler. Et de toute façon, c'est pas tes oignons, pour qui je vote, conclut Craig en appuyant sur chaque syllabe.

Silencieux, Richie ressortit son portable pour un nouveau SMS à Connie : « *Zmbies arriv, zmbies arriv.* » Il releva les yeux.

Son père poussa un long soupir.

— Écoute, Rick…

Seuls Craig et mamie Hillis l'appelaient ainsi – Rick, le prénom du grand-père.

— … on n'a pas de très bonnes relations, je sais. Je reconnais, c'est entièrement de ma faute. Mais tu es assez grand pour comprendre certaines choses, maintenant.

S'interrompant, il se gratta la tête et sourit d'un air encourageant.

Richie rangea son téléphone.

— Je n'avais que dix-neuf ans quand ta mère est tombée enceinte, poursuivit Craig. Un an de plus que toi aujourd'hui. J'ai fait le con, j'ai foutu le camp. Que veux-tu que j'y fasse, aujourd'hui ?

Le portable se remit à vibrer. Richie aurait bien répondu mais, exceptionnellement, choisit de ne pas narguer son père. Immobile, il but quelques courtes gorgées de bière.

Craig jouait avec le paquet de Winfield bleues qu'il venait de poser sur la table.

— Je vais en griller une, tu m'accompagnes ?

Richie fit signe que oui.

— Tu m'en donnes une ?

Son père hésita.

— Ta mère sait que tu fumes ?

— Je ne fume pas. Rien qu'une de temps en temps.

— Elle t'autorise ?

— Ouais.

— Elle t'autorise ?

— Je te dis que oui.

Craig lui lança une cigarette.

— Bon, viens.

Des clients fumaient partout dans le parking. C'était une soirée chaude et à peine Rich avait-il mis le pied dehors qu'il sentit la sueur jaillir par tous ses pores. En un rien de temps, il avait les aisselles trempées. Il étudia son père. Tous deux tenaient leur clope de la même façon, le filtre serré entre deux doigts. N'y avait-il qu'eux, ou tout le monde faisait ça ?

— Tu aurais préféré te débarrasser de moi ?

Rich s'étonna lui-même en posant la question.

Craig fronça les sourcils.

— Ta mère qui raconte ça ?

— Non.

Pour la première fois de sa vie, Richie venait d'imaginer son père sous les traits d'un jeune mec de dix-neuf ans, dont la petite amie lui annonce qu'elle est enceinte. Elles décidaient quoi, les filles au lycée ? On gardait le môme ou on avortait. Que choisirait-il, lui, dans cette situation ? Expédier le fœtus *rapido* ; pas d'autre solution. Craig avait dû être furieux que Tracey veuille ce bébé, il avait même dû péter un sérieux câble.

Il tirait avidement sur sa cigarette. Richie calcula que son père avait trente-sept ans. Vachement jeune pour avoir un gamin de dix-neuf.

— On peut comprendre. Si j'engrossais une fille, moi, j'aimerais autant qu'elle avorte.

Craig rit.

— Je suis content que ta mère ne l'ait pas fait.

Debout côte à côte, ils se touchaient presque en fumant leur clope. C'était embarrassant. Devaient-ils s'embrasser, se tomber dans les bras ? Ni l'un ni l'autre ne savait le faire.

À la fin de la soirée, Craig était trop soûl pour prendre le volant. Comme effrayé de le proposer, il demanda à son fils s'il voulait dormir chez lui. Richie se surprit à accepter. Connie avait envoyé un nouveau texto : elle rejoignait Ali en ville. Rich regarda le petit écran bleu clair, si lumineux dans le noir, et tapa une réponse en vitesse : « *A2min.* » Son père laissa sa camionnette dans le vaste parking, et ils décidèrent de parcourir à pied le kilomètre qui les séparait de son domicile.

Ils parlèrent à peine en chemin. Richie se demanda si Craig éprouvait la même angoisse que lui, une gêne légèrement écœurante née de leur soudaine proximité. Jamais il n'était entré chez son dabe, et voilà qu'il allait passer la nuit chez ce presque inconnu.

C'était un tout petit appartement, au rez-de-chaussée d'une maison de brique rouge. Craig alluma la lumière et poussa son fils à l'intérieur. Le minuscule espace puait le tabac et l'humidité. Rich jeta un rapide coup d'œil au salon. Il n'y avait rien sur les murs, excepté un poster du gang de Tony dans *Les Soprano*, collé au-dessus d'un vieux canapé vert morve. Un des coussins était tombé sur le tapis marron en toile épaisse, on devinait les ressorts sous la garniture décolorée, pleine de taches. En remettant le coussin à sa place, Craig indiqua le fauteuil. Richie s'assit, tandis que son père s'affaissait sur le canapé défoncé – manquant de se taper le cul par terre. Richie se marrait intérieurement. Il n'y avait sur la table basse qu'une pipe à eau et un cendrier à moitié plein. Se redressant maladroitement, Craig se percha sur le cadre du sommier et attrapa la pipe.

— Tu fumes ?

— Évidemment.

La pipe tourna trois fois et Craig s'endormit. Richie coupa le CD de Led Zeppelin II sur la stéréo, entra dans la chambre, actionna l'interrupteur.

Un matelas par terre, les draps rejetés n'importe comment, l'oreiller plié en deux. Ouvrant la fenêtre, Richie leva les yeux vers le toit rouge de l'immeuble en fausse brique devant lui. On percevait le bourdonnement de la circulation sur Maroondah Highway, mais autrement le silence était déroutant. « *La Nuit des morts vivants*, pensa-t-il, nous sommes toujours chez les zombies. » Il se retourna pour étudier la pièce. Son père rangeait ses vêtements dans une armoire de toile, suspendue au mur. Slips, T-shirts, chaussettes, débardeurs, tout était entassé pêle-mêle. Une pile de magazines près du matelas. Accroupi, Richie en retira quelques-uns. Un calendrier de l'AFL[1], plusieurs exemplaires de *Drive*[2], de *Ralph*[3], un de *Penthouse*, des tonnes de revues porno. Il jeta un coup d'œil inquiet derrière lui, entendit les ronflements lents et réguliers de Craig. Refermant la porte, il se déshabilla, ne garda que son slip, s'allongea, remonta les draps, feuilleta une des revues porno. Une femme au physique délirant, le con rasé en évidence, se contorsionnait par terre dans une cuisine entre des flacons de détergent. Richie se retint de rire. Ramassa un autre magazine. Un type velu au teint mat, le bras orné d'un tatouage celte, caressait les seins d'une blonde. Il avait une tête de métèque, italien ou grec, avec un côté bling-bling et quelque chose d'Hector, en plus voyou, plus trapu. Pas très cool, c'était comme trahir Connie. Hector, ce vieux naze, taré, pervers. Richie reposa le journal sur la pile.

Il bandait. Il étudia sa peau, blanche à hurler, ses taches de rousseur, l'acné persistante sur ses épaules. Son pubis ridiculement poilu sous la lumière crue de l'ampoule nue. Sa queue était grotesque, trop grosse pour ce corps trop maigre. D'un bond, Richie éteignit la lumière, se recoucha, haletant, s'habitua à l'obscurité. Il n'entendait plus son père à côté. Savait qu'il ne pourrait pas dormir sans s'être masturbé, mais il était trop défoncé pour se concentrer sur une image ou un fantasme. Il essaya de penser à Nick. Ils se douchaient à la piscine. Soudain un ronflement bruyant dans le salon. Crispé, les yeux fermés, Richie commença à se branler énergiquement. Il fallait ne pas réfléchir, laisser ses idées l'emporter où elles voulaient. Hector, dans une voiture, les jam-

1. *Australian Football League*.
2. Équivalent de *L'Argus*.
3. Équivalent de *Playboy*.

bes étendues, qui ouvrait sa braguette, le forçait à le sucer. Richie se punissait presque en se frottant brutalement le gland. Chaud, collant, le sperme jaillit entre ses doigts – dégueulasse. « Merde, se dit-il, je suis rien qu'un pervers, un taré. » Et Hector une ordure, qui avait violé Connie, l'avait blessée. Salaud, pourri, naze. Elle, ça lui avait plu ? Connie avait dû l'embrasser, toucher sa peau. Ouais, elle avait dû aimer. Rich sentit sa queue se redresser. *Salaud, pourri, naze*. Son sperme à présent froid, gluant, coulait le long de la cuisse. Il rejeta les draps en grognant. Ça serait vraiment pas bien, vraiment trop bizarre de laisser sa semence sur le matelas de son père. Il retira son slip et alla se laver. Quelques minutes plus tard, il dormait.

Se réveillant en milieu de matinée, il enfila son jean, son T-shirt, et entra dans le salon. Craig était parti, le paquet de clopes avait disparu de la table basse. Richie posa la bouilloire sur le feu, mordit dans une plaque de chocolat entamée qu'il trouva dans le frigo. Il n'y avait pas de pain. Assis sur le canapé, il consulta son portable. Pas de messages, tout le monde dormait encore sûrement. Que faire ? Avaler un thé et claquer la porte ? Le sac d'herbe était toujours sur la table. Richie préleva quelques têtes en vitesse, qu'il enveloppa dans du papier à cigarette avant de les fourrer dans sa poche. La bouilloire commença à siffler, il remplit sa tasse, s'assit en tailleur par terre et regarda *Rage*[1] à la télé jusqu'au retour de son père, qui avait acheté du lait et une miche de pain.

— Je suis allé récupérer la camionnette.

1. Programme musical de la chaîne ABC.

L'œil rivé sur l'écran, Richie ne répondit pas. Nelly Furtado chantait son *Maneater* en play-back. Vraiment nul, ce clip. Il coupa le son.

— Je fais griller du pain ?

Richie hocha la tête. Ils grignotèrent leurs toasts avec du Vegemite en contemplant sans enthousiasme les images muettes.

Il aurait mieux valu rentrer hier soir, demander l'argent du taxi. Richie savait qu'il devrait dire quelque chose, entamer une discussion quelconque, mais rien ne lui venait à l'esprit qui ne paraisse idiot, ou suspect, ou dangereux, ou tout simplement gay. Rien de normal, quoi.

— Tu veux que je t'accompagne à la gare ?

— S'te plaît.

« Foutre le camp d'ici. Ouf… »

— Une douche, d'abord ?

— Ouais.

— Je te donne une serviette.

Sous la douche, Rich se massa les dents avec du dentifrice. Il avait failli utiliser la brosse de son père, mais c'était vraiment trop. Il se sécha, tenta en vain de coiffer la boule idiote que formaient ses cheveux, étudia son slip sur le carrelage. En séchant, le sperme avait dessiné un zigzag. Richie avait apporté le sous-vêtement dans la salle de bains avec l'intention de le laver. Quelle idée stupide, il n'allait pas prendre le train avec un slip mouillé. Rich regarda le siège des toilettes, jeta le slip dans la cuvette, le poussa tout au fond avec la balayette tachetée de merde. Puis il tira la chasse. L'eau tourbillonna, prête à s'évacuer mais, au lieu de disparaître, reflua dans la cuvette. Terrifié, il se rendit compte qu'il venait de boucher les chiottes. Il haussa les épaules. Son père s'en occuperait.

Craig le déposa à la gare de Ringwood. Richie allait ouvrir la portière quand son père le retint par l'épaule. Il paraissait nerveux.

— C'est ton anniversaire, le mois prochain.

— Pas grave si tu me donnes rien, marmonna son fils à toute vitesse.

— Bien sûr que je vais t'offrir quelque chose !

« Pourquoi ? T'as jamais envoyé que des cartes. »

— Dix-huit ans, c'est pas rien, dit Craig, souriant, en lui lâchant l'épaule. On va s'y mettre à deux, avec ta grand-mère, et te payer un iPod.

Le sourire disparut.

— T'en as pas un, déjà ? demanda-t-il, sérieux.

— Non.

« Waouh. Super idée. » Richie en voulait un avec une grosse mémoire, pour charger des vidéos, mais il serait déplacé de le préciser.

— Merci, murmura-t-il.

— Tu vas faire une fête, non ?

— Sans doute.

Craig voulait-il être invité ? Non, on ne pouvait pas faire ça à Tracey. D'ailleurs, ça ne serait pas une fête, juste un dîner.

— Ou tu vas sortir avec ta copine ?

« Putain, mais c'est pas ma copine, merde ! »

Rich avait des fourmis dans la jambe droite. Cette bagnole puait l'air confiné. « Bon, je peux y aller ? »

Craig eut un geste inattendu. Retrouvant le sourire, il passa une main dans les cheveux de son fils. Presque mécaniquement, Richie leva le bras pour le stopper, mais s'arrêta à mi-chemin.

— Je t'appellerai pour tes dix-huit ans. Et je t'emmènerai peut-être boire un coup, puisque tu auras l'âge, ce jour-là, dit-il en remettant le contact. À plus.

— À plus.

Richie claqua la portière et courut jusqu'au quai, sans s'arrêter ni se retourner. Assis sur un banc, il reprit lentement son souffle, tapota sur la Ventoline dans sa poche, dont il n'aurait pas besoin. Ça allait, maintenant. Puis il consulta ses messages sur son portable.

Les copains attendaient tous le mardi, jour de réception des résultats d'ENTER[1]. Pendant l'année scolaire, Richie n'avait pas beaucoup réfléchi à ce que cela signifiait. Maintenant que les cours étaient terminés – définitivement ! –, il prenait peu à peu conscience que l'avenir, loin d'être un chemin tout tracé, se présentait comme un ensemble de ramifications, doté de nombreuses passerelles. Le futur ressemblait à un plan en trois dimensions, une vérité que le lycée lui avait empêché de voir, ses études n'en ayant connu que deux. Dodo, le bahut, les devoirs et on recommence, excepté pendant les vacances. Ce monde-là se fendillait, se crevassait, se vidait de son sens, et cela, plus que toute autre chose, éveillait un enthousiasme violent, doublé d'un sentiment d'angoisse et d'incertitude. Car c'était un point de non-retour.

Évidemment, Richie espérait avoir un niveau suffisant pour poursuivre ses études. Peu probable, voire impossible – « Ils me feront pas ça ? » – qu'on le lui interdise. Sans être particulièrement brillant, ni paresseux ni bête, il se situait dans la moyenne. Il avait consciencieusement rempli son formulaire, quoique sans trop de considération. « Cartographie et environnement », certes, ça lui plaisait bien. Cependant, peu après Noël, il avait pris le tram avec Nick et, en ville, ils avaient fumé un joint dans le

1. *Equivalent National Tertiary Entrance Rank* : test d'entrée à l'université.

cimetière de Melbourne. L'université se trouvait en face, et ils y étaient allés. Nick voulait faire médecine, rien d'autre, et depuis toujours. Ou alors, tout était foutu. Ils s'étaient promenés entre les bâtiments, vides pour l'ensemble au milieu de l'été, et Nick avait montré un grand édifice gris, affreux, tout au fond du campus. « Mon oncle était dans l'équipe qui a posé les fondations, expliqua-t-il. Si je suis admis, il dit que je serai le premier de la famille. » Il paraissait en extase, ce jour-là, plein de vie, redoutable. Près de lui, Richie avait étudié le bâtiment. « Mon oncle a bâti cet endroit de ses mains, insista Nick, les traits serrés, grimaçant. Il faut que je sois reçu. » Transporté, il s'était tourné vers son ami. « Tu sais ce que ça implique, si on y arrive ? Qu'on sera meilleurs que les petits cons du privé qui seront avec nous. Parce qu'on est bons, intelligents, pas parce qu'on a du fric. » Hochant la tête, Rich n'avait pas bien saisi ce qui motivait Cercic. Mais dans le bus, lorsqu'ils rentrèrent chez eux, il avait entrevu un avenir complexe, aux multiples possibilités.

Les trottoirs miroitants de la banlieue nord défilaient derrière la fenêtre, et soudain tout s'éclaira : les risques, les accidents, le destin, la volonté. Richie prit peur. Nick serait admis – ou pas. Ils iraient en fac ensemble – ou pas. Parmi une pléthore d'éventualités, Rich considérait avant tout cette alternative. À la fac, il avait dévisagé Nick, qui regardait droit devant lui, apparemment serein. En revanche, ses propres mains tremblaient sur ses genoux et, dans sa poitrine, une douleur le déchirait comme une balle de revolver au ralenti. Cette souffrance qu'il espérait conserver à jamais, c'était de l'amour, non ? Putain, ouais, c'en était. Si fort qu'il contenait la puissance de l'univers ; un big-bang, prêt à l'annihiler, à le réduire en infinis fragments. Richie regarda le paysage urbain en retenant son souffle. S'il réussissait à compter jusqu'à soixante, lentement, sans tricher, en retenant bien son souffle, Nick serait reçu en fac de médecine, et lui en ingénierie territoriale. Ils partageraient le même campus, le même avenir. Richie inspira profondément et compta.

Le vendredi précédant le mardi décisif, ils allèrent voir *Marie-Antoinette* au Westgarth. Nick se méfiait un peu, pensant que c'était un film pour les gonzesses, ou pour les gays.

— En plus, râla-t-il, j'ai trop de choses en tête en ce moment, j'ai du mal à me concentrer.

Rich se demanda ce qu'il ferait si on lui refusait médecine. Fou de rage, Nick aurait envie de se foutre en l'air et tout le monde avec lui.

— Kirsten Dunst tient le rôle principal.

Ce qui l'avait convaincu. Connie les rejoignit au dernier moment, ils s'installèrent près de l'écran, et elle força presque Richie à s'asseoir entre Nick et elle. Tandis qu'on baissait la lumière pour diffuser les bandes-annonces, Rich jeta un coup d'œil vers son ami, qui gigotait déjà. Pendant le film, Nick se rendit deux fois aux toilettes, revenant avec une odeur de tabac. Sur le chemin du retour, ils s'arrêtèrent manger une glace au chocolat. Nick n'avait rien à dire à propos du film ; Richie avait bien aimé la musique, et la sensualité qu'il dégageait ; Connie avait elle aussi apprécié la musique, mais s'était ennuyée : « Une patate, cette Marie-Antoinette. » Nick les fit rire en insistant pour finir sa glace en vitesse et ficher le camp. Ils raccompagnèrent Connie chez elle. Elle embrassait toujours Richie en le quittant, mais pas en présence de Cercic. Les garçons filèrent ensuite chez Richie.

Pas encore couchée, Tracey était à table avec son amie Adele, dans sa minuscule cuisine. Les deux ados se glissèrent entre elles.

— Vous avez mangé, les gars ?

Rich fit signe que non.

Tracey montra la cuisinière.

— J'ai fait sauter de la viande et des légumes. Faites-en réchauffer, il en reste plein.

Nick se releva d'un bond.

— Il faut que j'y aille.

C'était presque un gémissement.

— Attends un peu, mon joli. Mange d'abord, tu rentreras après.

Il hocha la tête d'un air déterminé.

— Non, couina-t-il, les saluant d'un geste imprécis qui semblait englober Richie.

Il fonça dans le couloir ; ils entendirent la porte claquer.

— Mais quelle mouche le pique ? fit Adele avec un rire gras.

Richie se servit deux louches du sauté, enfourna l'assiette dans le micro-ondes.

— Il est sur les nerfs, admit-il, prudent. On a les résultats mardi.

Il détestait qu'on dise du mal de Nick.

Adele fit claquer sa langue – un son étrange et sec, qui semblait provenir du fond de sa gorge. Cela pouvait être sympa ou méprisant, avec elle on ne savait jamais. Vive et cassante, Adele donnait l'impression de boire et fumer trop – ce qui était vrai – et elle était obèse. Tracey la connaissait bien avant la naissance de Richie. Dans un sens, se disait-il souvent, elle faisait office de tante, c'est pourquoi on ne lui attachait pas trop d'importance.

La sonnerie du micro-ondes retentit ; un bruit que Richie exécrait. Se rasseyant, il attaqua son assiette.

— Vous êtes inquiets ?

« Qu'est-ce que tu crois ? Putain, c'est notre avenir qu'on joue là ! » La bouche pleine, il hocha la tête.

— Vous vous en sortirez.

Tout en mâchant, il espéra que les deux femmes n'allaient pas s'appesantir. L'avenir, il se le prendrait en pleine gueule dès la semaine prochaine. Ça serait concret : il avait passé ses examens, les résultats seraient bientôt diffusés, il n'y avait qu'à attendre la voix du futur. Ce qu'il aurait aimé expliquer à Nick ; il aurait voulu le *rassurer*. Mais comment ? « Taisez-vous, taisez-vous, on n'a pas besoin de s'étendre. » Rich avala sa dernière bouchée et rota bruyamment.

— Charmant.

— Pardon, m'man, dit-il en souriant. Super bouffe.

— Qu'as-tu choisi en premier ?

Certain d'avoir déjà répondu à cette question, il observa Adele. Elle avait oublié, elle oublierait encore.

— Géomatique. Systèmes d'information géographique, pour être plus clair.

Elle parut déroutée. « Très cool, tant mieux. »

— Ouh là, c'est quoi, cette affaire ?

« J'en sais rien, j'en sais rien, j'en sais rien. Des cartes, des ordinateurs, une de ces ramifications perfides qu'on appelle l'avenir. »

— Il veut dessiner des plans, dit Tracey à sa place, avec un sourire complice. Ça lui ira comme un gant.

Adele allait ouvrir la bouche.

— M'man, coupa-t-il, tout excité. Craig veut m'acheter un iPod pour mon anniversaire !

Un changement de sujet abrupt et spontané. Rich vit les lèvres de sa mère trembler, ses yeux cligner –

un bref moment de flottement. Ah, s'il avait pu revenir en arrière, laisser Adele poser mille autres questions. Il repensa à sa liste de certitudes. La première était la plus importante : Tracey était la meilleure mère du monde. Et il se foutrait une balle dans le crâne s'il ressemblait un jour à Craig Hillis. Rich mentit :

— Je lui ai dit de ne rien faire sans t'en parler d'abord.

Relevant la tête, il ajouta :

— Tu veux peut-être participer ?

« Mais quelle connerie, quelle connerie, quelle connerie, quelle connerie de dire ça ! *T'oh !* »

La bouche pincée, Tracey se mit à tapoter sur le paquet d'Adele. Un signe de celle-ci, et elle préleva une cigarette. Richie ravala un reproche. Fumer était mauvais pour la peau, et la cuisine puait déjà le tabac à cause d'Adele. Il contempla son assiette pour cacher son mécontentement.

— Je t'ai déjà acheté un cadeau.

Tracey alluma sa clope et recracha la fumée.

— Ça fait des mois, précisa-t-elle.

Elle embrassa le bout de son doigt et se pencha pour le poser sur la bouche de son fils.

— Je suis contente que tu t'entendes avec ton père.

Il reproduisit exactement les mêmes gestes, puis se leva.

— Je vais me coucher.

— C'est quoi, ton programme, demain ?

— Je garde Hugo. Rosie a rendez-vous chez le docteur, et Connie bosse, alors j'ai dit oui.

Il nota le regard furtif qu'échangèrent les deux femmes.

— Tu ne travailles pas ?

« Tu *sais* à quelle heure je travaille. »

Grâce à Lenin, il avait trouvé un job à mi-temps au Coles de Northcote Plaza.

— J'embauche à treize heures.

Adele allait ajouter quelque chose. Richie retint son souffle et, le dos tourné, commença à compter jusqu'à dix.

— Eh, entendit-il. Dis à ton père que je participe, pour l'iPod. Autant que tu en aies un bien.

Un grand sourire aux lèvres, il fit volte-face. Adele jouait parfaitement son rôle de tante.

— Tu es sûre ?

— Sûre.

Évidemment, elle connaissait Craig : ils étaient ensemble au lycée.

— Merci !

Il leur souhaita une bonne nuit.

Aussitôt couché, il farfouilla sous son lit pour ramasser trois carnets qu'il se mit à feuilleter. Le plus ancien contenait ses cartes et ses notes sur Priam. Autrefois bleu indigo, le plastique de la couverture était aujourd'hui décoloré. Île-continent, grande comme la moitié de l'Australie, Priam se trouvait loin à l'est de Madagascar, au milieu de l'océan Indien. Tracey avait offert à Rich le deuxième carnet, de format A3, pour son quinzième anniversaire. L'autocollant Green Day sur la reliure noire s'était fané avec le temps. Celui-là regroupait les cartes d'Al'Anin, un archipel de quatre cent dix-sept îles au large de la Californie et du Mexique. Le troisième débordait de croquis et de plans de La Nouvelle-Troie, capitale de Priam, l'une des villes les plus belles et les plus fascinantes du monde. La cité portuaire s'enfonçait profondément à l'intérieur de terres bordées de végétation tropicale. Autrefois dédiés aux dieux grecs, ses temples antiques se dressaient devant les Poséidons, une chaîne de montagnes effondrée dans l'eau, dont il ne restait que des falaises abruptes, délimitant le littoral sur plusieurs centaines de kilomètres. Bien au-dessus de l'ancienne cité, un énorme plateau s'étendait jusqu'à l'horizon, peuplé des gratte-ciel, mosquées, églises et temples de La Nouvelle-Troie, méli-mélo fabuleux et chatoyant de silicone, de marbre, de béton et de brique – flèches d'or, minarets d'argent et dômes de bronze, scintillants sous un ciel de cobalt.

Richie rouvrit le premier carnet et commença à écrire. C'est à Priam qu'avaient migré les guerriers troyens après leur défaite. Ils avaient découvert le continent, fusionné avec l'orgueilleuse population indigène, donné à l'île le nom de leur dernier roi. Contrairement aux fondateurs de Rome, qui rayonnèrent bien au-delà de leurs frontières, les Troyens de Priam s'étaient tenus à l'écart des continents asiatique et européen, cela pendant plus d'un millénaire. Richie avait inventé de nombreuses histoires sur leurs unions avec les aborigènes, décrit dans le détail la faune particulière de Priam et les moissons de ce royaume fertile et prospère.

Priam serait bientôt confrontée à l'arrivée des explorateurs chrétiens. Richie ne voulait pas des Espagnols, dont il ne parlait pas la langue – il lui fallait des Anglais. Il avait imaginé un moment faire intervenir les Russes, mais cela ne concordait pas avec ce qu'il savait de l'histoire des civilisations. En première, Richie avait adoré le cours de l'impatiente et peu orthodoxe Mme Hadjmichael – qui, l'hiver, portait un chandail aux couleurs du Collingwood Club, et au printemps un T-shirt de supporter du Brésil – sur « La Renaissance et le monde ». Elle lui avait donné envie d'intégrer des idéaux et des valeurs modernes dans la société fermée, hiérarchisée, de La Nouvelle-Troie, sans pour autant abandonner le polythéisme. Même au XXIe siècle, il y aurait toujours des Néo-Troyens pour vénérer Zeus, Athéna, Poséidon et Artemis.

Le tristement célèbre Vasili Grigorovitch d'Estaing, amiral huguenot, avait trouvé refuge à la cour d'Elizabeth II. Cet enfant naturel d'Ivan le Terrible était également connu pour ses mœurs licencieuses. Il se flattait, dit-on, d'une centaine de maîtresses et d'une bonne dizaine de mignons. C'était aussi l'un des plus grands explorateurs de la Renaissance, après Christophe Colomb et Walter Raleigh. Cependant certains affirment qu'il les valait largement, notamment par son courage. Grigorovitch était convaincu de l'existence d'un immense continent dans l'océan Indien, une terre mentionnée dans plusieurs récits légendaires d'Égypte, de Nubie et d'Éthiopie. Un nouveau monde susceptible, selon lui, d'accroître la richesse et la puissance de la couronne d'Angleterre. D'Estaing ne demandait qu'à offrir ces nouveaux territoires à la reine bien-aimée qui l'avait adopté, à la couvrir de présents plus remarquables encore que ceux des conquistadores à Ferdinand et Isabelle. Après la victoire de la flotte britannique contre l'Armada espagnole, Grigorovitch d'Estaing reçut d'Elizabeth la permission de conduire une expédition en plein cœur de l'océan Indien. Une décision qui devait se révéler d'une importance capitale pour les Néo-Troyens qui, durant plus d'un millénaire, s'étaient volontairement exclus du reste du monde – l'île ne manquait ni de cultures ni de minerais. Les aventuriers et les pirates qui avaient le malheur de mettre un pied à Priam étaient immédiatement réduits en esclavage ; en revanche leurs enfants acquéraient le statut de citoyens. Cependant la démographie croissante du continent devenait un problème très préoccupant dans le royaume ; l'assemblée ne cessait de recommander à l'empereur d'autoriser les échanges commerciaux avec d'autres pays. C'est dans ce contexte de crise que d'Estaing entra avec sa flotte dans le port de La Nouvelle-Troie. Ses journaux de bord font part de l'émerveillement éprouvé par ses hommes devant les infinies splendeurs de la cité, l'imposante statue en or massif de Pallas Athena, le Parthénon juché au bord de la falaise, et les toits du Palais d'hiver que l'on devinait derrière. Autour des fortifications, l'armée impériale se tenait prête, épées et lances braquées sur les Européens. Cette épreuve, cet affrontement, devait changer le cours de l'histoire.

S'arrêtant d'écrire, Richie revint quelques pages en arrière sur le portrait qu'il avait réalisé de Grigorovitch d'Estaing. Du doigt, il effleura les contours de son visage. Son poignet lui faisait mal. La musique gueulait dans les écouteurs, il monta encore le son, le stylo tomba par terre. L'esquisse n'était pas trop mauvaise, notamment le jeu de la lumière sur le plastron de cuirasse, et l'emblème du dragon combattant le phénix, adapté d'après un site de *fantasy* sur Internet. Richie referma le carnet et s'allongea entièrement, réglant le volume au maximum. La musique cognait contre ses tympans. À la fin du disque, il retira son casque et ouvrit le troisième carnet. Rich avait inséré une pochette en plastique sous la dernière page, qui contenait de précieux souvenirs : une photo de Nick, soûl, à la fête de Jenna, un bras au cou d'un Richie souriant ; quatre poses de Photomaton, prises à la galerie commerciale de Northland, les représentant Connie et lui, joue contre joue, avec son sourire outrancier, hystérique ; les cartes de vœux de son père et de sa grand-mère ; le billet déchiré du concert de Pearl Jam auquel Tracey l'avait emmené pour son treizième anniversaire. Enfin, tout au fond, la photocopie qu'il avait faite de la photo d'Hector, volée chez Rosie et Gary – Hector jeune, torse nu et mouillé au soleil, son profil héroïque, impassible, sous un ciel bleu turquoise : le modèle de Grigorovitch d'Estaing. Le papier était froissé, un des bords déchiré. Il faudrait en prendre soin, maintenant. Richie le sortit délicatement de la pochette, le tendit à bout de bras, lui donna vie, chair et os. Tournant la tête pour le regarder, l'homme entrouvrit la bouche et, fermant les yeux, Rich empoigna sa queue.

Il avait demandé à sa mère de le réveiller à sept heures. La voix de Tracey fendit le silence comme un ongle crissant sur un tableau noir. Rich changea de position en grognant. Il dut réussir à se rendormir, car il se réveilla de nouveau. Tracey frappait dans ses mains près de son oreille. Elle poussa un rire vache en le voyant bondir hors du lit.

— Quelle heure ?

— Sept heures et quart, dit-elle en ressortant de la chambre. Si tu n'es pas prêt et douché dans un quart d'heure, je ne t'emmène pas à la piscine.

Sept heures et quart. Un jour de lycée. Comme avant. Depuis la fin des cours, Richie n'avait plus émergé avant dix heures – midi la plupart du temps. S'il ne travaillait au supermarché que l'après-midi et le soir, Zoran, le directeur de personnel, avait laissé entendre qu'il pourrait faire quelques matinées après la rentrée des classes. Dormir de tout son soûl était une délivrance, dont il profitait sans vergogne, sachant qu'il n'en aurait sans doute plus l'occasion, puisque l'avenir allait s'emparer de lui, que les études, le travail, la vie redeviendraient maîtres de son organisme. Sept heures et quart. Il fila en slip à la salle de bains, ne resta sous la douche que le temps de se laver et de se brosser les dents. Les restrictions l'avaient forcé à changer ses habitudes : il aimait autrefois se prélasser sous le jet – malgré sa mère qui lui reprochait de gaspiller cette eau précieuse – et il finissait en général par une branlette. Plus aujourd'hui.

Tracey, qui l'attendait dans la voiture, le laissa quelques instants plus tard devant le YMCA.

— Merci, m'man, dit-il en claquant la portière.

Sans prendre la peine de se retourner, il la salua d'un geste et elle klaxonna.

On ne l'attendait pas chez Hugo avant neuf heures et demie, et Rich avait décidé de nager au moins quarante minutes. Avant le début des vacances, il s'était mis en tête de s'occuper de son corps, qu'il voulait plus ferme, plus athlétique. Un jour ou l'autre, comme Nick et Ali, il finirait par aller au gymnase, mais il n'était pas encore prêt. Rich, qui se sentait trop maigre, trop faiblard, n'avait jamais brillé en éducation physique.

Tout en se changeant, il repensa, ravi, à son cadeau. Un iPod. Super. Le gymnase serait peut-être plus supportable. Rich enfila son maillot et se jeta à l'eau.

Il s'était donné pour objectif d'atteindre les cent longueurs. Nick lui avait assuré que la natation permettait de travailler tous les muscles, qu'en se concentrant sur la vitesse et l'endurance on développait leur masse. En un peu moins de deux mois, Richie était arrivé à cinquante. Les plus pénibles étant les vingt premières – un exercice répétitif, éreintant. Il avait failli abandonner dès la première semaine, mais le spectacle de son corps maigrelet dans les glaces des vestiaires l'avait poussé à continuer. Rich avait découvert qu'en dépassant la vingtième longueur il entrait dans ce qu'il rechignait à appeler la « zone », parce-que-ces-connards-de-sportifs-au-lycée-en-parlaient-constamment. La zone était un espace hors du temps, dissocié de toute contingence. Un peu comme être défoncé, en plus hygiénique. Terminées, ces secondes monotones, ces minutes assommantes. Ici, il n'y avait plus de début ni de fin, ni de repères entre les deux.

Parfois, rarement, Nick l'accompagnait à la piscine. Mais c'était un peu gênant, et impossible d'accéder à la zone en sa présence. Le corps de Nick devenait envahissant, et Rich bien trop conscient de son propre désir. Certes, il n'osait pas le regarder franchement lorsqu'ils se changeaient ; ils se tournaient toujours le dos dans les douches. Quoique, incapable de se retenir, Rich l'observât en douce, volant chaque fois quelque détail de son anatomie qu'il savait aujourd'hui ordonner comme un puzzle. Une vague légère de poils blonds sous les testicules ; la tache de vin au-dessus du sein droit, d'un rouge presque vif ; le pénis boudiné de son ami, bien plus petit que le sien.

Arrivant, haletant, au bout de dix-huit longueurs, Richie se débattait comme un malheureux pour atteindre la magique vingtième, chassant de son esprit la belle queue de Nick, le profil presque parfait du maître nageur, debout devant le bassin vide des enfants. Dix-neuf. Il eut envie de laisser tomber, de rentrer, de se coucher. Il toucha le carrelage froid et roula dans l'autre sens. Vingt, la zone, ça y était. En effleurant le rebord de la piscine au bout de la cinquantième, il eut l'impression que le temps s'était arrêté. Il inspira profondément l'air tiède et replia les jambes pour se laisser couler, décidant de compter jusqu'à trente. À vingt et un, ses poumons se révoltèrent. Il refusa de flipper. À trente, il fendit la surface de l'eau, ramassa sa serviette et partit vers le spa.

Lequel était vide, à l'exception d'un vieux monsieur, asiatique, avec une peau de bronze. Richie se doucha rapidement pour se débarrasser de l'odeur du chlore, puis se glissa dans l'écume. Les jets lui pétrirent le dos. Se retournant aussitôt, il laissa avec plaisir l'eau chaude lui marteler le ventre. Puis il se hissa sur la pointe des pieds pour qu'elle atteigne ses cuisses et, se retournant encore, la raie des fesses. Un peu cochon, un peu pervers, mais toujours agréable, comme sensation. Se faire mettre, ça serait pareil ? Non. Un jour de frénésie masturbatoire, Rich s'était fourré plusieurs doigts dans le cul, et il s'était fait mal. Un sexe d'homme ne produirait rien d'autre. Il se remit face aux jets, le dos contre le mur, les bras étendus sur les rebords carrelés. Ses aisselles lui parurent vulgaires, poilues, grotesques, comparées à celles du vieux Chinois, presque entièrement glabre. Richie jeta un coup d'œil à travers la vitre. En sueur après une séance d'exercices, le débardeur trempé, un type ouvrait un casier.

Richie se raidit brusquement, bouche bée, en reconnaissant Hector.

Il le suivit du regard tandis qu'il récupérait son sac, refermait son casier, s'engageait dans le couloir des vestiaires. Lorsqu'il disparut au fond, les jets du spa perdirent de leur intensité, et finalement s'arrêtèrent. Il faudrait attendre quelques minutes avant qu'ils soient réactivés. Les autres jours, Richie faisait un tour au sauna. Pas aujourd'hui. Sa serviette en main, il se dirigea vers les douches.

Quand les vestiaires avaient été rénovés, au printemps dernier, on avait construit six cabines individuelles à la place des douches collectives. Hector, qui se lavait dans l'une d'elles, avait laissé la porte ouverte. Immobile, Richie étudia son grand corps, bien proportionné, ses fesses velues, et s'engouffra dans la cabine voisine juste avant qu'Hector se retourne. Il ouvrit le robinet d'eau froide qui, de fait, était glaciale, mais il s'en foutait. De l'autre côté, Hector avait fini. Sous le jet, Richie retira son maillot et décida de compter jusqu'à quinze, un nombre porte-bonheur.

Quinze, donc. Il sortit de sa cabine, entra dans les vestiaires.

Où il trouva Hector devant lui, nu, une serviette blanche, mouillée, sur les épaules. Osant à peine respirer, Richie le regarda, puis afficha un sourire timide, effrayé. Assurément perplexe, Hector lui sourit aussi.

— Bonjour, dit-il.

Ç'aurait été la voix de Grigorovitch d'Estaing, pleine, grave, sonore, cruelle.

Pour ne pas couiner comme une gonzesse, Richie hocha la tête sans prononcer un mot. Il aurait pu demander des nouvelles d'Aisha, des enfants. « Merde, comment ils s'appellent, déjà ? » Hector continuait de se sécher. Sachant qu'il n'en aurait plus jamais l'occasion, Richie le dévora des yeux – cou, torse, ventre, cuisses, jambes, sexe, couilles, genoux, coudes, doigts, mains. Et il s'efforcerait de bien s'en souvenir. Les poils denses et frisés autour des mamelons, la cicatrice rose, à peine visible sur le bras gauche, le testicule droit qui semblait plus rond, plus large que l'autre. Quand Hector se décalotta pour s'essuyer le gland, Richie banda brusquement, contre sa volonté. Sa queue était gonflée, énorme, horrible. Jetant un coup d'œil vers lui, Hector s'en aperçut et, aussitôt gêné, se détourna. Richie avait eu le temps de lire dans ses yeux quelque chose qui oscillait entre l'affliction et le dégoût.

Hector lâcha une obscénité inintelligible, suintant le dédain et la haine. Il se mit hors de vue de l'adolescent, qui était rouge comme une écrevisse. Richie avait envie de pleurer, et non, il ne fallait pas. Désespéré, il renfila son slip de bain et quitta les vestiaires en hâte. Son sexe, toujours dressé, menaçait de se glisser hors du maillot. Les mains sur l'entrejambe, Richie courut en faisant semblant d'avoir froid et il faillit tomber en arrivant devant le bassin, dans lequel il plongea, malgré l'interdiction affichée sur tous les murs. Aussitôt il commença à nager, à grandes brasses violentes, l'eau bouillonnant autour de lui. Cinquante nouvelles longueurs lui permettraient peut-être d'oublier Hector qui, sans le reconnaître, l'avait sûrement pris pour un détraqué. De ce fait, Rich aurait pu se réjouir : il ne dirait rien à Aisha. Ni Tracey ni Connie n'auraient vent de l'incident. Cela ne l'amusa pas, Hector ayant visiblement oublié qui il était. Rich n'était pour lui qu'un taré, un pédé ; et tout cela un rêve, un fantasme imbécile d'adolescent tordu. Et de nager, et de nager, longueur après longueur, à mouliner comme un beau diable, à chercher l'épuisement comme on attend son châtiment. Finalement, trop crevé pour poursuivre, il posa le front sur le carrelage froid du rebord. Salaud pourri naze.

Il se rendit chez Rosie en se maudissant, détestant ce corps qui venait de le trahir. Et il n'aurait pas dû courir : il aurait fallu rester, affronter Hector. « Je sais ce que tu as fait. Je *sais*. » Gary n'avait toujours pas réparé la sonnette. Rich frappa si fort qu'il s'écorcha un doigt.

— Tu es en avance, remarqua Rosie en ouvrant.

Il marmonna quelques mots incompréhensibles.

Hugo, qui regardait un DVD au salon, bondit le rejoindre. À cet instant seulement, quand les bras de l'enfant se refermèrent autour de son cou, Rich s'accorda un peu de répit. Il n'avait plus envie de s'éventrer, de se débarrasser de sa chair inutile, de son esprit dépravé. Il embrassa le gamin, se dégagea délicatement, sortit sa Ventoline de sa poche, plaça l'embout dans sa bouche et pressa deux bonnes fois sur l'aérosol. Enfin, il respirait, pouvait sourire au garçon qui l'observait d'un air anxieux.

— T'inquiète pas, p'tit gars. J'ai parfois le souffle court, c'est tout.

Rosie paraissait elle aussi soucieuse.

— Ça va. J'ai un peu forcé à la piscine, expliqua-t-il en s'affaissant sur le canapé. Où est Gary ?

— Il dort, s'esclaffa Hugo. Le samedi, il fait la grasse matinée et, si je le réveille, il dit qu'il va me botter le cul. Ça veut dire la fessée, conclut le gamin en se plaçant à côté de lui.

— Tu sais qu'il ne parle pas sérieusement, fit Rosie avec une moue.

En adoration devant Rich, Hugo ne répondit pas.

— On va dans le parc jouer au foot ?

— Oui, cria joyeusement Hugo, qui se mit à tourner autour de la table basse. *Kick to kick, kick to kick* !

Rosie fourra un billet de dix dollars dans la main de Richie.

— Il va vouloir une glace, murmura-t-elle. Mais tu lui prends un seul parfum, hein ?

Elle serra le jeune homme contre elle. Rosie sentait bon, le savon et cet arôme floral qui n'appartient qu'aux femmes. Elle ajouta :

— Tu en prends une pour toi, aussi.

Désireux de prolonger son étreinte, il hocha la tête. Malheureusement, Rosie n'insista pas. Football, *kick to kick*, une glace, une promenade. Richie n'en demandait pas plus : redevenir un enfant, un petit garçon. Pourquoi ne le gardait-elle pas dans ses bras jusqu'à la fin des temps ?

— J'aurai fini vers onze heures, dit-elle.

— Pas de problème. Je ne m'ennuie jamais avec Hugo.

— Parce qu'il ne s'ennuie pas avec toi.

— Non, parce que c'est un singe, répondit Richie en ébouriffant les cheveux du petit. Pas vrai, mon pote, que tu es un singe ?

— Non, je ne suis pas un singe, moi ! rétorqua Hugo avec un sourire joyeux.

Richie attendit avec Rosie dans la véranda pendant qu'il cherchait son ballon. Avec un soleil nu dans le ciel, c'était déjà une journée chaude. « Ne pas penser à Hector. » Football, *kick to kick*, glace au chocolat. « Tout sauf penser à lui. » Autrement, l'humiliation, profonde, le labourait.

Ils jouèrent dans le parc pendant une heure. Attentif à l'humeur du garçon, à son attitude, prêt à compliquer le jeu lorsque Hugo s'ennuyait, Richie s'abandonna à l'exercice physique et réussit à oublier les événements de la matinée. À les mettre de côté du moins.

Ils se dirigèrent ensuite vers Queens Parade pour manger leur glace. Hugo s'était lancé dans de longues explications à propos de *Pinocchio*, des Garçons perdus de *Peter Pan*, quand sonna le portable de Richie. Lenin envoyait un texto pour lui suggérer d'aller ensemble au boulot. Hugo regarda Richie écrire sa réponse. À contrecœur, ce dernier releva l'heure sur l'écran de son téléphone. Il était onze heures pile et il fallait ramener Hugo.

Lequel n'y tenait vraiment pas.

— Non, on reste là.

— Désolé, p'tit gars. J'ai promis à ta maman.

Boudeur, Hugo se mit à dessiner des ronds sur la table, en trempant ses doigts dans sa coupe glacée.

— Non, fit-il, provocant, je ne rentre pas.

« Je n'en ai pas envie non plus, mon bonhomme, je passerais ma vie ici avec toi. »

— Et si je te portais sur mon dos ?

Le visage d'Hugo s'illumina.

— Jusqu'à la maison ?

Richie hésita. À quatre ans révolus, ce petit était tout de même un peu grand.

— Jusqu'à ce que je tombe.

Le garçon réfléchit. « Tomber » voulait dire « être fatigué ».

Hugo repoussa sa coupe.

— J'ai fini, déclara-t-il avant de se lever.

Richie s'agenouilla et Hugo monta sur son dos.

— Merde, c'est que tu deviens lourd !

— Tu as dit un gros mot.

— C'est toi qui es gros, bouffi !

Hugo s'installa du mieux qu'il pouvait, les bras serrés autour du cou de Richie. La bouche contre son oreille, il murmura :

— Couille ! Bite !

— Tss, s'esclaffa Rich. Tu es prêt ?

— Prêt.

Richie poussa un hennissement et partit au petit trot, pendant que le gamin, ravi, s'égosillait contre ses tympans.

Au carrefour de Gold Street, Hugo cracha sur un vieil homme – un de ces gentlemen respectables comme on en voit parfois dans les films australiens d'après-guerre. Une espèce en voie d'extinction, portant veston, chemise repassée, cravate et, malgré la chaleur, un chapeau démodé sur le crâne. Côte à côte, Richie et lui attendaient que le feu passe au rouge. Malgré son âge, le digne vieil homme se tenait très droit. Il regarda Hugo et lui sourit.

— Je suis plus grand que toi, lui jeta le gamin.

— Avantage déloyal, dit l'homme en s'esclaffant.

Richie rit poliment, puis remarqua l'air soudain choqué du vieux monsieur. Anxieux, il pensa que celui-ci avait peut-être une crise cardiaque. Il était prêt à poser Hugo par terre lorsqu'il vit l'homme essuyer le trait de salive, mousseux, qui coulait sur sa joue. Passé la surprise, le gentleman n'affichait plus qu'un mélange insupportable de déception, de reproche et de résignation.

Hugo, narquois, éclata de rire.

— Je t'ai eu !

Le monsieur ne dit rien.

Levant la main, Rich saisit le bras du garçon.

— Hugo, excuse-toi !

Il se tourna vers le vieil homme.

— Désolé, monsieur.

— Non, fit Hugo, qui se trouvait très drôle.

— Hugo, excuse-toi tout de suite !

— Non.

Le garçon tenta de dégager son bras, mais Richie ne le laissa pas. Il tordit le cou pour essayer de le voir. L'un et l'autre grimaçaient.

— Demande pardon !

— Mais non, pourquoi ?

— C'est un ordre !

Comme le petit se débattait, Richie lui lâcha le bras et empoigna sa jambe, de peur qu'il fasse une chute. Il vit alors Hugo frapper du pied l'épaule du vieil homme. Une fois encore, celui-ci ne réagit pas. Le coup n'avait pas réellement porté, cependant le monsieur paraissait de nouveau choqué, résigné, excédé.

Son regard, semblait-il, accusait Richie qui, saisissant le gamin par la taille, réussit à le poser par terre et prit sa main dans la sienne. Comprenant qu'il venait d'aller trop loin, Hugo commençait à regimber en reniflant. Richie, furieux, lui aurait facilement broyé la main.

— Monsieur, fit-il d'une voix chevrotante. Je vous prie de nous excuser.

Le feu était passé au rouge, mais redevenait vert. Hébété, égaré, le vieil homme mit brusquement un pied en avant dans l'intention de traverser la rue. Des freins crissèrent, suivis par un klaxon strident. La main d'Hugo bien serrée dans la sienne, Richie emboîta le pas au monsieur, ignorant les exclamations des conducteurs, tous la main sur l'avertisseur.

— Tu me fais mal ! geignait le gamin, en larmes.

— Rien à foutre ! s'écria Rich qui, le tirant littéralement, dépassa le vieil homme.

Hugo tenta de se libérer, mais Richie pressa le pas.

— Tu me fais mal ! Tu me fais mal ! hurlait le gosse, rouge comme une pivoine.

Richie avait conscience que tout le monde le regardait : le vieil homme derrière lui ; les passants de Queens Parade, alertés par les cris d'Hugo ; les gens dans les voitures. Mais peu importe. S'il devait s'arrêter, il craignait de filer au petit monstre une dérouillée d'enfer, au risque de l'assommer. Alors il pouvait bien gueuler, Richie ne l'entendait plus. Ils longèrent la piscine, traversèrent North Terrace et atteignirent le parc. Trébuchant, gémissant, Hugo s'efforçait de ne pas tomber. À l'ombre des arbres,

Richie le libéra et, le regardant enfin, toujours fou de colère, faillit lui balancer : « Je vais t'arranger le portrait, moi, sale petit connard ! »

Les mots se figèrent dans sa gorge. Accablé, écarlate, Hugo tremblait de tous ses membres, comme au bord de l'asphyxie. Alors la honte, la peur s'emparèrent de Richie. S'agenouillant, il prit le gamin dans ses bras.

Hugo se cramponna à lui. Sans bouger, Rich attendit qu'il se calme, qu'il se taise. Les sanglots s'espacèrent, cependant Hugo ne le lâchait plus. Le repoussant doucement, Richie entreprit de lui nettoyer le visage. Faute de mouchoir, il pinça son nez entre ses doigts.

— Souffle ! lui dit-il.

Le garçon obéit. Rich essuya sa main dans l'herbe. Plein d'appréhension, Hugo l'observait en se massant le bras.

— Tu as mal ?

Hochement de tête affirmatif.

— Excuse-moi, p'tit gars. Tu m'as rendu furieux. Ce n'est pas bien, ce que tu as fait, tu le sais, quand même ?

Hugo continuait de se masser – un concentré de rancœur. Puis celle-ci s'estompa et, penaud, il baissa les yeux.

— Pardon, Richie.

Le grand lui reprit la main.

— Allez, mon pote, on rentre.

Hugo se remit à pleurer à peine sa mère avait-elle ouvert la porte. Elle le souleva et le couvrit de baisers.

— Que s'est-il passé ?

Hugo tâtonnait déjà à la recherche de son sein. Rich haussa les épaules et se détourna pendant que Rosie se dénudait.

En débardeur et pantalon de pyjama, Gary les rejoignit dans l'entrée.

— Qu'y a-t-il ? demanda-t-il sèchement.

Hugo suça un court instant le mamelon de sa mère, puis tendit l'index vers Richie.

— Il m'a fait mal.

L'adolescent recula vers la véranda.

— Je n'ai rien fait, affirma-t-il, résistant à la tentation d'incriminer Hugo, qui l'accusait injustement. Il a craché sur un vieil homme, alors je l'ai engueulé, voilà.

Les deux adultes semblaient stupéfaits. Rosie hocha la tête.

— C'est difficile à croire, dit-elle en caressant les cheveux du petit. Il t'a fait peur, le vieux monsieur ?

Richie en resta bouche bée. Sans répondre, Hugo se mit à téter.

Gary fit un pas au-dehors, sur le palier.

— Tu as craché sur quelqu'un ? demanda-t-il à son fils.

Ce dernier se blottit contre la poitrine de sa mère.

— Hugo !

Le cri les fit tous sursauter.

— Hugo ! répéta son père. Qu'est-ce que tu as fait, bordel ?

Le gamin commença à pleurnicher et Gary tenta de l'extraire des bras de sa mère. Elle l'esquiva et emporta le petit en courant dans le couloir.

Haussant les épaules, Gary se tourna vers Richie.

— Allez, viens boire une bière, mon vieux.

Il ouvrit deux canettes et lui en offrit une. Rosie avait mis la bouilloire sur le feu et fredonnait comme si de rien n'était.

— C'était super au yoga, annonça-t-elle à Rich, rayonnante, avant de prendre place près de lui.

Hugo, qui jouait avec un camion miniature de l'autre côté de la table, sourit subitement, posant sur le jeune homme un regard clair, presque taquin.

— Bien, lança Rosie à haute voix. Maintenant, c'est fini, tout le monde est ami.

Hugo se frotta le bras.

— Il m'a fait mal.

Sa mère fit un clin d'œil à Richie.

— Je suis sûre qu'il le regrette. Pas vrai, Rich ?

« Et le vieil homme, alors ? Et Hugo, son crachat ? »

Avec ses iris pâles braqués sur lui, Rosie contraignait Richie à s'excuser. Sentant des larmes brûlantes, inattendues, lui gonfler les paupières, il cilla pour les repousser. « Ne pleure pas, petite salope, s'ordonna-t-il. Je t'interdis de pleurer. »

— Navré, dit Rich, la gorge serrée.

Se rappelant le grognement méprisant d'Hector, puis le vieil homme à la dignité brisée, il ferma les yeux de toutes ses forces pour conjurer les deux images, les chasser de son esprit, nier leur réalité.

En vain cependant. D'irrépressibles sanglots éclatèrent. Rich pleurait, tout comme Hugo auparavant, exactement comme un bébé.

— Bois ta bière.

Sans oser regarder les deux adultes, Rich s'essuya les joues. Il obéit, but une gorgée, reposa sa canette. L'alcool avait le goût acide du lait caillé.

— On sait bien que ça ne te viendrait pas à l'idée de frapper Hugo.

Rassuré par le ton affectueux de Gary, Richie redressa la tête.

— Explique-nous simplement ce qui est arrivé, poursuivit Gary.

« J'étais mort de honte quand ton fils a craché sur ce vieux monsieur, voilà ce qui est arrivé. Comment ça peut se produire ? Et j'ai fait mal à Hugo, un tout petit môme. Pourquoi, pourquoi ? Je ne suis pas un salaud. »

Comment effacer le rictus dédaigneux, plein de haine, d'un homme dans les vestiaires ? Comment dissoudre ce souvenir ?

— J'ai vu Hector à la piscine, dit Rich.

Avant qu'il puisse les arrêter, les mots jaillirent comme un torrent, le débarrassant de son fardeau. Comprenant qu'il abordait là un territoire inconnu, dangereux, dans lequel il pouvait changer l'ordre des choses, Richie eut des sueurs froides. Gary, Hugo, Rosie devenaient minuscules, il les observait soudain de très, très loin. Il compterait jusqu'à quinze, oui, en retenant son souffle, puis il prendrait une décision. « Un, deux, trois… » Déconcertés, Rosie et Gary l'observaient. Quant à Hugo, assis sur les genoux de sa mère, il griffonnait, indifférent, sur une vieille facture de téléphone.

Gary dévisagea sa femme, puis l'adolescent.

— Qu'est-ce qu'il vient foutre là-dedans, Hector ?

« Huit, neuf, dix… »

— Il a fait quelque chose à Hugo ? continua Gary, affolé. Hector a fait quelque chose à Hugo ?

« Treize, quatorze… Non. À moi. *Moi*. Quinze. » Une nouvelle gerbe de mots.

— C'est pour Connie… Ce qu'il a fait à Connie, ce salopard…

Voilà. C'était dit.

— Mais il lui a fait quoi ? demanda Rosie, qui se leva, contourna la table et se pencha vers Richie. Il lui a fait *quoi* ?

Ce n'était pas une question, mais un ordre. Elle le secoua par les épaules.

— Des trucs. Il l'a forcée à faire des trucs.

Richie était paralysé. Les deux adultes se consultèrent du regard. Pendant un court moment, Gary parut jubiler, tel le footballeur qui vient de marquer un but. Il fronça les sourcils.

— Cet enculé de métèque, siffla-t-il à sa femme. Tes potes, là, ces snobinards pleins de fric. Un *pédophile*, voilà ce que c'est.

Quittant son siège d'un bond, il fila à toute vitesse dans le couloir.

Le mot était une gifle. Richie retenait son souffle. « Non, pas ce mot-là. Il n'en est pas de plus ignoble. »

Rosie se mit à pleurer et Hugo se hâta de retrouver ses genoux.

— Maman, maman, qu'est-ce qu'il y a ?

— Rien, mon bébé, ça va.

Calme, sérieux, le gamin se tourna vers l'adolescent.

— Je te pardonne, Richie, déclara-t-il solennellement, comme s'il avait répété sa tirade. Tu m'as pas fait très mal.

Gary réapparut dans l'encadrement de la porte.

— Allons-y.

Son épouse restait immobile. Il insista.

— Allez, on va lui dire deux mots, à ce fumier !

Richie était incapable de regarder Rosie, consternée, perdue. Cette fois, Gary lui arracha Hugo.

— Et on y va maintenant. Tu vas tout raconter à Aisha. Que cette arrogante pétasse ait une idée précise de ce que fait son mari.

Il se tourna vers Richie.

— Tu viens avec nous. Tu vas leur répéter exactement ce que tu nous as dit.

« Non. » Jamais il ne pourrait affronter Hector. Jamais.

— Mais elle travaille, le samedi ! s'écria-t-il, se rappelant que sa mère passait la journée à la clinique.

Si c'était Aisha, il pouvait faire face.

— Très bien ! tonna Gary. Dans ce cas, on va à la clinique.

Son fils dans ses bras, il souriait.

— On va voir la gueule qu'elle va faire en apprenant la vérité…

Gary posa une main sur l'épaule de sa femme, qui le repoussa.

— Allez, fit-il, plus doux. Ce serait plutôt à toi de le lui annoncer.

Rosie se leva.

— D'accord, admit-elle d'une voix sourde. Tu as raison. On va lui annoncer ça.

Tout sembla s'enchaîner au ralenti, et pourtant très vite. C'était cela, la relativité, la physique quantique, ces concepts impossibles à se mettre dans le crâne ? Richie eut l'impression d'une mise en place très rigoureuse, dans laquelle leurs gestes étaient réglés d'avance, répétés avec soin, de sorte que rien n'arrêterait le cours des choses. Ils montèrent dans la voiture, attachèrent Hugo sur le siège-auto, Rich boucla sa ceinture, ils débouchèrent dans High Street, se garèrent, poussèrent la porte de la clinique. Tous les sièges étaient pris dans la salle d'attente, qui sentait le chien et le désodorisant. À la réception, Tracey parut d'abord étonnée, puis inquiète.

— Qu'est-ce que vous venez faire, tous ?

Puis, haussant le ton :

— Eh, qu'est-ce qui se passe ?

— Où est Aish ? demanda Gary.

Tracey ignora la question.

— Chéri, qu'est-ce qu'il y a ?

— Où est Aish, merde !

Un des clients, chagriné, les observait. Un chien aboya.

— Tenez-vous correctement, je vous prie, répliqua Tracey. Vous êtes dans une clinique vétérinaire.

— Nous voulons voir Aisha, et maintenant, insista Gary.

— Elle est en consultation.

— Bien, dit-il, la bousculant presque et se dirigeant vers le bureau. On attendra.

— Vous n'avez pas le droit d'entrer là.

Gary poussa un rire mauvais.

— Je ne demanderais pas mieux que débiter tout le truc, là, dans la salle d'attente. Mais, croyez-moi, ça ne plairait pas à Aisha.

Trace et Gary se toisaient tels des guerriers dans un jeu vidéo. Elle hocha lentement la tête.

— Je vais l'informer de votre présence, fit-elle d'une voix tremblante.

Aish serait furieuse. Gary rit de nouveau méchamment et pénétra dans le bureau, suivi par Rosie qui tenait Hugo par la main. Richie allait les imiter quand sa mère l'arrêta.

— Veux-tu bien m'expliquer ? ordonna-t-elle.

Il haussa les épaules en signe d'impuissance.

Par bonheur, le téléphone sonna. Hésitant une seconde, Tracey finit par décrocher, puisque c'était son rôle. Rich se réfugia dans le bureau.

Hugo jouait avec un cheval miniature, représenté d'un côté en écorché pour révéler ses organes internes. Rosie s'était assise près de l'ordinateur ; Gary, debout, les bras croisés, exultait par avance, comme près d'exploser ; Richie s'accroupit sur le sol de la petite pièce encombrée. Tous quatre sursautèrent quand le téléphone sonna de nouveau. Le jeune homme entendit Tracey répondre dans la salle d'attente. Une porte coulissa dans le couloir, un chien glapit.

Aisha les rejoignit. Rich la savait plus âgée que sa mère, pourtant elle faisait plus jeune. Une fois de plus ravissante, même en blouse blanche, elle avait une peau lisse, souple, contrairement à Tracey et son visage ridé. Celle-ci réapparut près d'elle.

— Je suis navrée, ils m'ont forcée à…

— Décroche tous les téléphones, s'il te plaît, coupa Aisha. Présente nos excuses aux gens qui attendent. Dis-leur qu'on a une urgence, je reviens m'occuper d'eux aussi vite que possible.

Elle referma la porte et resta debout, sans un regard pour Gary, qui ne la quittait pas des yeux. Puis elle se tourna vers Richie, qui s'empourpra vivement. Les joues brûlantes, il fit un sourire mièvre.

Aish embrassa Hugo sur la joue.

— Comment vas-tu, Hug' ?

— Bien, répondit le petit, qui leva la tête vers son père.

Ignorant celui-ci, Aisha demanda à Rosie :

— De quoi s'agit-il ?

— De cet animal auquel tu es mariée.

Les mots étaient violents, mais devant Aisha, calme et sereine, Gary semblait moins sûr de lui, moins menaçant.

« Il la déteste, se rendit compte Richie. Il la hait carrément. »

S'esclaffant, elle fit mine de remarquer sa présence.

— Gary, ne sois pas idiot.

— Évidemment, dit-il. Ça pue pas quand il chie, Hector.

Elle tendit une main pour l'interrompre.

— Tu baisses le ton, je te prie. C'est un lieu de travail, ici.

— Tu savais que ton mari baisait Connie ?

L'aveu, l'horrible aveu. Richie avait la nausée. Revenant à l'instant, sa mère, bouche bée, avait entendu.

Aisha frémit. Paraissant un instant douter, perdre contenance, elle prit appui sur le dossier d'une chaise. Droite comme un I, elle s'adressa à Rosie :

— Je n'y crois pas une seconde.

Gary fit un geste vers Richie.

— Dis-lui.

Aisha dévisagea le jeune homme, toujours assis par terre. Prêt à disparaître en dessous, Rich contemplait l'affreux tapis vert.

— Qu'as-tu besoin de me dire, Richard ?

Elle fit exprès d'employer son prénom complet, pour qu'il se sente adulte, responsable – il le savait. Mais impossible de croiser le regard pénétrant de la vétérinaire, ou celui, troublé, de sa mère.

— Dis-lui, insista Gary.

« Ta gueule. Ta gueule. »

Ils perçurent un bruit de pas dans le couloir, un autre chien aboya, et la poignée de la porte se mit à tourner.

Pétrifiée, Tracey s'écria :

— On n'entre pas !

Elle n'avait pas refermé la bouche que Connie était là, sa tenue de travail repliée sur le bras. Elle posa les yeux sur Richie, qui, sonné, la mâchoire pendante, l'observa. Richie ignorait tout de l'histoire des religions, cependant Connie ressemblait à une messagère des cieux. Elle allait remettre les choses en ordre, elle trouverait un moyen. Connie se pencha vers Hugo, qui bondit pour l'embrasser. Puis, d'un air méfiant et craintif, elle étudia le visage des différents adultes.

— Qu'est-ce qui ne va pas ?

Tel un couperet, Aisha fendit le silence.

— Richie a l'air de croire qu'Hector t'a fait quelque chose, Connie… commença-t-elle d'un ton ferme et assuré.

Mais sa voix se brisa, et elle s'étrangla presque :

— … quelque chose de terrible. Est-ce vrai ?

Richie retint son souffle. C'était trop, trop, beaucoup trop. Il lui faudrait compter jusqu'à soixante, jusqu'à quatre-vingt-dix… La seule façon de redresser la situation. « Oui, quatre-vingt-dix. Commencer maintenant. Un, deux… »

Mais le monde se foutait de son arithmétique.

Connie trancha :

— Aisha, je te jure, je jure que je ne comprends rien à cette histoire. Mais alors rien du tout.

Jamais il ne l'avait vue épouvantée comme ça, fiévreuse, frénétique. Il la sentait presque trembler contre lui. Elle gémit, puis hurla carrément :

— Qu'est-ce que c'est que ces conneries, Richie ? Qu'est-ce que tu leur as dit ? Hein ? Qu'est-ce que tu as raconté ?

Les mots lui étaient interdits, l'air bloqué dans sa gorge. Où avait-il rangé sa Ventoline ? Affolé, Richie fouilla dans ses poches.

Gary répondit à sa place – un murmure guttural.

— Il insinue qu'Hector t'a violée.

L'œil rivé sur le tapis sale, les lèvres fermées sur son aérosol, Richie aspirait goulûment. Il n'oserait pas non plus braver Connie.

— Ce n'est pas vrai ! lâcha-t-elle entre deux sanglots. Aish, je jure que ce n'est pas vrai !

La rejoignant, Aisha lui passa un bras sur l'épaule.

— Je sais, ma chérie, je te crois.

Les mots suivants lacérèrent Rich.

— Il est obsédé par Hector, bafouilla Connie. Complètement malade. Des inventions, tout ça. Il t'a pris une photo.

Connie devait parler à Rosie. Rich se concentrait sur une agrafe, à moitié recouverte par le tapis. Il respirait de nouveau.

— Regarde tes vieux albums, chez toi. Il t'a piqué celle d'Hector. Il est taré, complètement malade, cria-t-elle à nouveau.

Connie lui fila un méchant coup de pied dans la jambe.

Richie n'émit pas un son, pas un cri.

— Pourquoi tu fais ça ? C'est quoi, ce jeu à la con ?

Il entendit Hugo commencer à pleurer.

— Rosie, je t'en prie, rentre avec ton fils. Il n'a pas besoin d'assister à tout ça, jeta sèchement Aisha.

Puis un autre sanglot. Qui ? Rosie ? Connie ?

Sa mère.

Il ne pouvait pas regarder, il n'osait pas regarder.

Rosie tentait de baragouiner quelque chose, mais les mots ne sortaient pas.

Alors Aisha explosa.

— Foutez-moi le camp, tous autant que vous êtes ! Ouste ! Hors de ma vie !

Ils obéirent. Brusquement, ils n'étaient plus là. Richie entreprit de dégager son agrafe. Il était soudain essentiel de la retirer. Quelqu'un risquait de se blesser en marchant dessus. Non, pas quelqu'un. Un chien.

— Debout !

Il hocha la tête. Ne bougerait pas. N'écouterait pas Tracey.

— Debout, Rick !

Il s'exécuta. Aisha tenait Connie dans ses bras. Elles l'ignorèrent. Il évita sa mère.

— Dis-moi, c'est vrai ? Tu racontes des histoires parce que… tu fais une fixette sur Hector ?

« Non, ne pas la voir. Ne pas entendre le dédain dans sa voix. »

« Elles doivent me détester. »

Il ne put que hausser les épaules.

— Oui, murmura-t-il.

Son propre aveu lui parut douteux, déplacé.

— Ce que tu me fais honte !

Enfin, il la regarda. Comme pour la première fois. Il aurait pensé qu'elle pleurait, mais non. Ses yeux étaient secs et furieux. Il ferma les siens quand Tracey leva la main.

La gifle lui fit l'effet d'un incendie. Il recula en titubant vers le bureau. Sa joue cuisait. Juste punition. Connie poussa un cri.

Le coup était violent, mais pas douloureux. En revanche, les mots l'étaient. Ne disparaîtraient jamais. Elle avait honte de lui. Putain, putain oui, il l'avait mérité. C'est alors qu'il prit ses jambes à son cou, traversant comme un courant d'air la salle d'attente, sous la mine stupéfaite des clients, des animaux, et puis la porte, la rue, le monde extérieur.

Courir, courir, courir. Le carrefour, sa maison, l'entrée en coup de vent, la salle de bains. Fouiller l'armoire à pharmacie. Le fracas des flacons sur le carrelage. Rich trouva une boîte de pilules, ne lut pas l'étiquette, la renversa dans sa main, avala tout d'un coup, la bouche sous le robinet, le flot dans sa gorge. Assis sur le bord froid de la baignoire, il comprit qu'il pouvait souffler. C'était bon, il entrait dans la zone. Alors il s'arrêta. Il n'y avait plus qu'à attendre.

Trois choses l'empêchèrent de mourir :

Le *tic-tic* des gouttes d'eau sur la porcelaine du lavabo.

Le rouge et or d'un rayon de soleil, décomposé par le Velux tacheté de poussière.

Sa mère se retrouverait seule sans lui.

Sortant son portable de sa poche, Rich commença à presser 0-0-0 quand il entendit claquer la porte d'entrée.

— M'man, cria-t-il. M'man !

Des pas retentirent avec force dans l'étroit couloir. Tracey fit irruption dans la salle de bains. Richie tendit les bras, le flacon vide dans une main, le téléphone dans l'autre.

Deux doigts dans sa gorge, et elle le fit vomir au-dessus de la baignoire. Il résista, se cabra, céda. Un mince filet de bile coula sur son menton et sur la main de Tracey. Parcouru de haut-le-cœur, Richie régurgita bouts de pain et pilules à moitié digérés, le liquide verdâtre continuant de se déverser sur l'émail, d'éclabousser la blancheur. Il trouvait si extraordinaire le calme de sa mère. Sûr de ne plus vouloir crever, il craignit les effets du poison. Tracey conduisit vite, quoique prudemment, jusqu'à l'hôpital d'Epping, aujourd'hui distant – maudissant chaque feu rouge, jurant contre l'État qui avait vendu l'établissement où il était né, autrefois au coin de la rue. Elle lui caressait la joue, lui demandait de décrire avec précision ce qu'il ressentait, douleur ou engourdissement. Éprouvant un étrange sentiment de paix, Richie s'attardait malgré lui sur la structure complexe des lumières et des sons. Zigzaguant d'une file à l'autre, Tracey dépassa toutes les voitures dans Spring Street.

— Chéri, dit-elle, le pied au plancher. Pardonne-moi de t'avoir giflé. Je ne le ferai plus jamais.

— Pas grave.

Il était sincère.

— Ça ne m'est jamais arrivé, hein ?

— Si, une fois ou deux.

— Non, dit-elle, convaincue. Ou peut-être quelques claques, quand tu étais petit.

Il hocha la tête, comprenant qu'elle y attachait de l'importance.

— Pour t'empêcher de toucher la flamme d'une bougie, se rappela Tracey. Tu as eu une fessée, un jour où tu étais grossier avec ta grand-mère. Mais je ne t'ai jamais frappé.

Vrai – puisque cela comptait pour elle. Richie fit la grimace ; il avait sur la langue le goût infect de la bile. Il posa une main sur son ventre.

— On est presque arrivés, le rassura sa mère, sans quitter la route des yeux.

— Je suis tellement désolé, m'man.

Pas moins vrai.

— Rich, je t'aime. Je suis fière de ce que tu es, dit-elle d'une voix cassée, ses doigts jaunis accrochés au volant, le rouge écaillé sur les ongles.

Elle se moucha avant de poursuivre.

— Mais ce que tu as fait à Hector, à Aisha, à Connie, c'est vraiment naze, mon gars, vraiment pourri.

Elle jeta un coup d'œil vers lui.

— On est d'accord ?

— Oui.

— Hector est le mari d'Aisha, et il aime sa femme. Jamais il ne t'aimera, toi.

« Non. »

Il retira sa main de son ventre. Pas de douleur pour l'instant. Ça irait, il s'en sortirait.

— Il ne sait même pas qui je suis.

Richie ferma les paupières. Un vent chaud lui fouettait le visage ; un vent brûlant, réconfortant.

— Je crois que je suis amoureux de Nick.

C'était dit.

Tracey prit sa main et la serra fort – la sienne était moite, huileuse, imprégnée de sueur.

— Oh, mon bébé, murmura-t-elle en lui embrassant les doigts. Mon petit garçon d'amour.

Les pneus crissèrent devant les urgences.

— Tu tomberas amoureux d'autres hommes, et beaucoup t'aimeront.

Tracey lâcha sa main et la voiture s'arrêta brusquement. Elle se garait sur une place interdite. Une jeune infirmière qui allumait une cigarette lui fit signe de la quitter. Trace l'ignora.

Il dit une dernière chose avant qu'on lui lave l'estomac :

— Tu ne devrais pas fumer, maman.

La lumière l'éblouit quand il se réveilla dans la chambre trop blanche. Richie referma les yeux, et une éternité s'écoula avant qu'il les rouvre. Lentement, soigneusement, il étudia les lieux, ce nouvel univers. Vaseux, il colla sa joue contre l'oreiller. Assise sur une chaise, sa mère lisait *New Idea*[1]. Sentant quelqu'un lui prendre la main, il se tourna de l'autre côté. Connie se dressait devant son lit.

— Salut.

Il avait dans la gorge un goût épouvantable de métal et de produits chimiques. Sa bouche sèche paraissait incapable d'articuler une syllabe. Le mot,

1. Magazine féminin.

lorsqu'il atteignit ses oreilles, semblait appartenir à l'obscur charabia des chrétiens fondamentalistes. Mais il avait produit un son. Tracey se précipita à son chevet.

Richie eut besoin de quelques minutes pour vaincre les effets persistants de l'anesthésie. Sans se soucier d'en renverser la moitié, il avala à grand bruit l'eau que sa mère lui fit boire. Étudiant la pièce à nouveau, il s'aperçut qu'un vieil homme regardait l'écran de télé fixé au mur ; il y avait à droite un troisième lit, à moitié caché par un rideau. Rich demanda à Tracey de le laisser seul avec Connie.

— Je vais me chercher un café, dit sa mère. Je vous rapporte quelque chose ?

Connie fit signe que non. Richie ne voulait que de l'eau. Difficile d'imaginer qu'il puisse un jour recommencer à manger quoi que ce soit.

— Tu as mal ?

« Oui, sans doute. » Tout son abdomen était engourdi, comme si son corps avait été coupé en deux. Il se faisait l'impression d'un de ces coyotes, de ces chats empotés qui, dans les vieux dessins animés, avaient le torse aplati par un énorme rocher, ou une centrifugeuse. Rich opina du chef en grimaçant.

Connie releva le drap et retira ses tennis. Quand elle s'allongea près de lui, Richie se rendit compte qu'il était nu sous une longue blouse blanche. Connie remit le drap en place. Le vieil homme à côté parut choqué, puis se retourna vers sa télé en rigolant. La mémoire de Richie réveilla brusquement un flot d'images – d'Hector, de Rosie et Gary, d'Aisha, de Tracey, le cauchemar dans le bureau à la clinique, cette douleur-là moins supportable que la souffrance physique. Il grimaça de nouveau.

— Désolé d'avoir lâché des trucs devant Rosie. Je n'aurais pas dû.

— Il ne m'a pas violée, murmura Connie, tête basse, gênée. Ce n'est pas ça qui s'est passé.

— OK.

Richie tenta d'humecter sa lèvre inférieure, craquelée, mais sa langue était aussi sèche.

— Excuse-moi d'avoir menti.

Il s'efforça de se rappeler. À quel mensonge faisait-elle allusion ? La vérité semblait indéchiffrable. Peut-être un jour Connie lui dirait-elle la vérité, mais ce n'était pas si important. En changeant de position, il eut un élancement dans le dos. Connie lui pardonnerait-elle de l'avoir trahie ?

— Et Aisha, ça va ?

— Elle est trop cool, répondit Connie, admirative. Vraiment trop cool. Elle ne t'en veut même pas. En revanche, elle est furieuse contre Gary et Rosie. Surtout Rosie.

Connie durcit le ton :

— Moi aussi, d'ailleurs.

— Ils n'y sont pour rien.

— Que si, affirma-t-elle, féroce. Ils se foutent bien de moi, non ? Ils seraient venus me voir d'abord, sinon. Ce qu'ils voulaient, c'est emmerder Aish. Des vrais tarés, ceux-là.

Et Hugo ? Le petit devait croire que tout était la faute de Rich – ce qui l'ennuyait. Il aurait tant aimé rester intact aux yeux du gamin. Mais celui-ci lui ressemblait beaucoup, donc c'était peu probable.

— Hector ? demanda Rich d'une petite voix effrayée. Il me déteste ?

Connie le chatouilla sous le sein, à l'endroit sensible, et Rich gloussa.

— Ton amoureux ?

— Ta gueule.

— Il n'est au courant de rien.

— Oh.

Enfin libéré, il se tassa dans son lit.

— Aisha gardera le silence. Elle pense qu'il n'a pas besoin de savoir, expliqua-t-elle, perplexe, un peu étourdie. Tu vois, même si je n'avais pas été là, je crois qu'elle n'y aurait pas cru de toute façon. Tu aurais pu dire n'importe quoi, ça n'aurait rien changé.

Elle continua en ouvrant de grands yeux – ils paraissaient énormes. Ses lèvres tremblaient.

— Aisha l'aime, tout simplement. Elle est certaine qu'il ne ferait jamais rien de pareil. Et elle a confiance en moi. Même de ma part, elle ne le croirait pas.

« Hector a le cul bordé de nouilles, pensa-t-il, à la fois triste et soulagé. Il y en a qui s'en sortent toujours bien. » Épuisé, confus, il apprenait une leçon. Mais que s'était-il passé entre Hector et Connie ? De l'avis général – Tracey, les profs, le monde entier –, la vérité s'apparentait au sacré : il fallait la vénérer, la respecter plus que tout. Aujourd'hui elle paraissait secondaire. Connie avait l'air de s'en foutre, et pour Richie c'était une certitude : « Rien à cirer. »

— Je suis fatigué, murmura-t-il.

« Taisons-nous. Restons simplement là, ensemble. »

Connie se tortilla pour sortir quelque chose de sa poche arrière. Une petite enveloppe qu'elle tendit à Rich. Il l'ouvrit : elle contenait un billet pour le Big Day Out[1].

— Un cadeau d'anniversaire de notre part à nous deux, Ali et moi. Un peu avant l'heure, quoi.

— Waouh.

1. Grand festival de rock qui a lieu chaque année en Australie et en Nouvelle-Zélande.

— *Waouh*, singea Connie. *Waouh*…

— Sortez-moi de ce lit, vous !

Les bras chargés de draps et de couvertures, une grosse infirmière à la mine revêche venait de jeter un coup d'œil dans la chambre. Connie s'exécuta. L'infirmière poursuivit son chemin dans le couloir en hochant la tête.

Les deux ados se mirent à pouffer, puis rirent franchement. Richie dut se forcer à arrêter ; ça lui faisait trop mal.

Il fallait voir le psychologue de l'hôpital pour pouvoir en sortir. Âgé d'une quarantaine d'années, l'homme avait une épaisse barbe à la Ned Kelly, des yeux pétillants qui rappelaient à Rich ceux de Nate dans *Six Feet Under*. Direct, il lui demanda pourquoi il avait tenté de se tuer. Richie essaya de trouver une explication – tâche qui se révéla trop ardue. Peut-être Connie avait-elle compris cela : la vérité manquait de mots. Le plus important était ce qu'il avait ressenti avec tant de force après avoir avalé les pilules. Il ne voulait plus mourir, et cela seul comptait. Sincère, sympathique, le médecin attendait patiemment. Pour ne pas le décevoir, Richie lui apprit qu'il avait du mal à accepter sa sexualité, ce qui l'avait poussé au suicide. Il mentait, mais c'était exactement la chose à dire. Se penchant vers lui, l'homme s'empressa d'affirmer que la sexualité avait de nombreuses formes, qu'être gay était parfaitement normal, que la diversité était le propre de l'humanité. Faisant mine de s'intéresser, Richie hochait la tête. Sympa, ce psy, il parlait comme un des bons profs au lycée. Un peu trop enthousiaste, peut-être. Il nota quelques numéros sur une feuille : l'assistance téléphonique à l'hôpital, la ligne d'écoute anonyme pour les gays et les lesbiennes. Richie empocha le papier, remercia sincèrement le bonhomme. Qui ne souhaitait qu'« apporter son aide ». Enfin, bon, c'était terminé, et tant mieux. Le psy signa un formulaire et Rich rejoignit sa mère dans la salle d'attente. Libre de rentrer chez lui.

Mardi après-midi, tout le monde avait ses résultats. Avec seulement 75,3, Rich ne pouvait entrer à l'université de Melbourne. Grâce aux listes d'attente, peut-être Deakin l'accepterait-elle, voire le RMIT[1]. Avec son 98,7, Connie intégrerait l'École vétérinaire. Nick avait 93,2. Un score brillant, mais insuffisant pour médecine. Rich avait appelé sa mère à la clinique – Tracey avait pleuré, se déclarant fière de lui –, puis il s'était rendu chez Nick. Ses parents avaient quitté leur travail pour fêter ses résultats à la maison. M. Cercic avait servi un whisky aux deux jeunes hommes, répétant à tue-tête que son fils était le premier Cercic admis à l'université. Mais Nick était déçu, fâché contre lui-même.

— Je peux sans doute faire sciences à Melbourne, annonça-t-il d'un air sombre.

Son visage s'éclaira.

— Si je travaille assez dur, je devrais pouvoir décrocher l'équivalence avec médecine en deuxième année, dit-il, plein d'espérance, en regardant Rich.

— Mais oui, tu y arriveras.

Nick se renfrogna.

— Et je serai endetté jusqu'à la fin de mes jours.

Rich haussa les épaules.

— Qu'est-ce que tu en as à foutre ? Le monde va exploser sans nous laisser le temps de rembourser une thune.

1. *Royal Melbourne Institute of Technology.*

Grâce aux bons soins de M. Cercic, les deux garçons étaient un peu soûls lorsqu'ils prirent le train pour retrouver Connie, Ali, Lenin, Jenna et Tina en ville. Ce jour-là, le pub irlandais ne demandait pas à voir leurs papiers. Ali avait obtenu 57,8, un résultat convenable pour la formation en construction mécanique qu'il voulait suivre au TAFE[1]. Jenna n'était pas sûre de ce qu'elle voulait faire. Comme Tina et Lenin, elle avait tout juste atteint la moyenne. Lenin n'en demandait pas plus. Souhaitant depuis longtemps devenir ébéniste, il avait décroché un apprentissage chez un Yougo qui dirigeait un petit atelier à Reservoir. Celui-ci exigeait cependant qu'il passe son VCE[2] avant de le prendre. Lenin semblait le plus heureux de tous. Richie se réjouissait de son score, cependant bien conscient des changements qui l'attendaient. Il ne verrait plus Nick chaque jour. Jenna reçut un coup de fil de Tara qui, bouleversée, était recalée. Tout le monde se tut en l'entendant se lamenter au téléphone. Les filles décidèrent d'aller la consoler, cependant Ali, Lenin, Nick et Richie continuèrent de boire verre sur verre. Dans le taxi qui les ramenait, Rich s'endormit entre Nick et Lenin, et le rire de ce dernier le réveilla : il ronflait sur son épaule. Le garçon dégageait une odeur de vestiaire, de football et de transpiration, âcre mais excitante, que le déodorant ne parvenait pas à masquer. Se redressant, étourdi, Rich s'excusa.

— Pas grave, fit Lenin avec un clin d'œil.

Quand, ce soir-là, Richie s'effondra tout habillé, il se cramponnait à cette odeur, ne voulait plus la lâcher.

1. *Technical and Further Education* : Enseignement supérieur technique.
2. Certificat d'éducation.

Le matin du Big Day Out, Rich, tout excité, bondit hors du lit avant la sonnerie du réveil. Il passa une heure à décider ce qu'il allait porter, enfilant et retirant tous ses vêtements l'un après l'autre ; pas de chemise à boutons, parce que c'était ringard ; aucun de ses T-shirts ne faisait l'affaire. Il demanda finalement à Tracey son vieux polo Pink Floyd The Wall à manches longues. Troué à l'épaule gauche, il le serrait un peu – la natation avait porté ses fruits –, et le visage déformé par le cri, décoloré, avait quelque chose d'un fantôme. Cool sans être trop cool, voilà qui plaisait à Richie. Il protesta quand sa mère, faisant irruption dans la salle de bains, fourra deux billets de vingt dollars dans sa poche revolver.

— Râle pas, dit-elle en reculant. Je veux que tu t'amuses, c'est tout.

— Merci.

Il ébouriffa légèrement ses cheveux, afin qu'ils paraissent négligés tout en restant coiffés. Grimaçant devant la glace, il traqua tout résidu alimentaire entre ses dents.

Trace le regardait.

— Tu es beau.

Assise sur le rebord de la baignoire, elle ouvrait et refermait constamment la bouche, comme si les mots refusaient d'en sortir. Après s'être raclé la gorge, elle aboya brusquement :

— Tu vas prendre de la drogue ?

Rich regarda l'image de sa mère, petite et effrayée, dans le miroir.

Il hocha lentement la tête.

— Tu vas prendre quoi ?

— De l'herbe, je suppose.

— Et puis ?

Il haussa les épaules.

— Des trucs.
— Quels trucs ?
— Des amphés. Peut-être un ecsta.
— Oh, mon chéri, dit-elle, tendant la main vers lui, puis la retirant. Alors, ça y est, tu es un grand, maintenant ?
Il la dévisagea d'un air méfiant. Était-elle fâchée ?
Se levant, elle l'embrassa rapidement sur la joue.
— Fais quand même attention.
Elle s'arrêta à la porte.
— Ils disent à la radio qu'il y aura des chiens renifleurs. Planque tes trucs dans ton cul.
« Dans mon cul ? Quelle horreur ! »
Elle pouffa dans le couloir.
— T'en fais pas. On n'arrêtera personne pour une pilule ou deux, dit-elle.
« Bien, très bien. Ferme-la, maintenant. Ça suffit. »
S'examinant une dernière fois, il aplatit une mèche rebelle qui s'obstinait à voler au-dessus de son sourcil gauche, puis il éteignit la lumière. Il était prêt.
Un coup d'œil à l'écran du portable. On ne l'attendait chez Connie que dans une heure. Sans résister à l'impulsion, Richie prit le tram jusqu'à Clifton Hill. Il voulait voir Hugo. Ses parents un peu moins. Le souvenir misérable de leur dernière rencontre aurait suffi à lui faire rebrousser chemin, mais il tenait vraiment à voir le petit. Richie préféra ne pas appeler d'abord. Gary et Rosie étaient capables de ne pas décrocher, de l'écouter bafouiller un message pathétique sur leur répondeur. Il poussa le portail en tremblant ; marcha jusqu'au perron ; inspira et compta jusqu'à quinze, seulement quinze. Il frappa et entendit Hugo courir dans le couloir. Le garçon ouvrit la porte et son visage s'éclaira d'un immense sourire.

— Richie ! cria-t-il, se cramponnant à ses jambes, si fort que Rich craignit de tomber.

S'adossant au cadre de la porte, il souleva le gamin ravi. Ignorant son babillage enthousiaste, il étudia – depuis le perron – le couloir plongé dans l'obscurité. Des cartons étaient soigneusement empilés contre un mur. À peine visible dans la pénombre, Rosie émergea de sa cuisine.

Mort de trouille, Richie déglutit, posa Hugo et s'efforça de sourire.

— Salut, marmonna-t-il.

Rosie apparut en pleine lumière, se mit à courir et l'enveloppa de ses bras ; elle le serra même si fort, si désespérément, qu'il se demanda un instant s'il n'allait pas s'évanouir !

Ils partaient. Un collègue de Gary avait été choisi pour la rénovation des thermes d'Hepburn Springs, et il l'avait pris dans son équipe. Ils allaient donc louer une maison un an à Daylesford, expliqua Rosie, parlant aussi vite que son fils, avec la même frénésie. Elle était ravie de quitter la ville, d'inscrire Hugo dans une école à la campagne, et Gary pourrait se consacrer à sa peinture. Celui-ci entra bientôt dans la cuisine, alluma une cigarette, salua vaguement Richie, le tout sans dire un mot. Assis sur les genoux de l'adolescent, Hugo interrompait parfois sa mère, dont Richie suivait avec peine le monologue. Il avait un bourdonnement dans le crâne ; il regardait sans arrêt le poster au mur. Le personnage masculin ressemblait à Gary, en plus beau, et sa compagne à Rosie, en moins jolie. Gary restait de marbre, et Richie n'osait pas se tourner vers lui. Il se sentait épié, comme sous le feu d'un projecteur.

— Il faut que j'y aille, dit-il, se hâtant de finir son thé.

Déçue, Rosie s'assombrit mais retrouva vite son entrain.

— Tu viendras nous rendre visite, n'est-ce pas ?

Hugo hochait vigoureusement la tête.

Rich jeta en vitesse un coup d'œil vers Gary, dont le visage osseux restait sévère et inflexible.

Hugo répondit à la place du garçon :

— Oh oui, il faut que tu viennes. Il faut !

— OK, mon pote, vendu, convint Rich.

Rosie l'embrassa ; Hugo, qui ne voulait pas le laisser partir, se cramponna à sa main jusqu'à la porte d'entrée. Son père les suivit sans rien dire, et Rich allait lui faire un signe d'adieu quand il lâcha d'une voix sourde :

— Tu as bien nos numéros, mon gars ?

Richie hocha la tête, serra la main que Gary lui tendit – un geste qui, il n'en douta pas, avait valeur d'excuse et de pardon.

Il ne se rendit pas chez Connie le cœur vraiment léger. Rich restait partagé entre la honte, la tristesse, et un sentiment empreint d'humilité qui semblait être du regret. Non, il n'était pas spécialement heureux mais, déchargé d'un lourd poids, content tout de même de les avoir vus.

Ce fut une des plus belles journées de sa vie. Ali s'était procuré du speed auprès de son frère Musta et, pour la première fois, Richie se shoota. Les seringues prêtes dans ses poches, Ali s'isola dans la salle de bains avec Connie et lui, pendant que Tasha préparait le déjeuner à la cuisine. Affolé, Richie se demanda s'il ne risquait pas sa vie, tandis qu'Ali lui frottait l'avant-bras avec un tampon imbibé d'alcool et, lui ordonnant de serrer le poing, tapotait l'épaisse veine bleue qui commençait à gonfler. Retenant son souffle quand l'aiguille lui troua la peau, Rich observa le minuscule écheveau de sang qui se déroula dans le canon de la seringue, puis la drogue s'engouffra dans sa veine.

— Le caoutchouc, dit Ali.

Rich défit le lacet noué sur son biceps. Un bourdonnement dans les oreilles, un picotement dans les cheveux, et il se mit à transpirer. Un courant électrique jaillit, qui le projeta dans un autre monde. La lumière dansait, plus vive qu'il ne l'avait jamais vue. Les sons se précipitaient dans son corps, il avait l'impression de les *toucher*. Ses membres chantaient, son esprit s'animait, son cœur battait, une sorte d'ivresse béate s'emparait de lui. Il regarda Ali, qui, soigneusement, affectueusement, répétait l'opération sur Connie, puis sur lui-même. Défoncés, émerveillés, ils s'observèrent l'un l'autre et partirent d'un tel fou rire que Tasha vint frapper à la porte. Ali rempocha vite seringues et tampons et, toujours hilares, ils la rejoignirent dans le couloir. Les étudiant un instant, elle fit une moue résignée, puis les poussa vers la cuisine.

Un enchaînement de souvenirs : l'arrêt de bus de Victoria Street ; Lenin et son T-shirt noir, marqué du drapeau australien, sauf que les couleurs des Aborigènes remplacent celles de l'Union Jack en haut et à gauche ; Jenna avec sa robe baby-doll et son maquillage gothique, qui distribue les X au fond du bus ; Richie qui lui donne ses trente dollars, devant le visage impassible d'une Éthiopienne voilée, assise en face de lui ; les rires, les parlotes incessantes tout le long du trajet ; les hordes de gamins en route vers les portes de Princes Park, la musique qui résonne autour d'eux, le soleil brûlant dans le ciel ; le beau flic jeune et blond qui tire sur la laisse d'un berger allemand, dont les yeux suivent

Richie, qui flippe, se met à suer, jusqu'à ce qu'il s'aperçoive que le chien l'a oublié, flaire déjà d'autres visiteurs ; le billet qu'il tend au jeune Indien, aux cheveux teints blanc albinos, devant le tourniquet ; la promenade dans le parc, le coup d'œil à la Boiler Room[1], les sons, les rythmes, les gens ; Connie qui prend sa main et, vite, ils courent voir Lily Allen, hurlent tous les trois, avec Jenna, les paroles de *LDN* ; Ali a réussi à faire passer de la vodka-coca dans une bouteille de Pepsi ; les cinq ados s'asseyent en cercle, boivent, fument, se marrent ; fendent une large foule pour se placer devant la scène au concert des Peaches, la folie à la fin, bondissant d'un seul corps, d'une seule voix sur le refrain de *Fuck the Pain Away* ; l'ecsta juste après, qu'ils sucent comme un bonbon, le coup de flotte piqué à Jenna pour l'avaler ; ils déambulent parmi les spectateurs, s'installent sur l'herbe le temps d'écouter My Chemical Romance ; Ali, Lenin et Connie attendant devant la grille de pouvoir entrer dans le *mosh pit*[2] ; Jenna qui partage une clope avec lui ; ils tentent d'aller voir les Killers, mais le cercle est plein, le feu rouge vif ; Rich longe l'assistance avec Connie, ils s'allongent dans l'herbe, main dans la main ; les premiers accords de *When You Were Young* semblent lui lacérer la peau ; Connie et lui gueulent les paroles ; tremblant, gelé, quand l'X commence à monter, Rich craint un instant de vomir, mais se concentre sur le ciel bleu, la musique qui l'entoure et paraît venir de très, très loin ; quand la peur et le froid s'évanouissent, il s'abandonne aux charmes exubérants et chaleureux de la chimie ; bras

1. Scène secondaire, dédiée à l'électro, aux groupes indés, etc. (littéralement « salle des chaudières »).
2. Cercle de danseurs particulièrement agités.

dessus bras dessous avec Lenin et Ali, il part voir The Streets, et les filles Hot Chip ; il essaie de marcher normalement, sans trébucher, certain qu'il a l'air complètement stoned, et heureux que Lenin veuille bien le soutenir ; tout ouïe à l'entrée de la Boiler Room ; les temps forts du premier morceau transpercent ses semelles, ses pieds, se glissent le long de son dos, et l'ivresse le précipite vers la scène ; Lenin est derrière lui, la foule s'ouvre devant eux, sans colère, sans haine, tout le monde n'est que sourire, et ils sont là soudain, tout près des musiciens ; dans l'explosion des sons, un autre monde se profile, la danse, le pogo, la profusion des corps et des mouvements ; il a les yeux fermés quand l'orchestre entame *Blinded by the Lights* ; claire et distincte, la voix de Lenin s'élève par-dessus la chanson et le public ; *lights are blinding my eyes, people pushing by, they're walking off into the night*[1] ; à l'apogée du rap, tout le monde s'accroupit, le chapiteau est inondé de lumière, le tempo accélère, un crescendo d'enfer, Rich bondit en l'air, en apesanteur, au-delà de son corps, c'est son âme qui danse ; *lights are blinding my eyes, people pushing by, they're walking off into the night* ; Lenin danse avec lui, il a retiré son T-shirt, leurs bras s'imbriquent ; moucheté d'épaisses boucles noires, son torse blanc est trempé, luisant, et sexy ; Richie n'avait jamais remarqué à quel point ; Ali les retrouve et ils forment de nouveau un cercle, bras et poings trouant l'air, des convulsions en rythme ; la musique s'arrête brusquement, un crépitement d'applaudissements, des ovations ; Rich croit s'être brisé la voix pour toujours, et ils repartent en frissonnant dans le parc ;

1. « La lumière m'aveugle, les gens se précipitent et disparaissent dans la nuit… »

Ali qui lui hurle à l'oreille : « Alors, ça roule ? », Richie hurlant à son tour : « Putain, trop fabuleux ! », Lenin qui n'en finit plus de rigoler, heureux, ravi ; le soir tombé, ils regardent les étoiles, puis le concert de Tool, pas terrible, qu'ils quittent avant la fin, l'ecsta qui commence à descendre ; Rich accompagne Connie dans le *mosh pit* pour voir Muse, bras étendus, s'imprégnant de la lune, de la voûte céleste, des garçons et des filles, la musique et l'orchestre, comme si tout n'était là que pour lui, dans lui, avec lui ; et de danser jusqu'au fond de la nuit, peu importe sur quoi, tant que ça dure ; avec Connie, sans se quitter des yeux, son corps si près du sien, se pencher pour l'embrasser, elle qui l'embrasse aussi, puis de nouveau chacun de son côté, le rythme se poursuit ; Ali, Lenin, Jenna sont là, mais le plus important est ce baiser, un baiser qui ressemble à une excuse et au pardon ; et puis la soirée se termine.

L'un des plus beaux jours de sa vie.

Ils décidèrent à la fin d'aller chez Ali. Ils avaient les membres endoloris d'avoir tant dansé, et il leur restait une longue marche depuis la gare de Royal Park. Ali habitait un petit bungalow au fond du jardin familial, doté d'une douche et d'une kitchenette. Mme Faisal ne s'était pas couchée. Elle leur avait préparé des légumes au four, un poulet entier avec une délicieuse sauce aux amandes, ainsi qu'une salade de pommes de terre aux épices. Richie, qui n'avait pas eu faim un seul instant de la soirée, se jeta sur la nourriture à peine il s'assit. Le regardant en riant, Mme Faisal dit quelque chose en arabe à son fils.

— Maman pense que tu devrais venir plus souvent. Elle se propose de t'engraisser…

— Avec plaisir, sourit Richie.

Se resservant sans rien demander, il se rendit compte qu'il était malpoli et, d'un air coupable, reposa le pilon dans le plat.

Mme Faisal le lui remit dans son assiette.

— Mange, mange ! ordonna-t-elle.

— *Choukran*, marmonna Rich, qui obéit volontiers.

Le repas terminé, elle les embrassa tous, les envoya au fond du jardin, et leur fit promettre de ne pas faire trop de bruit. Assis sur le perron du bungalow, Richie regretta l'absence de Nick et lui téléphona.

— C'était comment ?

— Fantastique !

— Le meilleur groupe ?

— The Streets.

— Ah ouais ?

— Ouais.

Rich posa le doigt sur l'épine d'un cactus.

— On est à Coburg, chez Ali. Tu veux venir ?

— Non, merci, je vais me coucher.

— Bon' nuit alors.

— On se revoit dans la semaine.

— OK.

Richie raccrocha et étudia le jardin. Les plants de tomates résistaient de leur mieux à la sécheresse ; des courgettes fleurs serpentaient dans le carré de légumes. Il entendit la porte s'ouvrir, reconnut l'odeur de la marijuana. S'asseyant près de lui, Lenin lui tendit le joint. Richie sentit l'odeur forte, salée, de son ami ; la jambe de celui-ci contre la sienne ; ils étaient collés l'un à l'autre sur la petite marche de ciment froid. Richie ne bougea pas. Une sensation de chaleur lui gagnait l'estomac, semblait descendre vers ses cuisses. Il se décala légèrement.

— C'était vraiment trop cool, hein ?

— Ouais, fit Richie, la bouche sèche.

Il se tourna vers son ami. Lenin tirait sur le pétard en regardant droit devant lui. Rich avait soif. Il allait saisir le joint quand, là, dans le noir, Lenin l'embrassa. Leurs lèvres se touchèrent à peine, rapidement, cependant pour Richie ce baiser avait le goût de tout le désir, de toute la peur qu'il ressentait. Il prit le joint. Gênés, les deux garçons se détachèrent l'un de l'autre.

— Je ne travaille pas mardi, murmura Lenin, qui chevrotait un peu. Et toi ?

— Non plus.

Compter jusqu'à dix, retenir son souffle. Les étoiles voilées du ciel de banlieue semblaient se moquer de lui ; il n'entendait que le vague et lointain ronronnement des voitures sur l'autoroute. Lenin retenait également son souffle.

— Tu veux passer ? On peut mater un DVD, ou faire un tour ? proposa-t-il, hésitant. Mais seulement si tu as envie, bien sûr.

— Oh ouais… couina Rich.

Une ombre tomba sur eux. Les bras croisés, Ali se tenait devant la porte.

— On peut l'avoir, ce joint ?

Ils rentrèrent tous trois.

Jenna avait mis un CD de Snow Patrol. Le lit d'Ali était juste assez grand pour les cinq ados. Connie se blottit contre Richie, qui lui caressa les cheveux. Près d'elle, Jenna chantait les yeux fermés les paroles de *Chasing Cars*, qu'elle passait pour la troisième fois. Lenin et Ali discutaient en aparté.

— Elle pense à Jordan, dit Connie tout bas, presque inaudible.

Richie écouta Jenna, qui avait une jolie voix.

— Je vais peut-être sortir avec quelqu'un, murmura-t-il à son tour.

— Qui ça ?

— Chut.

Il hocha la tête vers Lenin, qui poursuivait un dialogue animé, défoncé, avec Ali.

Connie se colla contre lui.

— Il est cool.

— Ouais.

La voix de Jenna, brisée, triste, si jolie, résonnait par-dessus les leurs.

Allongés sur une couverture qu'ils avaient détachée du lit, ils regardèrent ensemble l'aube poindre lentement sur Coburg. Se réveillant peu après, Mme Faisal constata, mécontente, qu'ils avaient veillé. Elle leur prépara un petit-déjeuner et leur ordonna d'appeler leurs parents pour les rassurer. À peine sorti de la douche, M. Faisal les raccompagna tous chez eux avant de se rendre à son travail.

Tracey avait laissé un mot pour Rich. Deux phrases simples : « J'espère que tu as passé une bonne soirée. Je t'aime. » Sans prendre la peine de se déshabiller ou de se brosser les dents, il retira ses tennis et s'effondra au lit. Incapable du moindre geste, il ne voulait qu'une chose : sombrer. Rich se demanda s'il y arriverait, si les drogues ne poursuivraient pas leur œuvre à son insu.

Fermant les yeux, il énuméra les certitudes qu'il lui restait. Deux seulement comptaient, et c'était pas mal comme nombre, deux. Tracey était la plus chouette mère du monde ; Connie et lui resteraient toujours amis.

Bientôt, inopinément, comme l'avenir qui s'approchait à pas de loup, le sommeil le gagna.

REMERCIEMENTS

Merci à Jessica Migotto, Jeana Vithoulkas, Spiro Economopoulos et Angela Savage qui, d'entrée de jeu, m'ont poussé dans la bonne direction.

Merci à Shane Laing, Alan « Sol » Sultan et Victoria Triantafyllou pour leur lecture critique des premières versions.

Merci à mes collègues de la clinique vétérinaire, tous si compréhensifs et coopératifs.

Merci à Fiona Inglis, Michael Lynch et (de nouveau) Sol, qui m'ont permis de rester solvable.

Merci à Jane Palfreyman et Wayne van der Stelt : votre confiance, vos encouragements et votre franchise me sont si précieux. *Evharisto*[1].

1. Grec : merci.

10/18, une marque d'Univers Poche,
est un éditeur qui s'engage pour
la préservation de son environnement
et qui utilise du papier fabriqué à partir
de bois provenant de forêts gérées
de manière responsable.

Impression réalisée par

La Flèche (Sarthe), 70129
Dépôt légal : mars 2012
X05540/04

Imprimé en France